MICHAEL FUCHS

ZEICHEN UND WISSEN

DAS VERHÄLTNIS DER ZEICHENTHEORIE ZUR THEORIE DES WISSENS UND DER WISSENSCHAFTEN IM DREIZEHNTEN JAHRHUNDERT

ASCHENDORFF MÜNSTER

BEITRÄGE ZUR GESCHICHTE DER PHILOSOPHIE
UND THEOLOGIE DES MITTELALTERS

Texte und Untersuchungen

Begründet von Clemens Baeumker
Fortgeführt von Martin Grabmann und Michael Schmaus

Im Auftrag der Görres-Gesellschaft
herausgegeben von Ludwig Hödl und Wolfgang Kluxen

Neue Folge
Band 51

Gedruckt mit Unterstützung
der Görres-Gesellschaft zur Pflege der Wissenschaft

© 1999 Aschendorffsche Verlagsbuchhandlung GmbH & Co., Münster

Gesamtherstellung: Druckhaus Aschendorff, Münster, 1999

Gedruckt auf säurefreiem, alterungsbeständigem Papier ∞

ISBN 3-402-04002-6

Meinen Eltern

Danksagung

Die vorliegende Studie wurde durch vielfältige Unterstützungen ermöglicht, die ich in den Jahren ihrer Entstehung erfuhr. Mein Dank gilt zuerst dem Betreuer dieser Dissertation, Herrn Professor Dr. phil. Ludger Honnefelder, für die intensive Beratung und für wertvolle Anregungen. Weiter möchte ich Herrn Professor Dr. theol. Hans Jorissen dafür danken, daß er meine ersten Studien zum Themenbereich mit mir diskutiert und mich zur Fortsetzung und Vertiefung dieser Beschäftigung ermutigt hat. Anregungen oder Kritik zu einzelnen Teilen oder zum ganzen Vorhaben verdanke ich darüber hinaus Herrn Professor Dr. phil. Gerhard Krieger, Frau PD Dr. phil. Mechthild Dreyer, Herrn Dr. phil. Christoph Horn, meiner Frau, Dr. jur. Andrea Fuchs, sowie den Mitgliedern der Arbeitsgemeinschaft „Kritische Scholastikforschung" an der Rheinischen Friedrich-Wilhelms-Universität Bonn.

Dem Cusanuswerk danke ich für die ideelle und finanzielle Förderung meines Promotionsvorhabens.

Mein Dank gilt schließlich auch Herrn Professor Dr. theol. Ludwig Hödl und Herrn Professor Dr. phil. Dr. h.c. mult. Wolfgang Kluxen für die Aufnahme der Arbeit in die Reihe der „Beiträge zur Geschichte der Philosophie und Theologie im Mittelalter" sowie der Görres-Gesellschaft für die Übernahme der Druckkosten. Herrn Professor Kluxen möchte ich zudem besonders dafür danken, daß er schon in den ersten Semestern meines Studiums in Bonn bei mir das systematische Interesse für die Geschichte der Philosophie im Mittelalter geweckt hat.

Inhalt

Einleitung

Der Begriff des Zeichens gehört zu jenen Begriffen der Philosophie, die nicht in dieser selbst entwickelt worden sind, sondern ihren Ursprung in der Sprache des Alltags haben. Nach dem alltäglichen Verständnis ist das Zeichen eine Entität, die für eine andere Entität steht und zu deren Erkenntnis führt. So steht ein Verkehrszeichen für eine Handlungsaufforderung an den Verkehrsteilnehmer, die Landkarte für ein wirkliches Land oder das Krankheitssymptom für eine Krankheit. Daß indes die Handlungsaufforderung verstanden, das Land richtig vorgestellt und die tatsächliche Erkrankung erkannt wird, setzt eine Vertrautheit mit den jeweiligen Zeichen und eine Erfahrung mit dem Zusammenhang zwischen den Zeichen und dem Bezeichneten voraus. Kaum problematisch hingegen scheint es in diesen lebensweltlichen Zusammenhängen zu sein, daß das Zeichen überhaupt für etwas anderes steht und darauf hinweist. Nur ein Narr schaut, so sagt ein chinesisches Sprichwort, auf den Finger, wenn jemand damit auf den Mond zeigt.

Eine philosophische Reflexion auf das Zeichen kann sich mit der in diesem Sprichwort zum Ausdruck kommenden lebensweltlichen Vertrautheit mit dem Zeichencharakter von Seiendem nicht begnügen. Sie muß vielmehr fragen, wodurch sich der Vernünftige von jenem Narren unterscheidet und wie seine Zeichenkompetenz aufgefaßt werden muß. Indem sie aber nach dem Zeichen fragt, sondert die Philosophie nicht einen bestimmten Bereich der Wirklichkeit aus; sie nimmt keine ontologische Scheidung zwischen Dingen und Zeichen vor. Sie fragt vielmehr, wie es überhaupt möglich ist, daß wir uns durch etwas auf etwas beziehen.

Die Philosophie des 20. Jahrhunderts hat diese Frage vor allem im Rahmen der Sprachphilosophie erörtert. Sowohl analytische Philosophie als auch Hermeneutik und Strukturalismus sehen in der Sprache das unhintergehbare Medium und den zentralen Gegenstand philosophischer Reflexion. In philosophiehistorischer Perspektive ist diese Hinwendung zur Sprache als Transformation der Philosophie gedeutet worden. Das kantische Projekt der Kritik der reinen Vernunft durch die reine Vernunft werde, so heißt es, in eine Kritik der sprachlichen Vernunft

durch die sprachliche Vernunft überführt.[1] In den letzten Jahrzehnten ist
indes die Überzeugung gewachsen, daß diese sprachphilosophische
Wende in den größeren Rahmen einer Zeichentheorie gestellt werden
sollte, die sprachliche und nichtsprachliche Zeichen berücksichtigt. In
dieser Zeichentheorie, die unter dem Titel einer Semiologie, einer Sema-
tologie, meist aber einer Semiotik erscheint, hofft man eine umfassende
Grundlagentheorie für unser Erkennen und Handeln zu finden. Wie
schon für den *linguistic turn*, so ist auch für die semiotische Neuausrich-
tung der Philosophie kennzeichnend, daß sie über die Grenzen der philosophischen Schulen hinweg stattfindet. So lassen sich außer in der
Hermeneutik[2] und in der analytischen Philosophie[3] auch in der Tran-
szendentalphilosophie[4], in der Phänomenologie[5] und im Neostruktura-
lismus[6] semiotisch orientierte Entwürfe der Philosophie erkennen.

Das philosophische Interesse am Zeichen wird in der gegenwärtigen
philosophischen Diskussion gefördert durch die fortschreitende Er-
schließung des umfangreichen Werks von Charles Sanders Peirce[7]. Dieser
machte den Zeichenbegriff zum zentralen Begriff der Logik, aber auch
der Ethik und Ästhetik. Der sachliche Grund für die philosophische At-
traktivität des Zeichenbegriffs liegt wohl darin, daß man durch ihn sowohl den lebensweltlichen Bezug zur Wirklichkeit als auch den Forschungsprozeß in den ausdifferenzierten wissenschaftlichen Systemen auf
einen Nenner bringen kann, der gleichermaßen einen naturalistischen
Reduktionismus wie eine idealistische Isolation des Subjekts vermeidet.
Der Erkenntnis- und Forschungsprozeß ist für Peirce ein Zeichenprozeß,
eine Semiose, für die sowohl das erkennende Subjekt als auch die Wirklichkeit in ihrer Widerständigkeit konstitutiv sind. Die Überlegungen von
Peirce, auf die im Rahmen dieser Arbeit nicht näher eingegangen werden soll, erscheinen als Zielpunkt einer Entwicklung, die sich bei den
Denkern des Mittelalters ankündigt.

Gerade mit der Rede von einer linguistischen oder einer semiotischen
Wende wird die Frage nach dem Zusammenhang zwischen der zeitgenössischen Semiotik und älteren wirkungsgeschichtlich bedeutsamen

---

[1]   Vgl. K.O. Apel, Transformation der Philosophie, Bd. 2, 155-435 sowie H. Schnädelbach,
      Bemerkungen über Rationalität und Sprache.
[2]   E. Holenstein, Semiotische Philosophie.
[3]   E. Runggaldier, Zeichen und Bezeichnetes. Sprachphilosophische Untersuchungen zum
      Problem der Referenz.
[4]   G. Schönrich, Zeichenhandeln. Untersuchungen zum Begriff einer semiotischen Ver-
      nunft im Ausgang von Ch.S. Peirce.
[5]   D. Münch, Intention und Zeichen.
[6]   R. Barthes, Éléments de sémiologie.
[7]   Dazu G. Schönrich, Optionen einer Zeichenphilosophie; H. Pape, Erfahrung und Wirk-
      lichkeit als Zeichenprozeß.

Zeichentheorien virulent. Im Rahmen der historischen Selbstvergewisserung der zeitgenössischen Semiotik hat sich dabei nicht nur gezeigt, daß diese Semiotik viele Vorläufer in der Neuzeit hat. Vielmehr gibt es auch schon vor dem Aufkommen des Terminus' 'Semiotik' bei Johann Heinrich Lambert und John Locke allgemeine Theorien des Zeichens und vor allem viele Untersuchungen zu philosophischen und wissenschaftlichen Fragestellungen, die von der Sache her als semiotisch zu charakterisieren sind. Diese Parallelen sind zum Teil zufälliger Art. Zum Teil lassen sich aber eindeutige Rezeptionstrassen aufzeigen. Beispielhaft hingewiesen sei auf die Rezeption mittelalterlicher Philosophie und Logik durch Ch.S. Peirce[8] und den Rückgriff F. de Saussures[9] auf Theoreme der philosophischen Tradition.

Gleichwohl ist die Entwicklung semiotischer Systeme in ihrer Abfolge von der Antike zum Mittelalter und zur Neuzeit bislang nicht erforscht. Darstellungen zur Geschichte der Semiotik der Antike und des Mittelalters sind meist als Sammelwerke konzipiert; sie stellen einzelne Querschnitte und nur selten Entwicklungen und deren Gründe dar.[10] Dies gilt auch für Michel Foucault, für den allerdings die Auflösung der Geistesgeschichte in autarke Parzellen keine pragmatische Entscheidung, sondern philosophisches Programm ist. Foucaults diachrone Darstellung der Semiotik, wie seine Darstellung des Wissens und der Wissenschaften überhaupt, ist auf das Herausstellen der Diskontinuität, des radikalen Bruchs zwischen verschiedenen Systemen des Wissens und verschiedener Weisen des Weltverhältnisses, ausgerichtet. In „Les mots et les choses" beschreibt Foucault den Wechsel von einer symbolistischen zu einer repräsentationalistischen Weltauffassung. Während nach der symbolistischen Weltauffassung die Dinge durch mannigfache Ähnlichkeitsbezüge miteinander verbunden seien und Wissen im deutenden Erfassen dieser Ähnlichkeiten bestehe, sei der Bezug zwischen Zeichen und Bezeichnetem nach der repräsentationalistischen Konzeption nicht notwendig ein Ähnlichkeitsbezug. Vielmehr sind danach gerade arbiträre Zeichen ge-

---

[8] Vgl. etwa zur Scotus-Rezeption bei Peirce: L. Honnefelder, Zum Begriff der Realität bei Scotus und Peirce; ders., Scientia transcendens, 382-402.

[9] Vgl. E. Coseriu, L'arbitraire du signe; P. Schmitter, Das Wort als sprachliches Zeichen bei Platon und de Saussure.

[10] Vgl. L. Brind'Amour/E. Vance (Hrsg.), Archéologie du signe; J. Evans (Hrsg.), Semiotica mediaevalia; A. Eschbach/J. Trabant (Hrsg.), History of semiotics sowie M. Baratin/F. Desbordes (Hrsg.) Signification et référence dans l'antiquité et au moyen âge; U. Eco/C. Marmo (Hrsg.), On the medieval theory of signs; R. Haller, Untersuchungen zum Bedeutungsproblem in der antiken und mittelalterlichen Philosophie; U. Eco, Signification and denotation from Boethius to Ockham.

eignet, ein wissenschaftliches System zu konstituieren. Foucault stellt diesen Wechsel der Auffassungen vom Zeichen für den Ausgang der Renaissance und den Beginn des klassischen Zeitalters fest. Don Quichote exemplifiziert für ihn einen Menschen, der diesen Wechsel der Weltauffassungen nicht vollzogen hat, der also mit überkommenen Deutungsschemata an die Dinge herantritt und dadurch für seine Zeitgenossen lächerlich wird.[11]

Joël Biard hat in mehreren Arbeiten zur mittelalterlichen Geistesgeschichte Foucaults Konzept der epistemischen Diskontinuität aufgegriffen.[12] Für ihn tritt, anders als für Foucault, die Ablösung der symbolistischen Semiologie bereits früher, nämlich mit dem Werk Wilhelms von Ockham ein. Ockham stellt für ihn den Wendepunkt von der theologisch-kosmologischen Zeichenauffassung Augustins zum semiologischen, für die Logik und in der Logik konzipierten Zeichenbegriff des 14. Jahrhunderts dar.[13] Wie für Foucault ist auch für Biard das Konzept der Ähnlichkeit zwischen Zeichen und Bezeichnetem das charakteristische Element der symbolistischen Semiologie und Epistemologie. Biards umfangreiche Arbeiten enthalten eine Vielzahl wichtiger Ergebnisse und Überlegungen. Sie können jedoch insgesamt der Komplexität der geistesgeschichtlichen Entwicklung nicht gerecht werden. Durch die Konzentration auf Ockham und seine Wegbereiter werden wichtige Linien der Philosophiegeschichte übergangen. Biard läßt insbesondere die Bedeutung des mittelalterlichen Aristotelismus außer acht. Thomas von Aquin wird von ihm nur in einer knappen Randbemerkung erwähnt.[14]

Ockhams Neubegründung der Semiotik ist nicht ohne Parallelen in der Wissenschaftslandschaft seiner Zeit. Die neuere Forschung zur Geschichte der Medizin hat gezeigt, daß sich am Ende des 13. und zu Beginn des 14. Jahrhunderts im Rahmen der Kommentare zu Galens Tegni eine wissenschaftstheoretische Aufwertung des Zeichens und ein besonderes Interesse für die medizinische Semiologie beobachten läßt.[15] Die

---

[11] Vgl. M. Foucault, Les mots et les choses, 32-91.

[12] L'émergence du signe aux XIIIe et XIVe siècles; Logique et théorie du signe au XIVe siècle; La redéfinition Ockhamiste de la signification.

[13] M. Kaufmann schließt sich der Einschätzung Biards, Ockhams Werk stelle die entscheidende Wende in der Geschichte von Semiotik und Semantik dar, an (vgl. Begriffe, Sätze, Dinge. Referenz und Wahrheit bei Wilhelm von Ockham, 1f., 123ff.).

[14] Vgl. J. Biard, L'émergence du signe, 85f.

[15] P.G. Ottosson, Scholastic medicine and philosophy. A study of Commentaries on Galen's Tegni (ca. 1300-1450), 195-246. Zur Bedeutung der Medizin für die Aristotelesrezeption und die Genese des hochscholastischen Wissenschaftskonzepts im allgemeinen vgl. A. Birkenmajer, Le rôle joué par les médecins et les naturalistes dans la réception d'Aristote

philosophischen Voraussetzungen hierfür sind jedoch, ebenso wie die Voraussetzungen für Ockhams Semiotik, noch nicht zureichend geklärt. Angesichts der großen Fülle neuerer Arbeiten zur Logik und Semantik des Mittelalters ist es erstaunlich, daß bislang weder zu Albertus Magnus, noch zu Thomas von Aquin oder Johannes Duns Scotus Darstellungen ihrer Semiotiken vorliegen.[16] Gerade solche Untersuchungen erscheinen jedoch notwendig, wenn die semiotische Leistung Ockhams, der seit geraumer Zeit das Hauptaugenmerk bei der Erforschung der mittelalterlichen Semiotik gilt, angemessen gewürdigt werden soll.

Die vorliegende Arbeit möchte hierzu einen Beitrag leisten, indem sie maßgebliche Texte zur Semiotik aus der Zeit vor Ockham untersucht. Die Auswahl der Autoren und Texte ist dabei von der Hypothese geleitet, daß die Epistemologie und die Semiotik des 13. Jahrhunderts durch den Aristotelismus und die augustinische Tradition geprägt sind. Um die daraus resultierenden Diskrepanzen angemessen darstellen zu können, wurde mit Bonaventura ein bedeutender Vertreter der augustinischen Tradition und mit dem früher Robert Kilwardby zugeschriebenen Kommentar zu Priscianus maior ein charakteristisches Beispiel für die Rezeption der aristotelischen Wissenschaftstheorie gewählt; am Beispiel von Thomas von Aquin und von Roger Bacon, die nicht ohne weiteres einer der Traditionen zugeordnet werden können, soll zudem untersucht werden, ob sich für das 13. Jahrhundert Wechselwirkungen zwischen beiden Konzeptionen und Ansätze der Vermittlung aufweisen lassen. Zielperspektive der Untersuchung ist somit nicht, ein – notwendigerweise lückenhaftes – Tableau der semiotischen Entwürfe des dreizehnten Jahrhunderts zu erstellen, sondern vielmehr, repräsentative und charakteristische Beiträge herauszustellen. Eine Klärung der Fragen, welcher Ort innerhalb der vorgeschlagenen Typologie und welche Rolle für die weitere Entwicklung der Semiotik den Werken von Albert dem Großen[17] und Johannes Duns Scotus[18] zukommt, muß späteren Forschungen vorbehalten bleiben.

---

au XIIe et XIIIe siècles, sowie P.O. Kristeller, Beitrag der Schule von Salerno zur Entwicklung der scholastischen Wissenschaft im 12. Jahrhundert.

[16] Daß es gerade die bedeutenden Theologen und Metaphysiker des 13. Jahrhunderts sind, denen sich die semiologische Forschung bislang nicht zugewendet hat, muß insbesondere angesichts des Hinweises von J. Derrida auf die essentiell theologische Ausrichtung des Zeichenbegriffs verwundern (vgl. De la grammatologie, 25).

[17] Da eine verläßliche Edition der Schriften Alberts zur Logik bislang nicht vorliegt, muß für eine solche Untersuchung zunächst die erforderliche Textgrundlage geschaffen werden.

[18] Für die Analyse einige Aspekte der allgemeinen Zeichentheorie bei Scotus ist die Habilitationsschrift Heideggers (Die Kategorien- und Bedeutungslehre des Duns Scotus) nach

Während zur allgemeinen Semiotik des Thomas eine umfassende Darstellung fehlt, gibt es eine Fülle von Arbeiten zu einigen speziellen Bereichen und Problemen der Semiotik, insbesondere zur Sprachtheorie und zur Theorie der Sakramente. Unter semiotischem Gesichtspunkt wurde die Sakramententheologie des Thomas von Aquin insbesondere von E. Güttgemanns behandelt, der von Thomas aus Verbindungslinien zu Jacques Lacans Theorie des Signifikanten zieht.[19] Güttgemanns Betonung der Materialität des Signifikanten ist allerdings nur mit Bezug auf die Sakramentenlehre, nicht hingegen auf die thomanische Semiotik als ganze berechtigt.

Die Arbeiten zum thomanischen Sprachverständnis sind derart zahlreich, daß sie in einem knappen Überblick nicht vorgestellt werden können.[20] Dabei hat die Forschung insbesondere das Verhältnis von Sprachlogik und Theologie, das Problem der Analogie und der Namen Gottes beschäftigt.[21] Der Fülle von Arbeiten mit spezieller Fragestellung steht ein Mangel an umfassenden Darstellungen zur thomanischen Sprachphilosophie gegenüber. Der Versuch einer monographisch angelegten Gesamtsicht ist seit der Arbeit von F. Manthey aus dem Jahre 1937 nicht mehr unternommen worden, obwohl die Arbeit zum Teil auf der Grundlage nichtauthentischer Schriften argumentiert und auch in ihrem philosophischen Fragehorizont stark zeitabhängig ist. Von höherem philosophiehistorischem Anspruch ist die fast gleichzeitg erschienene Aufsatzfolge von V. Warnach, die den thomanischen Beitrag zur Sprachphilosophie im Kontext der älteren Sprachreflexion behandelt, jedoch leider Fragment blieb.[22] In jüngster Zeit hat J. Hennigfeld im Rahmen sei-

---

wie vor instruktiv. Die Überlegungen Heideggers müßten allerdings auf eine korrigierte Quellenbasis gestellt und systematisiert werden. Einige Hinweise gibt der jüngst erschienene Aufsatz „Common sources for the semiotic of Charles Peirce and John Poinsot" von M. Beuchot und J. Deely. Der dort angekündigte Band „Peirce and Scholasticism" der beiden Autoren wird möglicherweise zusätzliches Material bieten (vgl. Common sources, 566, Anm. 75).

[19] E. Güttgemanns, Die Differenz zwischen Sakramenten und „Zeichen-Körpern" bei Thomas Aquinas.

[20] Vgl. A. Keller, Arbeiten zur Sprachphilosophie Thomas von Aquins.

[21] Grundlegend zu diesem Untersuchungsbereich: M.-D. Chenu, Grammaire et théologie aux XIIe et XIIIe siècles. Aus der Fülle der Einzeluntersuchungen seien genannt: R. Schönberger, Nomina divina. Zur Theologischen Semantik bei Thomas von Aquin; K. Riesenhuber, Partizipation als Strukturprinzip der Namen Gottes bei Thomas von Aquin; R. Teuwsen, Familienähnlichkeit und Analogie.

[22] Erkennen und Sprechen bei Thomas von Aquin. Ein Deutungsversuch seiner Lehre auf ihrem geistesgeschichtlichen Hintergrund; Das äußere Sprechen und seine Funktionen nach der Lehre des hl. Thomas von Aquin.

ner Darstellung der Geschichte der Sprachphilosophie in Antike und Mittelalter Thomas von Aquin ein umfangreiches Kapitel gewidmet.[23] Deutlicher als alle früheren Arbeiten würdigt er die zeichentheoretische Grundlegung des thomanischen Sprachverständnisses. Er stellt deshalb den Beitrag des Dominikaners zur Sprachphilosophie unter das Motto „Die Aufwertung des Zeichens". Hennigfeld kommt dessen ungeachtet zu dem kritischen Fazit, daß in den thomanischen Behandlungen der Sprache letztlich augustinische und aristotelische Elemente unvermittelt nebeneinanderstehen.[24]

Schon É. Gilson hat in seinem umfangreichen Werk zur Philosophie des Bonaventura die Bedeutung des Zeichenbegriffs für dessen Denken mit Nachdruck herausgestellt.[25] Gilson zeigt Bonaventura als hervorragenden Exponenten einer symbolistischen Weltsicht, die mit großem Phantasiereichtum Zeichenhaftigkeit aufspürt. Er macht damit auf eine wichtige Eigenart im Denken Bonaventuras aufmerksam. Gilsons Hinweise sind in der jüngeren Forschung mehrfach aufgegriffen worden.[26] U. Leinsle hat das Begriffspaar Zeichen und Ding sogar als Ansatzpunkt für seine breit angelegte Darstellung zu Bonaventura gewählt.[27] Er betrachtet das Zeichen jedoch vor allem als zentrale theologische Kategorie und entwickelt die Zeichentheorie nach einem heilsgeschichtlichen Ordnungsschema. Für die Geschichte der Semiotik und die Frage nach der Funktion des Zeichenbegriffs in der Entwicklung der Epistemologie bleibt Leinsles Zugang zu Bonaventura vor allem deshalb letztlich unbefriedigend, weil er ungeachtet des von Bonaventura selbst gebrauchten Zeichenbegriffs von einer universalen Zeichenhaftigkeit bei Bonaventura spricht. Leinsle übersieht die eingegrenzte Bedeutung, die den Zeichen nach Bonaventura in unserem Erkennen zukommt.[28]

Die Literatur zum Priscian-Kommentar des Ps.-Kilwardby beschränkt sich auf einige Aufsätze, die den Ort dieses Textes in der semiotischen Debatte der Zeit nur unzureichend bestimmen. Roger Bacon ist derzeit der einzige Autor des dreizehnten Jahrhunderts, der bei den Historio-

---

[23] J. Hennigfeld, Geschichte der Sprachphilosophie. Antike und Mittelalter, 189-235.

[24] A.a.O., 234f. In ähnlicher Weise geht U. Eco in dem Artikel „Aquinas, Thomas" des Encyclopedic Dictionary of Semiotics von einer Serie nicht vermittelter semiotischer Konzepte aus.

[25] É. Gilson, La philosophie de saint Bonaventure.

[26] W. Rauch, Das Buch Gottes, 117-127; A. Speer, Triplex veritas, Wahrheitsverständnis und philosophische Denkform Bonaventuras, 109-113.

[27] U. Leinsle, Res et Signum. Das Verständnis zeichenhafter Wirklichkeit in der Theologie Bonaventuras.

[28] Vgl. dazu a.a.O., 10, 12, 139.

graphen der Semiotik eine größere Aufmerksamkeit gefunden hat. Die
einschlägigen Traktate sind vielfach analysiert und zum Teil auch überzeugend gedeutet worden. Bislang nicht untersucht ist aber die Bedeutung der Baconschen Zeichentraktate für seine Konzeption der Wissenschaften und für seine Methode wissenschaftlichen Argumentierens.

§ 2 Zur Methode

Ausgangspunkt der Untersuchung sind die Texte der ausgewählten Autoren, die das Zeichen behandeln. Dies geschieht, wie zu zeigen sein
wird, bei Thomas von Aquin, Bonaventura, Roger Bacon und Ps.-
Kilwardby in verschiedener Weise. Während Bacon dem Zeichen einen
eigenen Traktat und Ps.-Kilwardby die Einleitungskapitel seines Priscian-
Kommentars widmet, thematisieren Thomas und Bonaventura das Zeichen aus sehr unterschiedlichen Anlässen. Die Untersuchung geht diesen disparaten Thematisierungsweisen nach und versucht, die einschlägigen Traktate und Textpassagen im Zusammenhang jener Fragekontex-
te zu deuten, in die sie durch den jeweiligen Autor gestellt sind.

Solche Deutung verlangt, wenn sie nicht bloße Duplikation, sondern
verstehende Aneignung sein will, den Gebrauch zeitgenössischer Wissen-
schaftssprache. Insbesondere der Rückgriff auf die Terminologie und auf
Kategorien der modernen und zeitgenössischen Sprachphilosophie und
Semiotik kann zur Klärung der mittelalterlichen Begriffe und Unterscheidungen beitragen. Solche terminologischen Querverweise drängen
sich oftmals geradezu auf und fordern zu vorschnellen Parallelisierungen
heraus. Die in der Untersuchung aufgegriffenen terminologischen Ana-
chronismen – wie erwähnt ist bereits der Begriff „Semiotik" für die mittelalterliche Philosophie ein solcher – sind indes ausschließlich in der
genannten Weise als Deutungs- und Verstehenshilfen verwandt. Sie sollen nicht als Ansatz zu einer vergleichenden Philosophiegeschichte verstanden werden. Ein solcher Vergleich kann vielmehr erst im Anschluß
an die Deutung der zu vergleichenden philosophischen Entwürfe erfolgen, wenn er wirklich eine Gegenüberstellung der Systeme und nicht nur
isolierter Elemente ist. Er kann deshalb im Rahmen dieser Arbeit nicht
geleistet werden.

Eine Sonderstellung unter den philosophischen Begriffen nehmen in
der vorliegenden Untersuchung die Termini „Zeichen" und „Bezeichnung" ein. Grundsätzlich gilt auch für die philosophiehistorische Untersuchung des Zeichens, daß sie sich nicht auf einen einzelnen Ausdruck –
etwa auf das σημεῖον (signum, sign) – beschränken darf. Die durch den
Zeichenbegriff benannte Relation kann vielmehr auch mit Hilfe anderer

Ausdrücke festgehalten werden. Dies ist in der Geschichte der Philosophie tatsächlich geschehen.[29] Für das 13. Jahrhundert allerdings gilt, daß der Zeichenbegriff die zentrale semiotische Kategorie darstellt. Eine philosophiegeschichtliche Untersuchung der Semiotik dieser Zeit muß daher die Auseinandersetzung der Autoren mit dem Zeichenbegriff, seiner Definition und Klassifikation sowie seinem Gebrauch in den philosophischen Argumentationen beachten. Sie kann nicht einfach, wie dies mitunter geschieht, über die von den Autoren gewählte und reflektierte Terminologie hinwegsehen. Gerade am Zeichenbegriff und seiner Extension erweist sich zugleich der Status, den die Autoren der Semiotik zubilligen. Die begriffsgeschichtliche Betrachtung ist darum unverzichtbar, die philosophische Reflexion kann indes bei ihr nicht stehenbleiben. In der vorliegenden Untersuchung soll die begriffsgeschichtliche Perspektive zu einer problemgeschichtlichen Klärung hinführen. Wie im Titel angedeutet, geht es daher nicht um das Zeichen an sich, sondern um das Verhältnis von Zeichen und Wissen bzw. von Semiotik und Epistemologie. Dieses Verhältnis zu bestimmen ist Absicht der philosophischen Auseinandersetzung um das Zeichen im 13. Jahrhundert.

§ 3 Zum Gang der Untersuchung

Aus der Art und Weise, in der bei den Autoren des 13. Jahrhunderts die Frage nach dem Zeichen dargeboten wird, erklärt sich, daß die Tradition dieser Fragestellung und der Diskussionsstand bei den behandelten Autoren nicht so dokumentiert wird, wie dies gemäß scholastischem Methodenbewußtsein für viele andere Fragestellungen geschieht. Die Interpretation muß explizit machen, was für die Semiotiker des 13. Jahrhunderts den zum Teil unausgesprochenen Hintergrund der zeichentheoretischen Argumentation und Debatte bildet. Diese Darstellung der theoretischen Voraussetzung beschränkt sich in der vorliegenden Arbeit auf lediglich zwei Stränge semiotischer und wissenstheoretischer Reflexion, nämlich auf die aristotelische und auf die augustinische Tradition, die für alle philosophischen Richtungen des 13. Jahrhunderts grundlegend sind.

Sowohl das augustinische Werk als auch das aristotelische sind in den letzten Jahrzehnten vielfach zum Gegenstand semiotischer Untersuchungen gemacht worden. Wenn gleichwohl einige Erörterungen verhältnismäßig ausführlich gehalten sind, so liegt dies in der anhaltenden

---

[29] So muß etwa im Blick auf den Neuplatonismus der Symbolbegriff von einer Geschichte der Semiotik mit erfaßt werden und im Blick auf die neuere Semiotik der Begriff des Signals.

Kontroverse zu zentralen Fragen der hier begegnenden Semiotik, ihrer Originalität, ihrer Einheit, ihrer philosophischen Funktion und schließlich auch ihrer Wirkung auf die Scholastik begründet. Gleiches gilt für die Erforschung der hellenistischen Philosophie und Semiotik, die zwar allem Anschein nach nicht unmittelbar von den scholastischen Autoren rezipiert wurde, die aber in ihren verschiedenen Strömungen in die augustinische Synthese einging. Diesen hellenistischen Strömungen mußte auch deshalb besondere Aufmerksamkeit zukommen, weil sich in den Auseinandersetzungen der verschiedenen Schulen die Diskrepanzen der Semiotik des 13. Jahrhunderts in verschiedener Hinsicht vorgeprägt finden.

Weder Aristoteles noch Augustinus konnten im Rahmen der Untersuchung mit ihrer gesamten Wirkungsgeschichte dargestellt werden. Es werden daher wichtige Zwischenstationen der Überlieferung dort erwähnt, wo sie für das Verständnis der antiken Texte im 13. Jahrhundert relevant sind. So wurde beispielsweise auf die Aristotelesdeutungen von Ammonius und Boethius aus Anlaß der Interpretation des thomanischen Perihermeneiaskommentars Bezug genommen. Gleichfalls schien es unverzichtbar, im Zusammenhang der Bonaventurainterpretation und der Darstellung der allgemeinen Sakramententheologie Thomas von Aquins auf die Neugestaltung des augustinischen Sakramentenverständnisses durch Hugo von St. Viktor einzugehen. Verhältnismäßig knapp sind Hinweise auf Avicenna und Averroes, die offenbar die medizinische Semiotik des lateinischen Mittelalters stärker beeinflußt haben[30] als die philosophische und theologische Diskussion über das Zeichen.

Die Untersuchung der Voraussetzungen eines so komplexen Feldes wie der hochscholastischen Zeichentheorie auf zwei Traditionsstränge zu beschränken stellt naturgemäß eine Vereinfachung der tatsächlichen Wirkungsbeziehungen dar. Sie läßt die vielfältigen Berührungen zwischen den Traditionen nur unzureichend erkennen. Der Leser wird vor allem eine vertiefte Bezugnahme auf das neuplatonische Denken vermissen.[31] In der Tat muß man hervorheben, daß neuplatonische Weltsichten über ihre Wirkungen auf Augustinus hinaus und zum Teil unabhängig hiervon das mittelalterliche Denken nachhaltig geprägt haben. Die Semiotik des 13. Jahrhunderts kann im Spannungsfeld der Wissenschaftslehre des Aristoteles, der Zeichentheorie Augstins und des Symbol- und

---

[30] Vgl. dazu die Hinweise bei A. Maierù, „Signum" dans la culture médiévale, 64-66; P.G. Ottosson, a.a.O., 198f.

[31] Zur Bedeutung der neuplatonischen Tradition für die Semantik in der Früh- und Hochscholastik vgl. L.M. de Rijk, On ancient and medieval semantics and metaphysics, sowie ders., Die Wirkung der neuplatonischen Semantik.

Bilddenkens des Pseudo-Dionysios Areopagita gesehen werden. Von wirklich ausschlaggebender Bedeutung für die Semiotik und Epistemologie ist die ps.-dionysische Konzeption allerdings nur bei Bonaventura. Thomas von Aquin, dessen Nähe zum Neuplatonismus die neuere Forschung mehrfach hervorgehoben hat[32], setzt sich in seiner Semiotik deutlich von neuplatonischen Konzeptionen ab. Angesichts der sehr unterschiedlichen Rezeptionsvorgänge schien es deshalb ratsam, einige grundsätzliche Bemerkungen zur neuplatonischen Kosmologie an die Bonaventurainterpretation anzuschließen.[33] Ergänzende Hinweise zu Ps.-Dionysios finden sich unter Bezug auf die Engellehre bei Thomas von Aquin. Schließlich wird auch bei Roger Bacon neuplatonisches Gedankengut aufzuweisen sein[34], ähnlich wie bei Thomas bleibt dies jedoch ohne unmittelbare Wirkung auf die Gestalt der Zeichentheorie.

Die Analyse der Zeichentheorien des 13. Jahrhunderts beginnt mit Bonaventura und wird mit Roger Bacon und Ps.-Kilwardby fortgeführt. Wie zu zeigen sein wird, setzen die Autoren sehr unterschiedliche Akzente und verfolgen mit der Formulierung einer Semiotik auch divergierende Zwecke. Sind es bei Bonaventura und Roger Bacon eher die augustinischen Vorgaben, die für diese Semiotik entscheidend werden, bei Ps.-Kilwardby hingegen die aristotelischen, so versucht Thomas von Aquin beiden Traditionssträngen Geltung zu verschaffen und verweist beide gleichermaßen in ihre Schranken. Thomas erörtert sowohl sprachliche als auch nichtsprachliche Weisen der Zeichenverwendung; er bezieht sich auf das gesamte Spektrum der kommunikativen und inventiven Erkenntnisvermittlung durch Zeichen und ist bestrebt, dies alles unter einen einheitlichen Zeichenbegriff zu subsumieren. Die Untersuchung greift dies auf, wobei die Sprachtheorie wegen ihres paradigmatischen Charakters für die Zeichentheorie als Einstieg gewählt wird.

Die Defizite der bisherigen Forschung machten es erforderlich, den semiotischen Beiträgen Thomas von Aquins besonderes Augenmerk zu schenken. Diese Gewichtung drückt sich auch im Umfang der jeweiligen Analysen aus. Der Vergleich mit seinen Zeitgenossen zeigt jedoch darüber hinaus, daß diese Gewichtung auch von der Sache her begründet ist. Die Ergebnisse der Thomas-Analyse und die Gegenüberstellung der vier Ansätze ergeben ein Fazit, das hinüberleitet in einen Ausblick auf die weitere Entwicklung der Zeichentheorie.

---

[32] Vgl. dazu v.a. K. Kremer, Die neuplatonische Seinsphilosophie und ihre Wirkung auf Thomas von Aquin.

[33] Vgl. Zweiter Teil, Kap. 1, § 4.

[34] Zum neuplatonischen Hintergrund bei Bacons Lehrer Grosseteste vgl. J. McEvoy, The sun as res and signum.

§ 4 Zur Relevanz

Es gehört zu den Üblichkeiten der neueren mediävistischen Forschung, auf die Frage nach der bleibenden Aktualität der behandelten Materie einzugehen. Davon kann auch hier keine Ausnahme gemacht werden, denn die Relevanz einer Untersuchung zur Semiotik des 13. Jahrhunderts ließe sich gleich von mindestens zwei antagonistischen Positionen her bestreiten.

Zunächst könnte man einwenden – wie gegen die philosophiehistorische Forschung überhaupt und die Erforschung der mittelalterlichen Philosophie im besonderen –, daß solche lediglich antiquarischem Interesse folge und mit Denkvoraussetzungen und -inhalten zu tun habe, die von den unseren so verschieden sind, daß hier nur von übertriebener Mühe gesprochen werden könne. Eine genauere Betrachtung der Phänomene zeigt allerdings, daß neben dieser Divergenz der Denk- und Lebensformen zugleich eine Nähe in manchen Fragestellungen und Ergebnissen beobachtbar ist. Viele der vermeintlich spezifisch neuzeitlichen oder modernen Fragestellungen werden gerade durch die Erforschung ihrer mittelalterlichen Genese erhellt.[35] Die philosophiehistorische Forschung soll der Distanz Rechnung tragen, die Fremdheit des Denkens, seiner Fragestellungen und Lösungen nicht einfach unterschlagen, dennoch aber vorhandene Kontinuitäten aufweisen und dadurch einen philosophischen Dialog mit den mittelalterlichen Autoren möglich machen.[36]

Für den speziellen Fall der philosophiehistorischen Erforschung der Semiotik im Mittelalter kommt zu dieser allgemeinen Begründungsproblematik eine weitere hinzu. Denn gerade wenn man erkennt, daß die Semiotik keine auf das Mittelalter beschränkte Disziplin ist, sondern eine in höchstem Maße aktuelle, dann fragt sich, ob diese Aktualität nicht eher Modeerscheinung als Resultat gründlicher philosophischer Reflexion ist. Gerade vor dem Hintergrund des heutigen Interesses an der Semiotik muß demnach kritisch gefragt werden, ob diese Aktualität nicht zu einem falschen Vorverständnis der mittelalterlichen Autoren verführt. Hinzu kommt die Frage nach dem philosophischen Ertrag der semiotischen Fragestellung. Die vorliegende Untersuchung begegnet diesen

---

[35] Vgl. dazu L. Honnefelder, Transzendentalität und Moralität. Zum mittelalterlichen Ursprung zweier zentraler Topoi der neuzeitlichen Philosophie.

[36] Zu den Aufgaben und methodologischen Problemen einer philosophiehistorischen Erforschung des Mittelalters vgl. W. Kluxen, Leitideen und Zielsetzungen philosophiegeschichtlicher Mittelalterforschung; M. Dreyer, Was ist Philosophiegeschichte des Mittelalters?

Schwierigkeiten, indem sie die Texte selbst ins Zentrum stellt und nach den geistesgeschichtlichen Voraussetzungen fragt, unter denen diese stehen. Sie zeigt auf, daß es die Frage nach der Möglichkeit des Wissens für einen endlichen Verstand ist, durch die nun das Zeichen für Augustinus und mit ihm für das lateinische Mittelalter zum philosophischen Problem wird. Die thomanische Antwort, in der Verwiesenheit auf Zeichen das Strukturmerkmal endlichen Erkennens zu sehen und an ihr die Vermitteltheit des Wissens zu explizieren, ist nicht nur philosophisch nach wie vor beachtlich, sie stellt zudem die Vorwegnahme eines zentralen Topos' modernen Philosophierens dar.

Erster Teil

Die Grundlagen der mittelalterlichen Semiotik in den Werken von Aristoteles und Augustinus

Ein unverzichtbarer Schritt jeder historischen Selbstvergewisserung der Semiotik ist die Sichtung des aristotelischen Werks. Hierbei treten zwei für die Geschichte der Semiotik gleichermaßen bedeutsame Reflexionskomplexe zutage: die Reflexion auf die Sprache bzw. auf sprachliche Zeichen sowie die Erörterung der Zeichenschlüsse. Da Aristoteles beide Theoriestücke nicht aufeinander bezieht, spricht man angemessener von zeichentheoretischen Fragmenten als von einer Zeichentheorie oder Semiotik. Hier soll zunächst die Theorie der Zeichenschlüsse und sodann die Sprachtheorie in einigen wichtigen Zügen rekonstruiert werden. Danach wird nach deren innerem Zusammenhang zu fragen sein. In einem weiteren Schritt werden Augustins Semiotik und ihre Grundlagen im Hellenismus untersucht.

§ 1 Die aristotelische Theorie der Zeichenschlüsse

Die Theorie der Zeichenschlüsse findet sich im Schlußkapitel der Ersten Analytiken.[1] Sie erscheint dort nicht als integrativer Teil, sondern eher als Nachtrag zur Syllogistik.[2] Die Interpretation steht vor der Schwierigkeit, daß die Verwendung der Termini und der gedankliche Aufbau nicht immer eindeutig sind.

Aristoteles führt den Schluß aus dem Zeichen (σημεῖον) zugleich mit dem Schluß aus dem Wahrscheinlichen (εἰκός) ein. Beide zusammen bezeichnet er als Enthymem.[3] Der Terminus „Enthymem" ist ein Sam-

---

[1] Anal. Priora II, 27 [70a 3 - 70b 38]. Die Angaben vor der Klammer weisen auf Buch und Kapitel, die eckigen Klammern auf die Stelle in der benutzten Edition hin.

[2] Es handelt sich aber nicht um einen bloßen Anwendungsfall der Syllogistik, wie Th. Ebert (vgl. Dialektiker und frühe Stoiker, 31) meint.

[3] In der Rhetorik wird als dritte Art des Enthymems noch das Beispiel (παράδειγμα) angeführt (I, 2 [1356b 4]).

melbegriff für Schlußarten, die der Rhetorik eigentümlich sind.[4] Das
Enthymem läßt sich negativ bestimmen als Schlußmodus, der den Kriterien des wissenschaftlichen Beweises nicht genügt. Enthymematische
Schlüsse können sowohl auf der Grundlage eines Zeichens wie auch von
etwas Wahrscheinlichem (εἰκός) gebildet werden. Aristoteles bestimmt
beides, das Wahrscheinliche und das Zeichen, als Satz. Während aber das
Wahrscheinliche auf bloßer Meinung (δόξα) beruht, erhebt das Zeichen
einen stärkeren Geltungsanspruch; es stellt das eine von zwei Gliedern
einer notwendigen oder jedenfalls allgemein akzeptierten Verknüpfung
dar.[5]

Vielfältig sind die Beispiele, die Aristoteles für Zeichenschlüsse an-
führt. Er ordnet sie, indem er sie auf die drei Schlußfiguren[6] zurückführt
und nach ihrer Gültigkeit und Gewißheit fragt. Der systematische Hintergrund dieser Rückführung wird in der Rhetorik dargestellt. Das
Enthymem, dem die Zeichenschlüsse zuzurechnen sind, ist ein rhetorischer Schluß. Die Rhetorik aber präsentiert Aristoteles als das korrespon-
dierende Gegenstück zur Dialektik.[7] So vergleicht er das Paradigma mit
dem Induktionsschluß, das Enthymem mit dem Syllogismus und schein-
bare Syllogismen in der Rhetorik mit scheinbaren Syllogismen in der
Dialektik.[8]

Das Beispiel für einen Zeichenschluß entsprechend der ersten Schluß-
figur ist: Eine Frau hat Milch; also ist sie schwanger.[9] Das auf die zweite
Figur zurückgeführte Beispiel lautet: Diese Frau ist blaß; also ist sie

---

[4] Sowohl in der Rhetorik (I, 2 [1356b 4]) als auch in den Zweiten Analytiken (Anal. Post. I,
     1 [71a 9-11]) definiert Aristoteles das Enthymem als rhetorischen Schluß.

[5] „Wahrscheinliches und Zeichen sind nicht dasselbe, sondern das Wahrscheinliche ist ein
     Satz (πρότασις), der auf Meinung beruht (ἔνδοξος). Denn wovon man in den meisten
     Fällen weiß, daß es so geschieht oder nicht geschieht, ist oder nicht ist, das ist wahrschein-
     lich, wie etwa, daß die Mißgünstigen hassen und die Geliebten lieben. Ein Zeichen aber
     beansprucht, ein beweisender Satz (πρότασις ἀποδεικτικὴ) zu sein, der entweder not-
     wendig (ἀναγκαῖος) oder gemeinhin angenommen (ἔνδοξος) ist; etwas, von dem gilt,
     daß, wenn es ist, etwas <anderes> ist, oder wenn es geschehen ist, das andere früher oder
     später geschehen ist, ist ein Zeichen für die Existenz oder das Sich-Ereignen dieses Ande-
     ren. Enthymem heißt nun ein Schluß (συλλογισμός) aus Wahrscheinlichem oder Zei-
     chen." (Anal. Priora II, 27 [70a 3-10])

[6] Die Unterscheidung der drei Schlußfiguren ergibt sich für Aristoteles aus der Stellung
     des Mittelbegriffs in den Prämissen des Syllogismus. Vgl. Anal. Priora I, 4-6 [25b 26 – 29a
     18].

[7] Vgl. Rhetorik I, 1 [1354a 1].

[8] Vgl. ebd. I, 2 [1356b 1ff.].

[9] Dieses und die folgenden Beispiele bringt Aristoteles auch in der Rhetorik (vgl. ebd.
     [1355b 26 - 1358a 35]).

schwanger. Der dritten Figur entspricht der Schluß: Pittacus ist tugendhaft; also sind die Weisen tugendhaft. Im letztgenannten Beispiel geht
der Schluß von einem Einzelnen auf etwas Allgemeines; er ähnelt dem
Modus Darapti.[10] Der Typus des zweiten Beispiels wird in der Rhetorik[11]
als das Verhältnis eines Allgemeinen zum Besonderen charakterisiert.
Blässe ist nicht immer Indiz für eine Schwangerschaft.[12] Das Beispiel des
Pittakus ist nicht hinreichend, um den Zusammenhang von Weisheit und
Tugend zu erhärten. Die Zeichenschlüsse entsprechend der zweiten und
dritten Figur sind also fallibel (λύσιμος).[13] Allein die Zeichenschlüsse, die
auf die erste Figur zurückgeführt werden können, sind – sofern ihre Aus-
gangsbehauptungen zutreffen – unwiderlegbar. Das σημεῖον in einem
solchen Schluß hat einen eigenen Namen: τεκμήριον. Das Tekmerion ist
also, um die Formulierung der Ersten Analytiken aufzugreifen, ein Satz,
der notwendig gilt und mit dem Anspruch vorgetragen wird, beweisend
zu sein (βούλεται εἶναι πρότασις ἀποδεικτικὴ ἀναγκαῖα). Diese Bestimmung wirft die Frage nach der wissenstheoretischen Einordnung des
Tekmerion auf. Wenn es apodeiktisch ist, warum stellt es dann den Fall
eines rhetorischen Schlusses dar? Die Antwort hierauf kann nur lauten,
daß ἀποδεικτικὴ hier nicht im strengen Sinne der Zweiten Analytiken
verstanden werden kann.[14] Zudem ergibt sich aus βούλεται eine Relativierung.

Das Tekmerion hat, da es nicht anfällig für die Refutation ist, einen
Sonderstatus in der Rhetorik.[15] Andererseits kann es dennoch nicht Mittel für einen strengen Beweis sein.[16] Aufschluß hierüber gibt eine Stelle in

---

[10] Vgl. M. Wörner, Das Ethische in der Rhetorik, 345.

[11] Rhetorik I, 2 [1357b 17-21].

[12] Zur differierenden Analyse dieses Beispiels in der Rhetorik (I, 2 [1357b 20-21]) und in
den Ersten Analytiken (II, 27 [70a 35-36]) vgl. H. Weidemann, Aristotle on inferences
from signs, 348.

[13] Die Widerlegbarkeit von Zeichenschlüssen betont Aristoteles auch in Soph. Elench., 5
[167b 8].

[14] Vgl. W.D. Ross: „[...] ἀποδεικτικὴ may once in a way be used in a wider sense, the sense
of συλλογιστικὴ [...]" (Commentary, 501)

[15] G. Weltring übersieht dies, wenn er unterschiedslos alle Zeichenschlüsse dem Bereich
der δόξα zuordnet (vgl. Das σημεῖον, 21).

[16] Zur Beweislehre der Zweiten Analytiken vgl. J. Barnes, Aristotle's theory of demonstration. G. Mainberger scheint die Auffassung zu vertreten, daß das Tekmerion auch in einem strengen Beweis benutzt werden könne: „Es gibt Zeichen, die setzen zwischen sich
und dem Bezeichneten das Verhältnis der Notwendigkeit voraus. Diese Zeichen lassen
sich als Bausteine in einem logischen Schluß verwenden; sie sind auch unbedingt
brauchbar im rhetorischen Glaublichkeitsverfahren. Dort gehören sie als Beweismittel zu

den Zweiten Analytiken, wo Aristoteles ausführt, daß das apodeiktische Wissen sich auf das an sich Seiende beziehe. Zur Abgrenzung verweist Aristoteles auf die Syllogismen durch Zeichen (οἱ διὰ σημείων συλλογισμοί). Auch dann, wenn der durch das Zeichen erschlossene Satz stets wahr ist, so ist er doch nicht an sich gewußt; das Wissen aufgrund der Zeichen sei nämlich zu unterscheiden vom Wissen aufgrund der Ursache.[17]

Der Ausdruck οἱ διὰ σημείων συλλογισμοί muß nun in dem weiten Sinne verstanden werden, der auch die Schlüsse vermittels der Tekmeria mitumfaßt.[18] Kontrastiert wird der Schluß διὰ τοῦ σημείου und jener διὰ τοῦ αἰτίου. Diese Gegenüberstellung nimmt Aristoteles auch in De divinatione per somnum vor.[19] Er unterscheidet Ursachen und Zeichen; als Beispiele für Zeichen gibt er einerseits eine Wirkung an, von der auf die Ursache geschlossen wird[20] (belegte Zunge als Zeichen für Fieber). Das andere Beispiel – das Hineingehen des Gestirns in die Sonne als Zeichen ihrer Verfinsterung – bedarf einer Erläuterung. Aristoteles meint hier offenbar ein häufig oder immer bei bzw. vor einer Finsternis festgestelltes Phänomen, das einen Vorhersage-, aber keinen Erklärungswert hat. Das Wesen des Zusammenhangs zwischen Gestirnbewegung und Verfinsterung ist hier nicht erkannt, es handelt sich nicht um eine ἐπιστήμη καθ᾽ αὐτό.

Die kursorische Behandlung der Zeichenschlüsse im Schlußkapitel der Ersten Analytiken steht in einer eigentümlichen Spannung zur Häufig-

---

den schon bemerkten, aber nicht präzisierten 'wenigen notwendigen Voraussetzungen' (1357a 22-23)." (Rhetorica, 204)

[17] „Da aber in jeder Gattung notwendig ist, was an sich (καθ᾽ αὐτά) ist und sofern es ist, was es ist, so sieht man, daß sich die wissenschaftlichen Beweise (αἱ ἐπιστημονικαὶ ἀποδείξεις) auf das an sich Seiende beziehen und auf solchem fußen (ἐκ τῶν τοιούτων εἰσίν). Denn das Akzidentelle (τὰ συμβεβηκότα) ist nicht notwendig, so daß man von dem im Schlußsatz Enthaltenen (τὰ συνπέρασμα) nicht weiß, warum es ist, auch wenn es immer ist, aber nicht an sich, wie bei den Syllogismen durch Zeichen (οἱ διὰ σημείων συλλογισμοί). Denn man wird das Ansich nicht an sich wissen und nicht <wissen>, warum <es ist>. Das Warum wissen heißt aufgrund der Ursache (τὸ διὰ τοῦ αἰτίου) wissen. Folglich muß der Mittelbegriff dem dritten und der erste Begriff dem Mittelbegriff an sich zukommen." (Anal. Post. I, 6 [75a 28-37])

[18] So auch W.M.A. Grimaldi, Semeion, Tekmerion, Eikos in Aristotle's Rhetoric, 388.

[19] „Es ist demnach notwendig, daß die Träume entweder Ursachen (αἰτία) oder Zeichen (σημεῖα) des Geschehenden sind oder zufällige Begleiterscheinungen (συμπτώματα), sei es alles dies oder einiges oder ein einziges davon." (De divinatione per somnum, 1 [462b 26-28])

[20] Vgl. auch Soph. Elench., 5 [167b 8-9].

keit, mit der Aristoteles das Zeichen als Argumentationsmittel einsetzt.[21] Das in den Ersten Analytiken vorgeschlagene Anwendungsfeld für Zeichenschlüsse ist die Physiognomik.[22] K. Oehler nennt die Theorie der Zeichenschlüsse die Bedingung der Möglichkeit von Physiognomik. Hierunter verstehe Aristoteles „den Schluß auf psychische Eigenschaften (Charaktereigenschaften) von Menschen aus physischen Merkmalen, die in einer Gattung oder in anderen Gattungen von Lebewesen beständig zusammengehen mit bestimmten psychischen Merkmalen oder Verhaltensmustern"[23]. Voraussetzung solchen Schließens ist die Korrelation von Leib und Seele. Das Anwendungsfeld der Zeichenenthymeme ist damit aber keineswegs erschöpfend bezeichnet. Oben wurden bereits einige Beispiele erwähnt, die anderen naturphilosophischen Kontexten entstammen. Solche Beispiele sind in den Schriften des Aristoteles sehr zahlreich. Oft ist die paradigmatische Rolle, die die Praxis der Ärzte einnimmt, greifbar. Auch die Erste Philosophie des Aristoteles kennt den Zeichenschluß. Ein berühmtes Beispiel sei zitiert: „Alle Menschen streben von Natur nach Wissen. Zeichen hierfür ist die Liebe zu den Sinneswahrnehmungen."[24]

Der bedeutsamste Anwendungsfall aber für den Zeichenschluß ist das Feld der praktisch-ethischen Argumentation. Hier findet das σημεῖον Verwendung als unverzichtbares Mittel des Glaubhaftmachens (πίστις). Es verwundert darum nicht, daß die Rhetorik, die die Erfordernisse des praktisch-ethischen Argumentierens erörtert, das Theoriestück aus den Ersten Analytiken wieder aufgreift. Zielperspektive der Rhetorik ist die Wahrheits- bzw. Wahrscheinlichkeitsorientierung in einem kommunikativen Zusammenhang. Hierzu reicht es nicht aus, einzig auf notwendige und vollständige Schlußfolgerungen Bezug zu nehmen.[25]

§ 2 Aristoteles' Lehre vom Satz und die Rede vom sprachlichen Zeichen

Die Frage, wie sich Sprache auf Wirklichkeit bezieht, beantwortet Aristoteles in der kleinen Schrift Peri hermeneias. Im ersten Kapitel bietet er

---

[21] Gänzlich unverständlich würde die Praxis der aristotelischen Zeichenschlüsse, wenn man J. Sprutes Interpretaion der Rhetorik Recht gäbe und die Zeichenenthymeme als Scheinenthymeme auffaßte (vgl. Die Enthymemtheorie der aristotelischen Rhetorik, 90, sowie ebd. 107).

[22] Anal. Priora II, 27 [70b 7ff].

[23] Relationenlogik und Zeichenschluß bei Aristoteles, 263.

[24] Met. I, 1 [980a 21f.].

[25] Vgl. dazu G. Mainberger, a.a.O. 206, sowie M. Wörner, a.a.O. 356f.

ein Schema, das zunächst recht einfach erscheint:[26] Die durch die Stimme hervorgebrachten Laute sind σύμβολα für die Zustände der Seele (παθήματα τῆς ψυχῆς), das Geschriebene (τα γράμματα) wiederum ist σύμβολον für die Stimmlaute. Die παθήματα τῆς ψυχῆς ihrerseits stehen in Beziehung zum Seienden. Aristoteles spricht hier indes nicht von einem „Symbol-sein-für": Die παθήματα sind nicht σύμβολα, sondern ὁμοιώματα. Zwischen den Inhalten in der Seele und den außerseelischen Gegebenheiten (πράγματα) besteht also eine Ähnlichkeitsrelation.[27]

Sieht man von den Schriftzeichen (γράμματα) ab, denen nur eine sekundäre Rolle zukommt, so bildet Aristoteles hier ein dreigliedriges semantisches Schema. Es gibt die sprachlichen Äußerungen und die Dinge, die außersprachlich und außerseelisch sind, sowie als vermittelndes Glied die παθήματα τῆς ψυχῆς. Die Deutung des Begriffs „παθήματα τῆς ψυχῆς" hat die antiken und mittelalterlichen Autoren intensiv beschäftigt. Soll man „πάθημα" in einem psycho-physiologischen Sinne als Eindruck, Spur oder psychisches Bildnis auffassen oder eher in einem begrifflich-intellektuellen Sinne? Die Zustände der Seele können nicht bloße Affekte sein. Sie sind nicht subjektiv, sondern allen Menschen gemeinsam, bei allen gleich. Dies „Bei-allen-gleich-sein" muß auf die durch den Verstand erkannten Formen bezogen werden. Die Aussage, daß die Zustände der Seele bei allen gleich seien, leitet daher dazu über, sie fortan als Gedanken (νοήματα) zu bezeichnen.[28]

In neuerer Zeit war es vor allem die Deutung des πρώτως,[29] die kontrovers diskutiert wurde. Wenn die Lautgebilde in erster Linie Zeichen

---

[26] N. Kretzmann hat diese Sätze „the most influential text in the history of semantics" genannt (Aristotle on spoken sound, 3). Zur oben gegebenen umschreibenden Wiedergabe dieses Abschnitts vgl. die Übersetzungen von Kretzmann (ebd. 3f.), H. Weidemann, Ansätze zu einer semantischen Theorie, 241, P. Aubenque, Le problème de l'être, 106f. und A.E. Sinnott, Untersuchungen zu Kommunikation und Bedeutung bei Aristoteles, 95.

[27] „Ebenso wie die Schrift nicht die gleiche ist bei allen Menschen, so sind es auch nicht die Stimmen, während die Zustände der Seele, für die sie in erster Linie (πρώτως) <als> Zeichen (σημεῖα) <stehen>, bei allen gleich sind, wie auch die Dinge, von denen diese <παθήματα> Ähnlichkeiten sind, bei allen gleich sind." (Perih. 1 [16 a 5-8])

[28] Vgl. ebd. [16a 10 u. 14]. Wenn Aristoteles zunächst allgemein von παθήματα τῆς ψυχῆς und nicht von νοήματα spricht, so stellt er damit das übergreifende Schema vor, das auf die Tierlaute und die menschliche Stimme anwendbar ist. Die Semiotik der Tierlaute, auf die noch einmal zurückzukommen ist, kann aber nicht in Peri hermeneias, dem Traktat über den Aussagesatz diskutiert werden. Vgl. dazu A.E. Sinnott, Untersuchungen zu Kommunikation und Bedeutung, 39-103, W. Ax, Laut, Stimme und Sprache, 122-128, sowie J.-L. Labarrière, Imagination humaine et imagination animale.

[29] Vgl. Anm. 27.

für Seelenzustände sind, so muß man nach Auffassung der Tradition –
wie in den nachfolgenden Kapiteln im einzelnen gezeigt werden wird –
gedanklich ergänzen, daß sie in zweiter Linie, d.h. vermittelt oder in einer nachgeordneten unmittelbaren Relation, die Dinge bezeichneten.
Die Tradition ging daher zumeist von einer synonymen Verwendung von
„σύμβολον" und „σημεῖον" aus. N. Kretzmann hat diese Deutung entschieden abgelehnt.[30] Er stellt auf die strenge Unterscheidung zwischen
σημεῖον und σύμβολον, sowie auf das oben als psycho-physiologisch ge-
kennzeichnete Verständnis der παθήματα τῆς ψυχῆς ab. Kretzmann
versteht Aristoteles so, daß die Lautgebilde zunächst natürliche Anzeichen für psychische Regungen[31] seien, in zweiter Linie aber Symbole für
Bedeutungen. Sie seien also aufgrund von Konvention bedeutungstragend (significant by convention). Gegen Kretzmanns Interpretation
spricht zunächst, daß σύμβολον und σημεῖον nicht scharf gegeneinander
abgegrenzt werden können.[32] Darüber hinaus deutet viel darauf hin, daß
Aristoteles die Termini „σημεῖον", „σημαντικός" und „σημαίνειν" bewußt als verwandte Begriffe benutzt.[33] Ersichtlich wird diese Verwandtschaft bei der Konkretion des semantischen Schemas: Was das σύμβολον-
sein der Lautgebilde bedeutet, erläutert Aristoteles bei der Behandlung
von ὄνομα und ῥῆμα. Sie sind semantisch (bedeutungstragend) nicht
von ihrer Natur her, sondern gemäß einer Übereinkunft (κατὰ
συνθήκην). Diese Teile des Satzes sind die kleinste bedeutungstragende
sprachliche Einheit, die Aristoteles kennt.[34] Der Name (ὄνομα) bezeichnet zeitlos, das Verb (ῥῆμα) bezeichnet zugleich die Zeit (προσσημαῖνον
χρόνον)[35] und es ist Zeichen (σημεῖον) in bezug auf etwas, das für etwas
anderes gelten soll, nämlich was an oder in einem Subjekt (ὑποκείμενον)
ist.[36] Aristoteles will also σύμβολον als Synonym von σημεῖον verstehen
wissen, oder aber als terminus technicus für das gemäß einer Konvention
bedeutungstragende bzw. bezeichnende Zeichen. Von einem bedeuten
(σημαίνειν) gemäß Übereinkunft spricht Aristoteles ein drittes Mal, nun

---

30   Vgl. Aristotle on spoken sound.
31   In seinen Worten „symptoms of mental impressions" (ebd. 15).
32   Vgl. dazu W. Müri, σύμβολον. Wort- und sachgeschichtliche Studie.
33   Dies hat H. Weidemann gegen Kretzmann betont (vgl. Semantische Theorie, 244).
34   Der Versuch von J. Engels, das κατὰ συνθήκην im Sinne von „durch Zusammensetzung"
      aufzufassen, geht deshalb fehl (vgl. J. Engels, Origine, sens et survie du terme boécien
      'secundum placitum'). Eine ausführliche Auseinandersetzung mit der These von Engels
      ist bereits von M.S. Barreto (A convencionalidade do signo) geführt worden.
35   Perih. 3 [16b 6].
36   Vgl. ebd. [16b 6-11].

in bezug auf Sätze.[37] Es wird dabei deutlich, daß σημαίνειν hier nicht so verstanden werden kann, wie auf der Ebene der bedeutungstragenden Satzteile. Platon hatte, um diese Differenz herauszustellen, das Begriffspaar ὀνομάζειν - λέγειν gebildet.[38] Aristoteles gebraucht – bezogen auf die Satzteile wie auf die Sätze – das Wort σημαίνειν. Zwar seien Satzteile und Sätze gleichermaßen σύμβολα. Doch nur Sätze könnten Träger von Wahrheit und Falschheit sein[39]: Die Ebene des Satzes wird damit für Aristoteles zur entscheidenden Ebene. Auch wenn man davon ausgeht, daß Aristoteles bei der Präsentation seines semantischen Schemas (σύμβολον - πάθημα - πρᾶγμα) das ὄνομα als Paradigma benutzt, so wird doch dieses Schema durch seine Anwendung auf den Aussagesatz entscheidend transformiert. Das πρᾶγμα, für das es steht, kann hier keinesfalls mehr als Ding, es muß vielmehr als Sachverhalt verstanden werden.[40]

Nachdem sowohl die Bedeutungsrelation auf der Ebene der Satzteile als auch jene auf der Satzebene (der Aussageebene) angesprochen ist, kann und muß auf die Deutung der Ähnlichkeitsrelation zwischen den Gedanken und den Dingen eingegangen werden. M. Heidegger sah in der von Aristoteles behaupteten Ähnlichkeitsrelation zwischen den Seelenzuständen und den Dingen den Ursprung der Korrespondenztheorie der Wahrheit.[41] Von Wahrheit im Sinne von Übereinstimmung spricht Aristoteles aber nur in bezug auf assertorische Sätze. Er benutzt den Ausdruck „ὁμοίωμα", um die Relation zwischen Begriff und Sache gegen die konventionelle Relation von Ausdruck und Begriff abzugrenzen.[42] Wie aber soll man sich die Ähnlichkeit zwischen Begriff und Ding denken? Worin hat sie ihre Grundlage? Die Schwierigkeit des Verständnisses von

---

[37] Vgl. ebd. [16b 26].

[38] Vgl. Sophistes [262 d].

[39] Vgl. Perih. 4 [17a 1ff.]: Diese Eigenschaft kommt den Sätzen zu, wenn es sich um Aussagesätze handelt.

[40] Vgl. dazu Met. IX, 10 [1051a 34 - b 9]. Die Problematik der Bedeutung von Sätzen erörtert G. Patzig in dem Aufsatz „Satz und Tatsache": „Die Erwartung, auch Sätzen müßten als ihre Gegenstände greifbare Wirklichkeitsstücke gegenüberstehen, wird gespeist durch die nicht gerechtfertigte Vormeinung, für Sätze müßte dasselbe gelten wie für Eigennamen." (76) Auch G. Nuchelmans betont diese Differenz: „So there must at least be a difference between the way in which the separate noemata are related to the things in the world and the way in which the units that are built by means of a synthesis are related to the world. And these units that are characterized by the fact that they are susceptible of truth or falsity, it is most natural to assume that there relations to the world are determined by the general conditions of truth and falsity [...]" (Theories of the proposition, 37)

[41] Sein und Zeit, 214.

[42] Vgl. P. Aubenque, a.a.O. 107, Anm. 2.

ὁμοίωμα kann nicht gelöst werden, indem man die ὁμοιώματα nur als passive seelische Eindrücke auffaßt, die νοήματα aber nicht hierzu zählt.[43] Antwort auf die Frage nach der Generierung von Ähnlichkeiten in der Seele gibt die Theorie der Abstraktion. Es ist für Aristoteles das Licht der Vernunft, das die in den sinnlichen Vorstellungen enthaltenen allgemeinen Wesensformen aktuell intelligibel macht. Während die φαντάσματα zu den sinnlich wahrnehmbaren Dingen in einem ikonischen Verhältnis stehen, betrifft die Ähnlichkeit zwischen νόημα und πρᾶγμα allein die Wesensform.[44]

Die Schwierigkeiten des diskutierten Textes (insbesondere von 16a 3-8) ergeben sich nicht allein aus seiner Dichte. Sie folgen auch daraus, daß es sich hier um eine Schnittstelle zwischen Naturphilosophie und aristotelischer Logik handelt. Aristoteles weist explizit darauf hin.[45] Wenn also Text und Kontext in Peri hermeneias die logische Deutung der semantischen Relationen verlangen, so soll doch nicht geleugnet werden, daß sowohl der Hinweis auf De anima als auch die Terminologie die Einbettung des Sprachphänomens und damit auch der assertorischen Sätze in die Naturphilosophie erkennen lassen. Hier sollen weder der einschlägige Text zum Stimmphänomen aus dem zweiten Buch von De anima[46] noch jene anderen Passagen aus den naturphilosophischen Schriften besprochen werden, die weitgehende Gemeinsamkeiten zwischen tierischer und menschlicher Kommunikation zeigen. Dies ist in den letzten Jahren in ausreichendem Maße und mit überzeugenden Ergebnissen geschehen.[47] Statt dessen wird hier auf jenen Text zurückgegriffen, der eine eindeutige Grenzziehung zwischen tierischer und

---

[43] „Demnach muß das psychische Korrelat der sprachlichen Äußerung als ein Akt der gesamten Psyche betrachtet werden. Allerdings lassen sich die Ebene der Einbildungskraft, die den Vorstellungen der gemeinten Dinge entspricht, einerseits und andererseits die Ebene des Intellekts, die den in diesen Vorstellungen enthaltenen denkbaren Formen entspricht, in diesem Akt voneinander unterscheiden. Je nach Perspektive kann dieses Korrelat also als das Resultat einer passiven Erfahrung (πάθημα), das mit den Dingen durch die Ähnlichkeit verbunden ist (ὁμοίωμα), oder als ein Gedanke (νόημα) charakterisiert werden." (A. Sinnott, Untersuchungen zu Kommunikation und Bedeutung, 101)

[44] Vgl. De anima III, 8 [431b 20 - 432a 14], Anal. Post. II, 19 [99b 15 - 100b 17].

[45] Vgl. Perih. 1 [16a 8f].

[46] Vgl. De anima II, 8 [420b 5 - 421a 6].Vgl. A.E. Sinnott, Untersuchungen zu Kommunikation und Bedeutung, 39-103, W. Ax, Laut, Stimme und Sprache, 122-128, sowie J.-L. Labarrière, Imagination humaine et imagination animale.

[47] Vgl. A.E. Sinnott, Untersuchungen zu Kommunikation und Bedeutung, 39-103, W. Ax, Laut, Stimme und Sprache, 122-128, sowie J.-L. Labarrière, Imagination humaine et imagination animale.

menschlicher Kommunikation vornimmt. Er findet sich in der praktischen Philosophie des Aristoteles, genauer in der Politik, im zweiten Kapitel des ersten Buches. Er schließt sich an die Bestimmung des Menschen als ein von Natur (φύσει) staatenbildendes Sinnenwesen
(πολιτικὸν ζῷον)[48] an. Aristoteles betrachtet die Sprache als Charakteri-
stikum des politischen Wesens, das es auch von in Gemeinschaften le-
benden Tieren unterscheidet. Zwar könnten Tiere durchaus Schmerz
oder Lust wahrnehmen und anderen mitteilen, zur Wahrnehmung des
Guten und Schlechten aber sei nur der Mensch fähig und genau hierauf
ziele die Sprache.[49] Dieser Text überrascht nicht so sehr durch die hier
behauptete enge Verbindung von Sprache, Vernunft und Politizität; die
Behauptung der Korrelation ist unbestritten eine zentrale These der
politischen Theorie und der Anthropologie des Aristoteles. Überraschend ist vielmehr, daß Aristoteles die Differenz zwischen Mensch und
Tier nicht einfach am Vorhandensein oder Agieren der Geistseele festmacht, sondern ausschließlich den Bereich der praktischen Rationalität
als dem Menschen vorbehalten nennt. Der Hintergrund dieser Äußerungen ist wohl, daß Aristoteles den Menschen als das Wesen sieht, das
sich gemeinschaftlich berät über das, was zu tun und was zu lassen ist.
    Die menschliche Sprache steht höher als die Stimmen der Tiere – so
lautet das zusammenfassende Ergebnis aus Peri hermeneias und den
naturphilosophischen Schriften –, weil sie nicht nur artikulierte Lautfolge (διάλεκτος) ist, die Bedeutungen vermittelt (σημαντικὸς), sondern
weil die artikulierten Lautfolgen diese Bedeutungen aufgrund von Konvention (κατὰ συνθήκην) haben. Der Mensch steht höher als die Gemeinschaften bildenden Bienen, so lautet das Fazit in der Politik, weil er
über Sprache verfügt.

---

[48]   Politik I, 2 [1253a 3].
[49]   „Somit ist klar, daß der Mensch in einem höheren Grade (μᾶλλον) ein politisches Wesen
        ist als jede Biene oder irgendein Herdentier (ἀγελαῖον). Denn die Natur macht, wie wir
        sagen, nichts vergebens; der Mensch hat aber als einziges unter den Sinnenwesen Spra-
        che (λόγος). Die Stimme (zwar) ist Zeichen von Schmerz und Lust (φωνὴ τοῦ λυπηροῦ καὶ
        ἡδέος ἐστὶ σημεῖον) und kommt auch den anderen Sinnenwesen zu: Ihre Natur gelangt
        bis dahin (μέχρι), daß sie Wahrnehmung des Schmerzes und der Lust haben und dieses
        anderen bezeichnen (σημαίνειν ἀλλήλοις) kann. Die Sprache aber geschieht im Hin-
        blick auf die Darstellung (ἐπὶ τῷ δηλοῦν ἐστι) des Nützlichen und des Schädlichen und
        somit auch des Gerechten und Ungerechten (τὸ συμφέρον καὶ τὸ βλαβερόν, ὥστε καὶ τὸ
        δίκαιον). Dies ist nämlich im Verhältnis zu den anderen Sinnenwesen dem Menschen ei-
        gentümlich (ἴδιον): Er allein hat die Wahrnehmung (αἴσθησις) des Guten und Schlech-
        ten, des Gerechten und Ungerechten und so weiter. Die Gemeinschaft (κοινωνία) in die-
        sen Dingen schafft das Haus und die Polis." (ebd. [1253 a 7-18])

Aristoteles äußert sich nicht dazu, ob ein Zusammenhang besteht zwischen dem Umstand, daß Sprache nicht durch die Natur festgelegt ist, und ihrer Eignung als Instrument praktischer Beratung. Erkennbar ist aber, daß er seine Bedeutungstheorie formuliert, um zum richtigen Gebrauch dieses Instrumentes anzuleiten und Mißbrauch zu verhindern.[50] Die Theorie der dreigliedrigen Bedeutungsrelation wendet sich sowohl gegen eine naturalistisch (φύσει) als auch gegen eine konventionalistisch (θέσει) verstandene Gleichsetzung von Wort und Sache.

§ 3 Das Verhältnis der Semantik zur Zeichentheorie bei Aristoteles und die Frage nach dem Ursprung der Rede vom sprachlichen Zeichen

Nachdem die Untersuchung zur Sprachtheorie des Aristoteles gezeigt hat, daß dieser seine Theorie der Sprache zwar nicht als Teil einer umfassender verstandenen Theorie der Zeichen ausweist, wohl aber von sprachlichen Einheiten als Zeichen spricht, soll nun kurz darauf eingegangen werden, wann überhaupt erstmals von sprachlichen Zeichen gesprochen wurde. Das Spektrum der Antworten in der heutigen philosophiegeschichtlichen Diskussion auf diese Frage reicht dabei von Augustinus als terminus ad quem bis zum Beginn der Sprachreflexion als terminus post quem.

Für Augustin entscheidet sich U. Eco[51]; die Auffassung, Worte seien schon von je her als Zeichen aufgefaßt worden, vertritt T. Borsche.[52] Eco begründet seine Position, indem er an Hippokrates, Aristoteles und den Stoikern zeigt, daß eine Verflechtung von Sprachtheorie und Zeichentheorie nicht stattfindet.[53] Diese sind für ihn hinreichender Beleg

---

[50] Dieser Zusammenhang wird besonders in den Sophistischen Widerlegungen greifbar (vgl. Soph. Elench. 7 [169a 36ff.]).

[51] Vgl. Semiotics and the philosophy of language, 26-34.

[52] „Seitdem überhaupt auf ὀνόματα reflektiert wurde, galt es als selbstverständlich, daß sie τι σημαίνει oder daß Wörter Zeichen sind - ungeachtet aller Verschiedenheit der Meinungen über die Natur der Wörter und die Weise ihres Bezeichnens oder Bedeutens." (Macht und Ohnmacht der Wörter, 131)

[53] Diese philosophiehistorische These soll die systematische Behauptung untermauern, daß sprachliche Denotation und logische Inferenz strukturell heterogen sind: „The Stoics had left unresolved the problem of the difference between the relation of linguistics expression to content on the one hand (what Hjelmslev will call denotation) and the relation of sign-proposition to consequent meaning on the other. One suspects that the first level may still be based on equivalence, while the second is doubtlessly based on inference." (a.a.O. 33) Schon in seinem frühen Werk zur Semiotik (La struttura assente,

für die voraugustinische Zeit. Auf die Sprachtheorie der Stoiker wird unten einzugehen sein; sie ist aber für die Entscheidung der hier anstehenden Frage irrelevant. Daß Hippokrates keine Theorie der sprachlichen Zeichen entwirft, kann nicht verwundern. Das Corpus hippocraticum kann allenfalls als Beleg dafür dienen, daß sprachlichen Zeichen keine paradigmatische Rolle unter den Zeichen zukam.[54] Gegen Eco ist oben bereits auf die Theorie sprachlicher Zeichen bei Aristoteles hingewiesen worden. Spätestens mit Aristoteles ist eine zumindest lockere Verknüpfung von Sprach- und Zeichentheorie gegeben. Im folgenden soll gezeigt werden, daß Aristoteles mit seiner Rede vom sprachlichen Zeichen an einen älteren Sprachgebrauch anknüpfen kann, der allerdings – entgegen der Auffassung Borsches – nicht immer schon mit der Reflexion auf Sprache verknüpft ist.

Angesichts der verbreiteten Verwendung des Terminus „σημεῖον" und seiner epischen Entsprechung „σῆμα" fällt auf, daß es für die frühe Zeit keinen Beleg für die Bedeutung Sprachzeichen gibt.[55] Jedoch lassen sich aus der voraristotelischen Zeit zumindest zwei Textstellen ausmachen, in denen von σημεῖα im Sinne von Sprachzeichen die Rede ist. Der erste Beleg ist ein Fragment des Gorgias[56], der zweite eine Sequenz aus dem Sophistes.[57] Während Platon dezidiert von Sprachzeichen (τὰ τῆς φωνῆς

1968) hatte Eco ein dichotomisches Verhältnis zwischen dem „universo dei segnali" und dem „universo del senso" behauptet.

[54] Zur Zeichentheorie im Corpus hippocraticum vgl. H. Diller, ὄψις ἀδήλων τὰ φαινόμενα; L. Edelstein, Hippocratic Prognosis; L. Bourgey, Observation et expérience chez les médecins de la collection hippocratique, 139f., 179-185, 219-223.

[55] Vgl. dazu die semiotische Sichtung der homerischen Epik bei W. Detel, Zeichen bei Parmenides, 221f.

[56] „Wenn die Dinge aber erkennbar wären, wie könnte sie einer, sagt er, einem anderen verdeutlichen (δηλώσειεν ἄλλῳ)? Denn was man sah, wie sollte man dies durch Rede (λόγῳ) aussprechen? Beziehungsweise wie könnte jenes dem Hörer deutlich werden, wo er es nicht sieht? Wie nämlich auch das Sehen nicht Laute erkennt, so auch hört das Gehör keine Farben sondern Laute. Und es spricht, wer spricht - aber nicht eine Farbe und auch kein Ding.

Was nun einer nicht auffaßt (ἔννοεῖ), wie wird er das von anderer Seite durch Rede oder irgendein Zeichen (σημείῳ τινὶ), andersartig als das Ding (ἑτέρῳ τοῦ πράγματος), auffassen, außer eben im Fall einer Farbe, sehend, im Fall eines <Geräusches>, hörend?" (Gorgias, Fragmente 3, 21f. [Reden, Fragmente und Testimonien, Ed. Buchheim])

[57] Bei der dialogischen Klärung dessen, was λόγος und was δόξα ist, kommen die Gesprächspartner in Platons Sophistes - Theaitet und der Fremde aus Elea - überein, daß sprachliche Äußerungen Zeichen sind: „So wie also die Dinge (τὰ πράγματα) teils zueinander passen, teils nicht, so ist es auch mit den Zeichen vermittels der Stimme; sie passen zum Teil nicht zusammen; die aber zusammenpassen, bilden eine Rede." (Platon, Sophistes [262 d.e])

σημεῖα) spricht, stellt Gorgias die Rede neben die Gattung der Zeichen, ohne eindeutig zu erklären, ob die Worte dieser Gattung angehören oder lediglich in ihrer Funktion den Zeichen entsprechen. Beide Texte aber richten sich gegen eine Auffassung, die in der Sprache eine ungebrochene Spiegelung der Wirklichkeit sieht. Worte sind nicht Abbilder, sondern Zeichen der Dinge, sie sind, wie Gorgias erklärt, von anderer Art als diese. Bei Gorgias wie bei Platon hat die Rede vom sprachlichen Zeichen eine kritische Funktion. Dient sie bei Gorgias als Argument für die skeptizistische Position, daß durch Sprache eine Mitteilung über Wirklichkeit nicht möglich ist, so zeigt Platon im Sophistes, daß Aussagen sowohl wahr als auch falsch sein können. Die Rede vom sprachlichen Zeichen stellt nicht den Ausgangspunkt der Sprachbetrachtung dar. Es handelt sich vielmehr um eine bereits distanziertere Reflexionsstufe; ihr liegt die Erfahrung des Mißbrauchs von Sprache, möglicherweise auch des Scheiterns von Kommunikation zugrunde.

Sowohl die Rede vom sprachlichen Zeichen als auch die vom Zeichenschluß knüpfen an den Gebrauch an, den die allgemeine Sprache im alten Griechenland vom Begriff des Zeichens (σημεῖον) macht.[58] In beiden Bereichen ist das Zeichen etwas, das etwas erkennen läßt, ohne mit diesem identisch zu sein. Die philosophische Reflexion auf diesen Zusammenhang setzt allerdings erst nach Aristoteles ein und kommt schließlich bei Augustinus systematisch zum Tragen.

§ 4 Augustins Theorie der Zeichen und Wörter

Seit K. Kuypers 1934 Augustins Auffassungen von Zeichen und Wort einer systematischen Untersuchung unterzog, ist in der Literatur eine Fülle von Abhandlungen zu diesem Thema erschienen.[59] Die Ansicht, daß wir

---

[58] Vgl. H.G. Liddell/R. Scott, A Greek-English Lexicon.

[59] Die verschiedenen augustinischen Texte zur Zeichentheorie vergleichen v.a.: K. Kuypers, Der Zeichen- und Wortbegriff im Denken Augustins, 1934; R. Lorenz, Die Wissenschaftslehre Augustins, 1955/56, 229-239; R. A. Markus, St. Augustine on signs, 1957; J. Engels, La doctrine du signe chez St. Augustin, 1962; A. Schindler, Wort und Analogie in Augustins Trinitätslehre, 1965, 75-86; U. Duchrow, Sprachverständnis und biblisches Hören bei Augustin, 1965; R. Simone, Die Semiotik Augustins, 1969; B. D. Jackson, The theory of signs in St. Augustine's De Doctrina Christiana 1969; C.P. Mayer, Die Zeichen in der geistigen Entwicklung und in der Theologie des jungen Augustinus, 1969; U. Wienbruch, „Signum", „significatio" und „illuminatio" bei Augustin, 1971; C.P. Mayer, Die Zeichen in der geistigen Entwicklung und in der Theologie Augustins, II. Teil: Die antimanichäische Epoche, 1974; H. Brinkmann, Sprache als Zeichen im Mittelalter, 1975, 137-139; Ch. Huber, Wort sint der dinge zeichen, 1977, 6-18; M. Baratin, Les origines stoïciennes de la

es bei Augustinus mit einem Semiotiker und Sprachtheoretiker ersten Ranges zu tun haben, ist zwar nicht unwidersprochen geblieben,[60] hat sich aber weitgehend durchgesetzt und die Historiographie der Semiotik nachhaltig geprägt. Die Divergenz der Meinungen hierzu hat in Augustins Aussagen über das Zeichen ihren Grund, denn diese scheinen ambivalent zu sein. Eine der zentralen Schwierigkeiten der Interpretation wird darin liegen, das Nebeneinander von dezidiert vorgetragener Kritik an den Zeichen und Worten und dem nicht zu leugnenden vehementen Interesse Augustins an diesem Thema plausibel zu machen.

Die frühe Schrift De magistro[61] führt mitten in die Problemstellung der vorliegenden Arbeit hinein. Es lohnt, diesen Dialog im Zusammenhang zu betrachten, wenngleich hier auf eine ausführliche Wiedergabe des Inhalts verzichtet werden kann.[62] Keine Berücksichtigung findet die lange Diskussion der metasprachlichen und metasemiotischen Phänomene.[63] Vielmehr konzentriert sich die Untersuchung auf das Verhältnis von Zeichen (signa) und bezeichneten Dingen (res significata). Hierzu enthält der Dialog überraschende Wendungen. Alle Einzelargumente müssen aus ihrer Stellung im Gesprächsverlauf verstanden werden.[64]

Den Dialog führen Augustinus und sein Sohn Adeodatus. Ausgangspunkt des Gesprächs ist die Behauptung, Ziel allen Sprechens sei es, zu lehren und sich zu erinnern. Adeodat akzeptiert, daß die hierzu notwen-

---

théorie augustinienne du signe, 1981; ders. Sémiologie et métalinguistique chez saint Augustin, 1982; J. Biard, L'émergence du signe, 1985, 31-59; U. Wienbruch, Erleuchtete Einsicht. Zur Erkenntnislehre Augustins, 1989.

[60] So erklärt etwa K. Flasch, daß der philosophische Ertrag der Auseinandersetzung mit der Sprache geringer sei, „als einige neuere Anpreisungen der Sprachtheorie Augustins vermuten lassen [...] Zwischen konventioneller Schulgrammatik einerseits und einer Logosmetaphysik, die den bei Platon noch vorhandenen Bezug zur Sprache der Menschen so gut wie verloren hat, andererseits" könne sich bei Augustin eine philosophisch relevante Theorie der Sprache kaum entfalten (Augustin. Einführung in sein Denken, 121).

[61] Mayer bezeichnet diesen Dialog zu Recht als „Angelpunkt aller [...] gnoseologischen Erörterungen" Augustins (Die Zeichen in der geistigen Entwicklung und in der Theologie des jungen Augustinus, 225).

[62] Ausführliche Inhaltsangaben bieten z.B. K. Kuypers, 18-31; G. Madec, Analyse du „De magistro", 66-71, sowie C.P. Mayer, a.a.O., 225-234.

[63] Vgl. dazu T. Borsche, der in diesem Zusammenhang von der „Hierarchie der Reflexivität der Wörter" spricht (vgl. Macht und Ohnmacht der Wörter, 132-135).

[64] Die Interpreten kommen zu gegensätzlichen Ergebnissen. Auch die Gliederung des Dialogs wird in verschiedener Weise vorgenommen (vgl. Madec, 63 - 65). In der Grobgliederung kann Madec gefolgt werden: „I. Discussion sur le langage (§§ 1-37) 1. Les buts du langage (§§ 1-2) 2. Rien ne s'enseigne sans les signes (§§ 3-30) 3. Rien ne s'enseigne par les signes (§§ 31-37) II. Le Christ, seul Maître de vérité (§§ 38-46)" (vgl. ebd. 65).

digen Worte Zeichen (signa) seien[65] und bestimmte Dinge (res) bezeichneten. Die Erkenntnis der Sache, bzw. das Wissen, welches durch ein
Zeichen vermittelt wird, ist wichtiger als das Zeichen selbst: Das Zeichen
existiert nur um der Erkenntnis willen, es ist den bezeichenbaren Dingen
(significabilia) als bloßes Mittel untergeordnet. Die funktionale Unterordnung impliziert eine Wertordnung.[66]

Fraglich ist indes, ob alles Lernen und Lehren durch Zeichen bewirkt
wird. Denn es scheint zunächst, als könne Lehren auch ohne Zeichen
und zwar durch Präsentation der zu lehrenden Sache oder durch Vorführen der zu lehrenden Handlung geschehen.[67] Adeodat schränkt aber
nach neuerlicher Überlegung die Möglichkeit solchen unvermittelten
Lehrens auf die Begriffe „Sprechen" und „Lehren" ein. Wie er am Beispiel des Wortes „ambulare" verdeutlicht, führe in allen anderen Fällen
eine bloße Präsentation nicht zur notwendigen Bestimmtheit des gemeinten Lehrobjekts.[68] So lasse sich etwa durch bloßes Herumgehen
nicht zeigen, ob der Begriff des „ambulare" eine bestimmte Quantität
impliziere. Augustin bestreitet nun aber auch die beiden Ausnahmen:
Auch wenn man lehrt, was lehren ist, ist man auf Bezeichnungen angewiesen. Und auch was Sprechen ist, wird zwar durch das Sprechen selbst
gelehrt, doch gilt in diesem Falle zugleich, daß dies eine Weise des Bezeichnens ist.[69]

---

[65] Schon in den ersten Abschnitten heißt es: „Qui enim loquitur, suae voluntatis signum
foras dat per articulatum sonum [...]"(I,2) Die Einordnung geschieht zunächst beiläufig,
soll dann aber eigens durch Adeodat bestätigt werden: „(Aug.) [...] [Q]uamvis nullum
edamus sonum, tamen, quia ipsa verba cogitamus, nos intus apud animum loqui, sic
quoque locutione nihil aliud agere quam commemorare, cum memoria, cui verba inhae-
rent, ea revoluendo facit venire in mentem res ipsas, quarum signa sunt verba. (Ad.) In-
tellego ac sequor. (Aug.) Constat ergo inter nos verba signa esse. (Ad.) Constat." (De magistro I,2-II,3) Die Werke des Augustinus werden nach dem Corpus Christianorum zitiert,
soweit in der Reihe eine Edition bereits vorliegt. Die Orthographie wurde normalisiert.

[66] „Quod si haec vera sunt, sicuti esse cognoscis, vides profecto, quanto verba minoris ha-
benda sint quam id propter quod utimur verbis, cum ipse usus verborum iam sit verbis
anteponendus; verba enim sunt, ut his utamur; utimur autem his ad docendum. Quanto
est igitur melius docere quam loqui, tanto melior quam verba locutio. Multo ergo melior
doctrina quam verba." (IX,26)

[67] Vgl. III,5.

[68] Vgl. X,30.

[69] „(Aug.) Falsum igitur paulo ante dixisti doceri rem posse sine signis, cum quaeritur, quid
sit ipsum docere, quando ne hoc quidem videmus sine significatione agi posse, cum aliud
esse significare aliud docere concesseris. Si enim diversa sunt, sicut apparet, neque hoc
nisi per illud ostenditur, non per se utique ostenditur, sicut tibi visum erat. Quam ob rem
nihil adhuc inventum est, quod monstrari per se ipsum queat praeter locutionem, quae

Die Gesprächspartner suchen indes weiter nach geeigneten Beispielen für Lernvorgänge, die nicht durch Zeichen vermittelt werden. Das Vorführen der Tätigkeit eines Vogelfängers – so das erste Beispiel – kann, unterstellt man eine gewisse Intelligenz des Belehrten, zur Erkenntnis der gemeinten Sache führen. Die am Beipiel des Herumwandelns aufgeworfenen Probleme ergeben sich freilich auch hier. Das zweite Beispiel aber bringt einen neuen Aspekt: Wie kann das Hören des Wortes „sarabarae" zur Erkenntnis der so bezeichneten Kopfbedeckung führen? Augustin illustriert den relationalen Charakter der Sprachzeichen und zeigt die zwischen Wort und Sache vermittelnde Rolle der Deixis, die als Zeichenhandlung aufgefaßt wird,[70] um sodann die Bedeutung der Wörter, der Deixis und des Ineinandergreifens von Wörtern und Deixis herabzuspielen und das Wissen um die Sache selbst als Voraussetzung für den erfolgreichen Bezeichnungsakt herauszustellen.

Augustinus fragt, wie es möglich ist, daß wir das uns fremde Wort 'sarabarae' als Bezeichnung für bestimmte Kopfbedeckungen begreifen. Eine erste Annäherung sucht er, indem er erläutert, dies könne wohl durch Hinweis auf das bekannte Wort 'caput' geschehen. Auch das löst noch nicht das Problem: „Denn als die zwei Silben 'caput'", so führt er aus, „zum ersten Mal in mein Gehör drangen, war mir ihre Bedeutung (quid significarent) ebensowenig bekannt, wie als ich zum ersten Mal das Wort 'sarabarae' hörte oder las. Aber als das Wort 'caput' dann häufig ausgesprochen wurde, entdeckte ich, indem ich beobachtete und merkte, wann es ausgesprochen wurde, daß es eine Vokabel war für ein Ding, das mir schon lange durch das Sehen sehr bekannt war. Vor dieser Entdeckung war für mich dieses Wort lediglich ein Klang; daß es jedoch ein Zeichen ist, habe ich in dem Augenblick gelernt, als ich ermittelte, für welches Ding es ein Zeichen ist."[71] Um als Zeichen gewärtigt zu werden, muß die bezeichnete Sache bereits bekannt sein.[72]

---

inter alia se quoque significat; quae tamen cum etiam ipsa signum sit, nondum prorsus extat, quod sine signis doceri posse videatur. (Ad.) Nihil habeo, cur non assentiar. (Aug.) Confectum est igitur et nihil sine signis doceri et cognitionem ipsam signis [...]" (x,30-31). Auch wenn dies nicht das letzte Wort Augustins ist, geht es nicht an, einfach darüber hinwegzugehen, wie C.P. Mayer es tut. Vgl. Die Zeichen in der geistigen Entwicklung und in der Theologie des jungen Augustinus, 231.

[70] Vgl. X,34; vgl. auch III,6: „(Ad.) Ne ipse (sc. paries) quidem, quantum ratio progrediens docuit, ostendi sine signo potest. Nam et intentio digiti non est utique paries, sed signum datur, per quod paries possit videri."

[71] Ebd. X, 33.

[72] „[S]i ergo ita quaerentibus res ipsa digito demonstratur, hac conspecta discimus signum, quod audieramus tantum, nondum noveramus. In quo tamen signo cum duo sint, sonus et significatio, sonum certe non per signum percipimus, sed eo ipso aure pulsata, signifi-

Die Funktion der Wörter im Erkenntnisprozeß meint Augustinus deshalb auf ein bloßes Erinnern bzw. Anregen (admonere) einschränken zu können.[73] Der Brückenschlag vom Bereich der Wörter in den Bereich des Seienden wird nur dann möglich, wenn das Seiende ein bereits Erkanntes ist. Statt die Relationalität von signum und res zu betonen, betont er den Hiat zwischen beiden: Der Dichotomie von signum und res korrespondiert der Kontrast von Außen und Innen. Die Zeichen verbleiben im Bereich des äußeren Menschen und können die Wahrheit, die sich im Inneren des Menschen findet, nicht vermitteln.[74] Augustin bereitet so – zumindest ansatzweise[75] – den Schluß des Dialogs vor: Es ist Christus, der im inneren Menschen wirkt; den Zeichen kommt nur eine marginale, äußerliche Rolle zu.[76]

Dieses Resultat kann aber, obgleich die sprachkritische Grundhaltung sehr deutlich ist, nicht als Negation des ersten Resultats, der notwendigen Verwiesenheit auf zeichenhafte Vermittlung, verstanden werden. Die vorgetragene Sprachkritik ist fundamental[77], sie zeigt die begrenzte Macht

---

cationem autem re, quae significatur, aspecta. Nam illa intentio digiti significare nihil aliud potest quam illud, in quod intenditur digitus; intentus est autem non in signum, sed in membrum, quod caput vocatur. Itaque per illam neque rem possum nosse, quam noveram neque signum, in quod intentus digitus non est. Sed de intentione digiti non nimis curo, quia ipsius demonstrationis signum mihi videtur potius quam rerum aliquarum, quae demonstrantur, sicut adverbium, quod 'ecce' dicimus; nam et cum hoc adverbio digitum solemus intendere, ne unum demonstrandi signum non sit satis. Et id maxime tibi nitor persuadere si potero, per ea signa, quae verba appellantur, nos nihil discere; potius enim ut dixi uim verbi, id est significationem, quae latet in sono, re ipsa, quae significatur, cognita discimus, quam illam tali signficatione percipimus." (X,34)

73 Vgl. v.a. XI,36: „Hactenus verba valerunt, quibus ut plurimum tribuam, admonent tantum, ut quaeramus res, non exhibent, ut novimus."

74 Vgl. XI,38.

75 Der Übergang vom sprachphilosophischen Diskurs zur theologischen These erscheint dennoch als ein Bruch. Vgl. dazu K. Kuypers, a.a.O., 24-27.

76 Das Fazit des Dialogs ist die Kontamination von Mt 23,10 und Mt 23,9: „[...] ne nobis quemquam magistrum dicamus in terris, quod unus omnium magister in caelis sit." (De magistro XIV, 46) Dies ist auch die These, an die Augustin in seinen Retractationes erinnert (vgl. Retractationes I,XII), und zwar ohne hieran eine Kritik vorzutragen.

77 Die Radikalität der Sprachkritik in De magistro muß gegen É. Gilson und R. Simone betont werden. Gilson erklärt zu De magistro: „Augustin a donc fort bien vu que les conversations se réduisent *souvent* à des monologues parallèles; on croit échanger des idées, on n'échange que des mots [...]" (Introduction à l'étude de Saint Augustin, 91; Herv. M. F.) Simone behauptet: „Die Wörter werden also nur insofern geringer geachtet als die Dinge, die sie bezeichnen, als sie (sozusagen) 'gefährlich' sind, d.h. auch schlecht gebraucht werden können." (Die Semiotik Augustins, 106) Handelt es sich bei Gilson um den mißlungenen Versuch, die ontologische Vorordnung der Sachen vor den Wörtern

der Wörter, nicht aber ihre Ohnmacht. Augustin bemüht sich zum
Schluß ausdrücklich, einem solchen Mißverständnis vorzubeugen durch
Verweis auf ein noch ausstehendes Werk – gemeint ist wohl De doctrina
christiana[78] –, in dem er die Nützlichkeit der Wörter darlegen wolle.[79]

Die Spannung zwischen der Betonung der menschlichen Verwiesenheit auf zeichenhafte Vermittlung und der streng dichotomischen Konzeption der Zeichen auf der einen und der Dinge auf der anderen Seite
in De magistro bleiben unübersehbar. Offen bleibt zudem, wie vor dem
Hintergrund des Dialogschlusses die Ausgangsthesen zu beurteilen sind.
Eine wichtige, in der Literatur bislang zu wenig[80] diskutierte Frage ist, ob
'lehren' (docere) im Verlauf des Dialogs in einheitlichem Sinne gebraucht wird. Die Ausgangsthese, daß Sprechen notwendig ein docere
impliziert, kann nur dann plausibel gemacht werden, wenn man das
'docere' als Oberbegriff für eine Fülle von Sprechakten auffaßt. Der Text
bietet eine Reihe von Anhaltspunkten für dieses Verständnis. So kann
etwa der Sprechakt des Fragens unter das 'docere' subsumiert werden,
weil in der Frage ein Wissen-wollen mitgeteilt wird.[81] Das 'docere' aber,
von dem im Schlußteil mit ausschließlichem Bezug auf den inneren Lehrer die Rede ist, ist kein bloßes Vermitteln, sondern es bezeichnet ein
Grundlegen von Wissen. Das 'admonere', das als Funktion der Wörter
bezeichnet wird und gegen das Lehren des inneren Lehrers abgesetzt
wird, kann aber ohne weiteres dem 'docere' im umfassenderen Sinn
zugerechnet werden.

Die bereits angesprochene Schrift De doctrina christiana soll hier gemeinsam mit der Frühschrift De dialectica[82] behandelt werden, da Augu-

---

dem Leser gewissermaßen phänomenologisch nahezubringen, so ignoriert Simone die
ernst zu nehmende augustinische Sprachkritik.

[78] R. Lorenz meint, daß es sich hier um das Projekt einer eigenen Schrift handelt, das nicht
realisiert wurde. (Vgl. Die Wissenschaftslehre Augustins, 237.)

[79] „Sed de tota utilitate verborum, quae, si bene consideretur, non parua est, alias, si deus
siuerit, requiremus. Nunc enim ne plus eis quam oportet tribueremus [...]" (xiv,46)

[80] Eine Ausnahme stellt in dieser Hinsicht die Abhandlung von T. Borsche, „Macht und
Ohnmacht der Wörter" dar (vgl. 125f.) In Anm. 21 erwähnt Borsche frühere Behandlungen der Fragestellung.

[81] Die Gesprächspartner diskutieren auch, inwiefern sich der Zweck des Betens hierunter
subsumieren lasse. Auf die besondere kommunikative Situation des Gebets wird im Rahmen des dritten Teils dieser Untersuchung zurückzukommen sein.

[82] Die Authentizität dieser Schrift war lange umstritten. Zu dieser Problematik vgl. J. Pépin,
Saint Augustin et la dialectique, sowie J. Pinborg, Das Sprachdenken der Stoa und Augustins Dialektik, 148-151. Für die vorliegende Arbeit ist von großer Bedeutung, daß die
Schrift im Mittelalter als augustinisch galt. L.G. Kelly weist darauf eigens hin: „Augustine's
shortest definition is in the Principia dialectica, which, though now disputed in attributi-

stin in diesen beiden Schriften seine klassischen Zeichendefinitionen vorträgt. De doctrina christiana hebt mit der Feststellung an, daß jede Lehre (doctrina) als Gegenstand Zeichen (signa) oder Dinge (res) habe. Dabei sind die Sachen die umfassendere Gruppe von Entitäten. Augustin begreift nämlich sowohl solche Dinge als Zeichen, deren Existenzgrund diese Bezeichnungsfunktion ist („ad significandum aliquid adhibentur"), als auch diejenigen, die nur situationsbedingt als Zeichen aufgefaßt werden. Wenn Augustin nun die Unterscheidung zwischen signa und res zum Gliederungsprinzip seiner Schrift über die christliche Lehre macht, so kommt es insbesondere bei den Elementen der letztgenannten Gruppe auf die Perspektive an, auf welcher Seite der Einteilung sie zu behandeln sind. Zu der durch die Bezeichnungsfunktion konstituierten Gruppe von Zeichen zählt Augustin vor allem die Wörter. Sie treten – wie in De magistro – als Teilmenge der Zeichen auf, nun allerdings als eine besonders qualifizierte.

Die Definition der Zeichen präsentiert Augustin zu Beginn des zweiten Buches: „Signum est enim res praeter speciem, quam ingerit sensibus, aliud aliquid ex se faciens in cogitationem[83] venire."[84] Das Zeichen ist also eine Sache. Zunächst drängt diese Sache den Sinnen ein Bild, einen Eindruck, eine Gestalt auf. Darüber hinaus bewirkt sie, daß durch sie selbst etwas anderes ins Denken tritt. Wenn Augustin zuvor von den res significata spricht, so müssen diese im umfassenden, keinesfalls dinglich zu verstehenden Sinne dieses anderen (aliud aliquid) aufgefaßt werden.[85]

Neben diese klassische Definition des Zeichens kann man die Definition aus De dialectica stellen: „Signum est quod et se ipsum sensui et praeter se aliquid animo ostendit."[86] H. Ruef hat darauf hingewiesen, daß diese Definition ungeachtet der unterschiedlichen Termini die gleichen Strukturmerkmale des Zeichens angibt wie die oben angeführte.[87] Beide

---

on, was considered definitely his during the Middle Ages [...]" (St. Augustine' theories of linguistic sign and the grammatica speculativa of the thirteenth century, 217). Vgl. außerdem K. Barwick, Augustinus Dialektik und ihr Verhältnis zu Varros Schriften; H.-J. Marrou, Saint Augustin, 576-578. Nach der quantitativen Studie zur Autorschaft, die B.D. Jackson in der Pinborg-Edition des Textes vorgelegt hat, dürfte an der Echtheit kein Zweifel mehr zu bestehen.

[83] Die Édition Bénédictine hat statt „in cogitationem" „in cognitionem".

[84] De doctr. chr., II,I,1.

[85] Welche Entitäten Augustin in De doctrina christiana konkret als res verstanden wissen will, untersucht H.J. Sieben, Die „res" der Bibel.

[86] Kap. 5 [7]; es wird hier nach der Edition von J. Pinborg zitiert.

[87] Augustin über Semiotik und Sprache, 83: „Mit sensus ist die Sinneswahrnehmung gemeint, wie sie zum Beispiel durch die Augen geschieht. Animus ist hingegen der intellektuelle Ort, wo sich der eigentliche Zeichenprozess abspielt, indem die Verbindung zum

Definitionen halten fest, daß von einem Zeichen nur dann gesprochen werden kann, wenn eine Relation zwischen der „Zeichen" genannten Sache und einem anderen Etwas bzw. einer anderen Sache existiert. Diese Relation zeigt sich für einen Intellekt (cogitatio, animus). Notwendige Bedingung für das Zeichensein ist zudem, daß sich das Zeichen den Sinnen zeigt.[88]

Die Zeichen sind aus der Menge der Dinge (res) herausgehoben durch ihre Funktion, also durch die Möglichkeit, sie zum Bezeichnen zu gebrauchen.[89] Aufgrund dieser funktionalen Bestimmung der Zeichen ergibt sich eine gewisse Entsprechung des Begriffspaars Zeichen und Dinge einerseits und des Begriffspaars gebrauchen (uti) und genießen (frui) andererseits: „Frui" bedeutet einer Sache um ihrer selbst willen zugetan sein[90], „uti" bedeutet eine Sache benutzen im Hinblick auf das, was man liebt.[91] Die Gegenstände des Gebrauchs sind dem Gegenstand des Genießens, also Gott, in der gleichen Weise unter- und zugeordnet, wie die Zeichen den bezeichneten Dingen. Augustin erklärt aber nicht eindeutig, ob die Unterscheidung von Zeichen und Dingen immer auch eine ontologische Rangordnung bedingt.[92] Trotz der Analogie zum Verhältnis von uti und frui, wird man bei dem Schema signa und res neben der ontologischen Unterordnung stets auch die funktionale Zuordnung betonen müssen.

Der Definition der Zeichen in De doctrina christiana folgt ihre Klassifikation. Zu unterscheiden sei zwischen natürlichen Zeichen (signa naturalia) und gegebenen Zeichen (signa data). Natürlich sind Zeichen, die, ohne einen Willensakt und das Bestreben zu bezeichnen, aus sich heraus

---

aliquid hergestellt wird. Die eigentliche Zeichenrelation ist nur die zweite Relation, die signum mit animus bzw. aliquid verbindet. Hinzu kommt noch die Relation der Wahrnehmung der Zeichen."

[88] Die Notwendigkeit für die Zeichen, wahrnehmbar zu sein, wird noch unterstrichen durch die Möglichkeit, die Zuordnung zu den verschiedenen Sinnen zum Kriterium einer vollständigen Einteilung der Zeichen zu machen: „Signorum igitur, quibus inter se homines sua sensa communicant, quaedam pertinent ad oculorum sensum, pleraque ad aurium, paucissima ad ceteros sensus." (De doctr. chr., II,iii,4)

[89] „[...] significandi, id est signi dandi [...]" (De doctr. chr., II,II,3)

[90] Vgl. De doctr. chr., I,IV,4.

[91] Vgl. ebd.; vgl. auch De doctr. chr., I,XXXIII,37; De trin., X,XI,17. Zur Einteilung mithilfe des Begriffspaars uti-frui vgl. G. Krieger, Augustin und die Scholastik.

[92] Eine schwierige Frage ist, ob als „res" in De doctr. chr. auch nur das gesehen werden darf, was Gegenstand des frui ist. In diesem Sinne äußert sich C.P. Mayer (Die Zeichen, II. Teil, 88-104).

bewirken, daß außer ihnen selbst etwas anderes erkannt wird.[93] Beispiel-haft nennt Augustinus den Rauch, der das Feuer bezeichne, die Spur eines Tieres und einige menschliche Gesichtsausdrücke.

R.A. Markus hat versucht, die Dichotomie von signa naturalia und signa data als den Unterschied zwischen Symptomen einerseits und Sym-bolen andererseits zu deuten und die signa data als konventionelle Zei-chen zu begreifen.[94] Dagegen wenden sich J. Engels und B. D. Jackson.[95] Für sie ist das distinktive Moment bei den signa data der Wille bzw. die Absicht (intentio) eines Zeichengebers. Für diese Interpretation spricht insbesondere das „sine voluntate" in der Definition der signa naturalia[96], aber auch der Hinweis auf den Zeichengeber und den Zweck der Einsetzung von Zeichen bei der Definition der signa data[97]. Die Be-schaffenheit der als Zeichen verstandenen oder eingesetzten Dinge ist für die Unterscheidung irrelevant. Die signa data beruhen nur teilweise auf Konvention (auch ein Einzelner kann ein Zeichen einsetzen), und das Verhältnis zwischen Zeichen und Bezeichnetem ist hier nicht notwendig arbiträr.[98]

Die Zeichentheorie in De magistro ist hauptsächlich an den Wörtern als sprachlichen Zeichen interessiert. Auch in De dialectica und in De doctrina christiana spielen die Wörter eine zentrale Rolle in der Zei-chentheorie. Das wird bereits deutlich, wenn Augustin die optischen Zeichen als gleichsam sichtbare Worte (quasi quaedam verba visibilia) umschreibt.[99] Um den Vorrang der Wörter vor allen anderen Zeichen zu erweisen, führt Augustin eine ganze Reihe von Argumenten ins Feld.

---

[93] „[...] quae sine voluntate atque ullo appetitu significandi praeter se aliquid aliud ex se cognosci faciunt" (II,I,2).

[94] R.A. Markus, St. Augustine on signs, 72-76. Da die Worte im Zentrum der gegebenen Zeichen stehen, betrachtet er gegebene Zeichen in toto als konventionelle Zeichen.

[95] Vgl. J. Engels, La doctrine du signe chez St. Augustin; B. D. Jackson, The theory of signs in St. Augustine's De Doctrina Christiana.

[96] Vgl. Anm. 93.

[97] Vgl. II,II,3: „[...] quae sibi quaeque viventia invicem dant ad demonstrandos, quantum possunt, motus animi sui vel sensa aut intellecta quaelibet".

[98] Man beachte in diesem Zusammenhang das 25. Kapitel des zweiten Buches von De doctr. chr.: „[...] Appetunt tamen omnes quandam similitudinem in significando, ut ipsa signa, quantum possunt, rebus, quae significantur similia sint. Sed quia multis modis simile ali-quid alicui potest esse, non constant talia signa inter homines, nisi consensus accedat." (II,XXV,38) Die signa data sind demnach nicht im saussureschen Sinne arbiträr.

[99] De doctr. chr. II,III,4. An dieser Umschreibung wird deutlich, daß der von U. Duchrow gewählte Interpretationsansatz (Sprachverständnis und biblisches Hören bei Augustin) problematisch ist. Die akustische Vermittlung von Wissen erfährt nicht, wie Duchrow un-terstellt, durchgängig Augustins Kritik.

Zunächst ein Quantitätsargument: Die Mehrzahl der Zeichen sind akustische, und die Worte wiederum haben an diesen den bei weitem größten
Anteil. Gewichtiger ist der Hinweis auf die große Bedeutung der Worte in
der menschlichen Kommunikation; durch sie, so meint Augustin, können wir alle unsere Vorstellungen anderen vermitteln.[100] Das gewichtigste
Argument bietet Augustin auf, um den Einwand zu entkräften, in der
Heiligen Schrift seien zahlreiche nichtakustische Zeichen erwähnt: All
diese nichtakustischen Zeichen (und gleiches gilt wohl aus Augustins
Sicht auch für die nonverbalen akustischen Zeichen) könne man durch
Worte ausdrücken und wiedergeben (verbis enuntiare), nicht aber umgekehrt Worte vermittels jener Zeichen.[101]

Um vom Aufweis der zentralen Rolle der Worte beim Bezeichnen zur
Bibelauslegung hinzuleiten, muß Augustin auf die Schrift eingehen.[102]
Wie für Aristoteles[103] so ist auch für ihn die Schrift ein Zeichensystem
zweiter Ordnung, ein Derivat. Ihr Zweck ist es, den ephemeren Charakter der Lautsprache zu kompensieren. Der Vorrang der Lautsprache
bleibt unbestritten.[104]

Die Lehre von den signa und vom Zeichencharakter der Sprache fungiert in De doctrina christiana als Fundament für eine Theorie der richtigen Bibelauslegung. Die beabsichtigte „Hermeneutik der obscura signa
scripturarum"[105] erhält durch die Semiotik eine breite Basis; durch sie
können alle artes liberales in eine „Signifikationshermeneutik"[106] eingeordnet werden. Dabei ist die Rede von den res, die um ihrer Zeichenfunktion willen existieren, Ausgangsvoraussetzung für die Disziplinen des
Trivium, die Lehre von den okkasionell als signifikant begriffenen Din-

---

[100] „Verba enim prorsus inter homines obtinuerunt principatum significandi quaecumque
animo concipiuntur, si ea quisque prodere velit." (De doctr. chr. II,III,4)

[101] Augustin verzichtet hier darauf, nach Beispielen für die nonverbale Repräsentation von
Worten zu suchen.

[102] Daß das Wort eine zentrale Rolle hat, wird auch an dem Ausdruck „visibile verbum"
deutlich. Als Hintergrund für diese Metapher könnte man die Sakramententheologie sehen: Vgl. die berühmte Stelle: „Accedit verbum ad elementum, et fit sacramentum, etiam
ipsum tamquam visibile verbum." (Tractatus in evangelium Iohannis LXXX,3)

[103] Vgl. Perih. 1 [16a 3].

[104] In De dialectica erläutert Augustin zudem, daß „littera" in eigentlicher Weise für den
einzelnen Laut und nur im übertragenen Sinne für dessen Schriftzeichen, den Buchstaben, verwendet werde (Kap. 5 [7]).

[105] K. Kuypers, a.a.O., 77.

[106] Dieser Begriff geht auf C.P. Mayer (vgl. Signifikationshermeneutik im Dienste der Daseinsauslegung) zurück. Mayer bezeichnet damit eine Verstehenslehre, nach der alles
Seiende in seinem Verweisungszusammenhang begriffen werden soll.

gen die Voraussetzung für das Quadrivium.[107] Alle durch die Worte der
Schrift bezeichneten Sachen können wiederum Sachen höherer Ordnung bezeichnen. Das bloß wörtliche Verständnis der Schrift ist deshalb
nicht adäquat; alles bezeichnete Geschaffene muß in seinem Verweisungszusammenhang auf den Schöpfer hin begriffen werden.[108] Auch die
homiletischen Anweisungen des vierten Buches rekurrieren auf den Zeichencharakter der Sprache.

Es gelingt Augustin in De doctrina christiana, die Sakramententheologie organisch in seine allgemeine Zeichentheorie einzubinden.[109] Er definiert das Sakrament an anderer Stelle als heiliges Zeichen (sacrum signum)[110] und weist auf den Ähnlichkeitsbezug zwischen sakramentalem
Zeichen und der übernatürlichen Wirklichkeit (res sacramenti) hin.[111]
Augustin sieht solche „signa sacra" nicht nur bei den Christen. Auch die
Juden haben Sakramente und auch die Heiden schreiben Dingen Hei-
ligkeit zu. Entscheidend für die Bewertung der verschiedenen Religionen
sei, daß die heiligen Dinge wirklich als Zeichen begriffen werden und
welche Dinge durch sie bezeichnet werden sollen. Die Heiden nämlich
hielten entweder das Götzenbild selbst für die Gottheit, oder sie sähen es
zwar als Zeichen für eine Gottheit, betrachteten aber etwas Kreatürliches
als Gottheit.[112] Schwieriger gestaltet sich die Einschätzung der jüdischen
Religion. Augustin würdigt die Bezugnahme allen religiösen Tuns auf
den einzigen wahren Gott.[113] Die Zeichenfunktion ihrer Kultpraktiken sei
ihnen jedoch nicht gänzlich offenbar gewesen.[114] Während bei den Juden

---

[107] Zur Einteilung der artes nach Nähe und Ferne zum sinnlich Wahrnehmbaren vgl. K.
Kuypers, a.a.O., 85.

[108] Auch der Gedanke, daß die Schöpfung als Ganze Zeichen sei, findet sich bei Augustin
(vgl. De libero arbitrio II,43). In De doctr. chr. allerdings wird jeweils nur nach dem Zeichencharakter eines durch die Schrift bezeichneten Dinges gefragt. Auch die Lehre vom
vierfachen Schriftsinn findet sich nicht in De doctr. chr. Vgl. hierzu H. de Lubac
(Exégèse médiévale) und F. Ohly (Vom geistigen Sinn des Wortes).

[109] Daß die zeichentheoretische Konzeption der Sakramentenlehre nicht die einzig mögliche ist, läßt sich bei Isidor von Sevilla zeigen. Vgl. Etymologiae VI,XIX,38; dazu D. van den
Eynde, Les définitions des sacrements, 185f.

[110] Vgl. De civitate Dei X,5: „Sacrificium ergo visibile invisibilis sacrificii sacramentum, id est
sacrum signum est."

[111] Epistula 98,9 (CSEL, Bd. 34 Pars II, 531, 3-5): „Si enim sacramenta quandam similitudinem rerum earum, quarum sacramenta sunt, non haberent, omnino sacramenta non essent."

[112] Vgl. De doctr. chr. III,VII,11.

[113] Vgl. ebd. III,VI,10.

[114] „[Q]uandoquidem rebus temporalibus ita subiugati erant, ut unus eis in omnibus com-
mendaretur deus. Et quamquam signa rerum spiritalium pro ipsis rebus observarent ne-

die Zeichen eine nützliche, hinführende, gewissermaßen pädagogische
Rolle spielten, ihre bloß instrumentelle Rolle aber noch nicht gesehen
wurde, befreit die christliche Botschaft von der fleischlichen Bindung an
die Zeichen, von der Fixierung auf das Repraesentamen oder auf den
Signifikanten – wie man in der Sprache der Semiotik des 20. Jahrhunderts sagen könnte – zu einer Ehrfurcht vor den Zeichen allein um der
bezeichneten Sache willen. Die Bedeutung der sakramentalen Zeichen
muß durch die christliche Unterweisung vermittelt werden, mithin durch
Zeichen.

Auffallend an dieser Konzeption ist die Vielfalt der Vermittlungsstu-
fen. Sie steht im Kontrast zur Betonung der inneren Schau in De magistro. Daß Augustin zwischen beiden Konzeptionen keinen unauflöslichen
Widerspruch sah, sondern nur einen Akzentunterschied aufgrund je
verschiedener Argumentationsinteressen, wurde bereits unter Hinweis
auf den Schluß von De magistro angedeutet. Daß aber auch Augustin
dieses veränderte Argumentationsinteresse als explikationsbedürftig
empfand, zeigt nachdrücklich das Prooemium zu De doctrina christiana.[115] Es soll seine christliche Hermeneutik gegen eine Reihe von An-

scientes, quo referrentur, id tamen insitum habebant, quod tali servitute uni omnium,
quem non videbant, placerent deo." (III,VI,10)

[115] U. Duchrow sieht das Prooemium als Ausnahmeerscheinung im augustinischen Oeuvre
an, da hier eine positive Bewertung der Tradition und des Hörens gegeben wird. Er
meint, daß die positive Bewertung nur möglich sei, weil im Prooemium der Begriff „signum" nicht erscheint (vgl. Sprachverständnis und biblisches Hören, 210ff). In diesem
Zusammenhang hält er die von ihm selbst vorgenommene (vgl. Zum Prolog von Augustins De doctrina christiana) sehr späte Datierung des Prologs für wichtig. Zustimmen
kann man Duchrow darin, daß der Prolog ein für sich allein verständlicher Text ist. Keineswegs aber wird hier die Zeichentheorie negiert. Es ist sehr schwer zu sagen, ob der
„Fingerzeig" („quod ego intento digito demonstrarem" [Prooemium 3]) als Zeichen aufzufassen ist (vgl. die oben zitierte Äußerung Adeodats in De magistro) - etwa im Sinne des
Peirceschen Indexes. (Die Interpreten sprechen entweder von einer deiktischen Ausrichtung der augustinischen Zeichentheorie - so etwa H. Hornstein in seinem Vorwort zu De
magistro (11-20) -, oder unterscheiden zwischen deiktischen und bezeichnenden Zeichen (E. Coseriu, Geschichte der Sprachphilosophie, 109) oder sie setzen die Sprachzeichen dem „Vorzeigen der gemeinten Dinge" entgegen (K. Flasch, Augustin. Einführung
in sein Denken, 124). Duchrow erklärt nun im Zusammenhang seiner Besprechung des
Dialogs De magistro (Sprachverständnis, 64), daß der Fingerzeig „auch nur ein Zeichen"
sei und behauptet für das Prooemium gleichwohl die Abwesenheit der Zeichentheorie.
Hiergegen spricht, unabhängig von der Einordnung der Ostensionen, daß auch die
sprachliche Vermittlung, um die es Augustin im Prooemium geht, als zeichenhafte Vermittlung zu betrachten ist. Das Prooemium liefert die Rechtfertigung der Abhandlung
über die christliche Lehre, nicht deren Aufhebung. Die von Mayer (vgl. Res per signa)
vorgetragene Kritik an Duchrows Deutung ist deshalb prinzipiell berechtigt. Sie zeigt al-

feindungen in Schutz nehmen. Begründen will er den Zusammenhang von Wahrheitserkenntnis und Methode: Der Zugang zur Wahrheit der Offenbarung erfolgt über die Vermittlung menschlicher Instanzen. Dieser Mitteilungsprozeß kann nur in der Treue zum Ursprung bleiben, wenn er von Regeln des Verstehens geleitet ist. Augustin sieht sich mit der Auffassung konfrontiert, alle menschliche Vermittlung sei prinzipiell verzichtbar.[116] Zwar will er nicht ausschließen, daß es Geistbegabungen gibt, die das Verstehen der Heiligen Schrift ohne das Erlernen von Auslegungsregeln zulassen, doch sind solche Begabungen nicht der Normalfall und auch sie machen nicht jede menschliche Vermittlung obsolet.[117]

Augustinus warnt nicht nur vor der Selbstüberschätzung derjenigen, die auf menschliche Unterweisung verzichten wollen; er warnt auch – und hier erkennt man den Autor von De magistro – vor der Selbstüberschätzung der Lehrer. Sie können nur weitergeben, was sie selbst empfangen haben. Die Wahrheit aber und die Voraussetzungen ihrer Erkenntnis gründen allein in Gott.[118]

§ 5 Augustins anthropologische Deutung der Zeichen

An dieser Stelle drängt sich die Frage nach dem Verhältnis von Semiotik und Anthropologie bei Augustin auf: Wie hängen conditio humana und Mitteilung durch Zeichen zusammen? Augustin gibt hierzu keine einheitliche Antwort. Einschlägig sind zunächst zwei Passagen aus den Confessiones[119]: Augustin beschreibt dort bereits für das Säuglingsalter den Drang, sich anderen mitzuteilen, das innere Empfinden der Umwelt

---

lerdings nicht, warum die Zeichentheorie im Prooemium präsent ist, obwohl Augustin keine zeichentheoretische Terminologie verwendet.

[116] Diese Auffassungen nennt er „temptationes superbissimae et periculosissimae" (De doctr. chr., Prooem. 6) und hält ihnen das Beispiel des Paulus entgegen (vgl. ebd.), der trotz seiner Epiphanie von den Menschen die Sakramente empfangen habe.

[117] Vgl. ebd. 5.

[118] Vgl. Prooem. 3 und 5.

[119] Mayer hat ausführlich auf den großen Stellenwert der Zeichen in den Confessiones hingewiesen. Vgl. Die Zeichen, Teil I, 41-168. Für die folgenden anthropologischen Bemerkungen ist v. a. das Kapitel über die infantia (a.a.O. 60-69) von Wert. Mayer reflektiert selbst die Schwierigkeiten, von den Confessiones auf frühe Anschauungen Augustins zurückzuschließen (ebd. 41-50). Problematisch werden seine Ausführungen, wenn er, ohne Rückgriff auf Quellen, vermeintlich stoische Auffassungen dem jungen Augustinus unterstellt (vgl. etwa ebd. 107f. und 111).

offenzulegen.[120] Mit dem Sprachvermögen indes setze erst das Knabenalter ein. Die sprachliche Kompetenz, so deutet er die Phänomene, sei nicht durch die Erwachsenen vermittelt, sondern Leistung des eigenen, durch Gott geschenkten Geistes.[121] Der Spracherwerb findet in einer bereits fortgeschrittenen Entwicklungsphase der Zeichenkommunikation statt. Augustin macht gleichwohl deutlich, daß der Spracherwerb den eigentlichen Eintritt in die menschliche Gemeinschaft markiert. Er beschreibt sowohl den Willen zum Ausdruck von Gefühlen und Stimmungen als auch die Genese eines sprachlich verfaßten Weltverhältnisses. Daß Wörter auf Gegenstände der Welt referieren können, begreift das Kind durch die ostensive Bezugnahme auf diese Gegenstände. Augustin entwirft als Grundlage und Hinführung zur gesprochenen und geschriebenen Sprache eine natürliche Sprache, die nicht nur das Zeigen auf Gegenstände, sondern ein komplexes System von Körpersprache, Mimik und stimmlichen Lauten umfaßt. Gerade im Ton der Stimme komme das affektive Verhältnis zum Objekt der zeichenhaften Bezugnahme zum Tragen. Das Verstehen der konventionellen Zeichen wird möglich durch das Zusammenspiel dieser mit der Ostension und den natürlichen Wör-

---

[120] „Confiteor tibi, domine caeli et terrae, laudem dicens tibi de primordiis et infantia mea, quae non memini; et dedisti ea homini ex aliis de se conicere et auctoritatibus etiam muliercularum multa de se credere. Eram enim et vivebam etiam tunc et signa, quibus sensa mea nota aliis facerem, iam in fine infantiae quaerebam." (Confessiones I,VI,10)

[121] „Nonne ab infantia huc pergens veni in puertiam? Vel potius ipsa in me venit et successit infantiae? Nec discessit illa: quo enim abiit? Et tamen iam non erat. Non enim eram infans, qui non farer, sed iam puer loquens eram. Et memini hoc, et unde loqui didiceram, post adverti. Non enim docebant me maiores homines praebentes mihi verba certo aliquo ordine doctrinae sicut paulo post litteras, sed ego ipse mente, quam dedisti mihi, deus meus, cum gemitibus et vocibus variis et variis membrorum motibus edere vellem sensa cordis mei, ut voluntati pareretur, nec valerem quae volebam omnia nec quibus volebam omnibus. Prensabam memoria, cum ipsi appellabant rem aliquam et cum secundum eam vocem corpus ad aliquid movebant, videbam, et tenebam hoc ab eis vocari rem illam, quod sonabant, cum eam vellent ostendere. Hoc autem eos velle ex motu corporis aperiebatur tamquam verbis naturalibus omnium gentium, quae fiunt vultu et nutu oculorum ceteroque membrorum actu et sonitu vocis indicante affectionem animi in petendis, habendis, reiciendis fugiendisue rebus. Ita verba in variis sententiis locis suis posita et crebro audita quarum rerum signa essent paulatim conligebam measque iam voluntates edomito in eis signis ore per haec enuntiabam.

Sic cum his, inter quos eram, voluntatum enuntiandarum signa communicavi et vitae humanae procellosam societatem altius ingressus sum pendens ex parentum auctoritate nutuque maiorem hominum." (Confessiones I,VIII,13)

tern[122] – Körpersprache, Mimik, Tonlage –, die, wie Augustin offenbar voraussetzt, einen Schluß vom Zeichen auf das Bezeichnete zulassen. Der gemeinschaftsbildende Aspekt der Sprache kommt auch deutlich in De ordine zum Ausdruck. Augustins Darstellung lehnt sich dort erkennbar an die aristotelische Konzeption an, indem die Vernunftnatur des Menschen auf seine Natur als Gemeinschaftswesen bezogen wird. Die Sprache indes ermöglicht erst den gedanklichen Austausch und damit die den Vernunftwesen eigentümliche Weise der Gemeinschaft. Die Schrift schafft darüber hinaus die Voraussetzung für den geistigen Kontakt zwischen räumlich oder zeitlich getrennten Menschen.[123]

In einem gewissen Spannungsverhältnis zu den angeführten Textstellen stehen jene Bemerkungen Augustins, denen zufolge die Zeichen für die Menschen erst nach dem Sündenfall erforderlich wurden. Der wichtigste Beleg für diese Auffassung ist Augustins Kommentar zum zweiten Kapitel der Genesis in seiner exegetischen Erstlingsschrift De Genesi contra Manichaeos: Gott habe sich vor der Sünde unmittelbar an den Intellekt des Menschen gewandt, habe ihn „innen" belehrt.[124] U. Duchrow hat beschrieben, wie Augustin durch allegorische Deutung der Genesis zu dieser Auffassung gelangte.[125] Nach Duchrow sind die Worte deshalb zutiefst mit der Sünde des Menschen verknüpft, Sprache muß als Strafe des Urfalls, als Bestrafung des Hochmuts (superbia) gesehen werden. Duchrows Interpretation läßt sich noch durch eine weitere Textstelle bekräftigen. Auch in De musica bringt Augustin das Zeichenhandeln

---

[122] Diese Unterscheidung zwischen konventionellen und natürlichen Worten scheint nicht deckungsgleich mit der Dichotomie signa naturalia und signa data aus De doctrina christiana, II zu sein. Zur Konventionalität sprachlicher Zeichen äußert sich Augustin auch in De musica III,II.

[123] „Namque illud, quod in nobis est rationale, id est quod ratione utitur et rationabilia vel facit vel sequitur, quia naturali quodam vinculo in eorum societate adstringebatur, cum quibus illi erat ipsa ratio communis - nec homini homo firmissime sociari posset, nisi conloquerentur atque ita sibi mentes suas cogitationesque quasi refunderent - vidit esse inponenda rebus vocabula, id est significantes quosdam sonos, ut, quoniam sentire animos suos non poterant, ad eos sibi copulandos sensu quasi interprete uterentur. Sed audiri absentium verba non poterant; ergo illa ratio peperit litteras notatis omnibus oris ac linguae sonis atque discretis." (De ordine II,xii,35) Auch die Klassifikation des sonus (ebd. XIV,39) erinnert an die aristotelische Tradition.

[124] „Ante peccatum vero, cum viride agri et pabulum fecisset Deus, quo nomine invisibilem creaturam significari diximus, irrigabat eam fonte interiore, loquens in intellectum eius: ut non extrinsecus verba exciperet tanquam ex supradictis nubibus pluviam; sed fonte suo, hoc est de intimis suis manente veritate, satiaretur." (De genesi contra Manichaeos, l. 2, c. 4 [198f.])

[125] Vgl. U. Duchrow, „Signum" und „superbia" beim jungen Augustin.

und insbesondere die Sprache mit dem postlapsalen Status des Menschen in Verbindung.[126] Gleichwohl muß man gegen Duchrow einwenden, daß die zuvor zitierten Passagen aus den Confessiones und aus De ordine eine weit positivere Einschätzung der Sprache spiegeln. Beide Konzeptionen lassen sich aber weder zur Deckung bringen, noch kann die Spannung, in der sie stehen, durch eine Zuordnung zu verschiedenen Schaffensperioden aufgelöst werden.

§ 6 Die theologische Deutung des Wortes in De trinitate

In seinen Büchern über die Dreifaltigkeit wirft Augustin ein neues Licht auf die Sprache. Er entwickelt dort, vor allem im neunten und im fünfzehnten Buch, eine Theologie des Wortes, die in der Theorie des inneren Wortes kulminiert.[127] Die vorliegende Untersuchung wird weder die Genese dieses Konzeptes im Werk Augustins[128] noch die ideengeschichtliche Herkunft[129] verfolgen. Sie konzentriert sich vielmehr auf die Frage, ob die Verbumspekulation zu einer Revision der Sprachauffassung führt. Eine solche Revision behauptet am nachdrücklichsten R. Markus.[130] Für ihn handelt es sich bei De magistro und De doctrina christiana einerseits

---

[126] „Progredi autem in extima, quid est aliud quam intima projicere; id est, longe a se facere Deum, non locorum spatio, sed mentis affectu? [...] Sed operari de animis rationalibus, non per corpus, sed per seipsum, solus Deus potest. Peccatorum tamen conditione fit, ut permittantur animae de animis aliquid agere, significando eas moventes per alterutra corpora, vel naturalibus signis, sicut est vultus vel nutus, vel placitis, sicut sunt verba. Nam et jubentes et suadentes signis agunt, et si quid est aliud praeter jussionem et suasionem, quo animae de animis vel cum animis aliquid agunt." (De Musica VI, 13 (40.41) [Zitation nach der Édition bénédictine]. Vorsichtiger äußert sich Augustin in De genesi ad litteram, vgl. VIII,27(50); IX,12(20); XI,33(43).

[127] Augustin kennt hierfür eine Reihe von Ausdrücken und Umschreibungen: „verbum corde conceptum", „verbum cordis", „verbum, quod fecit animus meus", „verbum intus manens" u.a.; es fehlen die Verbindungen „verbum mentis" und „verbum internum". Eine Übersicht über sämtliche Varianten bietet A. Schindler, Wort und Analogie, 250f.

[128] Vgl. dazu A. Schindler, a.a.O., 97-104, sowie U. Duchrow, Sprachverständnis und biblisches Hören, 122-136.

[129] Vgl. dazu K. Kuypers, Der Zeichen- und Wortbegriff, 60-65; A. Michel, Art. „Verbe", Sp. 2653-2664; A. Schindler, a.a.O., 104-114 und U. Duchrow, a.a.O.

[130] A.a.O. 79: „Augustine's theory of the 'word' approaches language from the side of the speaker, unlike the sign-theories of the *de Magistro* and the *de Doctrina Christiana*. The latter are theories of meaning for the spectator and the interpreter, and prima facie plausible only as we keep to that model. [...] Unlike the sign-theories already discussed, Augustine's theory of the 'word' recognises the 'creative' aspect of symbol-making, even though it fixes a gulf between it and its concrete embodiment."

und De trinitate andererseits um zwei Sprachtheorien[131], auch wenn er zugibt, daß Augustin zwischen den Konzeptionen keinen Widerspruch gesehen haben würde.[132] K. Kuypers erklärt, daß De trinitate größere Klarheit gegenüber früheren Sprachkonzeptionen erreiche, weil hier das Begriffspaar sonus – significatio durch vox – verbum ersetzt sei.[133] Augustin schließe nun die „Möglichkeit, den Begriff zu übertragen"[134], nicht mehr aus. Auch J. Biard konstatiert einen radikalen Wandel in der Sprachbetrachtung. Sie werde nicht wie in De magistro zugunsten einer Theorie des Erkennens aufgegeben, sondern die Theorie des Erkennens werde selbst zu einer Theorie des inneren Wortes, hebe sich also in eine bestimmte Art von Sprachtheorie auf. Diese müsse freilich von der Theorie der äußeren Sprachzeichen unterschieden werden.[135] R. Lorenz und C. P. Mayer sehen bei Augustin eine gewisse Neubewertung der Sprache mit der vertieften Reflexion auf die Inkarnation einhergehen.[136]

Es muß indes deutlich herausgestellt werden, daß De trinitate keinen Bruch mit der Zeichentheorie der Sprache vollzieht. Vielmehr wird diese wiederholt in Erinnerung gerufen.[137] In der Trinitätslehre geht es aber nun darum, Analogien zwischen dem dreifaltigen Gott und dem Men-

---

[131] Vgl. ebd.

[132] Vgl. ebd. 82.

[133] Vgl. a.a.O. 67.

[134] Ebd. 71.

[135] J. Biard, L'émergence du signe, 50: „La connaissance devant laquelle, selon le De magistro, les signes et le langage semblaient devoir s'effacer, s'avère en fin de compte être elle-même un langage, plus précisément une parole, un verbe. Mais ce dédoublement du langage n'est pas la simple reprise de la distinction néo-platonicienne entre λόγος προφορικός et λόγος ἐνδιάθετος. Le langage intérieur est lui-même rattaché au verbe divin. La parole intérieure à laquelle, dans le De Magistro, conduit l'analyse du langage (extérieur) et de la connaissance, doit être mise en relation avec la vérité d'après laquelle toute chose a été créée. En ce lieu, le langage resurgit, métamorphosé. Il n'est plus question de dire que la théorie du signe s'annule dans une théorie de la connaissance puisque celle-ci se résout elle-même dans le verbe intérieur, ce qui ramène bien au premier plan un certain langage. Assurément, ce verbe intérieur doit être différencié des signes extérieurs, comme le langage divin du langage humain."

[136] Vgl. R. Lorenz, Die Wissenschaftslehre Augustins, 238, sowie C.P. Mayer, Die Zeichen, Teil II, 239f.

[137] Vgl. De trin. XV,X,19: „Et plerumque sonus, aliquando etiam nutus, ille auribus, ille oculis exhibetur ut per signa corporalia etiam corporis sensibus verbum quod mente gerimus innotescat. Nam et innuere quid est nisi quodam modo visibiliter dicere? [...] Sed haec atque huiusmodi signa corporalia sive [Der Druckfehler in CCSL („suie") wurde hier korrigiert] auribus sive oculis praesentibus quibus loquimur exhibemus. Inventae sunt etiam litterae per quas possemus et cum absentibus conloqui, sed ista signa sunt vocum, cum ipsae voces in sermone nostro earum quas cogitamus signa sint rerum."

schen als dem Bild Gottes (imago dei) zu entdecken. Augustin sucht eine
Entsprechung zur zweiten göttlichen Person, die Logos bzw. Verbum
genannt wird.[138] Da nun das menschliche Wort, insofern es äußeres Zeichen ist, keine Analogie zum göttlichen Verbum aufweise, müsse man
sich jenem Wort des Menschen zuwenden, das als das Wort des rationalen Sinnenwesens angesehen werden kann; dieses sei weder lautlich,
noch dürfe es als der Lautgestalt ähnlich gedacht werden. Es werde aus
dem Wissen hervorgebracht, das in der Seele bleibe und gehe allen Zeichen, die es bezeichnen, voran.[139]

Augustin bereitet seine Lehre vom inneren Wort im neunten Buch
von De trinitate vor. Er grenzt zunächst das innere Wort gegen das äußere Wort ab. Es ist als wahrhafte Kenntnis der Dinge die notwendige Voraussetzung für jedes äußere Wort; das innere Wort nimmt das äußere,
gesprochene, in Dienst.[140] Weiterhin kennzeichnet er das innere Wort als
eine Kenntnis, die mit einem Streben einhergeht (notitia cum amore).[141]
Im fünfzehnten Buch führt Augustin aus, daß das Erkennen des inneren
Wortes zu unterscheiden sei vom Vorstellen eines Klangbildes.[142] Gleichwohl heißt das innere Wort nicht nur im übertragenen Sinn „Wort"; es ist
vielmehr sogar im eigentlicheren Sinn Wort als das gesprochene Wort.[143]
Dieses innere Wort also ist es, das auf seine Analogiefähigkeit hin untersucht werden kann. Analog zur Zeugung des göttlichen Sohnes durch
den Vater sieht Augustin die Zeugung des geformten Gedankens aus
dem Gedächtnis[144] – die Zeugung des göttlichen Wortes (verbum dei)
wird dabei als Denkakt des Vaters begriffen.

---

[138] Diese Analogie ist - wie alle Analogien, die Augustin in seiner psychologischen Trinitätslehre (vgl. De Trin. IX und XV) findet, - v.a. durch die Unähnlichkeit zwischen Göttlichem und Menschlichem gekennzeichnet.

[139] „Perveniendum est ergo ad illud verbum hominis, ad verbum rationalis animatis, ad
verbum non de deo natae sed a deo factae imaginis dei, quod neque prolativum est in
sono neque cogitativum in similitudine soni quod alicuius linguae esse necesse sit, sed
quod omnia quibus significatur signa praecedit et gignitur de scientia quae manet in
animo quando eadem scientia intus dicitur sicuti est." (De trin. XV,XI,20)

[140] Vgl. De trin. IX,VII,12.

[141] Ebd. X,15: „Verbum est igitur quod nunc discernere et insinuare volumus, cum amore
notitia."

[142] Vgl. De trin. XV,X,19: „Quisquis igitur potest intellegere verbum non solum antequam
sonet, verum etiam antequam sonorum eius imagines cogitatione voluantur (hoc est
enim quod ad nullam pertinet linguam, earum scilicet quae linguae appellantur gentium
quarum nostra latina est) [...]"

[143] Vgl. ebd. XI,20.

[144] Vgl. ebd.: „Nam illud quod profertur carnis ore vox verbi est, verbumque et ipsum dicitur
propter illud a quo ut foris appareret assumptum est. [...] Et sicut verbum nostrum fit vox

Ob und inwieweit man die Lehre vom inneren Wort als eine Aufwertung der Sprache ansehen kann, hängt davon ab, welche Bedeutung man der Analogie zwischen Sprachäußerung und Inkarnation beimißt. Es hängt zudem davon ab, ob man im Verhältnis von göttlichem Wort und innerem menschlichen Wort, sowie innerem Wort und äußerem Wort eher die Ähnlichkeit oder die Unähnlichkeit heraushebt.[145] De trinitate bietet eine Fülle von Ansätzen zu einer gegenüber De magistro differenzierten Sprachauffassung. Diese Ansätze werden indes nicht systematisch ausgeführt, und ein solches sprachphilosophisches Anliegen ist in De trinitate auch nicht zu erkennen. Hätte Augustin diesen Weg beschreiten wollen, so hätte die Theorie des inneren Wortes eine Möglichkeit geboten, die in De magistro akzentuierte Dichotomie von Zeichen (signa) und Dingen (res) zugunsten eines dreigliedrigen semantischen Schemas zu überwinden. Sodann – und dies ist vielleicht noch entscheidender für eine adäquate Semantik – kann man an einigen Stellen in De trinitate auf den Urteilscharakter des inneren Wortes schließen.[146] Auch dieser Schritt wird von Augustin selbst nicht explizit vollzogen. Vielmehr wird in De trinitate weder das Wort als entscheidende semiotische Einheit durch den Satz ersetzt, noch wird der Satz überhaupt als semantische Einheit gekennzeichnet.[147] Die Schwierigkeiten im Aufweis, wie Sprache auf

---

nec mutatur in vocem, ita verbum dei caro quidem factum est, sed absit ut mutaretur in carnem.“

[145] Dies läßt sich sehr gut an den Darstellungen von A. Schindler und J. Biard zeigen, die in dieser Frage die Extrempositionen vertreten. Vgl. etwa Schindler, a.a.O. 232: „Das, was die Lehre von Gott, Wort und Geist eigentlich meint, erfährt unweigerlich eine gewisse Verdunkelung, wenn das göttliche Sprechen nur uneigentlich zu verstehen ist und als Zeugung des ewigen Wortes mit der wirklichen, geschichtlichen Sprache faktisch kaum etwas zu tun hat.“ Dagegen Biard, L'émergence du signe, 52: „De même que le verbe extérieur et sensible a sa vérité dans le verbe intérieur, de même celui-ci trouve sa vérité dans le Verbe divin. On comprend dès lors pourquoi c'est au Christ, comme Verbe de Dieu, que reconduit finalement le De magistro.“

[146] Den Urteilscharakter des verbum cordis betont U. Duchrow (Sprachverständnis und biblisches Hören), allerdings unter einem ethischen, nicht unter einem semantischen Aspekt.

[147] T. Borsche hat dieses semantische Konzept als antikes Gemeinverständnis hingestellt. „Dieses Festhalten wird allerdings verständlich, wenn man sich vergegenwärtigt, daß in der Antike - soweit ich sehen kann - nach der Bedeutung der Rede niemals anders als von einzelnen Wörtern her gefragt wurde.“ (Macht und Ohnmacht der Wörter, 128) Dem allerdings muß man entgegenhalten, daß die antike Sprachphilosophie sehr wohl Ansätze kennt, die die Analyse des Satzes in den Vordergrund rücken. Dies gilt gleichermaßen für Platons Sophistes und den Theaitetos wie für die aristotelische Theorie des Aussagesatzes in Peri hermeneias. Für die Stoiker, die hieran anknüpfen, kann schließlich nur die Satz-

Sachverhalte referieren kann, die Augustin in *De magisto* vorgeführt hat, lassen sich somit auch unter Rekurs auf *De trinitate* nicht beseitigen.

§ 7 *Die zeichentheoretischen Debatten des Hellenismus als Hintergrund der augustinischen Semiotik*

Ob der dargestellten augustinischen Zeichentheorie Originalität zugesprochen werden kann, wird in der Forschung kontrovers diskutiert. Beide Seiten führen als Quellen für Augustins Konzeption zumeist die stoische Zeichentheorie an. Aus den derzeit bekannten Quellen zur stoischen Zeichentheorie geht indes deutlich hervor, daß diese nur eine von mehreren konkurrierenden Zeichentheorien des Hellenismus war. Der stoischen Konzeption stehen epikureische und skeptische Auffassungen entgegen.[148] Die Frage nach der Originalität Augustins muß vor dem Hintergrund dieses Theorienstreits beantwortet werden.

§ 7.1 *Die Stoa*

Zur Rekonstruktion der stoischen Zeichentheorie müssen einige Bemerkungen zur Ontologie der Stoiker vorausgeschickt werden. Viele antike Fragmente belegen, daß die Stoiker überzeugt waren, daß alles, was es gebe, Körper seien. Ausgehend von dieser Position klassifizieren viele Interpreten die stoische Ontologie als materialistisch.[149] Allerdings muß

bedeutung als ein vollständiges Lekton angesehen werden (Zur Problemgeschichte vgl. G. Nuchelmans, Theories of the proposition). Die Differenz zwischen stoischer und augustinischer Sprachbetrachtung in diesem Punkt betont auch M. Baratin, Les origines stoïciennes de la théorie augustinienne du signe.

[148] Zur hellenistischen Philosophie ist in den letzten Jahrzehnten eine Fülle von Arbeiten erschienen. Wiederholt wurde ihre positive Neubewertung schrittweise nachgezeichnet. Für die stoische Logik, in bezug auf die nach der Polemik in C. Prantls „Geschichte der Logik im Abendlande" diese Umwertung besonders radikal ist, hat dies etwa M. Frede („Die stoische Logik") unternommen. Auf einen erneuten Forschungsbericht kann hier verzichtet werden. Einen guten Überblick geben Antony Long und David Sedley durch eine umfangreiche, thematisch gegliederte Bibliographie im zweiten Band ihres Textkonvoluts zur hellenistischen Philosophie. Die Untersuchung im folgenden beschränkt sich auf die kritische Auseinandersetzung mit den das Problem von Zeichen und Wissen unmittelbar betreffenden Untersuchungen.

[149] Beachtet man die Einteilung der Philosophie, wie sie die Stoiker selbst vornehmen, so beziehen sich diese Bemerkungen auf die Physik. Die Stoiker betrachten neben der Phy-

diese Klassifikation verdeutlicht werden, damit sie nicht zu Mißverständnissen der stoischen Zeichentheorie und ihrer Wirkung auf Augustin verleitet.[150] Von besonderem Interesse ist die These vom Materialismus der stoischen Ontologie in der Gestalt, wie sie bei Mayer und (wohl im Anschluß an diesen) bei Biard erscheint.[151] Quelle für Mayers Auffassung ist offenbar das dritte Buch Contra Academicos. Augustin berichtet dort, Zenon habe eine bestimmte Theorie der Welt und der Seele forciert, die sich bis zu Chrysipp in der stoischen Schule durchgesetzt habe. Nach dieser Theorie habe die Seele als sterblich gegolten und alles in der Welt als körperlich verursacht; außerhalb der sinnlichen Welt hingegen sei nichts.[152]

Daß es Lehre der Stoiker war, es gebe nur Körper, wird durch viele Fragmente bestätigt. Auffallend ist, daß Phänomene, die von anderen Schulen als unkörperlich angesehen wurden, in der Stoa als körperlich galten: so die φωνή[153]. Auch Augustins Behauptung, Gott sei als körperlich angesehen worden, wird durch andere Texte gedeckt.[154] Die Behauptung aber, es gebe nur Körperliches, bedarf einer genaueren Betrachtung. Sie besagt die Äquivalenz von „seiend" und „körperlich"; „τὰ σώματα" und „πάντα τὰ ὄντα" werden gleichgesetzt. Das stoische Kriterium nun für das Körpersein ist, daß etwas tätig ist oder daß auf es eingewirkt werden kann.[155] Daneben begegnet in den stoischen Fragmenten

---

sik (Ontologie) Ethik und Logik als Teile der Philosophie, wobei für sie die Logik die Dialektik und die Rhetorik umfaßt.

[150] Ein Beispiel für ein solches Mißverständnis findet sich bei E. Güttgemanns, Die Differenz zwischen Sakramenten und „Zeichen-Körpern", 81, Anm. 68.

[151] C.P. Mayer unterstellt den Stoikern außer einer materialistischen Ontologie auch eine sensualistische Erkenntnistheorie: „Gemäß ihrer Ontologie huldigten sie (sc. die Stoiker) also in der Erkenntnistheorie einem konsequenten Sensualismus." (Die Zeichen in der geistigen Entwicklung und in der Theologie des jungen Augustinus, 177)

[152] „Quam ob rem cum Zeno sua quadam de mundo et maxime de anima, propter quam uera philosophia uigilat, sententia delectaretur dicens eam esse mortalem nec quicquam esse praeter hunc sensibilem mundum nihilque in eo agi nisi corpore - nam et deum ipsum ignem putabat [...] Zeno imagine constantiae deceptus, ut ipsis Academicis videbatur nec mihi etiam non videtur, pertinax fuit fidesque illa corporum perniciosa, quoquo modo potuit, pervixit in Chrysippum, qui ei - nam maxime poterat - magnas vires latius se diffundendi dabat [...]" (Contra Academicos III,XVII,38f.)

[153] Vgl. Diogenes Laertius, Vitae Philosophorum (fortan Diog. Laert.) VII, 55. Die Kritik an der stoischen Auffassung von der Stimme als Körper erfolgt zumeist mit Berufung auf Platon (vgl. etwa Simplicius, FDS Frg. 480).

[154] Vgl. David, In Porph. Isagog. 111, 3-17 (FDS Frg. 739).

[155] Vgl. z.B. FDS Frg. 481 (Scholia in Dionys. Thrax): „Denn körperlich ist alles, was tätig sein und Wirkungen erleiden kann [...]"

auch die Definition des Körpers als eines dreidimensionalen Ausgedehnten mit Widerständigkeit.[156] „Seiend" ist für die Stoa allerdings nicht der oberste, allgemeinste Begriff. Alexander von Aphrodisias berichtet, daß für die Stoiker das Etwas (τὸ τὶ) die höhere Gattung sei als das Seiende und daß „etwas" nicht wie „seiend" nur von Körpern, sondern auch von Nichtkörperlichem ausgesagt werde.[157] Es lassen sich vier Größen bzw. Kategorien aufzeigen, die jede als ein „Etwas", nicht aber als seiend betrachtet wurden: die Zeit, der Raum, das Leere und die Lekta.[158] Besondere Aufmerksamkeit verdienen unter den genannten die Lekta. Insofern sie unteilbar sind, nehmen sie eine Sonderstellung auch gegenüber Raum, Zeit und Leere ein.[159]

Bekanntlich ist uns die Philosophie der älteren Stoa ausschließlich durch die Überlieferung von Theoriefragmenten durch andere antike Autoren zugänglich. Die für die Dialektik der Stoiker wichtigsten Quellen sind Diogenes Laertius' Vitae philosophorum und das Werk des Sextus Empiricus. Diogenes Laertius schweigt über die Zeichentheorie der Stoiker. Allerdings verzeichnet er in seiner Liste der Werke des Zenon von Kition eine Schrift unter dem Titel „Περὶ σημείων"[160]. Unter den logischen Schriften des Chrysipp erwähnt er eine Schrift, die „Πρὸς τὸ περὶ σημασιῶν Φίλωνος"[161] betitelt ist. Darüber hinaus ist für die stoische Zeichentheorie die Schrift des Epikureers Philodemus Περὶ σημεῖων καὶ σημειώσεων einschlägig,[162] denn es gehört zu den Gepflogenheiten der Epikureer, die Positionen der Gegner ausführlich darzustellen, und dies sind insbesondere in der Zeichentheorie vor allem die Stoiker. Schließlich finden wir auch in einer Schrift, die früher Galen zugeschrieben wurde, der Historia philosophiae, Hinweise auf die Zeichentheorie der Stoa.

Die ausführlichste Stellungnahme zur stoischen Zeichentheorie indes bietet der Skeptiker Sextus Empiricus und zwar sowohl in den

---

[156] Vgl. FDS Frg. 733 bis 748.

[157] Vgl. FDS Frg. 711.

[158] Vgl. zum Zusammenhang: E. Bréhier, La théorie des incorporels dans l'ancien stoïcisme; P. Pasquino, Le statut ontologique des incorporels dans l'ancien Stoïcisme.

[159] Stobaeus, Eclogae I 14,1ᵉ.p. 142 [= FDS Frg. 724].

[160] Diog. Laert. VII, 4.

[161] Vgl. Diog. Laert. VII, 191. Wie „περὶ σημασιῶν" zu übersetzen sei, wird kontrovers diskutiert.

[162] Diese Schrift ist es, deren Veröffentlichung durch Th. Gomperz im Jahre 1865 die Forschungsdiskussion zur hellenistischen Zeichentheorie auslöste. Sie war Bestandteil einer umfangreichen Bibliothek mit epikureischem Schrifttum in Herculaneum. Die Rekonstruktionsgeschichte schildert knapp D. Sedley, On signs, 239 Anm.1. Die Schrift wird im folgenden „De signis" genannt.

Pyrrhoneion Hypotyposeis (Grundzüge des Pyrrhonismus) als auch in Adversus Mathematicos. Den Leitfaden für die Rekonstruktion der stoischen Zeichentheorie sollen im folgenden die Pyrrhoneion Hypotyposeis bieten. Zur Klärung einiger spezieller Probleme muß darüber hinaus auf die anderen erwähnten Quellen zurückgegriffen werden. Dabei wird sich zeigen, daß die Bestimmung der stoischen Position am besten durch die Abgrenzung gegen die konkurrierenden zeitgenössischen Zeichenauffassungen möglich wird. Sextus gibt die stoische Definition des Zeichens (σημεῖον) in den Grundzügen des Pyrrhonismus wie folgt wieder: „Jedenfalls sagen uns besonders diejenigen, die über das Zeichen gründlich gehandelt zu haben scheinen, die Stoiker, wenn sie den Begriff des Zeichens vorstellen wollen, das Zeichen sei die in einer wahren Implikation (ὑγιεῖ συνημμένῳ) vorangehende maßgebliche Aussage (προκαθηγούμενον), die den Nachsatz zu enthüllen vermag (ἐκκαλυπτικὸν τοῦ λήγοντος).“[163]
Sextus erläutert sodann die einzelnen Elemente dieser Definition. Zunächst wird die Bestimmung, daß es sich beim Zeichen um eine Aussage handelt, durch den Begriff des vollständigen Lektons[164] wiedergegeben. Von den drei Fällen einer wahren Implikation (gemeint ist die philonische Implikation) ist für die Bestimmung des Zeichens nur jener Fall relevant, in dem Antecedens und Succedens wahr sind.[165] In einem solchen Konditionalgefüge nun ist das σημεῖον die vorangehende maßgebliche Aussage (καθηγούμενον), das Antecedens also. Zusätzlich wird von diesem Antecedens gefordert, daß es das Succedens „enthülle" (ἐκκαλύπτειν). Th. Ebert hebt hervor, daß durch diese zusätzliche Bestimmung die erkenntnistheoretische Funktion der Zeichen herausgestellt werden soll, auch um die Konfrontation mit der Erkenntnistheorie

---

[163] Pyrrh. Hypot. II, 104. In Adv. Math. betont Sextus im Zusammenhang dieser Definition die Intelligibilität des Zeichens: „Gegen diejenigen, die dafürhalten, daß das Zeichen sinnlich wahrnehmbar (αἰσθητὸν) sei (sc. die Epikureer), sei soviel an Zweifeln vorgebracht. Doch wollen wir auch die ihnen entgegengesetzte Position kritisch betrachten, ich meine die Position derer, die das Zeichen so auffassen, daß es etwas Intelligibles (νοητόν) ist. Doch wird es vielleicht zweckmäßig sein, vorher auch kurz über die Auffassung zu handeln, daß das Zeichen - so wollen sie es - eine Aussage (ἀξίωμα) und aus diesem Grund etwas Intelligibles ist. Wenn sie eine Umschreibung davon geben, sagen sie, das Zeichen sei die in einer wahren Implikation vorangehende maßgebliche Aussage, die den Nachsatz zu enthüllen vermag." (Adv. Math. VIII, 243-245). Vgl. auch Ps.-Galen (FDS Frg. 1027).

[164] Die Stoiker unterscheiden zwischen dem mit Worten und Satzteilen Gemeinten als dem unvollständigen Lekton und dem durch einen Satz sagbaren vollständigen Lekton (vgl. G. Bien, Art. „Lekton").

[165] Deutlich in Adv. Math. VIII, 245.

der Skeptiker einzuleiten: „Mit Zeichen schlagen wir sozusagen Brücken vom Bereich des Offenkundigen zu dem des Nichtoffenkundigen."[166] Daß die Stoiker die erkenntniserweiternde Funktion der Zeichen so stark betonen, obwohl diese doch bereits im lebensweltlichen Verständnis des Zeichens impliziert ist, läßt hier eine Replik auf eine antistoische Kritik vermuten. Die Kritik scheint zu besagen, daß es sich beim Übergang vom Antecedens zum Succedens um eine bloß formale Umformung handele.

In Adversus Mathematicos führt Sextus dieselben stoischen Kriterien für ein σημεῖον wesentlich ausführlicher und vor allem umständlicher aus. Er gibt dort zudem noch ein weiteres Kriterium an: „Ferner, sagen sie, muß das Zeichen ein gegenwärtiges Zeichen für etwas Gegenwärtiges sein."[167] Er begründet dies dadurch, daß auch Aussagen, die sich auf Vergangenes oder Zukünftiges beziehen, als Aussage gegenwärtig sind. Das Kriterium ist damit eindeutig redundant und mit gutem Grund in den „Grundzügen des Pyrrhonismus" nicht zu finden.[168]

Nach der Definition des Zeichens soll nun seine Klassifikation angesprochen werden. In den Quellen werden den Stoikern verschiedene Einteilungsweisen des Zeichens zugeschrieben. Daß die von Sextus genannte Unterscheidung zwischen erinnernden und anzeigenden Zeichen nicht stoisch ist, ist vielfach erklärt und überzeugend begründet worden. Diese Unterscheidung wird erst wichtig, wenn die Semiotik des Sextus untersucht wird. In Philodems Buch De signis werden wir mit einer anderen Zeichenklassifikation konfrontiert, die tatsächlich auf die

---

[166] Th. Ebert, Dialektiker, 38.

[167] Adv. Math. VIII, 254.

[168] Th. Ebert aber übt eine weitergehende Kritik, auf die kurz eingegangen werden muß: „Als Definitionsmerkmal ist diese Bestimmung damit überflüssig. Sie ist aber nicht nur überflüssig, sondern steht auch im Widerspruch zu der letzten Klausel der in Adv. Math. 8.245 referierten Definition: zu der Forderung, daß das Zeichen 'das Succedens aufdecken' soll." (a.a.O. 42) Eberts Kritik hebt darauf ab, daß das „Aufdecken" sich nur auf den Sachverhalt, nicht aber auf die Aussage beziehen kann. Es ist jedoch denkbar, daß von Stoikern tatsächlich beide Kriterien aufgestellt wurden, um ihren Zeichenbegriff gegenüber Kritikern zu präzisieren und zu verteidigen. Das Redundanzproblem entsteht erst durch das Zusammentragen der Definitionsmerkmale. Will man aber in der Begrifflichkeit der Stoiker begründen, warum kein Widerspruch vorliegt, so muß man sich auf den Begriff des Lekton beziehen, das als ein vollständiges Lekton ein Satzbedeutungsgehalt ist, das, was für die Stoiker wahr oder falsch sein kann (vgl. G. Nuchelmans, Theories of the proposition, 45-74). Diesen Bedeutungsgehalt, nicht etwa den bezeichneten Sachverhalt selbst, gilt es durch das Zeichen aufzudecken. Das Aufgedeckte ist damit im Sinne der oben skizzierten stoischen Ontologie unkörperlich, es kann nicht als vergangen oder zukünftig aufgefaßt werden.

Stoiker[169] zurückgeht. Unterschieden wird zwischen einem gemeinsamen (κοινὸν σημεῖον) und einem speziellen Zeichen (ἴδιον σημεῖον).[170] Die Unterscheidung macht deutlich, daß es sich beim stoischen Zeichen immer um den Wenn-Satz in einem Konditionalgefüge handelt. Ein Zeichen im strengen Sinne (ἴδιον σημεῖον) ist nur dann gegeben, wenn die Verbindung zwischen Vorder- und Nachsatz notwendig ist.[171]

Wie bei Aristoteles muß auch bei den Stoikern neben dem Komplex der Zeichenschlüsse das Thema Sprachtheorie behandelt werden, um die Voraussetzungen für die Semiotik des Mittelalters zu ermitteln. Maßgeblich ist dabei, ob die Stoiker sprachliche Einheiten als Zeichen ansahen. Zunächst fällt auf, daß die Sprachtheorie für die Stoiker einen großen Stellenwert gehabt haben muß.[172] Wie Aristoteles beginnen auch die Stoiker ihre Untersuchung der Sprache mit einer Betrachtung des Stimmlautes (φωνή). Überraschend weicht die philosophisch-systematische Einordnung der Sprachtheorie aber gänzlich von Aristoteles ab. Hatte Aristoteles die φωνή in der Naturphilosophie behandelt, so stellt sie für die Stoiker den ersten Teil der Dialektik dar; die Untersuchung der φωνή ist der Auftakt zu ihrer Logik.[173]

---

[169] Es handelt sich wahrscheinlich um eine spätere Reflexionsstufe als die, denen die stoischen Quellen des Sextus zuzuordnen ist. Vgl. D. Sedley, On signs, 242.

[170] Vgl. De Signis, I,2. Zitiert wird nach der revidierten Edition von Ph.H. und E.A. de Lacy.

[171] Vgl. dazu G. Weltring, Das σημεῖον, 42f.

[172] Dies hat v.a. Max Pohlenz hervorgehoben: „Die Stoiker sind es, die für die Griechen und für das Abendland die wissenschaftliche Lehre von der Sprache begründet haben." (Die Begründung der abendländischen Sprachlehre durch die Stoa, 45) Als Hintergrund für das theoretische Interesse an der Sprache sieht er die Zweisprachigkeit der Schulgründer. Die gesamte stoische Sprachtheorie auf Zenon zurückzuführen (vgl. ebd. 64) dürfte aber kaum haltbar sein. Zu Chrysipps Bedeutung für die stoische Theorie der Syntax vgl. U. Egli, Stoic syntax and semantics. Zur neueren Diskussion über die Bedeutung Zenons aus Kition für die stoische Logik und Sprachtheorie vgl. J. M. Rist, Zeno and the origins of stoic logic.

[173] Vgl. Perih. 1 [16a 8] und De anima II, 8 [420b 30ff.], sowie FDS Frg. 476 Anfang. M. Frede sieht hinter der stoischen Umgestaltung den Einfluß der Akademie (vgl. Die stoische Logik 24f.). W. Ax hat diesen Wandel von Aristoteles zur Sprachlehre der Stoa eingehend untersucht. Sein Fazit lautet: „Die noch bei Aristoteles dem naturwissenschaftlichen Kontext verhaftete akustische Ausgliederung der Sprache ist bei den Stoikern in die Dialektik transponiert, gerät hier unter den dispositionellen Druck des semiotischen Begriffspaars σημαῖνον/σημαινόμενον [...] Es scheint sich jedenfalls die schon früher geäußerte Ansicht zu bestätigen, daß die Stoiker bereits von Aristoteles in ihren Grundzügen bereitgestellte 'Fertigteile' zu einer neuen linguistischen Beschreibungseinheit verbunden haben, zu einer Einheit, die [...] zum eigentlichen Vorbild der späteren Tradition wurde." (Laut, Stimme und Sprache, 159) Wie Frede rechnet auch Ax bei dieser Kompositionsleistung mit akademischen Einflüssen auf die Stoiker. Er führt v.a. den

Als Hinführung zu den eigentlichen Themen der Sprachlehre dient die Unterscheidung von φωνή, λέξις und λόγος.[174] Die φωνή betrachten die Stoiker, wie schon oben erwähnt, als körperlich. Φωνή scheint nun außer in der Bedeutung „Stimme" auch in der Bedeutung „Schall" aufgetreten zu sein. „Λέξις" meint immer eine artikulierte Stimme, „λόγος" immer eine bedeutungstragende artikulierte Äußerung (λέξις).[175]

Es gibt bei den Stoikern zumindest in der späteren Zeit umfangreiche Erörterungen zu Anomalie und Regelmäßigkeit der Sprache, zur Etymologie und Sprachursprungslehre, zur Formen- und Wortbildungslehre, zu den deiktischen Pronomina, zur Definitionslehre u.a. Es reicht für den Zweck dieser Untersuchung, dies als Indiz für das große Interesse der Stoiker an der Sprache zur Kenntnis zu nehmen. Wichtig aber ist das semantische Schema und sein Vergleich mit dem aristotelischen. Ammonius erweckt den Eindruck, als hätten die Stoiker in das dreigliedrige aristotelische Schema mit dem Lekton ein viertes Glied eingefügt.[176] Sextus Empiricus aber zeigt, daß hier ein Mißverstehen bei Ammonius vorliegen muß. Sextus erläutert die philosophische Kontroverse, ob als Träger von Wahrheit bzw. Falschheit der Laut, die Bedeutung oder der Verstandesakt anzusehen sei. Die Stoiker, die in der Bedeutung den adäquaten Ort für die Unterscheidung von wahr und falsch sähen, betrachteten

---

Akademiker Xenokrates an, der eine Dialektik ἀπὸ φωνῆς schrieb (vgl. a.a.O. 160). Gegen die Deutung der stoischen Sprachlehre bei Ax muß allerdings eingewandt werden, daß man nicht ohne erläuternden Zusatz von einem sprachlichen Zeichen bei den Stoikern reden sollte. Es ist offenbar die von ihm gesehene Parallele zwischen G. Frege und den Stoikern (vgl. ebd. 156 Anm. 80), die ihn zu dieser Verwendung des Terminus „Zeichen" in bezug auf die stoische Sprachtheorie veranlaßt.

[174] Ausführlich dazu: W. Ax, a.a.O. 166-181, 191-195, 199-200. Interessant ist sein Versuch, den Ansatz zu dieser Dihärese in der aristotelischen Poetik zu sehen, da Aristoteles dort - anders als in Peri hermeneias - zeige, daß sich Sprache aus semantischen und asemantischen Lautgebilden zusammensetzt. (Vgl. a.a.O. 206)

[175] „Die meisten Stoiker sind sich darin einig, daß man in der dialektischen Theorie mit dem Kapitel über die Stimme beginnen muß. Die Stimme ist erschütterte Luft oder dasjenige, was spezifisch für das Gehör wahrnehmbar ist, wie Diogenes von Babylon in seinem 'Lehrbuch über die Stimme' sagt. [...] Eine Lexis ist nach den Stoikern, wie Diogenes sagt, eine schreibbare Stimme (φωνὴ ἐγγράμματος), beispielsweise 'Tag'. Und ein Logos ist eine etwas bezeichnende (etwas bedeutende) Stimme (φωνὴ σημαντική), die vom Verstand her geäußert ist, z. B. 'Es ist Tag'." (Diog. Laert. VII 55-57 = FDS Frg. 476) U. Egli (Zur stoischen Dialektik) und K. Hülser (FDS) übersetzen λέξις mit 'Phonemreihe'.

[176] Vgl. FDS Frg. 702.

diese als das durch den Laut Bezeichnete; im Gegensatz zu den realen Gegenständen sei sie abhängig von unserem Denken.[177] Hieran schließt sich die Frage an, ob die Stoiker streng zwischen τὸ σημαῖνον und τὸ σημεῖον unterschieden haben.[178] Legt man die von Chrysipp vorgenommene Einteilung der Dialektik in die Gegenstandsbereiche „Über das Bezeichnende" (περὶ σημαινόντα) und „Über das Bezeichnete" (περὶ σημαινόμενα)[179] zugrunde, dann gehört der σημεῖον-Begriff ausschließlich auf die Seite der σημαινόμενα. Die σημεῖα sind λεκτά und damit unkörperlich, sprachliche Äußerungen (das Bezeichnende) aber sind körperlich. Diese Zuordnung veranlaßt Z. Telegdi, über die Feststellung, daß die Stoiker faktisch nicht von sprachlichen Zeichen sprechen, hinauszugehen.[180] Da den Stoikern die Zeichentheorie der Sprache von Platon und Aristoteles her bekannt gewesen sein müsse, spricht er von einer bewußten Ablehnung dieser Auffassung. Um den Grund für die Ablehnung deutlich zu machen, rekurriert er auf die Eigenart der σημαινόμενα bzw. der λεκτά. Das λεκτόν ist, wie aus den verschiedenen Quellen hervorgeht, das Gesagte, das Sagbare, was auf einer vernünftigen Vorstellung (φαντασία λογικὴ) beruht[181], was nicht ohne die Bewegung des Denkens möglich, aber von dieser gleichwohl zu tren-

---

[177] „Es gab bei diesen <Philosophen> aber auch noch eine andere Kontroverse, indem die einen das Wahre und Falsche in die Bedeutung (περὶ τῷ σημαινομένῳ) setzten, während die anderen es mit dem Laut verbanden und wieder andere es auf die Bewegung des Verstandes bezogen. Die herausragenden Vertreter der ersten Auffassung sind die Stoiker mit ihrer Lehre, daß sich dreierlei miteinander verbinde (τρία [...] συζυγεῖν ἀλλήλοις): das Bezeichnete (τὸ σημαινόμενον), das Bezeichnende (τὸ σημαῖνον) und der real existierende Gegenstand (τὸ τυγχάνον). Dabei ist das Bezeichnende der Laut, z.b. das Wort ‘Dion’; die Bedeutung (das Bezeichnete) ist eben die Sache (τό πρᾶγμα), auf die durch den Laut hingewiesen wird und die wir begreifen, da sie in Abhängigkeit von unserem Denken existiert, die aber Fremdsprachige (οἱ βάρβαροι) nicht verstehen, wiewohl sie den Laut hören; das τυγχάνον schließlich ist dasjenige, was vorgängig außerhalb zugrundeliegt, z.B. Dion selbst." (Adv. Math. VIII 11.12)

[178] Oben wurde schon erwähnt, daß W. Ax diese Unterscheidung nicht vornimmt. Ähnlich sah vor ihm M. Pohlenz die Sprachlehre der Stoa in der Linie der aus Platons Sophistes bekannten Zeichentheorie der Sprache (vgl.: Die Begründung der Sprachlehre, 45). Ebenso übersetzt B. Mates „τὸ σημαῖνον" mit „the sign" (Stoic logic, 16). Dagegen betonen William und Martha Kneale, daß man zwischen beiden Worten unterscheiden müsse: „The relation between semaínon and semainómenon is that between language and what it expresses, while the relation between semeîon and semeiotón is that between what is known first and what is known through it." (The development of logic, 142)

[179] Vgl. z.B. Diog. Laert. VII, 62.

[180] Vgl. hierzu und zum Folgenden: Zur Herausbildung des Begriffs ‘Sprachliches Zeichen’ und zur stoischen Sprachlehre.

[181] Vgl. z.B. Adv. Math. VIII, 70; ebs. Diog. Laert. VII, 63.

nen ist. Telegdi insistiert auf der Verschiedenheit der λεκτά von den Vorstellungen,[182] wobei er allerdings die Differenz etwas überzeichnet.[183] Da aber nun die σημεῖα λεκτά und damit unkörperlich sind, die sprachlichen Äußerungen aber sinnlich-wahrnehmbar und körperlich, seien die stoische Zeichentheorie und die Theorie der Sprachzeichen „unvereinbar"[184]. Für diese Auffassung sprechen alle Quellen zur stoischen Dialektik und vor allem die bekannte Akribie der Stoiker bei der Entwicklung von Terminologien. Es spricht jedenfalls nichts dafür, die von den Stoikern offenbar durchgehaltene begriffliche Unterscheidung von Bezeichnendem (τὸ σημαῖνον) und Zeichen (τὸ σημεῖον) für zufällig zu halten. Allerdings gibt es eine Stelle bei Sextus Empiricus, die möglicherweise Zweifel hervorrufen kann: Sextus argumentiert, daß die Existenz von Zeichen einzig mit Hilfe von Lauten bestritten werden könne und diese müßten notwendigerweise bedeutungstragend sein, also etwas bezeichnen.[185]

In stoischer Perspektive dürfte man dieses Argument nur so verstehen, daß das durch die Laute Bezeichnete das fragliche Zeichen ist: Das σημεῖον also wäre das λεκτόν. Es scheint aber, daß Sextus nicht das Objekt des Bezeichnens als Zeichen erweisen will, sondern vielmehr das

---

[182] Diese Differenz wird bei P. Gentinetta (Zur Sprachbetrachtung bei den Sophisten, 106f.) völlig übersehen. Das gleiche Unverständnis für diese stoische Besonderheit findet man schon bei H. Steinthal (vgl. Geschichte der Sprachwissenschaft, 1. Teil, 296f.).

[183] „Ein Satz, der im Lauf der Rede produziert wird, vermittelt also in der Tat psychische Erlebnisse des Sprechenden; doch müssen wir von diesem den eigenen Inhalt jenes Satzes, seine Bedeutung im eigentlichen Sinn unterscheiden, die sich aus den gesellschaftlich festgelegten Bedeutungen der einzelnen Komponenten und der Struktur des Ganzen ergibt und somit überindividuell, objektiv ist. Es ist diese Erkenntnis der Objektivität der Bedeutungen, die sich in der stoischen Trennung der Semainomena von der Bewegung des Denkens in einer historisch bedingten, beschränkten Form durchsetzt." (Z. Telegdi, Zur Herausbildung des Begriffs 'Sprachliches Zeichen', 283) Aufgrund einer ganz ähnlichen Interpretation kommt Th. Kobusch zu dem Ergebnis, man müsse bei den Stoikern den ideengeschichtlichen Ursprung für die Lehre vom ens rationis sehen. (Vgl. Sein und Sprache, 26.)

[184] Z. Telegdi, Zur Herausbildung des Begriffs 'Sprachliches Zeichen', 297. Vgl. auch A.A. Long, Language and thought in Stoicism.

[185] „Diese wenigen Argumente von vielen werden nun genügen, um uns die Nichtexistenz des anzeigenden Zeichens (σημεῖον ἐνδεικτικόν) nahezulegen. Im folgenden will ich nun auch die Argumente anführen, die die Existenz eines Zeichens nahelegen, damit die Gleichgewichtigkeit der entgegengesetzten Argumente vorgeführt wird. Entweder nun bezeichnen (σημαίνουσί) die gegen das Zeichen vorgebrachten Laute (φωναὶ φερόμεναι) etwas, oder sie bezeichnen nichts. Und wenn sie nicht-bedeutend sind (ἄσημοί εἰσιν), wie könnten sie dann am Vorhandensein der Zeichen rütteln; wenn sie aber etwas bezeichnen, dann gibt es ein Zeichen." (Pyrrh. Hypot. II,130)

Bezeichnende. Er schließt also von „σημαίνειν" auf „σημεῖον εἶναι". Diese Interpretation aber verläßt die stoische Sichtweise des σημεῖον;[186] hierauf ist bei der Behandlung der skeptischen Zeichentheorie zurückzukommen.[187]

Obschon also, wie dargelegt, die Sprachlehre der Stoiker nicht einfach als Teil der Zeichentheorie angesehen werden darf, kommt der Zeichentheorie bei den Stoikern gleichwohl eine größere Bedeutung zu, als dies bei Aristoteles der Fall ist. Eine tiefere Begründung erfährt diese Neubewertung in der Anthropologie. Dies wird deutlich in der stoischen Unterscheidung von Mensch und Tier, wie sie Sextus Empiricus wiedergibt. War es in der aristotelischen Politik die menschliche Sprache, an der der Unterschied zwischen Tier und Verstandeswesen greifbar wurde, so ist es für die Stoiker vielmehr das Erfassen von Folgerungszusammenhängen, mithin der Gebrauch des Zeichenschlusses, an dem sich die Differenz festmachen läßt. Die Existenz von Zeichen ergibt sich nach Sextus bei den Stoikern notwendig aus der spezifischen Denkstruktur des Menschen.[188] Dennoch kann das stoische Zeichen nicht allein im Bereich der Logik oder gar im subjektiven Bereich angesiedelt werden. Vielmehr korrespondiert der anthropologischen Grundlegung die ontologische Annahme, daß sich die Welt für eine solche Annäherungsweise des Denkens geeignet zeige. Der menschlichen Eigenart, in Folgerungszusammenhängen zu denken, entspricht die Struktur des Kosmos, dessen Elemente miteinander verkettet sind.[189]

Neben der Frage nach Funktion und Status ist auch die Frage nach der Genese der stoischen Zeichentheorie von Bedeutung. Ist das stoische Denken von Anfang an mit der Zeichentheorie verbunden oder gibt es

---

[186] Dies ist wohl auch der Grund, warum Hülser diese Passage nicht in seine Fragmentsammlung aufgenommen hat.

[187] Vgl. unten Erster Teil § 7.3.

[188] „[Die Dogmatiker] sagen, daß der Mensch sich von den vernunftlosen Tieren nicht durch die (ge)äußer(t)e Rede unterscheidet (denn auch Raben, Papageien und Häher bringen artikulierte Laute hervor), sondern durch die innere Rede; auch unterscheide er sich von ihnen nicht durch die nur schlechthinnige Vorstellung (denn auch jene Tiere haben Vorstellungen), sondern durch die Vorstellung, welche durch Transzendierung (φαντασία μεταβατική) und durch Zusammensetzung (φαντασία συνθετική) zustandekommen kann. Weil er deshalb den Begriff eines Folgerungszusammenhangs hat (ἀκολουθίας ἔννοιαν ἔχων), faßt er aufgrund des Folgerungszusammenhangs sogleich auch den Gedanken eines Zeichens (σημείου νόησιν λαμβάνει); denn auch das Zeichen selbst hat die Form 'Wenn dies, dann das'. Aus der Natur (φύσει) und Strukturanlage (κατασκευῇ) des Menschen folgt also auch die Existenz des Zeichens." (Adv. Math. VIII, 275f.)

[189] Vgl. G. Verbeke, La philosophie du signe, 402.

Anlässe, durch die sich die Stoiker gedrängt sahen, eine ursprünglich andere Begrifflichkeit durch eine zeichentheoretische zu ersetzen? Alle Antworten hierauf können angesichts der schwierigen Quellenlage nur den Charakter von Mutmaßungen haben. Es lassen sich in der Forschung zur hellenistischen Philosophie zwei Versuche grob unterscheiden, die Entstehung und Entwicklung der stoischen Zeichentheorie nachzuzeichnen. Diese Versuche sollen hier die „Frühentstehungs-" und die „Spätentstehungstheorie" genannt werden. Der Frühentstehungstheorie folgt J. von Arnim, denn in seiner nach Persönlichkeiten der Stoa gegliederten Fragmentensammlung[190] ordnet er die für uns relevanten Passagen bei Sextus Empiricus dem Chrysipp zu. In neuerer Zeit sind es vor allem D. Sedley und Th. Ebert, die ebenfalls von einer frühen Entstehung der stoischen Zeichentheorie ausgehen. Die Grundlagen für diese Hypothese bereitete Sedley, indem er die Existenz einer von den Megarikern zu unterscheidenden Schule der Dialektiker für das späte vierte und die erste Hälfte des dritten Jahrhunderts aufzeigte, deren wichtigste Vertreter Diodorus Kronus und Philon gewesen seien.[191] Diese Schule sei nicht durch spezifische Lehrinhalte, sondern durch das ihren Vertretern gemeinsame Interesse an der Dialektik charakterisiert. Ebert hat daraufhin dargelegt, daß von den stoischen Vorlagen, die Sextus Empiricus in kritischer Absicht benutzt, eine der dialektischen Schule – genauer dem Philon – zuzuschreiben sei (nämlich die Vorlage, der sich Sextus in Adversus Mathematicos bediente), während die andere (die Vorlage für Pyrrhoneion Hypotyposeis) auf Chrysipp zurückgehe.[192] Sedley hat sich der Frühdatierung jener Vorlagen angeschlossen, eindeutige Zuschreibungen aber vermieden.[193] Sedley zieht auch die Schrift des Epikureers Philodem für die stoische Zeichentheorie in Betracht und erkennt in der dort referierten stoischen Position eine spätere Gestalt der Zeichentheorie.

Vertreter der Spätentstehungstheorie sind vor allem G. Weltring und Ph. de Lacy. Ausgangspunkt für Weltrings Hypothese ist die Tatsache, daß Diogenes Laertius, obgleich er eine Fülle an Informationen zur Lo-

---

[190] J. von Arnim (Hrsg.), Stoicorum veterum fragmenta.

[191] Vgl. D. Sedley, Diodorus Cronus and hellenistic philosophy.

[192] Vgl. Th. Ebert, The origin of the stoic theory of signs in Sextus Empiricus, sowie ders., Dialektiker und frühe Stoiker bei Sextus Empiricus. Zweifel an der Existenz der dialektischen Schule begründet K. Döring, Gab es eine Dialektische Schule?

[193] „It therefore seems entirely possible, as I have already suggested on other grounds, that these passages (M VIII 244-71; PH II 104-16) represent an early Stoic account of signs, one presumably antedating Chrysippus' authorisation of sunartesis as a correct criterion." (D. Sedley, On signs, 256)

gik Chrysipps liefert, von einer Chrysippschen Theorie der Zeichen nichts berichtet. Er vermutet deshalb, daß die Auseinandersetzung mit den Skeptikern die Stoiker zur Entwicklung einer Zeichentheorie veranlaßt habe. Weltring sieht hierin ein Verdienst des Antipatros von Tarsos.[194] Ph. de Lacy betrachtet die zeichentheoretische Reformulierung tradierter Schulmeinungen zur Logik und Epistemologie als ein gemeinhellenistisches Phänomen. Den Auftakt zu dieser Entwicklung habe man bei den Epikureern zu suchen.[195]

Eine eindeutige Zuweisung der Zeichentheorien zu bestimmten Personen würde indes eine weit günstigere Quellenlage voraussetzen. Eine Rekonstruktion der gesamten Genese der antiken Semiotik verbietet sich allein schon deshalb, weil uns die Schrift des Theophrast über Zeichen weder überliefert ist, noch ihr Inhalt in einer unserer Quellen referiert wird: Hat Theophrast versucht, Aristoteles' Ausführungen zum σημεῖον zu systematisieren und Unklarheiten zu beseitigen[196], oder spricht Theophrast dort, wie Ph. de Lacy behauptet, lediglich über „weather signs"[197]? Auch der Inhalt von Zenons Schrift Περὶ σημεῖον gibt Anlaß zu Spekulationen. Die Zuweisungen, die Ebert vornimmt, stehen und fallen mit der Feststellung, Philons Schrift Περὶ σημασιῶν und die Chrysippsche Entgegnung darauf hätten von Zeichen gehandelt. Mindestens ebensogut könnte sie aber eine Schrift über Bedeutungen gewesen sein, was sorgsam zu trennen wäre.[198] Ebert sieht wohl, daß die Verwendung von

---

[194] Vgl. zum Zusammenhang: Das σημεῖον, 43f.

[195] „The ancient sources, incomplete as they are, strongly suggest that problems and positions came to be formulated more and more in terms of signs. The Epicurean school had from the start regarded appearences as signs of the non-apparent [...] In Stoicism also there are indications that the later members of the school resorted to semiotic concepts more often than their early leaders. [...] With the revival of Pyrrhonism under Aenesidemus, the skeptics turned even more to arguments from signs in their attacks on the epistemology of Stoics and other dogmatists." (Ph. de Lacy, Hellenistic semiotics, 301f., 304)

[196] Zu Theophrasts Bemühungen um eine Systematisierung der aristotelischen Logik vgl. I.M. Bochenski, La logique de Théophraste.

[197] Ebd. 302.

[198] Ebert macht für seine Übersetzung geltend, daß „σημασία" erst sehr spät im Sinne von „Bedeutung" verwendet wird (vgl. Dialektiker, 61). Galen allerdings zitiert Chrysipp in einer von Ebert nicht beachteten Schrift mit einer Verwendung von „σημασία", die sicherlich als „Bedeutung" aufzufassen ist: „Doch bevor ich sie widerlege (sc. die Aussagen des Diogenes von Babylon über die Stimme), möchte ich auch noch das Argument Chrysipps hinzufügen, welches sich folgendermaßen ausnimmt: 'Es ist vernünftig anzunehmen, daß dasjenige der herrschende Teil der Seele (τὸ κυριεῦον τῆς ψυχῆς μέρος) ist, in das die in der Rede enthaltenen Bedeutungen (αἱ ἐν τούτῳ σημασίαι) eingehen und aus dem die Rede (λόγος) hervorgeht.'" (Galen, De placitis Hippocratis et Platonis II 5,15

σημασία anstelle und im Sinne von σημεῖον erklärungsbedürftig ist. Er erwägt deshalb auch, hier eine Textverderbnis anzunehmen, um seine Rekonstruktion einer Zeichentheorie der Dialektiker zu halten.[199]

§ 7.2 Epikur und die Epikureer

Quellen für die Epikureische Zeichentheorie sind die Werke des Sextus Empiricus und des Philodemus. Beide präsentieren die Zeichentheorie der Epikureer als Kontrastentwurf zu derjenigen der Stoiker. Auch in der Semantik bieten die epikureischen Philosophen eine Alternative zum stoischen Modell. Semantik und Zeichentheorie stehen in engem Zusammenhang mit der epikureischen Ontologie und Erkenntnistheorie. Wie für die Stoiker so ist auch für die Epikureer das Kriterium für körperliche Existenz Wirken (ποιεῖν) und Leiden (πάσχειν).[200] Während aber die Stoiker eine Mehrzahl von Nichtkörperlichem kennen (darunter – wie gesehen – die λεκτά), nennen Epikur und seine Anhänger als Unkörperliches nur den leeren Raum.[201]

Das Kriterium der Wahrheit ist für Epikur die Wahrnehmung;[202] er begreift sie als unabhängig von Verstand und Gedächtnis. Der strenge Sensualismus ist allerdings nur die Basis für eine komplexere empiristische Methodologie der Erkenntnis.[203] Die Physiologie soll sich nach Epikur nicht nur um die Erscheinungen kümmern, sondern sie soll gerade die Gründe für diese herausfinden.[204] So muß zur Leistung der Wahrnehmung eine Leistung des Denkens hinzutreten: Auf der Grundlage von Sinneswahrnehmungen soll nicht unmittelbar Wahrgenommenes und Wahrnehmbares erschlossen werden. Epikur nennt diesen Verstandesakt „τεκμαίρεσθαι"[205] und auch „σημειοῦσθαι".[206] Indes betont er

---

[= FDS Frg. 450]) Ein weiteres Argument für seine Übersetzung liefert Ebert mit dem Kontext der Titelgruppe, in dem das Werk des Chrysipp genannt wird (vgl. a.a.O. 61f.). Daß aber in einer Auflistung von Werken über Aussagen nicht ein Werk über Bedeutungen aufgeführt sein kann, ist nicht zwingend.

[199] Vgl. Ebert, Dialektiker, 65, Anm. 24.

[200] Vgl. z.B. Diog. Laert. X, 67.

[201] Vgl. ebd.

[202] Vgl. die aristotelische These, daß Ausgangspunkt aller Erkenntnis die Aisthesis sei. Vgl. De anima III, 7 [431a 14-18].

[203] Zum Empirismus Epikurs vgl. den Brief Epikurs an Herodot (Diog. Laert. X, 35-83); E.A. de Lacy, Meaning and methodology, 396-406; dies., Empirical metaphysics of Epicurus.

[204] Vgl. Diog. Laert. X, 78.

[205] Ebd. 39

immer wieder die Priorität der Wahrnehmung gegenüber dem Denken. Erkenntnisfortschritt ist nur möglich, wenn man sich der Sinnesdaten versichert.[207] Die Maxime, Wahrnehmungen exakt festzuhalten[208], will die Grundlage sichern, von der aus auf nicht unmittelbar wahrnehmbare Phänomene geschlossen werden kann.

In Philodemus' Werk De signis wird solches Schließen als Folgerung mit Hilfe von Zeichen vorgestellt. Die entscheidende Frage bei ihm ist, was im Kontext einer empiristischen Wissenstheorie dazu berechtigt, von Erscheinungen auf Verborgenes zu schließen. Während die Stoiker fordern, daß hierzu ein notwendiger Folgerungszusammenhang (ἀνασκευή) angenommen werden muß, kann es den Epikureern zufolge ausreichend sein, wenn zwischen Erscheinung und dem zu erschließenden Verborgenen eine Ähnlichkeit (ὁμοιότης) oder eine Analogie vorliegt. Welche Ähnlichkeit aber ist hinreichend für einen Zeichenschluß? Die epikureische Antwort lautet, daß die Ähnlichkeit so weitreichend wie möglich sein müsse und es keinen Hinweis auf die Möglichkeit des Gegenteils geben dürfe.[209] Da aber, wo nach der Erfahrung ein Schluß nicht im Widerspruch zur Wahrnehmung steht, halten die Epikureer es für möglich, daß dieser Schluß zwingend ist. Daß abgeschnittenes Haar oder abgeschnittene Nägel wieder nachwachsen, kann nicht als Zeichen dafür verwendet werden, daß bei Enthaupteten die Köpfe wieder nachwachsen.[210] Dahingegen darf man von der konstanten Beobachtung der Sterblichkeit von Menschen darauf schließen, daß ein Wesen, insofern es Mensch ist, sterblich ist.[211] Dieser Schluß gründet für die Epikureer auf der Erfahrung und dem Wissen um die Ähnlichkeit zwischen den Menschen. Philodem fordert, die Erfahrungsbasis durch Rekurs auf die Erfahrung anderer Menschen zu erweitern.[212]

Die Epikureer wollen den Schluß aufgrund von Ähnlichkeiten nicht einfach neben den von den Stoikern propagierten Schluß im Sinne einer

---

[206] Ebd. 32 (vgl. auch 38). Der Terminus σημεῖον begegnet bei Epikur in diesem Zusammenhang nicht. σημεῖον hat bei ihm immer die spezifische Bedeutung von „Himmelszeichen" bzw. „Wetterzeichen", der Terminus stellt keinen epistemologischen Grundbegriff dar.

[207] Das Ergebnis des Schlußfolgerns muß auf die Nichtwidersprüchlichkeit zur Gesamtheit der Sinneswahrnehmungen hin geprüft werden: „τὸ δὲ ψεῦδος καὶ τὸ διημαρτημένον ἐν τῷ προσδοξαζομένῳ ἀεί ἐστιν ἐπιμαρτυρηθήσεσθαι ἢ μὴ ἀντιμαρτυρηθήσεσθαι, εἶτ' οὐκ ἐπιμαρτυρουμένου." (Diog. Laert. X, 50)

[208] Vgl. ebd. 146f.

[209] Vgl. De signis, XIII, 18.

[210] Vgl. ebd.

[211] Ebd. XXXV, 53.

[212] Vgl. ebd. XX, 35.

(a priori) notwendigen Folgerung (ἀνασκευή) stellen. Die vorgeblich rein formale Methode der Stoiker, einen Zeichenschluß zu überprüfen, indem man erprobt, ob bei der Verneinung des Nachsatzes auch die Verneinung (Elimination) des Vordersatzes folge, basiere letztlich auf Erfahrung: Auch die Stoiker – so erklären die Epikureer – schließen, soweit sie sinnvoll schließen, aufgrund von Ähnlichkeiten.[213]

Philodems Werk über die Methode des Schlußfolgerns stellt – wie die Ausführungen gezeigt haben – eine zeichentheoretische Fortschreibung der Epikurschen Methodologie dar. Der Terminus „σημεῖον" ist bei Philodem Basisbegriff der empiristischen Epistemologie. Gleichwohl läßt De signis eine durchgearbeitete Systematisierung des Zeichenbegriffs und eine Klassifikation der Zeichen vermissen. Vielleicht liegt der Grund hierfür im polemischen Charakter der Schrift, möglicherweise auch in ihrer unvollständigen Überlieferung. Die Unterscheidung eines Schlusses von Wahrnehmbarem auf Wahrnehmbares und eines Schlusses von Wahrnehmbarem auf Verstandesgegenstände[214] führt nicht zu einer begrifflichen Unterscheidung. Auch die Feststellung, daß σημεῖον homonym für das Zuersterkannte, wie auch für den Schlußmodus verwandt wird,[215] veranlaßt Philodem nicht zu einer sprachlich-begrifflichen Klärung. Es läßt sich vermuten, daß Philodem De signis als ein Organon für die wissenschaftliche Praxis ansah. Gegen Ende der Schrift kündigt er eine Auseinandersetzung mit den Argumenten einiger Ärzte an.[216] Die ärztliche Praxis kann aber nur als ein Beispiel für die Umsetzung der Zeichentheorie angesehen werden.

Auch die Bedeutungstheorie der Epikureer ist durch den Empirismus geprägt.[217] Jede sprachliche Äußerung soll den Bezug zum empirisch Wahrnehmbaren behalten. Einige Quellen erwecken den Eindruck, als habe Epikur eine sehr simple Sprachtheorie propagiert. So berichtet Sextus Empiricus, die Epikureer hätten die Existenz des λεκτόν geleugnet.[218] Diogenes Laertius spricht mit Bezug auf Epikur von der Idee einer natürlichen Sprache der Dinge.[219] Es ist jedoch zu sehr aus der stoischen

---

[213] Vgl. ebd. X, 15; XXXI, 48.

[214] Vgl. ebd. XXXVII, 58.

[215] Vgl. ebd. XXXVI, 56. Diese Schwierigkeit ergibt sich auch in neueren Semiotiken, so bei Ch.S. Peirce, der „sign" sowohl für das Repraesentamen (vgl. etwa Collected papers 2.228) als auch für die triadische Relation verwendet (vgl. etwa ebd. 1.345).

[216] Vgl. ebd. XXXVIII, 60.

[217] Vgl. dazu Ph. de Lacy, Epicurean analysis of language.

[218] Vgl. z.B. Pyrrh. Hypot. II, 107. Im gleichen Sinne äußert sich Plutarch (FDS Frg. 699A).

[219] „ἀρκεῖν γὰρ τοὺς φυσικοὺς χωρεῖν κατὰ τοὺς τῶν πραγμάτων φθόγγους." (Diog. Laert. X, 31)

Perspektive gedacht, wenn man den Epikureern die Annahme einer direkten Relation zwischen Worten und Dingen unterstellt.[220] Das epikureische Konzept von Bedeutung ist nicht einfach das um den Gedanken des Lekton verkürzte stoische Semantikmodell. Vielmehr muß man bei Epikur und seinen Anhängern den Begriff der πρόληψις beachten. Prolepsis bezeichnet eine wahre Meinung, die durch das wiederholte klare Erfassen einer Sache gebildet wurde.[221] A.A. Long betont, daß die Möglichkeit des Benennens und des sprachlichen Urteilens über Wirklichkeit für Epikur durch die Prolepsis bedingt sei.[222] Ein Text, der eindrucksvoll die gründliche Reflexion Epikurs auf das Bedeutungsproblem illustriert, findet sich im Brief an Herodot. Epikur führt dort aus, daß Sprache als ein ursprünglich natürliches Ausdrucksphänomen betrachtet werden müsse. Die Dinge wirken auf die Menschen ein und verursachen einen bestimmten emotionalen Zustand, der zu einer Sprechhandlung führt. Diese muß als expressiver Akt begriffen werden, zugleich aber als Akt des Bezeichnens: Der Sprechakt referiert auf das Objekt, durch das er mittelbar hervorgerufen wurde. Der kausale Bezug impliziert keine Abbildrelation. Jedenfalls wird eine solche nicht ausdrücklich behauptet. Epikur geht von einer fortschreitenden Konventionalisierung der sprachlichen Einheiten aus. Dieser Prozeß ist eine Leistung des Verstandes; er schafft die Möglichkeit, sprachlich auf nicht wahrnehmbare Entitäten Bezug zu nehmen.[223]

---

[220] Dies tut offenbar Th. Kobusch, wenn er bezüglich der Bedeutungstheorie vom „epikureischen Rasiermesser" (vgl. Sein und Sprache, 33) spricht.

[221] Vgl. Diog. Laert. X, 33.

[222] Vgl. Aisthesis, prolepsis and linguistic theory in Epicurus, 120. Long beruft sich v.a. auf Diog. Laert. X, 33.

[223] „Man muß sich ferner davon überzeugen, daß die Natur in vielen und mannigfachen Beziehungen der Belehrung und dem Zwang (διδαχθῆναί τε καὶ ἀναγκασθῆναι) folgt, die von den Dingen selbst ausgehen, und daß die Vernunft (λογισμός) das von ihr an die Hand Gegebene in der Folge genau erforscht und mit Erfindungen bereichert, auf manchen Gebieten schneller auf anderen langsamer, und in manchen Perioden und Zeiten über ganze Abschnitte aus der Unendlichkeit hin, in anderen wieder in kürzeren Zeiten. Nach dieser Annahme sind denn auch die Wörter (τὰ ὀνόματα) nicht von vorneherein durch Satzung (θέσει) entstanden, vielmehr lassen die Seelen der Menschen je nach ihrer ethnischen Eigenart und besonderen Vorstellungsweise den Luftstrom dem Munde in individuell gestalteter Weise entfahren, bestimmt durch die jeweiligen Seelenregungen und Vorstellungen, auch unter dem Einfluß der verschiedenen örtlichen Verhältnisse der Völker. Erst allmählich sind dann völkerweise die besonderen Regelungen für den Gemeingebrauch erfolgt zu dem Zwecke, der Vieldeutigkeit der stimmlichen Äußerungen Einhalt zu tun und sie kürzer und schlagender zu machen. Auch manche nicht durch das Auge wahrgenommenen Dinge wurden durch diejenigen, die das Bewußtsein

Epikurs Rede von der natürlichen Sprache spielt offensichtlich auf die aristotelischen παθήματα τῆς ψυχῆς an. Gegen Aristoteles behauptet Epikur aber, daß diese Seelenzustände nicht bei allen gleich seien. Die Vorstellung einer fortschreitenden Konventionalisierung der Sprache hätte als Erklärungsansatz für die Verschiedenheit der Sprachen benutzt werden können. Epikur wählt diesen Weg aber nicht, sondern geht von einer ursprünglichen Verschiedenheit aus. Die Verschiedenheit der Sprache spiegelt die innerpsychischen Eigentümlichkeiten der Ethnien.

Die Quellen geben keine Auskunft darüber, ob es auch in der Sprachtheorie der Epikureer zu einer zeichentheoretischen Reformulierung gekommen ist. Auch Philodems Rhetorik, die sich intensiv mit Sprache und Sprachverwendung auseinandersetzt, gibt keinen Anhaltspunkt für ein solches Unternehmen.

§ 7.3 Der pyrrhonische Skeptizismus

Für Sextus Empiricus ist die Frage nach der Möglichkeit von Wissen sehr eng verknüpft mit der Frage nach der Möglichkeit von Zeichen. Sextus ist daher für diese Untersuchung nicht nur als Kritiker der anderen hellenistischen Philosophenschulen wichtig, sondern auch als Vertreter einer eigenen, nämlich einer skeptizistischen, Epistemologie. Gerade seine Diskussion der Zeichentheorien ist für Sextus nicht nur Anlaß zur Destruktion der dogmatischen Theorien, sondern – wie gezeigt werden wird – auch zur Rekonstruktion.

Wahrscheinlich schrieb Sextus um 200 n. Chr. Er sieht sich in der Tradition der pyrrhonischen Skeptiker, und er benutzt Material des Aenesidemus, der in der Mitte des ersten vorchristlichen Jahrhunderts die Akademie verließ und sich zum Pyrrhonismus bekannte. Der Basistext für die nachfolgenden Darlegungen sind die Pyrrhoneion Hypotyposeis (Grundzüge des Pyrrhonismus); sie bieten eine knappe und geschlossene Darstellung der skeptizistischen Epistemologie. Sextus beginnt die Skizze der phyrrhonischen Lehre mit der Vorstellung der ihr eigentümlichen Methode. Er definiert die Skepsis als Vermögen (δύναμις), Erscheinun-

---

davon hatten und sich getrieben fühlten, ihre Gedanken in Worten mitzuteilen, zum Ausdruck gebracht; die Hörer aber eigneten sich, geleitet von eigener Überlegung, diese Ausdrücke an und deuteten sie nach Maßgabe der ausschlaggebenden Ursache." (Diog. Laert. X, 75.76) Der von Epikur für die natürliche Sprache behauptete Prozeß der Konventionalisierung ähnelt damit jener Entwicklung, die die neuere Semiotik bei der Analyse nonverbaler Zeichensysteme, v.a. der internationalen Gehörlosensprache, beobachtet hat.

gen (φαινόμενα) und Gedanken (νοούμενα) auf jedwede Weise einander entgegenzusetzen mit dem Ergebnis, daß man wegen der Gleichwertigkeit (ἰσοσθένεια) der entgegengesetzen Gegenstände und Argumente, d.h. wegen des Widerstreits,[224] zunächst zur Zurückhaltung (ἐποχή), dann zur Seelenruhe (ἀταραξία) gelangt.[225] Auch für seine Diskussion der Zeichentheorie behauptet Sextus, diese Strategie anzuwenden. Er will zunächst plausible Argumente gegen die Existenz von Zeichen, sodann für deren Existenz vorbringen.[226] Tatsächlich aber unterscheidet er unmittelbar zu Beginn seiner Diskussion der Zeichen zwei Arten von Zeichen, und er bemüht sich im folgenden ausschließlich darum, Einwände gegen die eine Art von Zeichen und Argumente für die andere zu finden. Dies Heraustreten aus der eigenen Argumentationsstrategie muß als Indiz für die Sonderstellung der Zeichentheorie gedeutet werden.[227]

Wie bereits erwähnt, setzt Sextus Behandlung der σημεῖα mit einer Klassifikation ein. Kriterium für die Einteilung der Zeichen ist eine Unterscheidung der durch die Zeichen erkannten Dinge (πράγματα). Diese Einteilung werde bei den Dogmatikern vorgenommen.[228] Während die offenbaren Dinge (τὰ πρόδηλα) keiner Zeichen bedürften und die schlechthin verborgenen (τά καθάπαξ ἄδηλα) auch durch Zeichen nicht erkannt werden könnten, seien es die zeitweise verborgenen Dinge (τὰ πρὸς καιρὸν ἄδηλα), die durch erinnernde Zeichen (σημεῖα ὑπομνηστικὰ) und die von Natur verborgenen (τὰ φύσει ἄδηλα), die durch anzeigende Zeichen (σημεῖα ἐνδεικτικά) erkannt würden.[229] Ausschließlich mit diesem anzeigenden Zeichen bringt Sextus die stoi-

---

[224] Pyrrh. Hypot. I, 8; vgl. auch Pyrrh. Hypot. II, 10.

[225] Vgl. Pyrrh. Hypot. I, 8. Welche hermeneutischen Schwierigkeiten diese Argumentationstechnik mit sich bringt, wird im folgenden an der konkreten Problemstellung deutlich.

[226] Vgl. Pyrrh. Hypot. II, 130.

[227] Auch für die Widerlegung der von Sextus als dogmatisch bezeichneten Positionen kommt der Zeichentheorie eine zentrale Funktion zu, denn der Beweis (ἀπόδειξις) gehört nach Sextus zur Gattung der Zeichen (vgl. Pyrrh. Hypot. II, 96, sowie ebd. 122).

[228] Als δογματικοί unter den Philosophen bezeichnet Sextus Aristoteles, Epikur und die Stoiker (vgl. Pyrrh. Hypot. I, 3). Möglicherweise ist hier jedoch auch an die sogenannte dogmatische Ärzteschule zu denken.

[229] B. Mates ordnet die Unterscheidung der beiden Zeichenarten den Stoikern zu, ohne dies zu begründen (vgl. Stoic logic, 11). Ebenso C. Prantl, Geschichte der Logik im Abendlande, Bd. 1, 458, sowie G. Verbeke, La philosophie du signe, 409. Th. Ebert versucht, die Einteilung bei den Stoikern nachzuweisen. Sein zentrales Argument ist die Terminologie. Die Einteilung gehe aber bereits auf die Dialektische Schule zurück (vgl. Dialektiker, 45-52).

sche Zeichendefinition in Verbindung.[230] G. Weltring macht zu Recht
geltend, daß der Unterschied zwischen den beiden Zeichenarten sich
daraus erklärt, wie sich σημεῖον und σημειωτόν in der Wahrnehmung
zueinander verhalten.[231] Ein solches Kriterium sei der rationalistischen
stoischen Zeichentheorie gänzlich fremd. Er meint damit zugleich den
entscheidenden Hinweis zu geben, daß die Unterscheidung zwischen
den verschiedenen ἄδηλα und entsprechend zwischen zwei Klassen von
Zeichen empiristischen und somit epikureischen Ursprungs ist.[232] In der
Tat ist für den Epikureer Philodem das Zeichen, gleich welcher Art,
durch die Sinne wahrnehmbar. Bei der einen Art der Zeichen ist das
durch das Zeichen Erkannte ebenfalls ein mögliches Objekt der Sinne.
Im andern Fall ist es ein Objekt des Verstandes. Beide Klassen von Zeichen vereinigt, daß das Als-Zeichen-Begreifen einer Sache einen Erkenntnisfortschritt von etwas Bekanntem zu etwas Unbekanntem bedeutet. Genau diese Bestimmung gilt nicht für das erinnernde Zeichen bei
Sextus. Die Unterscheidung von anzeigendem und erinnerndem Zeichen dient somit – jedenfalls in der Gestalt, wie Sextus sie vorträgt,– der
Abgrenzung der dogmatischen Zeichentheorie gegenüber seiner eigenen. Die Charakteristika des erinnernden Zeichens müssen zum Teil aus
den Argumenten gegen das anzeigende Zeichen gewonnen werden. Dies
gilt insbesondere für die Bestimmung des Zeichens als relationaler Größe
(πρός τι): Aus der Relation von Zeichen und Bezeichnetem folgert Sextus, daß beide zugleich erkannt werden, so wie auch rechts und links
gleichzeitig erfaßt wird.[233] Das Erscheinende kann so nur wieder etwas
Erscheinendes bezeichnen.[234] Sextus betont die Relationalität so sehr, daß
Zeichen und Bezeichnetes wie eine Sache erscheinen.[235] Der Schritt vom

---

[230] Vgl. Pyrrh. Hypot. II, 101.

[231] Vgl. Das σημεῖον, 40-42.

[232] Weltring verzichtet auf eine Textanalyse, die dies belegen könnte. Einen Anhaltspunkt
für eine derartige Unterscheidung bietet eine oben erwähnte Stelle in De signis. Dort
wird allerdings keine begriffliche Unterscheidung eingeführt: „Manchmal erfolgt der
Schluß von Wahrnehmbarem auf Wahrnehmbares (ἀπὸ αἰσθητῶν ἐπ' αἰσθητὰ) entsprechend einer Gleichheit (ἀπαραλλαξία), manchmal aber auf Verstandesdinge (ἐπὶ λόγωι
θεωρητὰ), die analog zu den Erscheinungen sind (τοῖς φαινομένοις ἀναλογοῦντα)."
(XXXVII, 58)

[233] „Wie 'rechts' nicht vor 'links' als 'rechts von links' erkannt werden kann und auch nicht
umgekehrt und wie es ähnlich (παραπλήσιον) bei den übrigen relationalen Dingen (ἐπὶ
τῶν ἄλλων τῶν πρός τι) ist, so kann auch das Zeichen nicht vor dem Bezeichneten als Bezeichnetem erkannt werden." (Pyrrh. Hypot. II, 117)

[234] Vgl. Pyrrh. Hypot. II, 128.

[235] Vgl. ebd.: τι πρᾶγμα.

Zeichen zum Bezeichneten ist in dieser Konzeption keine Schlußfolgerung, sondern eine Assoziation.[236]

Sextus bringt für die Existenz der Zeichen, genauer: der erinnernden Zeichen, zwei Argumente ins Spiel: Zum einen das common-sense-Argument[237], zum anderen den (oben bereits erwähnten) Hinweis auf die Worte. Er kann insofern als Vertreter einer common-sense-orientierten Erkenntnistheorie verstanden werden, als er die Erkenntnisgewohnheiten des täglichen Lebens zum positiven Kontrastbild gegenüber der Methode der Logiker erhebt.[238] Er versucht so, dem Erkennen vermittels von Zeichen den rational-diskursiven Charakter zu bestreiten, denn die Assoziationen des täglichen Lebens erfolgen gewissermaßen automatisch. Der Hinweis auf die Gewohnheit der assoziativen Verknüpfung ersetzt die Reflexion auf das fundamentum in re für die Möglichkeit dieser Verknüpfung.[239] Auf dieser Grundlage erfährt das Beispiel Feuer/Rauch eine völlig andere Deutung als durch die Stoiker.

Sextus wendet sich deshalb auch entschieden gegen die Auffassung, das Zeichen sei eine Proposition.[240] Zwischen der Zeichenerkenntnis bei den Menschen und der σημείωσις bei den Tieren differenziert Sextus nicht. Bedenkt man, daß seine Theorie der σημείωσις an die Stelle tritt, die in der aristotelischen und stoischen Philosophie die Syllogistik innehat, dann ist das Beispiel der Tiere allemal überraschend. Ebenso unge-

---

[236] Vgl. D. Glidden, Skeptic semiotics, 217-221.

[237] Vgl. dazu Ch. Stough, Greek skepticism, 153: „[...] Sextus sometimes even adds the claim that Pyrrhonists are the advocates of common sense." Glidden sieht das Common-sense-Argument nur als argumentatives Spiel (vgl. a.a.O. 215f.).

[238] Vgl. Pyrrh. Hypot. II, 102; Adv. Math. VIII, 157f.

[239] „Signal and designatum are conjoined solely by habit, not because of any real connection between them, as effect to cause, for example." (D. Glidden, a.a.O. 231).

[240] „Weiter ist dagegen zu sagen, daß diejenigen, die diese Meinung favorisieren, gegen klare Fakten streiten. Wenn nämlich das Zeichen eine Proposition (ἀξίωμα) wäre und das Antecedens (καθηγεῖται) in einer wahren Implikation, wären diejenigen, die keinen Begriff (ἔννοια) von einer Proposition haben und keine Kenntnis der dialektischen Technik von jeder Zeichendeutung (σημείωσις) ausgeschlossen. Das ist aber nicht so; denn oft sind ungebildete (ἀγράμματος) Steuerleute und in den dialektischen Theorien unerfahrene Bauern ausgezeichnete Zeichendeuter, die einen in bezug auf die See, indem sie Sturm und Ruhe, Regengüsse und heiteres Wetter vorhersagen, die anderen in bezug auf das Ackerland, indem sie gute und schlechte Ernten, Trockenheit und Regen ankündigen. Aber warum sprechen wir von Menschen, wenn doch einige die unvernünftigen Sinnenwesen mit einer Erkenntis der Zeichen ausgestattet haben. Denn auch der Hund, wenn er ein wildes Tier durch dessen Fußabdruck aufspürt, deutet Zeichen (σημειοῦται); aber er zieht dabei nicht die Vorstellung der Proposition (φαντασίαν ἀξιώματος) heran 'Wenn dieses eine Fußspur ist, dann ist ein wildes Tier dort'." (Adv. Math. VIII, 269f.)

wöhnlich ist es in der griechischen Philosophie, die sprachlichen Laute (φωναί) als Beleg für die Existenz von Zeichen anzuführen. Sein Argument lautet: „Wenn ferner nichts für irgendetwas Zeichen ist, dann bedeuten (σημαίνειν) die gegen das Zeichen (σημεῖον) vorgebrachten sprachlichen Laute (φωναί) etwas, oder sie bedeuten nichts. Wenn nichts, dann können sie auch die Existenz des Zeichens nicht aufheben; denn wie könnten diese, die nichts bedeuten, hinsichtlich der Behauptung, daß nichts Zeichen sei, glaubhaft sein? Wenn sie hingegen etwas bedeuten, dann stehen die Skeptiker als alberne Toren da, weil sie das Zeichen verbal verwerfen, es aber in der Praxis übernehmen."[241] Sextus' Argumentation nutzt die semantische Verwandtschaft von σημαίνειν und σημεῖον.[242] Daß es Wörter gibt, kann außer durch Wörter nicht bestritten werden. Um zu bestreiten, daß diese Wörter Bedeutungen haben, muß man sich bedeutungstragender Wörter bedienen. „Etwas zu bedeuten" ist aber im Griechischen sprachlich nicht zu unterscheiden von „etwas bezeichnen".[243] Indem man also mit Wörtern Bedeutungen ausdrückt, benutzt man Zeichen. Augustinus kann auf diesem Hintergrund formulieren: significare, id est signum dare.[244] Indem so die Worte dazu benutzt werden, die Existenz der Zeichen zu erweisen, bahnt sich ein Paradigmenwechsel in der Semiotik an. Waren zuvor die Symptome in der Heilkunst die Zeichen par excellence, so übernehmen nun die Sprachzeichen diese Rolle.[245] Sextus spricht klar aus, daß die Worte zu den erinnernden Zeichen gehören.[246]

Anläßlich der Frage nach der Methode des Lehrens (ὁ τρόπος τῆς διδασκαλίας) spricht Sextus erneut über den Zeichencharakter der Wörter.[247] Sextus führt aus, daß Unterricht entweder durch unmittelbare Anschauung (ἐναργεία) oder durch Sprache (λόγος) geschehe. Hier interessiert nur die zweite Möglichkeit. Sprache könne nur dann etwas vermitteln, wenn sie Bedeutung habe; dabei stellt sich die Alternative

---

[241] Adv. Math. VIII, 279; vgl. Pyrrh. Hypot. II, 130.

[242] Diese Verwandtschaft muß auch bei der Interpretation von Peri hermeneias beachtet werden.

[243] Vgl. dazu E. Coseriu, „τὸ ἕν σημαίνειν".

[244] Vgl. De doctr. chr. II,II,3.

[245] Wenn D.S. Clarke diesen Paradigmenwechsel bei dem Rhetoriklehrer Augustinus konstatiert (vgl. Principles of semiotic, 12-21), so muß angemerkt werden, daß der Wechsel bereits bei dem Arzt Sextus eingeleitet ist. Auch die von W. Hogrebe vertretene These, das Christentum ersetze die Semantik der Natur durch eine Semantik der Schrift (vgl. Metaphysik und Mantik, 153), muß vor dem Hintergrund der Erörterungen bei Sextus Empiricus modifiziert werden.

[246] Vgl. Adv. Math. VIII, 289-290.

[247] Vgl. Pyrrh. Hypot. III, 266-273.

einer Bedeutung von Natur (φύσει) oder durch Setzung (θέσει). Die Verschiedenheit der Sprachen widerlege aber die erste Möglichkeit. Wenn aber sprachliche Einheiten aufgrund einer Festsetzung Bedeutung hätten[248], dann kenne nur der die Bedeutung von Phonemfolgen (αἱ λέξεις), der die dadurch bezeichnete Sache kenne. Wer aber belehrt werden solle, kenne diese Sache nicht; – die Worte hätten somit keine Bedeutung. Folglich sei ein Belehren durch Worte unmöglich. Zieht man eine weitere Passage zur Interpretation mit heran[249], so läßt sich festhalten, daß Worte zwar nicht über Unbekanntes belehren können, gleichwohl aber durch sie an bereits Erkanntes und Bekanntes erinnert werden kann. Damit finden wir bei Sextus nicht nur das gleiche Argumentationsmuster, sondern auch das gleiche Ergebnis vor wie in Augustins Dialog De magistro. Dem Zeichen kommt ausschließlich die Funktion des admonere zu; eine im eigentlichen Sinne wissensvermittelnde Aufgabe erfüllt es nicht.

Ist nach dem Gesagten davon auszugehen, daß Sextus es war, der als erster von admonitiven Zeichen gesprochen hat? Hierauf deutet zunächst einiges: Obwohl Sextus von der Scheidung zweier Zeichenarten bei den Dogmatikern spricht, trägt er seine Kritik an den anzeigenden Zeichen in dem Bewußtsein vor, damit den Nerv der dogmatischen Lehre zu treffen. In bezug auf die stoische Dialektik und die epikureische Methodologie tut er dies wohl mit Recht. Darüber hinaus gibt es keinen Anhaltspunkt, daß die nur partielle Kritik an den Zeichen unter den Skeptikern ein Vorbild hat.[250] Denkbar wäre indes, daß Sextus selbst die bei den Dogmatikern vorhandenen Beispiele von Zeichen betrachtet und einteilt. Doch kommt für die Unterscheidung der Zeichenarten noch ein anderer Ursprung in Betracht. K. Deichgräber führt aus, daß es die empirische Ärzteschule war, die ihr Interesse an den nur zeitweise verborgenen Dingen (τὰ πρὸς καιρὸν ἄδηλα) artikulierte.[251] Auch der Terminus „ἀναμνηστικόν σημεῖον" habe hier seinen Ursprung: Es handelt sich um „therapeutische Zeichen", die an die Heilung des gleichen Falles in

---

248 Für diese Alternative hat sich Sextus einige Kapitel zuvor bereits entschieden (vgl. Pyrrh. Hypot. II, 214).

249 Adv. Math. VIII, 289-290.

250 Von Pyrrhon überliefert Diogenes Laertius nur eine kurze Erörterung, in der die Existenz des Zeichens (σημεῖον) bestritten wird (vgl. Diog. Laert. IX, 96f.). Auch von Aenesidemus von Knossos, von dem Sextus vieles übernimmt, sind nur zeichenkritische Argumente bekannt (vgl. Adv. Math. VIII, 234).

251 Vgl. Die griechische Empirikerschule, 307. K. Deichgräber belegt dies durch zwei Ps.-Galen Texte (Frg. 80f. a.a.O. 141).

früherer Zeit erinnern.[252] Vorstellbar ist, daß diese sog. empirischen Ärzte den Begriff des „erinnernden Zeichens" gegen den Zeichenbegriff der dogmatischen Ärzteschulen setzten und stark machten.[253] War es den Dogmatikern bei der Analyse der Krankheitssymptome darum gegangen, diese als Zeichen für verborgene Krankheitsursachen aufzufassen, so geben die Empiriker der Diagnostik (Semiotik) einen völlig neuen Zuschnitt: Die Symptome weisen für sie darauf hin, welche Therapie gefordert ist. In der Betonung des engen Zusammenhangs von Wahrnehmung (Diagnose) und Therapieanweisung stimmt die methodische Ärzteschule,[254] der der Arzt Sextus sich verwandt fühlt[255], mit den Empirikern überein. Ob von der methodischen Ärzteschule ein positiver Impuls auf Sextus' Zeichentheorie ausging, muß offengelassen werden. Jedenfalls sieht Sextus offenbar Übereinstimmungen zwischen der Zeichenkritik des Skeptikers Aenesidemus und der von den empirischen Ärzten vorgetragenen Kritik am anzeigenden Zeichen.[256] Wie weit Sextus nun bei seiner Darlegung der indizierenden und der admonitiven Zeichen auf begriffliche Klärungen der empirischen Ärzte (oder auch der methodischen Ärzte) zurückgreifen konnte, läßt sich auf der derzeitigen Quellengrundlage nicht beurteilen. Wenig wahrscheinlich aber ist es, daß Sextus beziehungsweise seine philosophischen Lehrer die Begrifflichkeit der Ärzte einfach übernommen haben. Die stoische Terminologie ist die am weitesten technisierte aller hellenistischen Schulen und Sextus ist sich dessen als ihr Kenner durchaus bewußt. Über die Zeichentheorie erklärt Sextus, die Stoiker hätten diese exakt (ἀκριβῶς) betrieben.[257] Daher ist es denkbar und der Arbeitsweise des Sextus (oder eines seiner skeptizistischen Lehrer) entsprechend, daß Sextus die zeichentheoretischen Auseinandersetzungen in kritischer, den Widerstreit herausstellender Weise darbot und sich hierzu teilweise der stoischen Begrifflichkeit bediente. Es ist anzunehmen, daß die Zeichentheorie der empirischen Ärzte durch ihre philosophische Rekonstruktion neue Akzente erhielt. Hierzu muß man sicherlich die Rede von den Worten (αἱ φωναί) als Zeichen rechnen.

---

[252] Vgl. ebd. 310.

[253] Nach Deichgräber gehört das erinnerende Zeichen zunächst in eine Dreiteilung der Zeichen gemäß der drei möglichen Zeitverhältnisse zwischen Zeichen und Bezeichnetem: diagnostische, erinnernde und prognostische Zeichen (vgl. ebd. 309f.).

[254] Vgl. dazu M. Frede, The method of the so-called Methodical school of medicine.

[255] Vgl. Pyrrh. Hypot. II, 236-241. Genaue Aussagen über Sextus' Positionen in der Medizin lassen sich nicht treffen, da weder sein Buch über Medizin, noch sein Werk über die Seele erhalten sind (vgl. Stough, a.a.O. 11).

[256] Das Kapitel über die Ursachen (περὶ αἰτίου) greift diese Kritik in einer anderen Terminologie nochmals auf (vgl. Pyrrh. Hypot. III, 13-29).

[257] Vgl. Pyrrh. Hypot. II, 104.

§ 7.4 Augustins Synthese

Vor dem Hintergrund der hellenistischen Debatte erscheint die Semiotik Augustins als eine erstaunliche Komposition heterogener Elemente. Sehr eng verwandt ist Augustins relativierende Einschätzung dessen, was wir durch Zeichen erkennen beziehungsweise erlernen können, der Auffasung des Sextus Empiricus. Beide gleichen sich nicht nur in einigen inhaltlichen Aussagen, sondern ebenso in der Argumentationsstrategie. Augustins klassische Definition des Zeichens ist indes nicht der skeptischen Philosophie verpflichtet, sondern vielmehr der stoischen und der epikureischen. Hält sie mit der stoischen Logik daran fest, daß eine Operation des Verstandes erforderlich ist, um vom Zeichen zum Bezeichneten zu gelangen, so verdankt sie den Schülern Epikurs die Eingrenzung der Zeichen auf sinnlich wahrnehmbare Entitäten, eine Eingrenzung, die der Stoa ebenso fremd ist wie Aristoteles.

Auch Augustins Theorie der Sprache hat verschiedene Wurzeln. Indem Augustin die Semantik zum zentralen Teil der Semiotik macht, setzt er in der Semiotik insgesamt andere Akzente als dies die klassische griechische Philosophie tat, die an der medizinischen Semiotik orientiert war. Dieser semiotische Paradigmenwechsel, so hat die Untersuchung ergeben, ist indes schon vor Augustin in der hellenistischen Philosophie nachweisbar, und zwar bei dem Arzt Sextus Empiricus. Hatten Gorgias, Platon und Aristoteles etwas über Wesen und Funktion der Wörter ausgesagt, indem sie diese σημεῖα nannten, so wird ihm der Zeichencharakter der Sprache zum Argument für die Existenz von Zeichen überhaupt. Die Sprachtheorie wird damit anders als bei Aristoteles, Epikur und bei den Stoikern zum integrativen Bestandteil der Zeichentheorie. Es ist somit nicht erst das besondere Interesse des Rhetoriklehrers Augustinus, das den Anstoß zu diesem Wandel gibt.[258]

Während die Einbettung der Sprachlehre in die Semiotik bei Sextus ein Vorbild hat, muß die augustinische Rede vom inneren Wort und die systematische Konzeption der Semantik insgesamt vor einem stoischen Hintergrund gesehen werden. Auch hier gibt es Vermittlungsinstanzen, die bislang wohl nur zum Teil untersucht sind.[259] An Epikur schließlich erinnern Augustins Überlegungen zur Sprachgenese beim Kind. Hatte Epikur die natürliche Sprache gattungsgeschichtlich als Urform der kon-

---

[258] Zur möglichen Vorbildrolle der Medizin für die konjekturale Methode der Rhetorik vgl. Ph. und E. de Lacy, Ancient rhetoric and empirical method, 526.

[259] K. Barwick, Augustins Dialektik und ihr Verhältnis zu Varros Schriften De dialectica und De lingua latina; L. Melazzo, La teoria del segno linguistico negli Stoici, 223, Anm. 91; M. Baratin, Les origines stoïciennes de la théorie augustinienne du signe, 268.

ventionellen Sprache begriffen, so erkennt Augustin in der Entwicklung
des einzelnen Menschen eine ähnliche Abfolge. Anders als bei Epikur
spricht Augustin von den natürlichen Wörtern allerdings mit Bezug auf
körpersprachliche Zeichen.

Die Heterogenität der ideen- und begriffsgeschichtlichen Vorlagen
hindert Augustin aber nicht daran, eine Semiotik zu schaffen, die ihm
zur Systematisierung des gesamten profanen und christlichen Bildungs-
guts dient und erlaubt, die Funktion des philosophischen Wissens plausibel zu machen.[260] Gleichzeitig bleibt die Bewertung der Zeichen, die Augustin vornimmt, ambivalent. Die funktionale Unterordnung der Zeichen unter die bezeichneten Dinge in De doctrina christiana kann nur
bedingt als ontologisches Ordnungsgefüge begriffen werden, da prinzipiell ein Zeichen als Ding einen höheren Status innehaben kann als das
hierdurch bezeichnete Ding. Demgegenüber führt die Fixierung auf jene
Zeichen, die lediglich zum Zwecke des Bezeichnens existieren, zu einer
Ontologisierung des ursprünglich funktional gedachten Ordnungsver-
hältnisses. Dieses Verständnis der Zeichen als Mittel zum Zweck des Erkennens ist ihrerseits, entsprechend der jeweiligen Argumentationsab-
sicht, divergierenden Bewertungen ausgesetzt. Während Augustin einerseits die Notwendigkeit zeichenhafter Vermittlung betont, grenzt er die
Reichweite solcher Vermittlung andererseits auf eine bloße Erinnerungs-
funktion ein; in der Konsequenz plädiert er sowohl für eine methodische
Auseinandersetzung mit der Schrift und der Tradition als auch für die
konstitutive Bedeutung eines rein innerseelischen Offenbarungsgesche-
hens. Indem er den Worten unter den Zeichen die Vorrangstellung ein-
räumt, rückt er gleichzeitig die Analyse der Sprache ins Zentrum der
Reflexion auf die Möglichkeit und die Struktur aposteriorischer Erkenntnis.

Obschon zur Synthese vereinigt, weisen die heterogenen Bausteine
der Augustinischen Sprach- und Zeichentheorie eine gewisse Selbstän-
digkeit auf, wie an der verschiedenartigen Akzentsetzung in den unterschiedlichen Argumentationszusammenhängen deutlich wird. Gerade
diese Flexibilität hat sicher einen erheblichen Anteil am außerordentli-
chen wirkungsgeschichtlichen Erfolg der vorgestellten Theorie ausge-
macht. Sie bot die Voraussetzung, daß so unterschiedliche Denker wie
Anselm von Canterbury, Alanus ab Insulis und Hugo von St. Viktor an sie
anknüpfen konnten. Auch die Zeichentheorien des 13. Jahrhunderts
gehen von der Theorie Augustins als Grundlage aus. Gleichwohl kann in
der veränderten geistesgeschichtlichen Situation diese Theorie nicht
mehr als ganze ohne Widerspruch bleiben. In der Auseinandersetzung

---

[260] Vgl. G. Krieger, Augustin und die Scholastik.

leben dabei zum Teil jene Kontroversen wieder auf, die bereits für die hellenistischen Debatten ausschlaggebend waren, ohne daß jedoch eine rezeptionsgeschichtliche Anknüpfung nachweisbar oder auch nur wahrscheinlich wäre.

Zweiter Teil
Semiotikrezeption im 13. Jahrhundert

KAPITEL 1: BONAVENTURA

Jede Auseinandersetzung mit der mittelalterlichen Philosophie steht vor der Schwierigkeit, daß der Interpret bestimmen muß, wie der einzelne Denker das Verhältnis zwischen Philosophie und Theologie begreift. Es muß untersucht werden, wie die philosophischen Wissenschaften und die Wissenschaft oder die Kunde von der Offenbarung einander zugeordnet werden und in welchem Sinne Überordnungen oder Unterordnungen verstanden werden müssen.[1] Gerade bei Bonaventura bereitet diese Bestimmung große Schwierigkeiten. In der Mediävistik gibt es infolgedessen einen anhaltenden Streit darüber, welchen Rang Bonaventura der Philosophie zumißt und wie seine Haltung zu Aristoteles einzuschätzen ist. Während É. Gilson[2] einen eigenständigen Rang der Philosophie beinahe völlig bestreitet und damit die Gegenposition Bonaventuras zu Thomas von Aquin akzentuiert, betont F. van Steenberghen[3] zum einen die methodische Unabhängigkeit philosophischer Argumentationen, zum anderen deren Eingliederung in den theologischen bzw. weisheitlichen Konnex. J. F. Quinn[4] schließlich will von einer unabhängigen Philosophie bei Bonaventura sprechen.[5]

Wie immer man sich zwischen diesen Möglichkeiten entscheidet, festzuhalten ist jedenfalls, daß auch dann, wenn man den Wert hoch einschätzt, den Bonaventura der natürlichen Vernunft zumißt, und deshalb

---

[1] Zu dieser Problematik bei Thomas von Aquin vgl. W. Kluxen, Philosophische Ethik bei Thomas von Aquin. In bezug auf Johannes Duns Scotus reflektieren É. Gilson (Jean Duns Scot. Introduction à ses positions fondamentales, 625-669) und L. Honnefelder (Ens inquantum ens, 1-54) die Verhältnisbestimmung von Theologie und Philosophie.

[2] É. Gilson, La philosophie de saint Bonaventure.

[3] F. van Steenberghen, La philosophie au 13ᵉ siècle.

[4] J. F. Quinn, The historical constitution of St. Bonaventure's philosophy.

[5] Einen Überblick über die Diskussion und einen eigenen Lösungsvorschlag bietet auch A. Speer, Triplex Veritas. Wahrheitsverständnis und philosophische Denkform Bonaventuras, 126-134.

auch den Stellenwert der Philosophie in seinem Werk als bedeutsam und gewichtig erachtet, man dennoch betonen muß, daß Bonaventura eine Autonomie der philosophischen Wissenschaften und einen Eigenstand der natürlichen Vernunft gegenüber der Offenbarungserkenntnis nicht zulassen will. Die Dienstleistung der Philosophie für die Theologie geschieht somit bei Bonaventura unter anderen Bedingungen als bei Thomas von Aquin. Der Versuch, im interpretativen Zugriff die philosophische Reflexion aus der theologischen Synthese herauszulösen, ist daher bei Bonaventura in besonderer Weise mit Schwierigkeiten behaftet und der Gefahr der Fehldeutung ausgesetzt. Es müssen deshalb nicht nur die durch das theologische Interesse bestimmten Argumentationskontexte mitgenannt werden, sondern auch eine Reihe von Theologoumena. Dies gilt auch und sogar in ausgezeichneter Weise für die Semiotik Bonaventuras, denn gerade mit der Rede von den Zeichen verfolgt Bonaventura theologisch-systematische und theologisch-moralische Zwecke. Nicht selten gibt er der Unterscheidung zwischen Zeichen und Dingen eine polemische Spitze, die gegen die heidnische Philosophie zielt.[6] Dennoch werden die folgenden Ausführungen beispielhaft deutlich machen, daß es bei Bonaventura weder um einen Antiaristotelismus[7] geht, wie Gilson meint, noch gar, wie Ratzinger behauptet, um einen Antischolastizismus[8] oder Antiintellektualismus[9].

Bonaventura hat, wie die meisten anderen Denker des 13. Jahrhunderts, keinen eigenen Traktat über Zeichen verfaßt. Die Erörterung des Zeichenbegriffs ist bei ihm auf alle Textgattungen verstreut.[10] Die Interpretation der Zeichentheorie Bonaventuras kann sich nicht ausschließlich am Terminus 'Zeichen' (signum) und seiner Verwendung festmachen. In die Betrachtung miteinbezogen werden müssen zusätzlich die ebenfalls semiotisch ausgerichteten Termini Spur (vestigium), Abbild

---

[6] Darauf hat vor allem É. Gilson, a.a.O. Kap. 2, aufmerksam gemacht.

[7] In welcher Weise Bonaventura in Einzelfragen Aristoteles rezipiert, hat J.G. Bougerol in seinem „Dossier pour l'étude des rapports entre saint Bonaventure et Aristote" sorgfältig dokumentiert. Zu Bonaventuras Übernahme aristotelischer Theoreme im Rahmen der Kosmologie (In 2 Sent. d. 1 - d. 20) vgl. J. McEvoy, Microcosm and macrocosm in the writings of St. Bonaventure, 318-323. Bemerkenswert für einen Denker des 13. Jahrhunderts ist allerdings, daß die arabische Philosophie keinen nennenswerten Einfluß auf Bonaventura hatte.

[8] J. Ratzinger, Geschichtstheologie des hl. Bonaventura, 160.

[9] Ebd. 157.

[10] Einen Überblick über die Vielfalt der Verwendungskontexte bietet U. Leinsle, Res et signum. Das Verständnis zeichenhafter Wirklichkeit in der Theologie Bonaventuras.

(imago), Buch (liber), Ähnlichkeit (similitudo) und Wink (nutus).[11] Eine philosophisch-epistemologische Untersuchung, wie sie hier angestrebt ist, kann sich dabei jedoch auf die Strukturanalyse der Zeichenverhältnisse beschränken, die in Bonaventuras Werken thematisiert werden.

Es soll nun zunächst ausgehend von einer Textpassage aus dem „Itinerium mentis in Deum" der gedankliche Zusammenhang rekonstruiert werden, in dem die Zeichentheorie Bonaventuras ihren eigentlichen Ort hat. Dieser Zusammenhang wird dann durch andere Texte insbesondere aus dem Kommentar zum ersten Sentenzenbuch ergänzt und vertieft. In einem weiteren Schritt muß Bonaventuras Arbeit am Zeichenbegriff dargestellt werden. Denn für Bonaventura bieten sich eine Reihe von Anlässen, definitorische und klassifikatorische Klärungen zu den signa vorzunehmen. Um dies darzustellen, muß auf eine Fülle kürzerer Textabschnitte eingegangen werden.

§ 1 Die sichtbare Schöpfung als Zeichen Gottes

Bonaventura beschreibt im „Itinerarium mentis in Deum" in mehreren Etappen den Aufstieg der Seele des Menschen zu Gott. Die Welt wird dem Menschen nach dem Sündenfall zur Leiter, die ihn zur mystischen Gottesschau führen kann.[12] Diese Konzeption steht unter dem Einfluß des hierarchischen Weltbildes des Ps.-Dionysius-Areopagita.[13] Für eine notwendigerweise knappe Erörterung der Zeichentheorie Bonaventuras mag es genügen, wenn wir uns der Rolle zuwenden, die nach Bonaventura in der Stufenordnung der Welt und beim Aufstieg der Seele den Spuren (vestigia) und dem Abbild (imago) zuzusprechen ist. Dabei muß immer mitbedacht werden, daß Bonaventura die Stufenordnung der Welt – als dem Makrokosmos – in Entsprechung sieht zur Stufenordnung der menschlichen Seele als dem Mikrokosmos.[14]

---

[11] Eine umfassende Darstellung des Zeichendenkens bei Bonaventura müßte also ganz ähnlich verfahren wie C.P. Mayers Darstellung der Zeichen bei Augustin. Vgl. Erster Teil § 4, Anm. 56.

[12] Vgl. Itin. c. 1, n. 2 [V, 297a].

[13] In den Collationes in Hexaemeron benennt Bonaventura den Areopagiten ausdrücklich als Gewährsmann für die hierarchische Konzeption des Seienden, coll. 21, n. 17 [V, 434a]. Vgl. auch In 2 Sent. d. 9 [II, 237-257]. Bonaventuras Ps.-Dionys-Rezeption untersucht im einzelnen J.G. Bougerol, S. Bonaventure et la hiérarchie dionysienne.

[14] Vgl. Itin. c. 2, nn. 2.3 [V, 300ab]. Zur Bedeutung des Mikrokosmosgedankens bei Bonaventura vgl. J. McEvoy, Microcosm and macrocosm in the writings of St. Bonaventure; zu den geistesgeschichtlichen Voraussetzungen vgl. M.-T. d'Alverny, Le cosmos symbolique du XIIe siècle.

Der Erkenntnisprozeß, der beschrieben wird, schreitet fort von den Wirkungen zur Ursache, vom Körperlichen zum Geistigen, von der äußeren Erscheinung zur inneren Struktur, d.h. zu Zahl, Maß und Gewicht.[15] Die Seele bedient sich hierbei ihrer spezifischen Vermögen, nämlich des Sinnes (sensus), der Vorstellungskraft (imaginatio), des Verstandes (ratio), der Vernunft (intellectus), des geistigen Verstehens (intelligentia) und des Urgewissens (synderesis).[16] Diese Seelenvermögen (potentiae animae) sind uns von Natur gegeben, doch sie sind, wie Bonaventura sagt, durch die Schuld deformiert und durch die Gnade wiederhergestellt.[17] Die Rede vom Aufstieg der Seele darf daher nicht im Sinne einer natürlichen Theologie verstanden werden. A fortiori ist somit auch jede gnostische Deutung des Aufstiegs ausgeschlossen.

Für die Zeichentheorie von besonderem Interesse und gewissermaßen ein Fazit der Bewertung der äußeren Welt sind die Abschnitte 11 und 12 des zweiten Kapitels: „Alle Geschöpfe dieser sinnlich wahrnehmbaren Welt führen die Seele des Betrachtenden und Weisen zum ewigen Gott, deswegen, weil sie von jenem ersten Prinzip, das das mächtigste, weiseste, beste ist, von jenem ewigen Ursprung, Licht und jener ewigen Fülle, von jener, so sage ich, wirkenden, nachbildenden und ordnenden Kunst Schatten (umbrae) sind, Widerhall und Bildnis; sie sind Spuren (vestigia), Nachahmungen und Schauspiele, die uns vorgesetzt werden, damit wir Gott erblicken, und sie sind Zeichen, die durch göttliche Fügung gegeben sind. Diese sind, so sage ich, Muster oder besser Kopien, vorgelegt den noch ungebildeten und sinnenhaften Geistern, damit sie durch Sinnenfälliges, das sie sehen, hindurchgeführt werden zum Verstehbaren, das sie nicht sehen, gleichwie durch Zeichen zu den bezeichneten Dingen."[18] Im nachfolgenden Absatz heißt es dann: „Derart bezeichnen

---

[15] Gewicht, Maß und Zahl sind Ausdruck der grundlegenden Strukturiertheit des Geschaffenen (Itin. c. 1, n. 11 [V, 298b]). Vgl. In Hexaem. coll. 2, n. 23 [V, 340a]: „Est autem ordo in his. Deus enim creat quamcumque essentiam in mensura et numero et pondere; et dando haec, dat modum, speciem et ordinem; modus est, quo constat; species, qua discernitur; ordo, quo congruit. Non est enim aliqua creatura, quae non habeat mensuram, numerum et inclinationem." Zur Bedeutung der Zahlen vgl. B. Welte, Die Zahl als göttliche Spur.

[16] Vgl. Itin. c. 1, n. 6 [V, 297b].

[17] „Hos gradus in nobis habemus plantatos per naturam, deformatos per culpam, reformatos per gratiam; purgandos per iustitiam, exercendos per scientiam, perficiendos per sapientiam." (Itin. c. 1, n. 6 [V, 297b]).

[18] „[O]mnes creaturae istius sensibilis mundi animum contemplantis et sapientis ducunt in Deum aeternum, pro eo quod illius primi principii potentissimi, sapientissimi et optimi, illius aeternae originis, lucis et plenitudinis, illius, inquam, artis efficientis, exemplantis et ordinantis sunt umbrae, resonantiae et picturae, sunt vestigia, simulacra et spectacula no-

aber die Geschöpfe der sinnlich wahrnehmbaren Welt die unsichtbaren Beschaffenheiten Gottes, zum Teil, weil Gott Ursprung, Urbild und Ziel jedes Geschöpfes ist und jede Wirkung Zeichen der Ursache ist, das Abbild <Zeichen> des Urbildes und der Weg <Zeichen> des Ziels, zum Teil kraft der ihnen eigenen Darstellung, zum Teil kraft prophetischer Vorausdeutungen, zum Teil aufgrund des Wirkens der Engel und zum Teil kraft gnadenhafter Einsetzung. Denn jedes Geschöpf ist von Natur gewissermaßen Abbild und Gleichnis der ewigen Weisheit, in besonderer Weise aber jenes, das im Buch der Schrift durch den Geist der Prophetie beansprucht wird zur Vorausdeutung geistiger Dinge, in höherer Weise jene Geschöpfe, in deren Gestalt Gott durch die Vermittlung eines Engels erscheinen wollte, in hervorgehobenster Weise durch das, was er zum Bezeichnen einsetzen wollte, was aber nicht nur die Bedeutung eines Zeichens im üblichen Wortsinn besitzt, sondern auch die eines Sakraments."[19]

Die zitierte Passage bietet einen wichtigen Teil, wenngleich nicht die gesamte Bandbreite der für die Zeichentheorie Bonaventuras relevanten Termini. Diese werden in der hier von ihm dargebotenen Perspektive durch die Begriffe signum und significatio gebündelt.

Bonaventura behauptet einen indexikalischen und einen ikonischen Bezug zwischen Gott und Welt, genauer zwischen Gott und den einzelnen wahrnehmbaren Entitäten der Welt. Beide gründen in einer Kausalbeziehung: Die Welt ist Schöpfung; sie ist Hervorgang aus Gott.[20] Die

---

bis ad contuendum Deum proposita et signa divinitus data; quae, inquam, sunt exemplaria vel potius exemplata, proposita mentibus adhuc rudibus et sensibilibus, ut per sensibilia, quae vident, transferantur ad intelligibilia, quae non vident, tamquam per signa ad signata." (Itin. c. 2, n. 11 [V, 302b])

[19] „Significant autem huiusmodi creaturae huius mundi sensibilis invisibilia Dei, partim quia Deus est omnis creaturae origo, exemplar et finis, et omnis effectus est signum causae, et exemplatum exemplaris, et via finis, ad quem ducit; partim ex propria repraesentatione, partim ex prophetica praefiguratione, partim ex angelica operatione, partim ex superaddita institutione. Omnis enim creatura ex natura est illius aeternae sapientiae quaedam effigies et similitudo, sed specialiter illa quae in libro Scripturae per spiritum prophetiae assumta est ad spiritualium praefigurationem; specialius autem illae creaturae, in quarum effigie Deus angelico ministerio voluit apparere; specialissime vero ea quam voluit ad significandum instituere, quae tenet non solum rationem signi secundum nomen commune, verum etiam Sacramenti." (Itin. c. 2, n. 12 [V, 302b-303a])

[20] Daß sich für Bonaventura der christliche Begriff der creatio und der neuplatonische Begriff der emanatio nicht ausschließen, sondern gegenseitig erhellen, zeigt eine Passage aus den Collationes in Hexaemeron: „Creatura egreditur a Creatore, sed non per naturam, quia alterius naturae est: ergo per artem, cum non sit alius modus emanandi nobilis quam per naturam, vel per artem sive ex voluntate; et ars illa non est extra ipsum: ergo est

Effizienz und Präsenz des Schöpfers in ihr kann erkannt werden und zwar – wie Bonaventura unterscheidet – „durch den Spiegel" (per speculum) und „im Spiegel" (in speculo).[21] In der Abfolge der Begriffspaare 'effectus'/'causa' und 'exemplatum'/'exemplar' einerseits und 'via'/'finis' andererseits kommt das neuplatonische exitus-reditus-Schema zum Ausdruck[22]: Das Itinerarium weist den Weg zu jenem Ziel, das gleichzeitig der Ursprung allen Seins ist. Die Geschöpfe sind Hilfsmittel der Gotteserkenntnis im Sinne einer materiellen Hinführung (materialis manuductio), sie sind Wegweiser zum Ziel.[23] Das Begriffspaar 'signum'/'signatum' scheint Bonaventura dazu geeignet, die Struktur dieser Vermittlung herauszuarbeiten. Der Zeichenbegriff selbst scheint ihm in diesem Zusammenhang nicht erklärungsbedürftig.

Alle sinnenfälligen Dinge sind somit Zeichen, sie sind Zeichen für Gott, ihren Schöpfer. Bonaventura erkennt aber in der Sinnenwelt über die Schöpfungsordnung hinaus eine Vielheit göttlich gegebener Zeichenordnungen, die er aufeinander bezieht. Deutlicher als im angeführten Text, in dem der Bezug zwischen den Zeichenordnungen durch das „specialiter", „specialius", „specialissime" ausgedrückt ist, kommt die wechselseitige Verwiesenheit der Zeichenordnungen in der Rede von den zwei Büchern zum Vorschein, die hier durch das „in libro Scripturae" anklingt: Das Buch der Schrift ist für Bonaventura nichts anderes als der Kommentar zum Buch der Schöpfung, der nach dem Sündenfall notwendig wurde. Die Dienste der Propheten und der Engel haben Verdeutlichungsfunktion; dies gilt ebenso für die Sakramente. Angesichts dieser Stufungen von Zeichensystemen spricht Bonaventura – wie Augustin – nur dort von einem gegebenen Zeichen (signum datum), wo das Zeichen einen besonderen Einsetzungsakt erfahren hat,[24] wie dies beim Sakrament oder beim sprachlichen Zeichen der Fall ist; die durch die

---

agens per artem et volens: ergo necesse est, ut habeat rationes expressas et expressivas." (Coll. 12, n. 3 [V, 385a])

[21] Vgl. Itin. c. 1, n. 5 [V, 297b].

[22] Vgl. Quaestiones disputatae de mysterio Trinitatis q. 8 ad 7 [V, 115b]. Zu den neuplatonischen Implikationen dieses Schemas vgl. W. Beierwaltes, Aufstieg und Einung in Bonaventuras 'Itinerarium'.

[23] Bonaventura greift den Terminus auf, der auf Johannes Scotus Eriugena zurückgeht (In 1 Sent. d. 3 p. 1 a. un. q. 3 s.c. pro statu gloria 1 [I, 74a]; ebd. d. 16, a. un., q. 2c [I, 281b]). Zum Ursprung und zur Bedeutung der manuductio materialis bei Eriugena und in der Folge vgl. J. Pépin, Aspects théoriques du symbolisme dans la tradition dionysienne. Antécédents et nouveautés.

[24] Zur Abgrenzung von signum naturalium und signum datum siehe unten § 3, Anm. 52, 53, 54.

Schöpfung als Zeichen konstituierten Zeichen nennt er natürliche Zeichen (signa naturalia).

§ 2 Der Mensch als Interpret der Schöpfung

Auch innerhalb der Natur- bzw. Schöpfungsordnung haben Zeichen unterschiedliche Grade von Deutlichkeit. Dies läßt sich zeigen, wenn man einige Texte aus der dritten Distinctio zum ersten Sentenzenbuch hinzuzieht: „Die Geschöpfe werden nämlich 'Schatten' (umbra) genannt in Hinsicht auf die Eigenschaften, die sich gemäß einer unbestimmten Vorstellung auf Gott als die allgemeine Ursache beziehen, 'Spur' (vestigium) in Hinsicht auf die Eigenschaft, die sich auf Gott als die dreifache Ursache bezieht, die Wirkursache (causa efficientis), die Form- bzw. Exemplarursache (causa formalis) und die Zielursache (causa finalis), wie etwa (die Geschöpfe) etwas Einheitliches, Wahres und Gutes sind." Bonaventura fährt dann fort mit der Bestimmung des Begriffes 'imago', der im 2. Kapitel des Itinerarium noch nicht begegnet: „'Imago' werden sie genannt in Hinsicht auf die Bedingungen, die sich nicht nur auf Gott als Ursache beziehen, sondern auch auf Gott als Gegenstand: Dies sind das Gedächtnis (memoria), das Verstehen (intelligentia) und der Wille (voluntas)."[25]

Mit diesem von Augustinus her bekannten Ternar kommt die imago als Adressat (s.o. „nobis proposita" [Itin. c. 2, n. 11]) der Zeichenordnungen ins Blickfeld. Als vernünftiges und über einen Willen verfügendes Wesen kann der Mensch als imago die Zeichen auf das Bezeichnete beziehen. Durch das Gedächtnis (memoria) hat er bereits ein Vorwissen dieses Signifikats.[26]

Das Abbild (imago) weist so, anders als die Spur (vestigium), eine doppelte Relation auf: ein Gewordensein aus und eine Hinwendung zu

---

[25] „[N]am creaturae dicuntur umbra quantum ad proprietates, quae respiciunt Deum in aliquo genere causae secundum rationem indeterminatam; vestigium quantum ad proprietatem, quae respicit Deum sub ratione triplicis causae, efficientis, formalis et finalis, sicut sunt unum, verum et bonum; imago quantum ad conditiones, quae respiciunt Deum non tantum in ratione causae, sed et obiecti, quae sunt memoria, intelligentia et voluntas." (In 1 Sent. d. 3, p. 1, a. un. ad 4 [I, 73ab])

[26] „<Memoria> non solum habet ab exteriori formari per phantasmata, verum etiam a superiori suscipiendo et in se habendo simplices formas, quae non possunt introire per portas sensuum et sensibilium phantasias. [...] [I]psa habet lucem incommutabilem sibi praesentem, in qua meminit invariabilium veritatum." (Itin. c. 3, n. 2 [V, 303b-304a]) Die Rolle der memoria bei Bonaventura behandelt A. Solignac, „Memoria" chez Saint Bonaventure.

ihrem Ursprung. Bonaventura spricht deshalb beim Abbild auch von einer größeren Nähe zum Ursprung im Vergleich zur Spur (vestigium) und nennt es eine ausgeprägte Ähnlichkeit (expressa similitudo).[27] Der Unterschied zwischen vestigium und imago ist indes nicht – wie diese Charakterisierung vermuten lassen könnte – ein bloß gradueller; denn durch die imago kommt ein aktives, deutendes und strebendes Moment in die Stufenordnung des Kosmos hinein.[28] Der Mensch als Bild steht innerhalb der Hierarchie der Seienden und ist zugleich ihr Interpret.

Während der Schatten und die Spur Zeichen sind, sagt Bonaventura an keiner Stelle, daß die 'imago' ein Zeichen (signum) sei. Der Grund dafür ist, daß der Titel „imago" nicht der wahrnehmbaren Entität Mensch, sondern vielmehr der Geistseele zugesprochen wird.[29] Der Leib ist nicht imago.[30] Weil aber die Geistseele dem Leib vorgeordnet ist, muß das imago-Sein als eine wesentliche, substantielle Bestimmung des Menschen aufgefaßt werden.[31] Der Mensch als Geistwesen ist es, dem die Dinge der Welt und auch sein eigener Leib als Zeichen dienen.

---

[27]   In 2 Sent. d. 16, a. 1, q. 1c [II, 394b].

[28]   Vgl. dazu L. Berg, Die Analogielehre des heiligen Bonaventura, 670: „Doch das Novum des Bildes ist nicht etwas total anderes, sondern hat durch seine Rückbindung an den Actus purus auch von rückwärts die Macht, Schatten und Spur zu durchleuchten und so zu einer großen universalen Einheit der ganzen Schöpfungswelt beizutragen."

[29]   „Imago principalius respicit cognitivam quam affectivam." (In 2 Sent. d. 16, a. 2, q. 3 concl. [II, 405a])

[30]   Diese Auffassung läßt sich nicht nur aus der von Bonaventura übernommenen augustinischen Definition des Zeichens herleiten. Vielmehr muß die fehlende Klassifizierung der imago als Zeichen ernstgenommen werden. Das Zeichen stellt für ihn eine Verweisungsstruktur niederer Stufe dar. Ein Beispiel dafür, wie der Stufung der Verweisungszusammenhänge durch eine ausdifferenzierte semiotische Terminologie innerhalb der augustinischen Tradition Rechnung getragen wurde, stellt folgende Textpassage des Alanus ab Insulis dar: „Aliud est enim signaculum Dei, aliud sigillum, aliud ymago, aliud signum. Sigillum Dei Patris est Filius, quasi in omnibus signans illum, quia Patri coequalis, coeternus, consubstantialis. Angelus vero est Dei signaculum, quasi in aliquibus signans illum, quia in pluribus similis est Deo angelus, etsi non in omnibus. Unde et de Lucifero dicitur, secundum statum quem habuit ante casum: Tu signaculum similitudinis Dei. Sed Filius est sigillum Patris secundum unitatem essentie; angelus vero signaculum imitationis ratione. Homo vero dicitur ymago Dei, quasi imitago, quia non ita similis est expresse Deo sicut angelus. Quelibet vero creatura dicitur signum Dei, quia sui essentia, sui ordinatione, sui pulcritudine predicat Deum." (Sermo in die sancti Michaelis, Ed. d'Alverny, 249f.)

[31]   „[E]sse imaginem Dei non est homini accidens, sed potius substantiale, sicut esse vestigium nulli accidit creaturae." (In 2 Sent d. 16, a. 1, q. 2 fund. 4 [II, 397a]) Vgl. auch In Hexaemeron coll. 4, n. 8 [V, 350a]: „[R]elatio creaturae ad Creatorem non est accidentalis, sed essentialis."

§ 3 Das Zeichen als Erkenntnismittel

Bonaventura entwickelt keine eigene Definition des Zeichens (signum).[32] Er schließt sich vielmehr der Zeichendefinition des Augustinus an: Auch für ihn ist das Zeichen somit eine sinnlich wahrnehmbare Wirklichkeit, die kraft ihrer selbst bewirkt, daß etwas anderes ins Denken tritt bzw. erkannt wird: „Signum est enim res praeter speciem, quam ingerit sensibus, aliud aliquid ex se faciens in cognitionem venire."[33] Jedes Zeichen ist damit auch eine Sache (res).[34] Es ergeben sich daher zwei mögliche Weisen, das Zeichen zu betrachten, nämlich als Sache oder als Zeichen.[35] Mit Augustinus hält Bonaventura daran fest, daß Zeichen mit Hilfe des sensitiven Seelenbereichs erfaßt werden.[36] D.h. zumeist, ihr Bild, ihre species, trifft auf die äußeren Sinne. Nur als Ausnahme erwähnt Bonaventura, daß sich das Zeichen auch der Einbildungskraft (imaginatio) zeigen kann. Bonaventura nennt diese Möglichkeit im Zusammenhang der Sendung von Engeln.[37]

Die Extension des Zeichenbegriffs läßt sich anhand der Erörterungen Bonaventuras zur Sprache der Engel näher bestimmen. Er wirft das Problem der Engelsprache im Rahmen der Frage auf, ob die Sprache des Engels dasselbe sei wie sein Denken. Bonaventura entscheidet beide Fragen, indem er folgende Differenz festhält. Die Rede (locutio) füge dem Gedanken die Ausrichtung auf den anderen und auch eine zusätzliche Handlung hinzu; sie bedarf aber keines Zeichens.[38] Die Sprache des Engels nimmt damit eine Mittelstellung ein zwischen der Sprache Gottes, die vom Denken nur durch die Wirkung auf den anderen unterschieden ist, und der menschlichen Sprache. Letztere nämlich sei vom Denken nicht nur durch die Wirkung (effectus) und den hinzutretenden Akt (actus novus), sondern zudem durch das Zeichen, das äußere Wort (verbum exterius) unterschieden. Die Wirkung auf den anderen komme beim Engel zustande, indem er sich in seinem Gedanken öffne und da-

---

[32] Vgl. U. Leinsle, a.a.O. 9.

[33] Augustinus, De doctrina Christiana II,I,1. Vgl. Bonaventura, In 4 Sent. d. 1, p. 1, a. un., q. 2 fund 3 [IV, 13b]

[34] In 1 Sent. d. 45, a. 3, q. 1 ad 2 [I, 809]; ebd. d. 1, dub. 2 [I, 42ab].

[35] In 1 Sent. d. 16, a. 1, q. 2 ad 3 [I, 281b-282a].

[36] Bei der Gotteserkenntnis unterscheidet er deshalb zwischen einer Erkenntnis Gottes durch intelligible Wirkungen und einer Gotteserkenntnis durch Zeichen (vgl. In 1 Sent. d. 16, a. un., q. 2 ad 4 [I, 282a]).

[37] In 2 Sent. d. 10, a. 3, q. 2 c. [II, 271b].

[38] „Conclusio: Angelorum locutio non est idem quod cogitatio, quia locutio addit cogitationi et respectum ad alterum et actum novum, non autem signum." (In 2 Sent. d. 10, a. 3, q. 1 [II, 268b])

durch dem Intellekt des anderen zugänglich macht. Dies werde gleichsam durch einen Wink vermittelt.[39] Diese Öffnung des Gedankens stelle zwar gegenüber dem Denken (cogitatio) selbst einen neuen Akt dar, weil sich der Engel nicht in derselben Hinwendung auf sich selbst und auf den anderen richten könne. Gleichwohl sei für diesen zusätzlichen Akt kein sinnenhaftes Zeichen und kein Medium nötig, vielmehr könne jene intelligible Form (species intelligibilis), die den Gedanken ausmache, auch der Ausstreckung des Geistes (protensio spiritualis) zum anderen dienen.[40]

Warum Bonaventura bei diesem geistigen Sprechen zwar von einem Wink (quasi nutu mediante), nicht aber von einer Zeichenhandlung sprechen will, läßt sich aus der folgenden Quaestio herleiten.[41] Bonaventura führt hier aus, daß man von einem Zeichen sowohl mit Bezug auf einen Gegenstand der äußeren Sinne als auch auf Gegenstände der inneren Sinne sprechen könne. Gegenstände der intellektiven Vermögen hingegen können nicht als Zeichen aufgefaßt werden.[42]

Die Erörterung der Engelssprache zeigt somit, daß Bonaventura die augustinische Bestimmung des Zeichens als einer Sache, die sich den Sinnen darbietet, übernimmt. Allerdings versteht er dies nicht so, daß nur die fünf äußeren Sinne Zeichen erfassen könnten. Vielmehr differenziert er mit Hilfe der aristotelischen Lehre von den Seelenvermögen zwischen inneren und äußeren Sinnen. Auch die Einbildungskraft als inneres Sinnenvermögen kann Zeichen rezipieren. Bonaventura geht damit über das hinaus, was Augustinus explizit entwickelt, bleibt jedoch weitgehend in dem durch diesen vorgegebenen Rahmen.

Bonaventura arbeitet aus unterschiedlichen Anlässen die Strukturen heraus, die das Verhältnis des Zeichens zu jenem anderen (aliud aliquid), dem Bezeichneten, bestimmen. Er spricht von einer korrelativen

---

[39] „Respectum quidem et effectum addit propter hoc, quod cogitatio, quantum est de sui natura, est secreta; et ideo numquam fit manifesta, nisi ipse cogitans aliquid tanquam audienti offerat, et aperiendo se, quodam quasi nutu mediante, quod in se habet ad intellectum alterius quasi ad aurem pertingere faciat."(ebd. c. [II, 269a])

[40] Vgl. ebd. [II, 269b].

[41] Ebd. q. 2 („Utrum eadem locutio possit esse a Deo et ab Angelo") [II, 271].

[42] „[T]ripliciter dicimur audire: aut per aliquod signum, exterioribus auribus oblatum, sicut pluries auditus fuit et in veteri et in novo Testamento; aut per aliquod signum, in interiori sensu vel in interiori imaginatione formatum, aut per aliquod inspirationis verbum, nostris mentibus instillatum. Et sicut tripliciter auditur, ita etiam tripliciter loqui dicitur, secundum quod in nobis triplicem excitat auditum." (In 2 Sent. d. 10, a. 3, q. 2c [II, 271b - 272a])

Beziehung[43] und betont die Nichtidentität von Zeichen und Bezeichnetem.[44] Er hebt die erkenntniserweiternde Funktion der Zeichen hervor; der Schritt vom Zeichen zum Bezeichneten ist für ihn der Übergang von etwas Bekannterem zu etwas Unbekannterem.[45]

Die Bestimmung des Zeichens als einer Sache (res) hatte Augustinus dazu geführt, eine Dreiteilung der Wirklichkeit vorzunehmen: es gibt Sachen, die bloß als Sache angesehen werden; Sachen, welche okkasionell Zeichenfunktion erfüllen und Sachen, für die die Zeichenfunktion der Seinsgrund ist. Diese Aufteilung der Welt darf indes nicht streng ontologisch, sie muß eher pragmatisch aufgefaßt werden: Sie dient dazu, eine besondere Gruppe von Zeichen auszugrenzen, nämlich die Wörter.

Bonaventura greift Augustins Lehre vom Zeichencharakter der Sprache gelegentlich auf und bringt sie auch in Verbindung mit der aristotelischen Sprachauffassung.[46] Im Hexaemeron etwa stellt er sie seinen Ausführungen über den vierfachen Sinn der Schrift voran.[47] Dennoch berührt diese Lehre nicht den Kern des Sprachdenkens von Bonaventura. Dieses geht vor allem vom Begriff 'verbum' aus. Die Stimme (vox) als Zeichen des Wortes (signum verbi) bleibt dabei gewissermaßen außen vor: Das eigentliche Wort ist im Inneren des Menschen, es ist kein Zeichen.[48]

Eine vertiefende Reflexion auf den Zeichencharakter der Sprache findet bei Bonaventura nicht statt. Von großer Bedeutung bleibt die Lehre vom Zeichencharakter der Sprache allerdings insofern, als sie im Hintergrund der Rede vom Buch der Schöpfung steht.[49] Diese Vorstellung

---

[43] „[S]ignum debet respondere signato, et signatum signo." (In 4 Sent. d. 24, p. 2, a. 1, q. 2, fund. 3 [IV, 623a]) und „[S]ignum et signatum dicuntur correlative" (In 1 Sent d. 45, a. 3, q. 2, arg.1 [I, 810a]).

[44] „[N]ihil idem est signum sui ipsius [...]" (In 4 Sent. d. 10, p. 1, dub. 4 [IV, 226b])

[45] „[S]ignum est quod ducit in aliud cognoscendum." (In 1 Sent. d. 1, dub. 3 [I, 42b])

[46] Vgl. etwa De scientia Christi, q. 4 ad 23-26 [V, 26b].

[47] In Hexaem. coll. 13, n. 10 (V, 389b). Zur Lehre vom vierfachen Schriftsinn bei Bonaventura vgl. H. de Lubac, Exégèse médiévale, Bd. 2, 264-272.

[48] In 1 Sent. d. 27, p. 2, a. un., q. 4c [I, 490b]. Vgl. De reductione artium ad theologiam, nn. 16-18 [V, 323b-324a]. Zur Sprachlehre Bonaventuras vgl. J.F. Quinn, The scientia sermocinalis of St. Bonaventure and his use of language regarding the mystery of the trinity; E.H. Cousins, Language as metaphysics in Bonaventure; T. Manferdini, S. Bonaventura filosofo del linguaggio.

[49] Vgl. Breviloquium p. 2, c. 11 [V, 229a]; Quaestiones disputatae de mysterio Trinitatis q. 1, a. 2 [V, 54b-55a]. Eine ideengeschichtliche Untersuchung dieser Vorstellung hat H. Blumenberg in „Die Lesbarkeit der Welt" vorgelegt. W. Rauch zeigt in „Das Buch Gottes", daß der Begriff des dreifachen Buches geeignet ist, als Leitfaden für eine Reformulierung der gesamten Theologie Bonaventuras zu dienen. Da Bonaventura analog auch vom Le-

vom Buch der Schöpfung, die schon bei Augustin begegnet, prägt Bonaventuras Betrachtung der Natur. Die Exegese der Schrift wird zum Modell für die Deutung der äußeren Welt.[50] Auch in der äußeren Welt muß über den augenfälligen Sinn hinaus der allegorische, der anagogische und der tropologische Sinn der Dinge beachtet werden.[51]

Bonaventura behält, wie oben erwähnt, die augustinische Unterscheidung zwischen natürlichen und gegebenen Zeichen bei,[52] nimmt dieser Unterscheidung aber die Schärfe. Auch die natürlichen Zeichen sind, da sie ihre Bezeichnungskraft vom Schöpfer haben, in gewisser Weise 'signa data'. Umgekehrt hat beispielsweise auch das Sakrament, das Petrus Lombardus eindeutig als signum datum bestimmt,[53] die Disposition zum Bezeichnen bereits aus der Schöpfung und dem in ihr grundgelegten Exemplarismus.[54] Die Einsetzung des Sakraments als Zeichen baut also auf die bereits mit der Schöpfung gegebenen Verweisungszusammenhänge auf, in denen die sakramentalen Elemente stehen.

Bonaventuras besonderes Interesse gilt nun vor allem dieser Zeichenhaftigkeit in der Schöpfungswirklichkeit, der natürlichen Sakramentalität alles Geschaffenen.[55] Der Grund für die zeichenhafte Relationalität und die Voraussetzung für den Schluß vom Zeichen auf das Bezeichnete ist die Ähnlichkeit zwischen beiden: „[R]atio transferendi est similitudo

sen der nicht wahrnehmbaren Welt spricht, ist die Buchmetaphorik umfassender als der Zeichenbegriff. Diese Konzeption berührt sich mit derjenigen des Alanus ab Insulis, der dem Gedanken der Kreatur als Buch in einzigartiger Weise einen poetischen Ausdruck verliehen hat: „Omnis mundi creatura, / Quasi liber, et pictura / Nobis est, et speculum. / Nostrae vitae, nostrae mortis, / Nostri status, nostrae sortis / Fidele signaculum. / Nostrum statum pingit rosa, / Nostri status decens glosa, / Nostrae vitae lectio. [...]" (Magistri Alani Rhythmus alter, quo graphice natura hominis fluxa et caduca depingitur; PL 210, Sp. 579 A, B) Anders als Alanus betrachtet Bonaventura aber nicht das einzelne Geschöpf, sondern die Schöpfung in ihrer Gesamtheit als ein Buch.

[50] Vgl. É. Gilson, La philosophie de saint Bonaventure, 176, sowie E. Sauer, Die religiöse Wertung der Welt. Zur Methode der Schriftauslegung vgl. H. Merker, Schriftauslegung als Weltauslegung.

[51] Vgl. In Hexaem coll. 13, n. 11 [V, 389b].

[52] In 1 Sent. d. 1, dub. 3 [I, 42b]; ebd. d. 45, a. 3, q. 1 ad 2 [I, 809b]. Bonaventura benutzt die Termini signum datum und signum voluntarium synonym.

[53] Petrus Lombardus, 4 Sent. d. 1, c. 4 [II, 746].

[54] In 4 Sent. d. 1, p. 1, a. un., q. 2 ad 5 [IV, 15b]. Zum Verhältnis natürlicher und intentionaler Zeichenhaftigkeit der Sakramente vgl. H. Baril, La doctrine de saint Bonaventure sur l'institution des sacrements, 24.

[55] Eine gewisse Sonderstellung kommt deshalb dem Breviloquium zu, wo Bonaventura den Zeichenbegriff fast ausschließlich auf die Sakramente im engen Sinne anwendet. Vgl. Breviloquium p. 6 [V, 265a-280b].

comperta inter signum, quod naturaliter significat et significatum."[56] Die Ähnlichkeit (similitudo) ist für Bonaventura eine so wichtige Bestimmung der natürlichen Zeichenrelation, daß er sie auch für die intentionalen Zeichen fordert.[57]

Die natürlichen Zeichen weisen eine Ähnlichkeit zum Bezeichneten auf, wenn sie in einem Wirkungszusammenhang stehen.[58] Bedeutsam und auffällig an der Konzeption Bonaventuras ist nun, daß er für den Bereich der natürlichen Zeichen das Bezeichnungsvermögen der Wirkungen in Hinsicht auf die Ursachen vielfach erwähnt, die umgekehrte Relation aber nicht nennt. In einem Dubium entwickelt er das Argument, nur das könne Zeichen sein, was zu einem von Natur aus Früheren führt. Ein Zeichen sei etwas, was zur Erkenntnis eines anderen führe; ein jegliches Ding erfülle nun aber diese Bestimmung, denn es ist entweder Ursache oder Wirkung und eine Ursache führe zur Erkenntnis der Wirkung und umgekehrt. Wenn nun aber eingewandt werde, daß nicht alles, was Verweisungscharakter hat, ein Zeichen sei, sondern nur jene Entität, die zur Erkenntnis einer logisch und temporal früheren Entität führt, dann könne jedenfalls festgehalten werden, daß jedes Geschöpf Zeichen ist, insofern es zu Gott führt.[59] Bonaventura weist dieses Argument nicht dadurch zurück, daß es auf den möglichen Zeichencharakter von Ursachen hinweist, sondern übergeht stattdessen dieses Problem. Im Kommentar zum vierten Sentenzenbuch wird dann aber deutlich, daß er im Falle der natürlichen Zeichen in der Tat davon ausgeht, daß es sich bei ihnen um Wirkungen handelt, die Ursachen bezeichnen, nicht aber um Ursachen, die Wirkungen bezeichnen.[60]

---

[56] In 1 Sent. d. 45, a. 3 q. 1 ad 3 [I, 809b].

[57] Im Kontext der Sakramententheologie erklärt er: „[S]ignum debeat habere similitudinem ad signatum". (In 4 Sent. d. 24, p. 2, a. 1, q. 4 concl. [IV, 627b]) Auch zwischen dem Sprachzeichen und der durch es bezeichneten Sache sieht Bonaventura eine Ähnlichkeit bzw. Entsprechung (vgl. In 1 Sent. d. 22, a. un., q. 1 obi 3 [I, 390a] und ebd. ad 3 [391b]). Bonaventura beschränkt sich allerdings auf diese allgemeine Feststellung; die genauere Untersuchung der modi significandi will Bonaventura den Grammatikern überlassen (In 3 Sent. d. 5, a. 2, q. 3 ad 5 [III, 137b]).

[58] „[E]ffectus naturaliter significant causam [...]" (In 1 Sent. d. 45, a. 3, q. 1 ad 2 [I, 809b])

[59] „[S]ignum est quod ducit in aliud cognoscendum; sed omnis res ducit in aliud, quia omnis res est causa, vel effectus. Causa autem ducit in cognitionem effectus, et e converso. Si dicas, quod non omne, quod ducit, est signum, sed quod ducit in prius; tunc omnis creatura est signum, cum ducat in Deum." (In 1 Sent. d. 1, dub. 3 [I, 42b])

[60] „Ad illud quod obiicitur, quod causa non est signum effectus; dicendum, quod illud verum est, quando habitudo signandi consequitur habitudinem causandi; in Sacramentis autem antecedit. Vel dicendum, quod hoc verum est in his quae habent vere ac proprie rationem causae et effectus; vera enim causa natura prior est, et ideo a sensibus nostris

Diese Argumentation überrascht, weil sie sich nicht aus der augustinischen Zeichenlehre herleiten läßt. Vielmehr hatte man aus der augustinischen Lehre vom natürlichen Zeichen als Schulbeispiele sowohl den Schluß vom Rauch auf das Feuer[61], als auch den Schluß vom Feuer auf entstehenden Rauch bilden können. Bonaventura legt demgegenüber den Zeichenschluß auf eine bestimmte Richtung fest.[62] Das Zeichen führt den Interpreten in die Richtung der ersten Ursache. Die Tendenz geht deshalb vom weniger Edlen zum Edleren[63], vom Sinnlichen zum Geistigen. Bonaventura erläutert dies mit Hilfe eines aristotelischen Theorems: „Weil unsere Erkenntnis vom Sinn her beginnt, so ist es – wenn wir erhoben werden sollen zur Erfassung geistiger Dinge – angemessen und nützlich, daß der Erkenntnis irgendwie die durch das Zeichen ausgelöste sinnliche Anregung vorausgeht."[64]

Eine weitere Bestimmung muß erwähnt werden, die in einer Spannung zur augustinischen Konzeption steht. Bonaventura nennt sie zu Beginn seiner allgemeinen Sakramentenlehre: „Das Zeichen ist auf zweierlei bezogen: auf das, was es bezeichnet, und auf den, für den es bezeichnet. Die erste Beziehung ist wesentlich und immer aktuell, die zweite Beziehung aber besteht nur habituell. Von der ersten Beziehung kommt ihm der Name des Zeichens zu, nicht von der zweiten. So ist der Kranz über dem Wirtshaus immer ein Zeichen, auch wenn ihn niemand anschaut."[65] Diese Aussage stellt die vorgetragene Interpretation der imago und ihrer konstitutiven Rolle für den Zeichenprozeß in Frage.

---

remotior; et quia significatio est per id quod est nobis propinquum, ideo significamus causam per effectum, non e converso." (In 4 Sent. d. 1, p. 1, a. un., q. 2 ad 2 [IV, 14b-15a])

[61] In 4 Sent. d. 6, p. 2, a. 3, q. 1 ad 1 [IV, 156b].

[62] Vgl. dagegen die Darstellung bei Thomas von Aquin (I, q. 70, a. 2 ad 2; II-II, q. 95, a. 5c), bei Boethius von Dacien (De somnis) und bei Roger Bacon (De signis; vgl. dazu das folgende Kapitel). Zu Roger Bacon vgl. unten Zweiter Teil, Kapitel 2, § 2; zu Boethius von Dacien vgl. die Anmerkungen im Dritten Teil, § 8.

[63] In 3 Sent. d. 9, a. 1, q. 5 sol. 4 [III, 210b].

[64] „Quod sit utilis ad innotescendum, videtur, quia cognitio nostra incipit a sensu: ergo si debemus elevari ad perceptionem intelligibilium, congruum et perutile est, quod aliquo modo praevia sit excitatio in sensu per signum." (In 1 Sent. d. 16, a. un., q. 2, fund. 1 [I, 281a])

[65] „Ad illud quod obiicitur, quod Sacramentum non significat parvulo; dicendum, quod signum duplicem habet comparationem: et ad illud quod significat, et ad illud cui significat; et prima est essentialis et habet ipsam semper in actu, secundam autem habet in habitu; et a prima dicitur signum, non a secunda. Unde circulus super tabernam semper est signum, etiam si nullus aspiciat; sic Sacramentum semper signum est, quamvis nullus cognoscat." (In 4 Sent. d. 1, p. 1, a. un., q.2 ad 3 [IV, 15a])

Notwendig für das Zeichen ist die Ähnlichkeitsrelation, nicht die Intention eines Interpretanten. Um einem Relativismus bzw. Subjektivismus zu entgehen, legt Bonaventura den Kern des Zeichenbezugs auf eine zweigliedrige Relation, nämlich die zwischen Zeichen und Bezeichnetem fest. Möglich wird dies, weil er dem Wort, das er als in einer Vielzahl von Bezügen stehend darstellt[66], keine paradigmatische Rolle in seiner Semiotik zumißt, es vielmehr weitgehend unabhängig von semiotischen Überlegungen behandelt. So kann Bonaventura fordern, daß das Wort im Bezug zum Sprechenden, zum Mittel und zur erzeugten Wirkung beim Hörenden gesehen werden soll, und gleichzeitig an einem Zeichenbegriff festhalten, der eine zweigliedrige Relation als zentral unterstellt. Bonaventura belastet seine Zeichentheorie durch diese Festlegung auf eine dipolare Relation mit erheblichen Erklärungsschwierigkeiten. Insbesondere bleibt fraglich, wie überhaupt der Zeichenprozeß, also der Hinweis des Zeichens auf das Bezeichnete, in Gang kommt, wie also unter dieser Vorgabe das Zeichen als Zeichen in Erscheinung treten kann.

Die zitierte Passage zur Zweigliedrigkeit der Zeichenrelation muß allerdings im Rahmen weiterer Erörterungen des Zeichens gesehen werden. Zwar ist die Relation zwischen dem Zeichen und dem Bezeichneten eine dauerhafte, zur Bezeichnung kommt es aber nur, wenn aktuell ein Interpretant hinzutritt. Bonaventura will aufweisen, daß das Zeichen unabhängig vom Erkennenden existiert; seinen Wert allerdings erhält das Zeichen erst durch die Funktion, die es für den Erkennenden übernimmt: „Signa nil valent, nisi res intelligantur."[67] Wohl ist im Zeichen für Bonaventura das Bezeichnete bereits verborgen anwesend.[68] Dennoch ist es nicht zwingend, daß die Zeichen als Zeichen erkannt werden. Da jedes Zeichen zunächst einmal dinglich ist, kann es durchaus als Ding betrachtet, die Bezeichnungsfunktion gewissermaßen übersehen werden. Weil nun der Verweisungscharakter der Dinge für Bonaventura einen Zugang zum göttlichen Ursprung impliziert, hat die Entscheidung, ob ein Ding als Ding oder als Zeichen aufgefaßt wird, immer auch eine religiöse und moralische Komponente.[69] Das Unvermögen, den Transfer zu leisten von

---

[66] „Dicendum, quod filius solum dicit comparationem ad patrem, verbum vero dicit comparationem ad dicentem, dicit comparationem ad id quod per verbum dicitur, dicit comparationem ad vocem, quam induit, dicit etiam comparationem ad doctrinam, quae mediante verbo in altero efficitur." (Commentarius in Evangelium S. Ioannis, c. 1, p. 1, q. 1 responsum [VI, 247b])

[67] In Hexaem. coll. 13, n. 3 [V, 388a].

[68] In 4 Sent. d. 1, p. 1, a. un., q. 3 ad 1 [IV, 17a].

[69] „[V]isibilia possunt dupliciter considerari: vel ut res absolutae, vel ut signa et nutus ducentia in aliud. Primo modo si amentur et considerentur, retardant intellectum et affec-

den Dingen zu dem, was durch sie bezeichnet wird, wirft Bonaventura
den heidnischen Philosophen vor.[70]

§ 4 Der Gebrauch der Zeichen und seine Grenzen: Bonaventuras Exemplarismus

Das Zeichendenken Bonaventuras hat gerade in seinen prämodernen
Momenten deutliche Ähnlichkeit mit postmodern konzipierten Zei-
chenphilosophien. Die Aneinanderreihung von Verweisungszusammen-
hängen, der symbolistische Zugang zur Wirklichkeit, der die gegebene
Sache nie als Erkenntnisziel, sondern vielmehr nur als Etappe auf einem
Erkenntnisweg begreifen kann, erinnert deutlich an die neostrukturalisti-
sche Position, unser Erkennen habe es immer mit der Interpretation von
Interpretationen, mit Zeichen von Zeichen zu tun, mit einer Kette von
Zeichen, in die letztlich auch der Erkennende als ein bloßes Glied einge-
he.[71] In der Tat vertritt Bonaventura die Auffassung, daß alles in der sinnlichen Welt Gegebene Zeichen sei und daß dieses Zeichensein dem Sinnlichen seinen Wert gebe.[72] Es hat seinen Wert, weil es Zeichen ist; sein
eigentliches Sein ist Zeichensein. Die Wirklichkeit erscheint so als Kette
von Zeichen. Da der Zeichenprozeß für Bonaventura eine Richtung hat,
indem er nämlich auf den Ursprung aller Zeichenhaftigkeit zurücksteu-
ert, ließe sich ein zusätzlicher Vergleichspunkt zur melioristisch konzi-

---

tum; secundo modo iuvant; et sic est in apparitione visibili, quia ibi consideratur creatura
ut signum faciens aliud in intellectum venire.“ (In 1 Sent. d. 16, a. un., q. 2 ad 3 [I, 281b-
282a])

[70] Vgl. dazu É. Gilson, La philosophie de saint Bonaventure, Kap. 2 und Kap. 7, Anm. 23.
Die Kritik an der Philosophie, sie bleibe bei den Dingen stehen, kann aber nicht zu dem
Schluß berechtigen, Zeichenerkenntnis impliziere bereits in irgendeiner Weise einen natürlichen Glauben (U. Leinsle, a.a.O. 131). Diese Deutung kommt in Erklärungsschwierigkeiten bei den von Bonaventura erwähnten profanen Zeichen, sei es der Weinkranz
oder der Rauch, der auf das Feuer verweist.

[71] Daß diese Konzeption auch auf mittelalterliche Denker zurückprojiziert wird, zeigt sich in
der Textsammlung „Les machines du sens“, in der Y. Delègue Texte von Hugo von St.
Viktor, Thomas von Aquin und Nikolaus von Lyra präsentiert und in einer Einführung
kommentiert.

[72] „Unde creatura non est nisi quoddam simulacrum sapientiae Dei et quoddam sculptile.“
(In Hexaem. coll. 12, n. 14 [V, 386b] Vgl. auch In 1 Sent. d. 3, a. un., q. 3 ad 3 [I, 75b].
Die Wertschätzung der Dinge als Zeichen ist durch die Rückbindung an das Bezeichnete
immer schon relativiert. Zur Ambivalenz der Dinge im Kontext dieses exemplaristischen
Bilddenkens vgl. auch A. Gerken, Theologie des Wortes, 303.

pierten Zeichenphilosophie Josef Simons anführen.[73] Bonaventuras Zeichenphilosophie unterscheidet sich aber von allen postmodernen und
neostrukturalistischen Konzeptionen dadurch, daß sie auf das Signifikat
nicht verzichten kann. Als Ursprung und Ziel aller Zeichenprozesse hat
das Signifikat, das letzte Signifikat, höchste Realität. Das Zeichen selbst ist
immer ein Mittel, niemals ein Zweck. Bonaventura erklärt deshalb im
Hexaemeron: „[S]igna nil valent, nisi res intelligantur."[74] Derjenige aber,
der die Zeichen in seinen Dienst nimmt, ist der Mensch.

Aus diesem Grund ist es für die Konsistenz der Position Bonaventuras
entscheidend, daß man gegenüber den prämodernen, symbolistischen
Momenten gerade die anthropozentrischen Momente hervorhebt. Bonaventura schickt der symbolistischen Betrachtung der Zeichenwirklichkeit
im Itinerarium mentis in Deum die Forderung voraus, zunächst den Stachel des Gewissens (stimulus conscientiae) zu beachten.[75] Der Mensch
interpretiert Zeichen in der Weise, daß er in der imago, die er selbst ist,
gleichursprünglich auch den Bezug auf das eröffnet, was nicht Zeichen
ist. Zum Zeicheninterpreten wird aber der Mensch nicht nur aufgrund
seiner Ausrichtung auf die erste Ursache, die nicht Zeichen, sondern nur
Sache, nicht Gegenstand des Gebrauchens, sondern ausschließlich des
Genießens ist. Gerade in seiner Zwischenstellung zwischen der geistigen
und der materiellen Welt[76] ist der Mensch zur Erkenntnis vermittels von
Zeichen disponiert. So ist die Tatsache, daß der Mensch Sinnenwesen ist,
für Bonaventura eine notwendige Voraussetzung für die Erkenntnis aus
Zeichen. Sie ist zudem der Grund für die Notwendigkeit von Zeichen;
denn unsere Erkenntnis beginnt bei den Sinnen, also bei sinnlichen Zei-

---

[73] Vgl. J. Simon, Philosophie des Zeichens, sowie ders., Wahrheit als Freiheit.

[74] Vgl. Anm. 67.

[75] „Praeventis igitur divina gratia, humilibus et piis, compunctis et devotis, unctis oleo laetitiae et amatoribus divinae sapientiae et eius desiderio inflammatis, vacare volentibus ad
Deum magnificandum, admirandum et etiam degustandum, speculationes subiectas
propono, insinuans, quod parum aut nihil est speculum exterius propositum nisi speculum mentis nostrae tersum fuerit et politum. Exerce igitur te, homo Dei, prius ad stimulum conscientiae remordentem, antequam oculos eleves ad radios sapientiae in eius speculis relucentes, ne forte ex ipsa radiorum speculatione in graviorem incidas foveam tenebrarum." (Itin., Prol., n. 4 [V, 296ab]. L. Hödl (Die Zeichengegenwart Gottes und das
Gott-Ebenbild-Sein des Menschen in des hl. Bonaventura „Itinerarium mentis in Deum"
c. 1-3) mißt dieser Stelle zu Recht entscheidende Bedeutung für ein anthropozentrisches
Verständnis des Itinerarium bei.

[76] Vgl. dazu A. Schaefer, The position and function of man in the created world according
to Saint Bonaventure.

chen.[77] Bonaventura deutet gerade die aristotelischen Elemente seiner Erkenntnistheorie, nämlich die Theorie der Sinneserkenntnis, zeichentheoretisch: Wir sind auf Zeichen angewiesen, insofern unsere Erkenntnis durch Abstraktion aus der Sinneserkenntnis gewonnen ist. Welches Gewicht man der Zeichentheorie in seiner Philosophie zusprechen will, hängt deshalb maßgeblich davon ab, wie man das Verhältnis von Abstraktion und Illumination bei ihm bestimmt.

Bonaventura schränkt das aristotelische Axiom ein, daß alle Erkenntnis von den Zeichen ausgehe.[78] Die Erkenntnis aus den äußeren Zeichen ist nur die untere Stufe der Erkenntnis; sie muß überstiegen und sie kann prinzipiell übersprungen werden. Das Zeichen ist also für den Menschen kein notwendiges Hilfsmittel der Erkenntnis. Deutlicher noch als im Itinerarium wird dies im stark mystisch geprägten Soliloquium, wo Bonaventura jeden Versuch verurteilt, Gott in der dinglichen Welt außerhalb des Menschen zu finden.[79] Schon im Sentenzenkommentar hatte er die Bedeutung der Erkenntnis mit Hilfe der äußeren Dinge relativiert. Wie nämlich der Schatten mit dem Licht, so kontrastiert die Erkenntis aus der Welt mit der Erkenntnis aus dem göttlichen Sohn.[80] Hintergrund hierfür ist die augustinische Vorstellung von Christus als dem inneren Lehrer, auf die Bonaventura mehrfach explizit rekurriert.[81]

Die Vorstellung von der inneren Erleuchtung durch Christus bzw. Gott ist der Angelpunkt von Bonaventuras Erkenntnislehre. Auf ihrem Hintergrund wird deutlich, warum die Erkenntnis der äußeren Zeichen nur eine eingeschränkte Bedeutung hat, warum ihre Vermittlung als verzichtbar angesehen werden kann.[82] Sie stellt aber auch die Vorausset-

---

[77] „[C]ognitio nostra incipit a sensu [...]" (In 2 Sent. d. 13, a. 1, q. 1 ad 3 II, 313b]. Vgl. auch In 1 Sent. d. 16, a. un., q.2, s.c. 1 [I, 281a].

[78] „Ex his patet responsio ad illam quaestionem, qua quaeritur, utrum omnis cogitatio sit a sensu. Dicendum est, quod non. Necessario enim oportet ponere, quod anima novit Deum et se ipsam et quae sunt in se ipsa, sine adminiculo sensuum exteriorum." (In 2 Sent. d. 39, a. 1, q. 2 c. [II, 904a]) Vgl. De scientia Christi. q. 4 fund. 23 [V, 19b].

[79] Vgl. z.B. das Bernhard-Zitat der Präambel: „Illud semper agnosce, quod multo laudabilior et melior es, si te cognoscis, quam si, te neglecto, cursum siderum, vires herbarum, complexiones hominum, naturas animalium cognosceres et scientiam omnium caelestium et terestrium haberes. Redde ergo te tibi, et si non semper, saltem interdum." (Soliloquium de quatuor mentalibus exerciciis, c. 1 § 1 Praeambulam, n. 2 [VIII, 30a])

[80] „[C]reatura enim procedit a Deo ut umbra, Filius procedit ut splendor." (In 2 Sent. d. 1, p. 1, a. 1, q. 2c - II, 22b]

[81] Vgl. De reductione artium ad theologiam, n. 18 [V, 324a] sowie In Hexaem. coll. 12, n. 5 [V, 385ab] und Bonaventuras Predigt „Christus unus omnium magister" [V, 567-574].

[82] Vgl. dazu E. Sauer, Die religiöse Wertung der Welt in Bonaventuras Itinerarium mentis in Deum, 162: „Weil Gott in der Seele seine ganz besondere Spur, sein Abbild hinterlassen

zung dar, unter der es dem Menschen möglich wird, Zeichen als Zeichen
und durch ihre Vermittlung Gott zu erkennen: Indem das Bezeichnete
im Zeichen verborgen anwesend ist, ist Gott letztlich jedem Zeichen im-
manent. Ziel jeder Zeichenerkenntnis ist daher weisheitliche Einsicht in
den Ursprung und den letzten Sinn alles Seienden. Der Schluß aber von
endlichem Seienden auf dessen Ursprung, die causa exemplaris, der mit
Hilfe von Proportionalitäten, Analogien und Ähnlichkeiten geschieht, ist
nur möglich, weil der menschliche Intellekt in einer Unmittelbarkeit zu
diesem Ursprung steht, die als gnadenhafte zu verstehen ist.[83] Letztlich
kann der Schluß vom Zeichen auf sein eigentliches Signifikat nur deshalb
erfolgen, weil durch die Inkarnation der Hiat zwischen Zeichen und Bezeichnetem überwunden ist.[84]

Bonaventura übernimmt, so hat die Untersuchung ergeben, die Definition, die Typologie und weitere wesentliche Angaben über das Zeichen
von Augustinus. Dennoch setzt er andere Akzente in seiner Zeichentheorie als jener. Der erkenntniskritische Ansatz, den Augustinus vor allem in
De magistro vom Zeichenbegriff her entwickelt, ist für Bonaventura nicht
von zentraler Bedeutung. Auch spielt der Zeichencharakter der Sprache
für seine Sprachreflexionen kaum eine Rolle. Diese orientieren sich
vielmehr an der augustinischen Verbum-Lehre.

Paradigma des Zeichens ist für Bonaventura anders als für Augustin
nicht das Wort, sondern jenes natürliche Zeichen, das aufgrund eines
Ähnlichkeitsbezuges und eines kausalen Zusammenhangs auf seinen
Ursprung verweist. Zeichen sind somit für Bonaventura insbesondere von
Interesse, wenn sie als Wirkungen auf ihre Ursachen bzw. als Abbilder auf
ihre Urbilder deuten. Zwischen dem kausalen und dem ikonischen Bezug wird dabei nicht explizit differenziert; vielmehr ist die Ursache immer in der Wirkung präsent, sie ist ihr in gewisser Weise gleich. Die geschaffene Welt läßt sich als eine Stufenordnung beschreiben, die durch
die jeweiligen Grade der Ähnlichkeit mit der ersten Ursache konstituiert
ist. Innerhalb dieser Stufenordnung können entsprechend der augustinischen Definition nur die auf den unteren Stufen situierten materiellen

---

hat, und weil der Mensch von Natur aus dazu befähigt ist, sich selbst als dieses Abbild zu
erkennen, darum ist der Blick in das eigene Innenleben in einer viel erhabeneren Weise
dazu geeignet, den Menschen zu Gott zu führen als die Schau auf sonstige Geschöpfe."

[83] Auf die Hervorhebung der causa exemplaris hebt auch der Terminus Exemplarismus ab,
den J.-M. Bissen für Bonaventuras Denken geprägt hat. Vgl. L'exemplarisme divin selon
saint Bonaventure.

[84] Vgl A. Gerken, Theologie des Wortes, 165. Von hieraus ließe sich eine semiotische Chri-
stologie entwerfen. Wichtige Hinweise dazu liefert W. Dettloff, Christus tenens medium
in omnibus.

Entitäten als Zeichen qualifiziert werden. Die Bezeichnung (significatio) ist damit für Bonaventura ein Unterfall der Ähnlichkeit (similitudo).

Die Akzentsetzung, die Bonaventura innerhalb der von Augustinus übernommenen Semiotik vornimmt, ist geprägt von einer neuplatonischen Ontologie und Kosmologie. Sie stellt neben der augustinischen und der bei Bonaventura kaum aufgegriffenen aristotelischen eine dritte Traditionslinie dar, die in der Semiotik des 13. Jahrhunderts wirksam wird.[85] Der Neuplatonismus begreift die Welt in ihrer Mannigfaltigkeit als Hervorgang aus dem Einen, das sich verströmt und dennoch es selbst bleibt. Es ist Ursprung, Prinzip und Ursache alles Verursachten. Das Verursachte ist in seiner Ursache bereits vorweggenommen, es hat als Verursachtes Teil an seiner Ursache und ist gleichzeitig von diesem geschieden; als Teilhabendes ist es seiner Ursache ähnlich, als Geschiedenes ist es ihr unähnlich. Dies gilt für das Verhältnis der ersten Ursache zum durch sie Verursachten, es gilt aber darüber hinaus auch für alle abkünftigen Ursachen und deren Wirkungen.

Kausalität und Ähnlichkeit müssen daher neuplatonisch immer zusammengedacht werden.[86] Das Mannigfaltige kann auf das Eine zurückbezogen werden, weil es durch dieses verursacht ist und weil es ihm ähnlich ist. Indem das Denken der Ähnlichkeit des Vielen mit dem Einen nachspürt, antizipiert es die kosmische Rückkehr der Welt zu ihrem Ursprung. Die Wirkursache der Welt kann somit zugleich als Finalursache begriffen werden. Bei näherer Betrachtung erweist sich die Rückkehr als In-Erscheinung-Treten des Immer-schon-verwurzelt-Seins des Niederen im Höheren.

Der denkerische Rückbezug des Vielen auf das Eine, der Wirkung auf die Ursache, des Sinnenfälligen auf das Intelligible wird von den neuplatonischen Denkern auf verschiedene Weise und in unterschiedlicher Begrifflichkeit thematisiert. Sie meiden zumeist – offenbar in Abgrenzung zu Aristoteles und zur Stoa – die Termini Zeichen und Bezeichnetes.[87] Einige von ihnen entwickeln statt dessen eine Theorie des Sym-

---

[85] Damit soll nicht behauptet werden, Augustinus habe sich kein neuplatonisches Gedankengut zu eigen gemacht. Ähnlich wie bei Hugo von St. Viktor sind aber auch bei Bonaventura der durch Augustinus vermittelte und der nicht durch Augustinus vermittelte Neuplatonismus unterscheidbar. Zum Verhältnis zwischen Hugo und Bonaventura vgl. G.A. Zinn, Book and word. The victorine background of Bonaventure's use of symbols.

[86] W. Beierwaltes hat dies anhand der Metaphysik des Proklos in exemplarischer Weise gezeigt: Proklos. Grundzüge seiner Metaphysik, 130-158.

[87] Ausnahmen stellen in dieser Hinsicht Plotins Auseinandersetzung mit der Sterndeutung Περὶ τοῦ εἰ ποιεῖ τὰ ἄστρα (II, 3 [52]) und Jamblichos' Verteidigung der Mantik (Jamblichos, De mysteriis liber) dar.

bols.[88] Das Symbol wird ihnen zum Instrument, die Kluft zwischen dem Absoluten und seiner Erscheinung zu überbrücken.[89] Ganz anders als das σύμβολον bei Aristoteles ist das neuplatonische Symbol ein Bild dessen, für das es steht.

Nach Proklos verbindet sich dem Gleichen naturgemäß überall das Gleiche, und jede Erkenntnis verbindet mittels der Ähnlichkeit das zu Begreifende mit dem Begreifenden.[90] Das neuplatonische Symbol kann folglich als ikonisches Zeichen gedeutet werden und mithin als Instrument des Erkennens. Diese epistemologische Sicht auf das Symbol ist allerdings nur nachgeordnet: Die erkenntnisvermittelnde Funktion gründet sich auf seinen ontologischen Status; das Symboldenken der Neuplatoniker kann folglich nur im Zusammenhang der Ontologie der Partizipation verstanden werden.

Die neuplatonische Ontologie ist Bonaventura – wie den anderen Philosophen seiner Zeit auch – vor allem durch die überlieferten Werke des Christen Ps.-Dionysios-Areopagita präsent. Dieser stellt die neuplatonische Metaphysik und Kosmologie in einen schöpfungstheologischen Rahmen.[91] Dionys fordert dazu auf, heilige Symbole nicht zu verachten und Vorurteile gegen sie nicht zu teilen, sondern vielmehr in ihr Inneres einzutreten, da sie Abdrücke göttlicher Prägeformen und sichtbare Bilder verborgener, transzendenter Vorgänge seien.[92] Interessanterweise ist es gerade ein aristotelisches Beispiel, das zum Modellfall aller neuplatonischen Symbolspekulationen wird.[93] Aristoteles nämlich rekurriert bei seiner allgemeinen Charakterisierung der Sinneswahrnehmungen auf den Vorgang des Siegelns. Das Wachs, so erklärt er, nehme dabei das Zeichen (σημεῖον) des Siegelringes auf, nicht jedoch das Eisen und das Gold des Ringes. Ebenso erfahre auch die Sinneswahrnehmung etwas von dem Träger von Farbe, Geschmack und Ton, aber eben nicht seinem Wesen, sondern seinen Qualitäten und dem Begriffe nach.[94] Ps.-Dionys greift dieses Bild auf und nutzt es für seine Symbolspekulation. Die Prä-

---

[88] Der Terminus σύμβολον begegnet bei Porphyrios, Proklos und Jamblichos, nicht hingegen bei Plotin.

[89] Vgl. P. Crome, Symbol und Unzulänglichkeit der Sprache. Jamblichos, Plotin, Porphyrios, Proklos; M. Hirschle, Sprachphilosophie und Namenmagie im Neuplatonismus.

[90] Eclogae e Proclo de philosophia chaldaica; sive de doctrina oraculorum chaldaicorum IV, p. 3, 16-18.

[91] Den Bedeutungswandel der neuplatonischen Schemata, den diese Transposition auslöst, behandelt E. v. Ivánka, Zum Problem des christlichen Neuplatonismus.

[92] Epistola 9 (ad Titum), § 2 [PG 3, 1108 C].

[93] Die Geschichte des Bildes vom Stempel untersucht J. Pépin, Linguistique et théologie dans la tradition platonicienne, 104-109.

[94] De anima II, 12 [424a 17-21].

gungen, als welche die heiligen Symbole anzusehen sind, werden für ihn nicht durch Sinnendinge verursacht, sondern vielmehr durch Geistiges und Göttliches; sie sind sinnenhafte Spuren von etwas Übersinnlichem.[95] Ist aber das augustinische Zeichen Instrument des Erkennens, das von sich weg auf das zu Erkennende weist, so ist das neuplatonische Symbol zwar ein Medium der Darstellung, das auf das Darzustellende verweist. Es vermag dies aber nur, weil dieses Darzustellende im Darstellenden anwesend ist, das Darstellende realen Anteil am Darzustellenden hat. Während das augustinische Zeichen nicht genossen, sondern nur benutzt werden darf, geschieht neuplatonisch die Vereinigung mit dem Ureinen gerade in der Versenkung in das Symbol. Während zeichenhafte Erkenntnis diskursiv ist, muß die symbolische Erkenntnis als Schau, d.h. als intuitives Verstehen einer Ganzheit begriffen werden. Die symbolische Erkenntnis ist dabei zugleich ein Einswerden mit dem Erkannten. Die christlichen Neuplatoniker bemühen sich allerdings, bei aller Betonung der Realpräsenz Gottes die Differenz zwischen Schöpfer und Geschöpf zu wahren. Sie können dabei an Porphyrios anknüpfen, der am nachdrücklichsten unter den neuplatonischen Philosophen die Nichtidentität zwischen dem Symbol und der durch dieses symbolisierten Gottheit betont. Er steht damit der augustinischen Sicht nahe.[96]

Noch in der Sakramentendefinition des Hugo von St. Viktor sind die beiden Momente des zeichenhaft-diskursiven Erkennens und des Erfassens im Symbol unterschieden. Hugo bestimmt nämlich das Sakrament als etwas sinnlich Gegebenes, das durch Einsetzung etwas bezeichnet und durch Ähnlichkeit etwas darstellt.[97] Er führt so ein augustinisches und ein ps.-dionysisches Element in seine Definition ein und vereinigt sie. Diese Unterscheidung zwischen Bezeichnung und Darstellung wird im 13. Jahrhundert nicht fortgeführt. Vielmehr werden sowohl die Einsetzung

---

[95] „Χρὴ τοίνυν καὶ ἡμᾶς, ἀντὶ τῆς δημώδους περὶ αὐτῶν ὑπολήψεως, εἴσω τῶν ἱερῶν συμβόλων ἱεροπρεπῶς διαβαίνειν, καὶ μηδὲ ἀτιμάζειν αὐτὰ, τῶν θείων ὄντα χαρακτήρων ἔκγονα καὶ ἀποτυπώματα, καὶ εἰκόνας ἐμφανεῖς τῶν ἀπορρήτων καὶ ὑπερφυῶν θεαμάτων." (Dionysios Areopagita, Epistola 9, § 2 [PG 3, 1108]).

[96] Vgl. dazu P. Crome, a.a.O.

[97] „Si quis autem plenius et perfectius, quid sit sacramentum, diffinire voluerit, diffinire potest, quod scramentum est corporale vel materiale elementum foris sensibiliter propositum ex similitudine repraesentans et ex institutione significans et ex sanctificatione continens aliquam invisibilem et spiritualem gratiam." (De sacramentis I, 9 c. 2 [PL 176, 317d])

des Sakraments als auch die natürliche Eignung der Elemente unter dem Stichwort der 'Bezeichnung' (significatio) diskutiert.[98]

Bonaventura läßt aber deutlicher als seine Zeitgenossen erkennen, daß bei ihm die Theorie der symbolischen Darstellung in der Zeichentheorie nicht nur aufgegangen ist; seine Betonung der Ähnlichkeit zwischen Zeichen und Bezeichnetem zeigt auch, daß diese Integration zu einer Akzentverschiebung innerhalb der Zeichentheorie geführt hat. Die Differenz zwischen dem Zeichen als Mittel, durch das man etwas erkennt, und dem Symbol, in dem etwas erscheint, kommt in Bonaventuras Itinerarium durch die Unterscheidung zwischen dem Erkennen durch das Spiegelbild (per speculum) und dem Erkennen im Spiegelbild (in speculo) zum Tragen. Bonaventura stuft das diskursive Erkennen niedriger ein als das unmittelbare Erfassen.

Der Vorzug der intuitiven Erkenntnis vor der Diskursivität drückt sich zudem in einem anderen Gedanken aus, der weniger auf Dionysios als vielmehr auf Augustinus zurückweist.[99] Die Erkenntnis durch die Zeichen ist für den Menschen nur eine Vorstufe zur Versenkung der Seele in sich selbst, durch die wirkliche Gottesnähe möglich ist.[100] Die Begegnung mit der Transzendenz – so stimmt Bonaventura mit Augustin überein – geschieht nicht in der Betrachtung der Dinge und Zeichen, sondern vielmehr in der Selbstbetrachtung.

KAPITEL 2: ROGER BACON

Roger Bacon kommt in der Entwicklung der Zeichentheorie des 13. Jahrhunderts schon dadurch eine besondere Rolle zu, daß er den einzigen uns bekannten Traktat dieses Jahrhunderts über Zeichen verfaßt hat. Viele seiner Ausführungen zu Semantik und Semiotik können als originell angesehen werden. C. Baemker hat bereits 1914 auf Bacons besondere Leistung in der Bedeutungslehre aufmerksam gemacht und ihn als wichtigen Vorbereiter der Ockhamschen Suppositionslehre benannt.[101]

---

[98] Zur Lehre von sakramentalen Zeichen bei Albertus Magnus vgl. H. Jorissen, Materie und Form der Sakramente im Verständnis Alberts des Großen. Zur significatio der Sakramente bei Thomas von Aquin vgl. Dritter Teil, § 4.

[99] Vgl. auch J. Biard, L'émergence du signe, 61.

[100] Augustin betont deshalb die Nähe des inneren Menschen zu Gott: „Quare cum homo possit particeps esse sapientiae secundum interiorem hominem, secundum ipsum ita est ad imagnem, ut nulla natura interposita formetur, et ideo nihil sit deo coniunctius." (De diversis quaestionibus octoginta tribus, LI, n. 2)

[101] Vgl. C. Baemker, Roger Bacons Naturphilosophie, 61f.

Die Forschung der letzten Jahrzehnte hat seinem Beitrag zur Semiotik in einer Fülle von Aufsätzen und Buchkapiteln Rechnung getragen. Einen wichtigen Anstoß hierzu hat die Edition des Zeichentraktates „De signis" durch K. M. Fredborg, L. Nielsen und J. Pinborg gegeben. Auch Bacons letztes Werk, das Compendium studii theologiae, behandelt als zentralen Gegenstand Zeichen (signum) und Bezeichnung (significatio). Es bietet in seinem zweiten Kapitel eine geraffte Darstellung der Darlegungen von De signis. Beide Werke sind häufig paraphrasiert und zusammengefaßt worden.[102] Sie sind aber nicht die einzigen Texte, in denen sich Bacon systematisch mit Fragen der Semantik und der Bezeichnung auseinandersetzt. Er tut dies bereits in den Summulae dialectices.[103]

Hier soll das Schwergewicht auf jene semiotischen Probleme gelegt werden, die für das Wechselverhältnis von Semiotik und Epistemologie relevant sind. Es wird auch zu fragen sein, ob und wie sich Bacons Zeichentheorie auf seine Konzeption der Wissenschaften auswirkt und in welchen Zusammenhängen Bacon seine Entfaltung des Zeichenbegriffs für wissenschaftliche Problemlösungen nutzt.

§ 1 Die Summulae dialectices und die Tradition der Handbücher zur Logik

Mit den Summulae dialectices reiht sich Roger Bacon in eine Tradition der Logik ein, deren wichtigste Repräsentanten Wilhelm von Sherwood, Petrus Hispanus und Lambert von Auxerre sind.[104] Die logischen Handbücher dieser Autoren geben das in der Logik bis dahin übliche Verfahren des bloßen Glossierens der aus der Antike tradierten Textkonvolute

---

[102] F. Pelster, Roger Bacons „Compendium studii theologiae" und der Sentenzenkommentar des Richardus Rufus (1929); J. Pinborg, Roger Bacon on signs: A newly recovered part of the opus maius (1981); St. Ebbensen, The odyssey of semantics from the Stoa to Buridan (1983), 75-77; Th. Maloney, Roger Bacon on the significatum of words (1983); ders., The semiotics of Roger Bacon (1983); M. Huber-Legnani, Roger Bacon. Lehrer der Anschaulichkeit: der franziskanische Gedanke und die Philosophie des Einzelnen (1984), 85-96; K. Howell, Roger Bacon's semiotic theory (1987); Th. Maloney, Introduction to „Compendium of the study of theology" (1988); J. Biard, Logique et théorie du signe au XIVe siècle, 25-42.

[103] Diese werden im folgenden nach der Edition von A. de Libera zitiert.

[104] Wilhelm von Sherwood, Introductiones in logicam (Ed. M. Grabmann), Petrus Hispanus, Tractatus called afterwards Summulae logicales (Ed. L.M. de Rijk) und Lambert von Auxerre, Summa Lamberti (Ed. F. Alessio). Weitere Beispiele für solche „Summulae" bietet auch de Rijks Logica Modernorum. In der Einleitung nimmt de Rijk zu den Eigenheiten der Gattung Stellung (vgl. The specific character of the logica modernorum). Dazu auch Th. Maloney, The Sumule dialectices of Roger Bacon and the Summulist Form.

zugunsten einer selbständigeren Strukturierung der überlieferten Aussagen auf.[105] Die zentralen Begriffe dieser Summulae stammen nicht aus der Kategorienschrift und der Isagogae, sondern aus der boethianischen Übersetzung von Peri hermeneias.[106]

Stärker als Petrus Hispanus, Wilhelm von Sherwood und Lambert von Auxerre lehnt Bacon seine Systematik an die tradierte Ordnung des aristotelischen Organons an. Er behandelt zunächst den Terminus, dann den Satz und schließlich die argumentatio, d.h. die Syllogismen, die Topoi (loci) und die Fehlschlüsse (fallacii). Die Darstellung geht von den einfachen bedeutungstragenden Elementen über zu den komplexeren Einheiten. Bei Bacon ist dabei auffallend, daß er die Ausführungen zu den Eigenschaften der Termini (proprietates terminorum) („De suppositione", „De appellatione", „De copulatione") an das Ende des Teiles „De enuntiatio" stellt, sie also auf der Satzebene behandelt. Bacon kann damit als ein Vertreter jener Konzeption der Bedeutungstheorie angesehen werden, die L.M. de Rijk den „contextual approach" genannt hat.[107] Diese Konzeption darf allerdings nicht mit der von Gottlob Frege vorgetragenen Auffassung verwechselt werden, Bedeutung könne nicht auf der Wortebene, sondern erst auf der Satzebene zustande kommen.[108] Bacon stimmt vielmehr mit der aristotelisch-boethianischen Tradition darin überein, daß schon den Nomina und Verben je für sich Bedeutungen zukommen. Erst ihre syntaktische Einbindung legt aber definitiv fest, wofür sie konkret stehen, was sie supponieren.[109]

Die Grundfragen der Bedeutungstheorie handelt Bacon zu Beginn des zweiten Teils der Logik ab, also in jenem Abschnitt seines Handbuchs, der ausgehend von Peri hermeneias den Aussagesatz behandelt.[110] Er bestimmt zunächst mit Aristoteles und Boethius die Stimme (vox) als Geräusch (sonus), welches durch den Mund, den Kehlkopf und die Atmungsorgane hervorgebracht ist[111] und unterscheidet sodann zwischen

---

[105] Vgl. A. de Libera, Textualité logique et forme summuliste, 219.

[106] Vgl. J. Isaac, Le Peri hermeneias en Occident de Boèce à saint Thomas, 57f.

[107] Vgl. L.M. de Rijk, The origins of the theory of the properties of terms, 161-173.

[108] Vielfach macht allerdings auch Frege darauf aufmerksam, daß sich die Bedeutung („der Sinn") des Satzes von seinen Gedankenteilen abhängig ist, die durch die Bestandteile des Satzes ausgedrückt werden. Vgl. dazu E. Runggaldier, Zeichen und Bezeichnetes, 80-85.

[109] Aus der umfangreichen Literatur zur Suppositionstheorie vgl. Ph. Boehner, A medieval theory of supposition, N. Kretzmann, History of semantics, 371-374, C. A. Dufour, Die Lehre der Proprietates Terminorum.

[110] „Cum dictum sit de termino, de quo est prima pars logicae, dicendum est immediate de enuntiatione, de qua est secunda pars logicae, scilicet liber Perihermeneias." (Summulae dialectices 2.1.1., n. 1)

[111] Summulae dialectices 2.1.1., nn. 14-17.

der bedeutungstragenden (vox significativa) und der nicht bedeutungstragenden Stimme (vox non significativa). Nicht signifikativ sind
solche Laute bzw. Stimmen, durch die nichts dargestellt wird, wie etwa
die Lautfolge „buba".[112] Unter die signifikativen Laute faßt Bacon die
Laute sowohl der Tiere als auch der Menschen. Während aber die Menschen über verschiedene Sprachen verfügen, können die Laute der Tiere
von allen Angehörigen der gleichen Spezies gedeutet werden.[113] Tiere
geben also nicht nur signifikative Laute von sich, sie sind darüber hinaus
auch Zeichenrezipienten. Bacon spricht deshalb von einer „Sprache der
Tiere" (locutio animalium).[114] Er macht deutlich, daß die entscheidende
Voraussetzung für die vox significativa eine Bezeichnungsabsicht (intentio significandi) ist. Nicht bei allen Tierstimmen kann diese unterstellt
werden. Obgleich der Mensch durch die Stimme der Elster oder durch
das Schreien des Hahnes etwas in Erfahrung zu bringen vermag, können
diese Laute gleichwohl nicht als voces significatives aufgefaßt werden.[115]
Um zu einer Bestimmung der menschlichen Sprache und insbesondere
des Aussagesatzes zu gelangen, muß weiterhin die Unterscheidung zwischen einer natürlicherweise (vox significativa naturaliter) und einer
aufgrund einer bestimmten Entscheidung bedeutungstragenden Stimme
(vox significativa ad placitum) eingeführt werden. Letztere verlangt nicht
nur eine Bedeutungsintention, sondern für sie muß notwendig gelten,
daß sie aufgrund menschlicher Einsetzung (ex institutione humana)
etwas bezeichnet.[116] Es muß also dem Moment der Intentionalität der
Äußerung noch ein spezifisch menschlicher freier Akt der Einsetzung
vorausgehen oder folgen.

Obgleich Bacon sich in den Summulae dialectices ausführlich den
Grundproblemen der Semantik zuwendet und in differenzierter Weise
auf Fragen eingeht, die wir heute der Tiersemiotik zuordnen, führt er
doch den Zeichenbegriff nicht als terminus technicus ein. Wo er von
'signum' spricht, benennt er damit syncategorematische Ausdrücke, vor
allem die quantifizierenden Funktoren im Aussagesatz.[117] Ohne daß er

---

[112] Ebd. nn. 19-20.

[113] Ebd. n. 23.

[114] Ebd. n. 13.

[115] „Et forte, quamvis homo possit aliquid apprehendere per vocem picae, non tamen est illa
vox proprie significativa, cum non fiat a pica sub intentione significandi, et, quamvis homo possit aliquid apprehendere per talem vocem, pica tamen nihil significat per illam.
Similiter cantus galli nihil proprie nobis significat tanquam vox significativa, sed gallum
cantare significat nobis horas, sicut rubor in mane significat nobis pluviam." (ebd. n. 23)

[116] Ebd. n. 26.

[117] „Propter primam condicionem signa et generaliter omnes dictiones syncategorematicae
non possunt infinitari." Summulae dialectices 2.1.1., n. 39; vgl. ebd. n. 54; n. 79;

diese Differenzierung ausdrücklich einführt, unterscheidet er so die „signa" von den „termini", den kategorematischen Ausdrücken. Eine Gegenüberstellung von Sprach- bzw. Lautzeichen und Zeichen, die nicht lautlicher Natur sind, findet indes nicht statt.

Daß Bacon darauf verzichtet, einen allgemeinen Zeichenbegriff einzuführen und für die Sprachtheorie zu nutzen, ist für die Logik seiner Zeit nicht ungewöhnlich. Bacon stimmt darin vielmehr mit der gesamten älteren aristotelisch-boethianischen Tradition der Sprachtheorie überein.[118] Auf der Grundlage des derzeit bekannten Quellenmaterials wird man festhalten können, daß die Logiker des 12. und 13. Jahrhunderts die allgemeine Zeichentheorie Augustins nicht rezipieren.[119] Überraschend ist dies schon wegen der weiten Verbreitung und der großen Authorität der augustinischen Schriften.[120] Es verwundert zudem angesichts der deutlichen Affinitäten, die sich zwischen der aristotelisch geprägten Sprachlogik und semiotischen Sprachtheorie Augustins ausmachen lassen.

Denn beiden Ansätzen der Sprachreflexion ist gemeinsam, daß sie Sprache von ihrem Darstellungs- bzw. Hinweischarakter her begreifen. Insofern sind sie kommensurabel. Obschon keine Rezeption im strengen Sinne stattfindet, kann von der Sache her keine vollständige Abgrenzung beider Traditionen vorgenommen werden. Darüber hinaus gibt es auch historische Berührungspunkte. So kann man etwa in Texten, die der aristotelisch-boethianischen Tradition zuzurechnen sind, wie etwa in der

---

2.1.3. n. 182; 2.2., n. 432; n. 437; n. 495; n. 508; n. 517; n. 518; n. 540; n. 541; 3.1.2., n. 42; 3.2.2., n. 300. Diese Verwendungsweise von 'signum' ist im 13. Jahrhundert durchaus gebräuchlich (vgl. etwa Boethius von Dacien, Quaestiones super librum Topicorum II, q.1 & 3 oder Robert Kilwardby in den Verurteilungen logischer Lehrsätze im Jahre 1277, (vgl. Chartularium Universitatis Parisiensis, Bd. 1, n. 474, In Logicalibus, 5 [558]). Die Verwendungsweise von 'signum' als terminus technicus für Satzfunktoren wie 'omnis' und 'nullus' scheint auf Avicenna zurückzugehen (vgl. C. Prantl, Geschichte der Logik im Abendlande II, 363f.). Bei Thomas von Aquin begegnet sie selten. Er weist aber darauf hin, daß solche Funktoren „determinationes vel signum" genannt werden können (In Perih. l. 1, lect. 10 <n. 129>). Roger Bacon behandelt die quantifizierenden Funktoren ausführlich in der Summa de sophismatibus et distinctionibus (vgl. dazu auch H.A.G. Braakhuis, De 13de Eeuwse Tractaten over syncategorematische Terme, 106-167).

[118] Vgl. dazu beispielsweise den Tractatus des Petrus Hispanus. (Tractatus called afterwards Summulae logicales). Dazu J. Biard, L'émergence du signe, 224.

[119] Vgl. J. Pinborg, Logik und Semantik, 36.

[120] So zeigt zum Beispiel C. Huber, wie nachhaltig sich die Sprach- und Zeichentheorie Augustins sogar auf die volkssprachliche Dichtung des Mittelalters und insbesondere des 13. Jahrhunderts ausgewirkt hat und zu deren Verständnis vorausgesetzt werden muß (vgl. Wort sint der dinge zeichen).

Logik Abaelards, Beispiele finden, die den weiteren Zeichenbegriff des Augustinus voraussetzen.[121] Umgekehrt kann in Texten, die der augustinischen Tradition zuzurechnen sind, das dreigliedrige semantische Schema (vox – intellectus – res) des Aristoteles integriert werden. Bonaventura beispielsweise hat keine Bedenken, das aristotelische Schema mit Hilfe der augustinischen Lehre vom dreifachen Wort zu deuten und aufzugreifen.[122] Die Gegenüberstellung der beiden Traditionen sollte deshalb nicht dazu verleiten, ihnen ein gänzlich verschiedenes Sprach- bzw. Zeichenverständnis zu unterstellen.[123] Vielmehr können Elemente der anderen Tradition ein Hintergrundverständnis ermöglichen.

§ 2 Die semiotische Grundlegung der Sprachlehre

Der Traktat De signis stellt innerhalb des Werkes von Roger Bacon eine zweite Grundlegung der Semantik dar.[124] Der damit verbundene Neuansatz ist wohl durch den veränderten Argumentationszusammenhang begründet. Eine Motivation in der wechselhaften Lebensgeschichte Ba-

---

[121] Abaelard verbindet den aristotelischen Hinweis auf den Zeichencharakter der geschriebenen Buchstaben mit Augustins Rede von der Zeichenhaftigkeit der Dinge: „Est autem significare non solum vocum, sed etiam rerum. Litterae enim ipsae quae scribuntur, oculis subiectae vocalia nobis elementa repraesentant. Unde et in Periermenias dicitur: 'et ea quae scribuntur eorum quae sunt in voce', sunt scilicet notae, idest significativa. Saepe etiam ex similitudine res quaedam ex aliis significantur, ut achillea statua ipsum Achillem repraesenta[n]t. Nunc etiam per signa aliquid innuimus et hae quidem rerum proprie significare dicuntur quae ad hoc institutae sunt, sicut et voces, ut significandi officium teneant, quemadmodum suprapositae. Saepe tamen ex aliis rebus in alias incidamus, non secundum institutionem aliquam significandi, sed magis secundum consuetudinem vel aliquam earum ad se habitudinem. Cum enim aliquem videmus quem cum alio videre consuevimus, statim et eius quem non videmus, reminiscimur, aut cum patrem vel filium alicuius videmus, statim ex habitudine relationis alium concipimus." (Dialectica, tract. 1, vol. 3, l. 1 [111])

[122] Ein besonders treffendes Beispiel der augustinischen Rezeption von Perihermeneias bietet De scientia Christi, q. 4 ad 23-26. Zur Verwendung von vox, intellectus und res vgl. auch In Hexaemeron, coll. 13, n. 10. Die Lehre von der mehrfachen Bedeutung von 'verbum' entfaltet er vor allem in seinem Kommentar zur Distinctio 27 des ersten Sentenzenbuchs [I, 480-492]. Die Dreiheit von vox, intellectus und res nennt bereits Hugo von St. Viktor. Hugo fordert aber, von der res fortzuschreiten zur ratio und sodann zur veritas (vgl. Didascalion lib. 5, c. 3 [97, Z. 6 - Z. 10, Ed. Ch. Buttimer]).

[123] Vgl. dagegen J. Biard, a.a.O.

[124] Vgl. dazu Th. Maloney, The semiotics of Roger Bacon, 121f.

cons ist nicht erkennbar. Auf biographische Vertiefungen kann daher verzichtet werden.[125]

Der Traktat beginnt mit dem Hinweis, der Zeichenbegriff sei ein Relationsbegriff, der einer Sache wesentlich dann zugesprochen wird, wenn sie aktuell etwas bezeichnet, das heißt, wenn sie für jemanden etwas bezeichnet. Eine Relation zwischen Zeichen und Bezeichnetem und mithin ein Zeichen liegt nur dann wirklich vor, wenn diese Relation von einem Intellekt erfaßt wird.[126] Bacon definiert das Zeichen als das, was dem Sinnesvermögen oder dem Intellekt vorgesetzt wird und für den Intellekt etwas bezeichnet.[127] Der Autor grenzt seine Definition gegen das gemeinhin übliche Verständnis des Zeichens dadurch ab, daß für ihn das Zeichen nicht notwendig auf der sinnlichen Ebene erscheinen muß; es kann unmittelbar Gegenstand eines intellektiven Erfassens sein.[128] Obgleich Bacon die Struktur seiner Definition von Augustin übernimmt und inhaltlich lediglich durch das „vel intellectui" erweitert, nennt er den Kirchenvater nicht als Gewährsmann. Für seine Korrektur des geläufigen Zeichenbegriffs indes verweist er auf Aristoteles. Dieser allerdings behauptet in keinem überlieferten Text, die Seelenzustände ($\pi\alpha\theta\eta\mu\alpha\tau\alpha$ $\tau\eta\varsigma$ $\psi\upsilon\chi\eta\varsigma$/passiones animae) seien Zeichen, wie Bacon es ihm unterstellt.[129]

Der Definition des Zeichens folgt seine ausführliche Klassifikation. Bacon unterscheidet zunächst natürliche Zeichen von Zeichen, die durch eine Seele (anima) darauf hingeordnet sind zu bezeichnen. Das

---

[125] Zu Fragen der Bio- und Bibliographie vgl. A.G. Little, The Franciscan School at Oxford in the thirteenth century; J.A. Weisheipl, Science in the thirteenth century.

[126] An unedited part of Roger Bacon's 'Opus maius': 'De signis' (im folgenden zit. als 'De signis'), n. 1. Einige Abschnitte weiter heißt es allgemeiner, daß die Bezeichnung gegenüber einer Seele (anima) erfolgen müsse: „Relationes autem signi et significati et eius cui fit significatio attenduntur per comparationem ad animam apprehendentem." (De signis, n. 6)

[127] „Signum autem est illud quod oblatum sensui vel intellectui aliquid designat ipsi intellectui [...]" (De signis, n. 2)

[128] „[Q]uoniam non omne signum offertur sensui ut vulgata descriptio signi supponit, sed aliquod soli intellectui offertur, testante Aristotele, qui dicit passiones animae esse signa rerum quae passiones sunt habitus ipsi et species rerum existentes apud intellectum, et ideo soli intellectui offeruntur, ita ut repraesentant intellectui ipsas res extra." (ebd.)

[129] Offenbar schließt Bacon stillschweigend von der Ähnlichkeitsrelation zwischen Seelenzustand und extramentaler Sache, von der Aristoteles spricht (Perih. 1 [16a 7]), auf eine Zeichenrelation. Den Hintergrund für Bacons Deutung der passiones animae als Zeichen (signa), könnte aber auch die Auffassung Wilhelms von Auvergnes bilden, der vom aktual Erkannten im Verstande als von einem Zeichen (signum) spricht und im Zusammenhang seiner Ausführungen auf Aristoteles verweist. Vgl. De universo II,III, c. 3 [I, 1018].

Zeichensein der Zeichen ist also in einem Fall durch deren natürliche Beschaffenheit bzw. ihre Essenz, im anderen aufgrund einer bestimmten Absicht bzw. Intention gegeben.[130] Beide Gruppen werden wiederum differenziert.

Bei den natürlichen Zeichen (signa naturalia) unterscheidet Bacon drei Typen: Zunächst gibt es den Fall, daß ein Zeichen etwas anderes repräsentiert, weil es auf dieses andere schließen läßt. Da man weiterhin zwischen notwendigen und bloß wahrscheinlichen Schlußfolgerungen sowie auch zwischen Folgerungen bezüglich der Vergangenheit, Gegenwart oder Zukunft unterscheiden kann[131], ergeben sich nach Bacon sechs Unterfälle dieses inferenziellen Zeichens, die er durch Beispiele belegt. Exemplarisch genannt sei hier der notwendige Schluß auf etwas Vergangenes. Bacon wählt das aristotelische Beispiel, demzufolge die Milchfülle zum Nähren der Nachkommen ein Zeichen für die Geburt ist.[132]

Außerhalb dieser Folgerungsverhältnisse liegen Zeichenrelationen für Bacon auch dort vor, wo ein Bezug der Konformität in Teilen oder Eigenschaften besteht oder wo Kausalverhältnisse vorliegen. Bei den natürlichen Zeichen, die wegen ihrer gleichen Form und Gestalt etwas bezeichnen (signa naturalia propter conformitatem et configurationem), denkt Bacon nicht nur an die Fülle der Bild- und Ähnlichkeitsbezüge zwischen materiellen Dingen.[133] Vielmehr ordnet er dieser Gruppe auch jenes Zeichensein zu, das jedes hergestellte Werk in bezug auf dessen Bild (species) im Geist des Herstellenden hat.[134] Die Exemplarursächlichkeit der Ideen für die sichtbaren Dinge erscheint so als ein Spezialfall der Ähnlichkeitsrelation und damit der zweiten Gruppe der natürlichen Zeichen.

---

[130] Diese Unterscheidung ist seit Augustin geläufig, wenngleich sie durch diesen etwas anders formuliert wird. Aber auch hier nennt Bacon den Kirchenlehrer nicht. Im Compendium studii theologiae begründet er sogar, daß es sich bei der vorgestellen Weise der Zeicheneinteilung um seine eigene Leistung handele. „Et, licet antequam vidi librum beati Augustini De doctrina christiana, cecidi per studium proprie inventionis in divisionem signorum, quam postea inveni in principio secundi libri De doctrina christiana, dico eius auctoritate, licet explico dicta eius ratione et exemplis, quod signum secundum <eum> est a natura vel datum ab anima." (Comp. stud. theol. p. 2, c. 1, n. 25)

[131] Die Unterscheidung zwischen dem signum demonstrativum, prognosticum und rememorativum findet sich auch in Bonaventuras Sakramententheologie (In 4 Sent. d. 1, a. un., q. 2 ad opp. 4 [IV, 14a]) und bei Thomas von Aquin (III, q. 60, a. 3c).

[132] De signis, n. 4. Vgl. Anal. priora, II, 27 [70a 21-24].

[133] Im Compendium studii theologiae nennt Bacon diesen zweiten Modus des natürlichen Zeichens eine Darstellung „per expressionem similitudinis" (p. 2, c. 1, n. 29).

[134] „Sic etiam omnia quae fiunt per artificium sunt signa ipsius artis et specierum et similitudinum existentium apud animam artificis." (De signis, n. 5)

Die dritte Gruppe der natürlichen Zeichen[135], welche sich auf Kausalverhältnisse gründet, exemplifiziert Bacon durch die Spur (vestigium). Die Spur, der Fußabdruck im Erdboden, verweist auf jenes Sinnenwesen, das diesen Abdruck verursacht hat. Der Rauch kann Zeichen für das Feuer sein, aber auch das Feuer für den Rauch. Bacon begründet, warum häufiger eine Wirkung als Zeichen für die Ursache angesehen wird als umgekehrt. Er hebt darauf ab, daß ein Zeichen ein Instrument der Erkenntnis ist: Wir gelangen durch ein uns bekanntes Zeichen zur Kenntnis des für uns bislang unbekannten Bezeichneten. Da uns aber Wirkungen eher zugänglich sind als Ursachen, können erstere häufiger als Zeichen dienen. Bacon macht in diesem Zusammenhang darauf aufmerksam, daß das Begriffspaar Ursache/Wirkung (causa/effectus) in bezug auf die Ordnung der Dinge (ordo naturae) angewandt wird. Die Begriffe Zeichen und Bezeichnetes (signum/significatum) hingegen müßten zur Beschreibung der Erkenntnisordnung benutzt werden, sie werden mit Bezug auf eine sie erfassende Seele ausgesagt.[136]

Bei den Zeichen, die aufgrund eines Einsetzungsgeschehens Zeichen sind, (signa ex institutione animae) unterscheidet Bacon lediglich zwei Arten. Jene, bei denen das Zeichensein aufgrund einer vernünftigen Überlegung bzw. einer Willenswahl[137] gegeben ist, und jene, bei denen dies nicht der Fall ist. Zu der ersten Gruppe gehören nicht nur die Sprachzeichen, sondern beispielsweise auch der Weinkranz (circulus vini). Die zweite Gruppe verdankt ihr Zeichensein einer Sinnenseele (anima sensitiva). Aber auch beim Menschen, der über eine Geistseele (anima rationalis) verfügt, kann die Seele so bewegt werden, daß sie ein solches Zeichen erzeugt. Es wird instinktiv hervorgebracht, es entsteht gewissermaßen unmittelbar, ohne Zwischenschaltung eines Willensaktes. Bacon ordnet dieser Gruppe die Laute der Tiere ebenso wie das Stöhnen von Kranken zu.[138] Er erörtert an verschiedenen Stellen, daß diese signa

---

[135] Diese Gruppe wird im Compendium studii theologiae nicht erwähnt. Auf die Möglichkeit der Auslassung deutet bereits die Bemerkung hin, die beiden ersten Gruppen seien im eigentlicheren Sinne die Arten der natürlichen Zeichen. Bacon führt aber nicht aus, ob und wie die Kausalbezüge in die anderen beiden Modi der natürlichen Zeichenbezüge überführt werden können.

[136] „Et non est inconveniens quod relationes causae et causati et <signi et> significati inveniantur in eisdem rebus, quoniam secundum ordinem naturae una res est causa alterius non habita comparatione ipsarum ad virtutem cognoscentem, sed solum facta comparatione eorum inter se. Relationes autem signi et significati et eius cui fit significatio attenduntur per comparationem ad animam apprehendentem." (De signis, n. 6.)

[137] Vgl. De signis, n. 7: „[...] cum deliberatione rationis et electione voluntatis, sive ad placitum, sive ex proposito".

[138] De signis, n. 8.

ex institutione animae in gewissem Sinne als natürlich angesehen werden können. Bacon ist sich dabei bewußt, daß er 'naturalis' in seiner Zeichentypologie äquivok verwendet. Er rechtfertigt dies, indem er für beide Verwendungsweisen eine Referenz im aristotelischen Werk nennt. Aristoteles spreche in De anima von 'natura' als Gegenbegriff zu 'anima', im zweiten Buch der Physik hingegen[139] stehe 'natura' für ein Vermögen, das ohne Überlegung tätig sei.[140]

Während das signum naturale durch sich selbst, aufgrund seiner natürlichen Beschaffenheit auf etwas verweist, hat der unwillkürlich hervorgebrachte Laut (vox significativa naturaliter) als physische Entität keine Verweisungskraft. Es ist vielmehr die Intention einer anima sensitiva, die dieser Entität ihre Bezeichnungsfunktion verleiht, gewissermaßen eine Bedeutung in sie hineinlegt. Entscheidend für die Zuordnung zu den natürlichen oder den gegebenen Zeichen ist demnach nicht, ob das Zeichen als Ding von Natur aus oder intentional hervorgebracht ist, sondern vielmehr, wodurch es zum Zeichen wird.

Bacon erwähnt im Compendium studii theologiae[141], daß Augustin die Intentionalität der Tierlaute bezweifelt. Er selbst macht geltend, daß die situationsspezifische Varianz der Tiergeräusche für deren Intentionalität spreche. Er schließt also von den Lautphänomenen auf das Vorhandensein eines seelischen Vermögens, das er indes als instinktives nur vage umschreibt. Bacon macht keine Angaben dazu, welche Voraussetzungen ein Tier erfüllen muß, damit es die Laute von Tieren der selben Spezies als Zeichen rezipieren kann. Aus seinen einführenden Ausführungen zum Zeichen[142] wird man aber herleiten dürfen, daß die Mindestvoraussetzung zur Rezeption von Zeichen das Verfügen über Einbildungskraft (imaginatio) ist.[143]

---

[139] Physik II, 1 [192b 8 - 193a 2]. Zu den Schwierigkeiten, den Verweis auf De anima zu verifizieren, vgl. Th. Maloney, The semiotics of Roger Bacon, 126, Anm. 26. Die von Bacon behauptete Entgegensetzung von Natur und Seele durch Aristoteles steht in Widerspruch zu De anima II, 4 [415b 15-21]. Eine solche Entgegensetzung ergibt sich lediglich, wenn man die aristotelische Unterscheidung zwischen der Stimme und nichtintentionalen Lauten, die durch die Stimmorgane produziert werden (wie beispielsweise das Hustengeräusch) (vgl. De anima II, 8 [420b 6 - 421a 6]) mit Hilfe der augustinischen Unterscheidung zwischen natürlichen und gegebenen Zeichen deutet.

[140] De signis, n. 12f.; Comp. stud. theol. p. 2, c. 1, n. 32.

[141] Comp. stud. theol. p. 2, c. 1, n. 36.

[142] „Non enim sequitur: 'Signum in actu est, ergo res significata est,' quia non entia possunt significari per voces sicut et entia, nisi velimus dicere quod esse quod necessario requiritur ad significatum non est nisi apud intellectum et imaginationem." (De signis, n. 1)

[143] Wenn Bacon dies hier nicht eigens formuliert, so wohl deshalb, weil Aristoteles die Einbildungskraft als Mindestvoraussetzung sieht, um signifikante Laute hervorzubringen.

Bacons Problematisierung der Tierlaute im Hinblick auf das augustinische Einteilungsschema und ihre Zuordnung zu den gegeben Zeichen
(signa data) ist originell. Bonaventura hat, wie oben dargestellt, die Termini „signum voluntarium" und „signum datum" synonym gebraucht,
d.h. er teilt die Zeichen ein wie Augustin, nicht wie Bacon. Auch Johannes von Dacien, der nach der Zuordnung der Tierlaute fragt, kommt zu
einem von Bacon abweichenden Ergebnis.[144] Eine besondere Schwierigkeit bei den intentionalen Zeichen stellt die Klassifizierung der Interjektionen dar. Sie können willentlich gesetzte Zeichen (signa ad placitum)
sein, wenn sie in einen Sprechakt eingeordnet sind, sie können aber
auch bloße instinktgesteuerte Laute sein.[145] Bacon faßt die Aufteilung der
Zeichen in signa naturalia und signa ab anima instituta sowie die dargestellte Untergliederung beider Gruppen als vollständige Einteilung auf.[146]
   Wie bereits erwähnt, verfolgt Bacon mit seinen semiotischen Ausführungen das Ziel einer Grundlegung der Sprachtheorie. Die entscheidende Gruppe von Zeichen ist daher die der intentionalen Zeichen, die auf-

---

Die Fähigkeit zur Zeichenproduktion und zur Zeichenrezeption scheint Bacon demnach
als Einheit zu begreifen.

[144] Vgl. Johannes von Dacien, Summa grammatica [106f.].

[145] De signis, n. 9; zum Problem der Einordnung der Interjektionen vgl. J. Pinborg, Interjektionen und Naturlaute.

[146] Diese läßt sich schematisch wie folgt zusammenfassen:

A   signum naturale
     I.   propter quod aliud infertur
           1.   necessario
                a)   praesens
                b)   praeteritum
                c)   futurum
           2.   probabiliter
                a)   praesens
                b)   praeteritum
                c)   futurum
     II.   propter conformitatem et configurationem unius rei
             ad aliud in partibus et proprietatibus
     III.   propter causalitatem
B   signum ordinatum ab anima et ex intentione animae
     I.   ad placitum et ex proposito cum
             deliberatione rationis et electione voluntatis
     II.   naturaliter, sine deliberatione
             rationis et sine electione voluntatis
     (III.   interjectiones: ex deliberatione vel sine deliberatione)
Das Schema greift die Darstellung bei Th. Maloney, The semiotics of Roger Bacon, 125,
auf und differenziert sie entsprechend den Ausführungen in De signis, nn. 3-10 aus.

grund einer rationalen Überlegung und einer Willensentscheidung Bedeutung tragen und die Bacon abkürzend auch „signa ad placitum"
nennt. „Ad placitum" ist dabei wie teilweise schon in der aristotelisch-
boethianischen Tradition vor Bacon nicht im Sinne von willkürlich oder
beliebig zu verstehen.[147] Zumindest muß die Einsetzung durch den Intellekt und den Willen, nicht aber die Arbitrarität als entscheidende Bestimmung angesehen werden. Bacon spricht deshalb von einer „delibera-
tio rationis et electione voluntatis, sive ad placitum, sive ex proposito".[148]

Interessanterweise gibt das „sive ad placitum, sive ex proposito" nicht
Anlaß zu einer neuerlichen Unterscheidung von Zeichenarten. Die signa
ad placitum können also durchaus einen gewissen Grad an Ikonizität[149]
besitzen. Da Bacon nun anders als die Tradition nicht von „voces significativae ad placitum" spricht, sondern allgemeiner von „signa ad placitum", kann er dieser Klasse neben den Wörtern der natürlichen Sprache
auch nichtlautliche Zeichen und Zeichensysteme wie die Zeichensprache
der Mönche oder den Weinkranz (circulus) als Zeichen der Gastwirt-
schaft zuordnen.[150] Der Intellekt kann also, wie diese Beispiele erkennen
lassen, bei der Wahl des Zeichens durchaus bestimmte Eigenschaften der
zu bezeichnenden Sache berücksichtigen. Die Einsetzung des circulus als
Hinweis auf das Weinfaß und auf den Weinausschank ist eine freie und
dennoch eine durch die Gestalt des Weinfasses motivierte Entscheidung.[151] Noch deutlicher ist die Ähnlichkeit zwischen Zeichen und Bezeichnetem im Beispiel des Brotes, das der Bäcker ins Schaufenster legt.
Bacon führt dazu aus, daß Zeichen und Bezeichnetes in diesem Beispiel
nicht identisch sind. Das Brot bezeichne nicht sich selbst, sondern das

---

[147] Vgl. E. Coseriu, L'arbitraire du signe; J. Engels, Origine, sens et survie du terme boécien
„secundum placitum".

[148] De signis, n. 7.

[149] Daß die Peircesche Unterscheidung zwischen icon, index und symbol sinnvoll auf die
platonisch-aristotelische Diskussion der Richtigkeit der Namen und der Arbitrarität des
Zeichens angewandt werden kann, zeigt G. Schönrich in dem Beitrag „Das Problem des
Kratylos und die Alphabetisierung der Welt".

[150] De signis, n. 7; Comp. stud. theol. p. 2, c. 1, n. 41.

[151] Wilhelm von Ockham faßt deshalb im Unterschied zu Bacon den circulus als signum
naturale auf: „Et sic vox naturaliter significat, sicut quilibet effectus significat saltem suam
causam; sicut etiam circulus significat vinum in taberna." (Summa Logicae p. 1, c. 1 [9]).
Johannes Duns Scotus dagegen scheint den Weinkranz als intentionales Zeichen anzusehen. Er betont, daß es zwischen dem Zeichen und dem Bezeichneten keine Ähnlichkeit
gibt: „[C]irculus non est similis vino, est tamen verum signum vini, falsum autem lactis,
vel hujusmodi [...]." (Quaestiones subtilissimae super libros Metaphysicorum Aristotelis l.
6, q. 3, n. 13 [VII, 344b].)

konkrete Brot bezeichne das Brot als zum Verkauf stehenendes.[152] Er
erläutert nicht, ob es sich dabei um ein Zeichen im Sinne einer Handlungsaufforderung, die Bezeichnung einer Klasse oder die Bezeichnung
eines einzelnen Verkaufsgegenstandes handelt.

Bacons Klassifikation des Zeichen überrascht durch ihre außerordent-
liche Verästelung.[153] Diese Differenziertheit wird dadurch möglich, daß
Bacon eine Vielheit von Einteilungskriterien benutzt.[154] Je für sich betrachtet, sind diese Kriterien in der zeitgenössischen Diskussion durchaus
geläufig; Bacon geht allerdings dort über die tradierten Kriterien hinaus,
wo er eine Differenzierung der signa naturalia vornimmt. Sein Kriterium
für diese Einteilung ist offenbar die Art der Verbindung zwischen Zeichen und Bezeichnetem. Der Konnex ist bei der dritten Gruppe durch
die Kausalität, bei der zweiten Gruppe durch die Ikonizität gegeben. Die
Ikonizität wird dabei – wie auch in der neueren Semiotik – als Konformität in bezug auf einen bestimmten Gesichtspunkt verstanden. Die Trennung von Ikonizität und Kausalität ist für das 13. Jahrhundert durchaus
ungewöhnlich. Weder für Thomas[155] noch für Bonaventura werden
durch sie eigenständige Gruppen von Zeichen konstituiert. Insbesondere
bei Bonaventura wird unter 'causa' auch die causa exemplaris mitver-
standen. Kausalität, wenn dieser Begriff nicht überhaupt bei Bonaventura
irreführend ist, impliziert für ihn daher auch ein Abbildungsverhältnis,
eine Ähnlichkeit (similitudo) zwischen Ursache (causa) und Verursachtem.

---

[152] „Si dicatur quod relativa sunt diversa et ideo idem non est signum et significatum, dicendum est quod substantia vocis est signum, ipsa autem prout est subiectibilis et praedicabi-
lis est significata, et haec diversitas sufficit ad relationem hanc, sicut substantia panis in
fenestra est signum, sic panis in ratione venditionis, in quantum scilicet est venalis, est sub
ratione significati; talis diversitas sufficit." (De signis, n. 27.)

[153] Vgl. oben Anm. 143.

[154] K. Howell hat in seiner Darstellung auf diesen Umstand hingewiesen (vgl. Roger Bacon's
semiotic theory, 76).

[155] U. Ecos Behauptung, Thomas betrachte Ikonizität nicht als semiotisches, sondern lediglich als psychologisches Phänomen (vgl. U. Eco et al., On animal language, 5), wird
durch die Quellen vielfach widerlegt. Thomas nennt nämlich sehr wohl Beispiele ikoni-
scher Zeichen, etwa Bilder (vgl. III, q. 66, a. 10 c). Angesichts der Bilderverehrung betont
er, es sei darauf zu achten, daß Ikonen nur Zeichen seien und nicht ihrer selbst wegen
Verehrung verdienten (II-II, q. 81, a. 7 ad 3). Eine ikonische Relation im Peirceschen
Sinne liegt auch bei der dreifachen Kniebeuge vor, die zur Bezeichnung der Dreifaltigkeit dient (II-II, q. 84, a. 1 ad 3). Auch indem Thomas der Sakramentendefinition Hugos
von St. Viktor beipflichtet, akzeptiert er die Ähnlichkeit als semiotisches Kriterium. Vgl.
dazu unten: Dritter Teil, § 9.

Eine gewisse Schwierigkeit bietet die erste Gruppe der signa naturalia. J. Biard[156] und Th. Maloney[157] weisen darauf hin, daß in diesem Zeichenmodus jene Art von Zeichen erfaßt wird, die Aristoteles in den Ersten Analytiken diskutiert.[158] Da dieser aristotelische Textpassus den Stoikern als Anlaß für die Entwicklung ihrer propositionalen Zeichentheorie diente, argumentiert Biard weiter, auch Bacon integriere hier den propositionalen Ansatz in seine Semiotik. Zutreffend hieran ist, daß alle von Bacon benützten Beispiele geeignet sind, zu Syllogismen ausformuliert zu werden. Festzuhalten bleibt aber, daß Bacon diese stoischen Gedanken nicht formuliert. Täte er es, so müßte man fragen, ob nicht auch die Kausalrelation, der dritte Modus des natürlichen Zeichens, in entsprechender Weise formuliert werden könnte. Sieht man von der satztheoretischen Deutung ab, dann lassen sich die von Bacon gegebenen Beispiele als Anzeichen, als Symptome, begreifen. Der symptomatische Konnex zwischen Zeichen und Bezeichnetem stünde dann neben dem ikonischen und dem kausalen. Auch diese Deutung kann in der Sache letztlich nicht befriedigen. Offen bleibt, was in Bacons Einteilung der natürlichen Zeichen den entscheidenden Unterschied zwischen der ersten und der dritten Gruppe ausmacht, wie also eine klare Grenzziehung zwischen Symptomen auf der einen Seite und zeichenhaften Ursachen und Wirkungen auf der anderen Seite vorgenommen werden soll.[159] Einen Hinweis kann hier ein Einwand geben, den Bacon im Compendium studii theologiae gibt: „Es wird aber eingewandt, daß sich ein Zeichen von einer Ursache und von einer Wirkung unterscheidet; so ist es weder Ursache noch Wirkung des Mutes, große Gliedmaßen zu haben, und genau deshalb wird dies von Aristoteles ein Zeichen genannt. Ebenso ist Milch zu haben ein Zeichen der Geburt, aber nicht Ursache oder Wirkung, und das gilt auch für andere Beispiele. Deshalb gilt, daß, weil Artefakte Werke der Kunst und Wirkungen sind, sie keine Zeichen sind." Bacon antwortet darauf, „daß ein Artefakt sowohl etwas Gemachtes ist als auch ein Werk der Kunst und ein Zeichen. Insofern es ein Werk ist, ist es eine Wirkung; insofern es jedoch der Kunst gleichgestaltet ist, ist es ein darstellendes Zeichen. Und so kann ein und dieselbe Sache verschiedene Bewandtnisse haben und somit auch auf verschiedene Weisen benannt werden."[160]

---

[156] Logique et théorie du signe, 29.

[157] The semiotics of Roger Bacon, 128.

[158] Vgl. Erster Teil, § 1.

[159] Diese Schwierigkeit behebt Bacon im Compendium studii theologiae durch die Auslassung der dritten Gruppe.

[160] „Sed obicitur: signum differt a causa et effectu, ut habere magnas extremitates nec est causa fortitudinis nec effectus, et ideo dicitur ab Aristotele signum. Similiter, habere lac

In dieser Passage wird deutlich, daß Bacon, wie schon Aristoteles, den Zusammenhang zwischen dem Milch-Haben und Geboren-Haben als ein Zusammentreffen betrachtet, das keinen unmittelbaren Kausalbezug voraussetzt. Damit wäre eine Abgrenzung zwischen den natürlichen Zeichen der ersten Gruppe und den natürlichen Zeichen der dritten Gruppe möglich. Für Aristoteles aber dient die Unterscheidung zwischen dem bloßen Zusammentreffen und dem Ursächlichsein nicht dazu, verschiedene Arten der Zeichenhaftigkeit zu bestimmen. Vielmehr unterscheidet Aristoteles grundsätzlich zwischen einer Erkenntnis aus Zeichen und einer Erkenntnis aus Ursachen. In den Zweiten Analytiken macht er deutlich, daß lediglich die Erkenntnis aus Ursachen wissenschaftliche Erkenntnis im strengen Sinne ist. Bacon greift somit die aristotelische Unterscheidung auf, gestaltet sie aber zur innersemiotischen Einteilung um. Der weite baconsche Zeichenbegriff umfaßt sowohl das aristotelische σημεῖον als auch das αἴτιον.

§ 3 Die Anwendung der allgemeinen Semiotik auf sprachliche Zeichen

Die Entfaltung der Zeichenklassen dient Bacon dazu, ein Instrumentarium für die Analyse der komplexen Relation zwischen Wort, Begriff und Sache zu schaffen. Die in Peri hermeneias angesprochene Bezeichnungsrelation erweist sich so vor dem Hintergrund des umfassenderen augustinischen Zeichenbegriffs als eine Vielheit von Zeichenbezügen. Bacons Korrektur der augustinischen Zeichendefinition ermöglicht es, auch den Begriff bzw. das Abbild der Dinge in der Seele (species in anima) als Zeichen aufzufassen und so im Rahmen der Semantik zusätzliche Zeichenrelationen nachzuweisen. Er zeigt, daß Wörter auch als natürliche Zeichen etwas bezeichnen. So sagt er, daß sie unabhängig von ihrer Einsetzung als bedeutungstragende Zeichen ihr eigenes Bild (species) im Geist des Sprechers bezeichnen. Auch Wörter wie 'buba' sind, wenn sie geäußert werden, von einem mentalen Bild begleitet. Zwischen der Äußerung und diesem Bild in der Seele konstatiert Bacon eine dreifache Korrelation entsprechend der dreifachen Untergliederung der natürlichen Zeichen. Von einem geäußerten Laut kann auf das mentale Bild geschlossen werden (Inferenz); es steht in einem Kausalitäts- und einem Konformi-

---

est signum partus, non causa nec effectus, et sic de aliis. Ergo, cum artificialia sint opera artis et effectus, non erunt signa. Et dicendum quod artificiale et est factum et opus artis et signum. In quantum est opus, sic est effectus; in quantum vero configuratur arti et conformatur, sic est signum repraesentans. Unde eadem res potest habere diversas rationes, et sic diversimode nominari." (Comp. stud. theol. p. 2, c. 1, n. 30)

tätsverhältnis zu jenem.[161] Seine natürlichen Bezüge zu dem mentalen Bild hat das Wort nicht als Wort, sondern als Lautkette. Die naturphilosophische Theorie zur Entstehung und Ausbreitung solcher Bilder (species) entfaltet Bacon in der Schrift De multiplicatione specierum. Er betrachtet dort die Wirkweise von Substanzen und Akzidentien nach dem Paradigma der Strahlung des Lichtes. In diesem Kontext besagt 'species' die erste Wirkung jedes natürlich agierenden Dinges.[162] Diese Wirkung wird nicht erzeugt, indem das Wirkende etwas von außen in das Aufnehmende hineinlegt, vielmehr verwandelt das Wirkende die Potentialität des Rezipiens in eine sogenannte aktive Potentialität.[163] So erzeugt etwa die Sonne eine Wirkung (species) auf den Mond, indem sie dessen Disposition zum Erleuchtetwerden in ein tatsächliches Erleuchtetsein verwandelt.[164] Dabei wird in einem zeitlichen Nacheinander eine Kette von entstehenden und vergehenden Ähnlichkeitsbildern erzeugt, bis das Ziel, der Rezipient, erreicht ist. Als Ähnlichkeitsbilder körperlicher Wirkkräfte sind auch die species nicht intelligible, sondern sinnenhafte Entitäten, sie sind gleichwohl aber keine Körper.[165] Das mentale Bild, von dem Bacon spricht, ist daher nicht ein Begriff, sondern jenes Vorstellungsbild, das in der Seele entsteht, wenn artikulierte Laute gehört oder gesprochen werden.[166] Darüber hinaus hat aber auch das bedeutungstragende Wort als bedeutungstragendes Wort eine Vielzahl von natürlichen Bedeutungen, da ausgehend von jedem Wort eine unbegrenzte Menge begrifflicher Assoziationen möglich ist.[167] Gerade diese Anwendung der

---

[161] „Speciem enim suam in animo proferentis infert necessario atque configuratur ei et conformatur et est effectus illius." (De signis, n. 18). Vgl. auch Comp. stud. theol., p. 2, c. 2, nn. 46-47: „Et primum est an ante impositionem vox significet aliquid. Quod sic, probo: quia vox prolata habet speciem suam in anima proferentis, quae consequitur ad eam consequentia naturali, ergo significativa erit primo modo signi naturalis. Item, conformatur ei et configuratur [...]."

[162] „Species autem non sumitur hic pro quinto universali apud Porphirium, sed transumitur hoc nomen ad designandum primum effectum cuiuslibet agentis naturaliter." (De multiplicatione specierum, p. 1 c. 1, Z. 27-29.)

[163] „Cum igitur nullo predictorum modorum fiat generatio speciei, manifestum est quod quinto modo oportet fieri, scilicet per veram immutationem et eductionem de potentia activa materie patientis [...]" (ebd. c. 3, Z. 50-53.)

[164] Vgl. ebd. c. 5, Z. 29-48.

[165] Vgl. ebd. p. 3, c. 1, Z. 109ff.; c. 2, Z. 90-98.

[166] Zur Wirkungsgeschichte der Baconschen species-Theorie in der Physik und der Wahrnehmungstheorie vgl. A. Maier, Das Problem der „species sensibiles in medio" und die neue Naturphilosophie des 14. Jahrhunderts.

[167] „Ergo vox significat multa ad quae non imponitur, quoniam omnia, ad quae res imposita habet de virtute significati essentialem respectum. Et simul haec omnia significat quia

natürlichen Zeichenhaftigkeit auf die Semantik ist erhellend für das Verständnis der Modi natürlicher Zeichen überhaupt. So wird darin beispielsweise deutlich, daß Bacon den inferentiellen Bezug zwischen dem einzelnem Laut (vox) und dem mentalen Bild (species) anders als die Stoiker nicht als Schlußverhältnis zwischen Propositionen auffaßt, sondern vielmehr als Verkettung gegenständlich-sinnenhafter Entitäten.

All diese Zeichenbezüge sind aber für Bacon von untergeordneter Bedeutung. Entscheidend für das Funktionieren der Sprache ist vielmehr der freie Akt von Intellekt und Wille, durch den die Lautfolge (vox) als Name eingesetzt wird. Bacon nennt diesen Akt 'impositio'. Er versteht darunter nicht die Verknüpfung einer Lautkette mit einem abstrakten Bedeutungsgehalt, sondern die Benennung einer Sache, sei diese Sache nun etwas Extramentales oder sei sie etwas in der Seele. Sowohl Seiendes als auch Nichtseiendes kann durch einen solchen Taufakt mit einem Namen belegt werden. Bacon führt dazu aus, daß die vox einerseits für reale extramentale Gegenstände eingesetzt werden könne. Andererseits könne sie aber auch für etwas eintreten, was in der Seele ist. Dabei unterscheidet er, was gemäß der Wahrheit seiner Wesenheit und was aufgrund bloßer Mutmaßung in der Seele ist. Während er auf der einen Seite Potenzen, Gefühlszustände (passiones), Dispositionen (habitus) und Formen bzw. Abbilder (species rerum) nennt, bietet er für die andere Seite eine Liste von nicht Seiendem (non entia), in der neben der Chimäre und dem Leeren auch das Unendliche und das schlechthin Nichtseiende (ipsum nihil sive pure non ens) aufgeführt wird.[168] Alles, was erkannt werden kann, kann auch einen Namen erhalten.[169] Auch das Nichtseiende aber vermag erkannt zu werden, weil es als Privation des Seienden begriffen wird.[170] Die Besonderheiten der Baconschen Impositionstheorie werden gerade in seiner Lösung des Problems der leeren Klassen deutlich.

---

dum et cum et quando haec vox 'homo' significat id cui fuit vox imposita, scilicet talem speciem animalis, significat simul animal et risibile et omnia alia ad quae illa res significata habet de virtute significandi [habet] essentialem respectum." (De signis, n. 104). Auch aufgrund akzidenteller Bezüge eines Begriffs sind begriffliche Assoziationen möglich. Vgl. im Zusammenhang De signis, nn. 100-133.

[168] „Vox autem potest imponi rei absolutae extra animam. Potest etiam imponi his quae sunt apud animam [...] Et iterum nomina sunt ad placitum nostrum, et ideo pro voluntate possumus nomina imponere et dare sive enti sive non enti." (De signis, n. 19.)

[169] Der Taufakt kann expliziten (impositio vocalis) oder impliziten (impositio accidentalis) Charakter haben. Vgl. De signis, nn. 154-159.

[170] De signis, n. 19.

*§ 4 Die Entstehung und Funktion der Bedeutung von sprachlichen Zeichen
und das Problem der leeren Klassen*

Das semantische Problem der leeren Klassen wird von den mittelalterlichen Autoren unter der Fragestellung erörtert, ob ein Ausdruck seine Bedeutung verliert, wenn die durch ihn bezeichnete Sache aufhört zu existieren, oder ob ein Satz wie „Homo est animal" auch dann wahr sein könne, wenn es keinen Menschen gebe. Die übliche Antwort der Autoren des dreizehnten Jahrhunderts ist, daß der bedeutungstragende Laut (vox significativa) seine Bezeichnungskraft (vis significandi) behält und daß der Satz „Homo est animal" auch unter der angegebenen Voraussetzung wahr sei. Als Grund hierfür kann zum einen angegeben werden, daß der Sprachlaut (vox) sich primär auf eine Wesenheit bezieht, auf eine gemeinsame Natur (natura communis), zu der weder Sein in der Realität noch Sein im Verstand, weder Singularität noch Universalität gehören.[171] Diese Beziehung besteht auch dann, wenn es kein Suppositum gibt, d.h. wenn kein konkreter Gegenstand existiert, in dem diese Wesenheit verwirklicht ist und der durch den sprachlichen Ausdruck bezeichnet werden könnte. Andere erläutern, daß der Sprachlaut (vox) seine Bedeutung behält, wenn der bezeichnete Gegenstand untergeht, daß aber der bezeichnete Gegenstand nicht mehr derjenige ist, der er ehedem war. Man kann dann sagen, daß der Terminus „Sokrates" nach dem Tod des Sokrates seine Bedeutung behalten habe, daß der bezeichnete Sokrates aber dennoch nicht der gleiche geblieben sei. Die Fortexistenz des Bedeutungsinhaltes macht aber nicht die Annahme einer unwandelbaren Wesenheit erforderlich.[172]

Roger Bacon löst das Problem auf ungewöhnliche Weise. Wenn Sokrates gestorben sei, bedeute der Terminus 'Sokrates' nicht mehr dasselbe, was er zu seinen Lebzeiten bedeutet habe. Es ist eine neue impositio erforderlich, damit die Lautkette 'Sokrates' auch für den toten Sokrates supponieren kann. Die Bedeutungen, die ein Wort durch mehrfache impositio erhalten kann, betrachtet Bacon indes als äquivok.[173] Eine Gemeinsamkeit zwischen den Bedeutungen könne nicht unterstellt werden.

---

[171] Zum Status und zu den verschiedenen Konzeptionen dieser gemeinsamen Natur vgl. L. Honnefelder, Art. „Natura communis".

[172] Vgl. dazu J. Pinborg, Bezeichnung in der Logik des 13. Jahrhunderts. Pinborg spricht hier, indem er die moderne Hjelmslevsche Terminologie auf die mittelalterlichen Texte anwendet, von einer Konnotation eines Terminus, der unabhängig von der Denotation sei.

[173] De signis, nn. 134-135. Vgl. im Zusammenhang nn. 134-153.

Diese überraschende Auffassung macht die gegenüber der Tradition geänderte Konzeption der Semantik deutlich.[174] Während die platonische und aristotelische Tradition einen Terminus zunächst mit einem Bedeutungsgehalt verknüpft, sieht Bacon den Bezug zwischen Terminus und dem konkreten Gegenstand als entscheidend an. Wenn dieser Gegenstand aufhört zu existieren (z.b. Sokrates als lebender Mensch), dann geht auch die Bedeutung des Wortes unter. Ein Satz kann nur dann verifiziert werden, wenn seine Termini ein konkretes Suppositum haben. „Homo est animal" ist deshalb für Bacon kein analytischer Satz. Wenn es keinen Menschen gibt, kann dieser Satz nicht wahr sein. Bacons Lösung des Problems der leeren Klassen zeigt deutlich, daß die veränderte Auffasung der significatio mit einer veränderten Ontologie einhergeht. Dem Einzelding, das zum unmittelbaren und eigentlichen Signifikat der Sprache wird, kommt auch ein höherer ontologischer Rang zu.[175] Sowohl die allgemeine als auch die besondere Natur des Seienden sind für Bacon auf das individuelle Seiende ausgerichtet.[176] Bacon richtet sich gegen die aus Peri hermeneias hergeleitete Position, daß die Worte nur vermittels der Begriffe Dinge bezeichnen können. Denn nach seiner Auffassung ist beim Akt der Namengebung eine solche Zwischenschaltung nicht notwendig; die Namengebung gilt vielmehr unmittelbar dem Ding.[177] Damit

---

[174] A. de Libera zeigt, daß Bacon diese Theorie der Äquivikation und der impositio nova bereits in den Summulae dialectices vertritt (Roger Bacon et le problème de l'appellatio univoca). Erst in den späteren Werken erhält sie allerdings ihre zentrale Rolle (vgl. ebd. 195). Gerade weil Bacons Theorie von allen anderen des 13. Jahrhunderts abweicht, ist es nicht leicht, seinen konkreten Gegenspieler auszumachen (vgl. dazu F. Pelster, Roger Bacons „Compendium studii theologiae" und der Sentenzenkommentar des Richardus Rufus; St. Ebbesen, The dead man is alive; A. de Libera, a.a.O. 205-221).

[175] M. Huber-Legnani deutet die hohe Wertschätzung des einzelnen als einen spezifisch franziskanischen Zug im Denken Bacons (vgl. Roger Bacon – Lehrer der Anschaulichkeit. Der franziskanische Gedanke und die Philosophie des Einzelnen). Dabei betont sie zu Recht die Korrespondenz zwischen Zeichentheorie und Metaphysik. Sie hebt dabei entscheidend darauf ab, daß etwas einzelnes als Zeichen fungieren kann (ebd. 85-96). Dies allerdings ist in der Zeichentheorie kein Novum, sondern bereits für das Zeichenverständnis der griechischen Ärzte konstitutiv (vgl. dazu H. Diller, ὄψις ἀδήλων τὰ φαινόμενα). Neu ist aber das Gewicht, welches dem einzelnen als Bezeichenbarem zukommt.

[176] „Et ideo due nature, scilicet, universalis et virtus regitiva individui intendent et operabuntur individuum principaliter." (Communia naturalia p. 2, d. 2, c. 7. [Opera hactenus inedita Bd. 2, 95])

[177] In De signis, n. 166 argumentiert er, daß dies das authentische Verständnis des Aristoteles sei.

ist die Position Ockhams vorbereitet, für den der unmittelbare Bezug der Namen auf die konkreten Dinge zentrale Bedeutung hat.

Aus Bacons Erörterungen geht, wie oben schon kurz erwähnt, allerdings hervor, daß auch Klassen von Gegenständen, intramentale Entitäten oder gar Nichtexistierendes mit einem Namen belegt werden können.[178] Die Baconsche Ontologie ist in diesem Sinne umfassender als die Ockhams. Die impositio legt das Wort auf die Bezeichnung eines bestimmten Seinsmodus fest. Verwendet man z.B. einen Namen, der für eine Klasse eingeführt wurde, für ein Individuum, so erfordert dies eine zusätzliche Namengebung.[179] Weil ein Wort eine neue impositio erfahren kann, ohne daß ein expliziter Taufakt stattfindet, geschieht der Bedeutungswechsel oft einfach durch den Gebrauch des Namens.[180] Bacon spricht deshalb von zwei unterschiedlichen Arten der impositio.[181] Der Gedanke, daß die Bedeutung letztlich erst durch den Gebrauch des Wortes im Satz festgelegt wird, ist für das 13. Jahrhundert nicht neu, er begegnet vielmehr schon bei Anselm von Canterbury. Neu und auch im 13. Jahrhundert ungewöhnlich ist es aber, die verschiedenen Gebrauchsweisen eines Wortes als äquivok zu betrachten.[182]

Die dargestellte Theorie der impositio vocis steht im Zentrum der Baconschen Sprachtheorie und Sprachlogik[183], denn der Akt der Namengebung ist es, der das signum ad placitum aus der Vielheit der Zeichen heraushebt. Dieser Umstand kann durch Bacons Klassifikation der Zeichen leicht verstellt werden; es ist nämlich nicht Bacons erste Einteilung, also die Unterscheidung zwischen natürlichen Zeichen und gegebenen Zeichen, durch die die entscheidende Grenzziehung vorgenommen wird. Ebenso wie die signa naturalia erweisen sich auch die signa ordinata ab anima naturaliter gegenüber den durch eine Willenswahl bestimmten Zeichen als Randphänomene.

---

[178] Vgl. De signis, n. 19 und n. 162.

[179] De signis, n. 92; vgl. auch Comp. stud. theol., p. 2, c. 4, n. 96.

[180] Vgl. De signis, n. 160.

[181] Dazu ausführlich: K.M. Fredborg, Roger Bacon on „Impositio vocis ad significandum", 168f.

[182] Zum Problem der impositio vocis und zur Auseinandersetzung Bacons mit konkurrierenden Theorien seiner Zeit vgl. auch K.M. Fredborg, Roger Bacon on „Impositio vocis ad significandum"; H.A.G. Braakhuis, Kilwardy vs. Bacon. The contribution to the discussion on univocal signification of being and non-beings found in a sophism attributed to Robert Kilwardby; A. de Libera, Roger Bacon et la référence vide. Sur quelques antécédents médiévaux du paradoxe de Meinong; Th. Maloney, Roger Bacon on equivocation.

[183] So auch Th. Maloney, Roger Bacon on the signification of words.

Worin also besteht der Unterschied zwischen den Ausführungen zum Zeichencharakter der Wörter in De signis und im Compendium studii theologiae einerseits und den Summulae dialectices andererseits, der es erlaubt, von einer Neubegründung der Sprachlogik zu sprechen? Der bedeutungstragende Laut (vox significativa) wird nicht mehr als Subkategorie des Geräusches (sonus), sondern als Subkategorie des Zeichens (signum) eingeführt. Daß sich diese Darstellungsweise in der Logik historisch durchgesetzt hat, braucht hier nicht näher ausgeführt zu werden. Hervorzuheben ist aber, daß diese Neubegründung der Logik durch den Rückgriff auf einige Theoreme des Augustinus möglich wurde. Dieser Rückgriff stellt in der zeitgenössischen Logik eine Besonderheit dar.[184] Mit dem Rückgriff auf Augustinus geht auch einher, daß das Interesse der Semantik nicht auf den Satz, sondern auf das Wort fokussiert ist. Die neue semiotische Grundlegung der Semantik gibt also die kontextuelle Vorgehensweise auf, die Bacon noch in den Summulae dialectices verfolgt hatte. Zugleich kann Bacons Theorie der impositio als Versuch gedeutet werden, die Schwierigkeiten dieser wortzentrierten Semiotik und Semantik zu kompensieren. Nicht eine bestimmte Lautgestalt macht ein Wort zum Element eines Zeichensystems, zu einem starren Designator, der in differierenden Verwendungsweisen ein Identisches bezeichnet und festhält. Als semiotische Grundeinheit kann das Wort vielmehr erst in einer konkreten Bezeichnungssituation aufgefaßt werden, denn prinzipiell kann jeder Sprechakt die in ihm verwendeten Designatoren neu definieren.

Bacon ist bei seinem Rückgriff auf den Ansatz der augustinischen Semiotik indes bemüht, aristotelische Argumente einzubinden. Er kennt die meisten der Texte, die oben als semiotische Fragmente des Aristoteles behandelt worden sind. Die Anfangspassage aus Peri hermeneias nimmt er als Beleg dafür, daß die gemeinhin geltende Definition des Zeichens zu eng gefaßt sei.[185] Darüber hinaus zieht er durch die Wahl seiner Beispiele für natürliche Zeichen eine Verbindung zur Lehre vom Zeichen in der aristotelischen Syllogistik. Bacon fügt also die aristotelischen Fragmente ein in eine Zeichentheorie, deren allgemeiner Rahmen durch Augustin vorgegeben ist. Wie Augustinus – und zugleich abweichend von einem bedeutenden Teil der durch Augustinus geprägten

---

[184] J. Pinborg und St. Ebbesen betonen Bacons für Logiker ungewöhnliche Vertrautheit mit den augustinischen Schriften „De dialectica" und „De magistro". Vgl. Pinborg, Roger Bacon on signs, 405; St. Ebbesen, The odyssey of semantics from the Stoa to Buridan, 75.

[185] Daß dies sich weder auf den aristotelischen Text noch auf eine bekannte Übersetzung beziehen kann, wurde oben bereits angemerkt.

theologischen Tradition[186] – setzt er dabei den Akzent nicht auf die natürlichen, sondern auf die gegebenen Zeichen. Die Frage nach der Bedeutung sprachlicher Zeichen rückt damit wie bei Augustin ins Zentrum der
Semiotik.

Weit über die Tradition hinaus geht Bacon durch die vorangetriebene
Ausdifferenzierung von Zeichenklassen. Dabei wird deutlich, welche
Bandbreite der Semiotik zukommen soll. Jedoch kann die erweiterte
Zeichendefinition, die Bacon gibt, nicht dem Bedeutungsumfang gerecht werden, den das Zeichen im Zuge der Klassifikation zugesprochen
erhält. Wie schon in den Summulae dialectices so geht Bacon auch in De
signis davon aus, daß Tierlaute Zeichen sind. Bacon setzt voraus, daß
Tiere solche Zeichen nicht nur aussenden, sondern auch empfangen,
d. h. als Zeichen wahrnehmen.[187] Da Bacon aber den Tieren keinen Intellekt zuspricht, ist die Behauptung, Zeichen seien etwas, was für einen
Intellekt etwas bezeichnet[188], ungenau. Um seinen nachfolgenden Ausführungen gerecht zu werden, hätte Bacon in die Definition aufnehmen
müssen, daß Zeichen außer durch den Intellekt auch durch andere seelische Vermögen wie etwa die Einbildungskraft rezipiert werden können.

§ 5 *Die Stellung der Semiotik in der Wissenschaftslehre Roger Bacons*

Die Editoren von De signis haben die Hypothese aufgestellt, der Traktat
müsse als ein verschollener Teil des Opus maius angesehen werden. Sie
stützen sich dabei vor allem auf die Tatsache, daß Bacon im Opus tertium
Zusammenfassungen von Teilen des Opus maius gibt. Eine dieser Zusammenfassungen ist ohne Zweifel eine Inhaltsangabe des Traktats De
signis.[189] Für die Hypothese der Editoren spricht darüber hinaus, daß das
Opus maius das Projekt einer christlichen Wissenschaft vorstellt, das in
vieler Hinsicht als eine Erneuerung des Programmes angesehen werden
kann, welches Augustinus in De doctrina christiana entworfen hatte: Es
geht Bacon wie Augustin um die Darstellung sämtlicher Wissenschaften
und ihrer Notwendigkeit für das Studium der Heiligen Schrift und das
Leben der Kirche. Augustin hatte die Dienstleistung der Wissenschaften
für die Theologie mit Hilfe des Zeichenbegriffs begründet. Die Worte
der Schrift erfüllen nur ihre Funktion, wenn wir erkennen, welche Dinge

---

[186] So etwa Hugo von St. Viktor und Bonaventura, für die das Sakrament bzw. die Ähnlichkeiten Gottes in der Schöpfung im Zentrum des semiotischen Interesses stehen.
[187] Vgl. oben § 1.
[188] De signis, n. 2.
[189] Opus tertium, c. 27 [ed. Brewer 100-102].

sie bezeichnen und wenn wir verstehen, was der geistige Sinn dieser bezeichneten Dinge ist. Von daher haben sowohl die sprachkundlichen Disziplinen (artes sermocinales) als auch die sachkundlichen Disziplinen (artes reales) ihre Berechtigung. Entsprechend wäre es möglich, daß auch Bacon sich veranlaßt sah, seiner Darstellung der Mathematik, der Naturphilosophie, der Experimentalwissenschaft und der Moralphilosophie ein grundlegendes Kapitel über die Bezeichnungsweisen von Wörtern und Dingen voranzuschicken. Und tatsächlich erklärt Bacon im Opus tertium, daß dies die Funktion des Kapitels über die Zeichen sei.[190]

Betrachtet man aber das Opus maius in seiner uns erhaltenen Gestalt, dann fällt auf, daß Bacon keinerlei Querverweise auf jene systematische Behandlung der Zeichen vornimmt. Der Zeichenbegriff spielt im Opus maius keine wissenschaftstheoretisch oder wissenschaftskritisch relevante Rolle. Dies überrascht schon deshalb, weil Bacon in seiner Darstellung der Wissenschaften viele Gegenstände behandelt, die im 13. Jahrhundert meist mit Hilfe des Zeichenbegriffs erläutert werden. Zu nennen ist hier zum einen die Behandlung der Sprache[191] zum anderen die Behandlung der demonstratio quia, die im Anschluß an Averroes bei vielen Denkern des 13. Jahrhunderts als Beweis aufgrund des Zeichens (demonstratio per signum) ausgewiesen wird: Bacon aber verzichtet in beiden Fällen auf den Zeichenbegriff.[192] Weder rekurriert er im Zusammenhang der scientiae sermocinales auf den in De Signis entwickelten Begriff der signa ordinata ab anima, noch benennt er innerhalb der Naturphilosophie die signa naturalia als Instrumente des Erkennens. Auch eine allgemeine zeichentheoretische Reflexion auf die Strukturen unseres Erkennens findet sich nicht.

Lediglich im Zusammenhang der Astrologie spricht auch das Opus maius von Zeichen. Bacon bezeichnet nicht nur – dem Sprachgebrauch des Mittelalters entsprechend – Sternkonstellationen und Sternzeichen als Zeichen (signa), er behandelt auch in relativer Ausführlichkeit die

---

[190] Vgl. ebd. 101: „Caeterum consideravi quomodo vox in Scriptura Sacra significat sensum spiritualem cum literali, et quibus modis signi; et quomodo sensus literalis significat spiritualem; et quomodo Vetus Testamentum est signum Novi; et quomodo sacramenta sunt signa; et multa intermiscui difficilia [...]."

[191] Der gesamte dritte Teil behandelt das Studium der Sprache [I, 66-96], und auch sonst erwähnt Bacon häufig die Macht der Worte (vgl. p. 4 [I, 398f.]). Bacon hätte also an Augustin anknüpfen können, der die Macht der Worte gleichsetzt mit dem, was ihr Klang bedeutet bzw. bezeichnet („vim verbi, id est significationem quae latet in sono" [De magistro X,34]).

[192] „In metaphysicis non potest fieri demonstratio nisi per effectum. Quoniam inveniuntur spiritualia per corporales effectus et creator per creaturam, sicut patet in illa scientia." (Opus maius, p. 4, d. 1, c. 3 [I, 106]); vgl. auch Opus maius, p.7 [II, 226].

Lehren von den Bedeutungen dieser Zeichen.[193] Er referiert dabei vor allem Auffassungen arabischer Philosophen und Astrologen wie diejenige des Abu Masar und betont den hohen Aussagewert der astrologischen Deutungen in bezug auf die Heilsgeschichte und insbesondere die erwartete Ankunft des Antichristen.[194]

Dieser Befund gibt Anlaß, die Hypothese der Editoren von De signis, der Traktat stelle einen Bestandteil des Opus maius dar, in Zweifel zu ziehen. Denkbar ist jedenfalls auch, daß De signis ein später entstandenes Ergänzungsstück oder einen wissenschaftspropädeutischen Einleitungsteil zum Opus maius darstellt. Wenn Roger Bacon diesen Traktat später im Opus tertium als integrativen Teil seiner Darstellung der Wissenschaften und ihres Dienstes für Theologie und Kirche begreift, so kommt darin möglicherweise zum Ausdruck, daß Bacon im nachhinein sein Opus maius als Erneuerung des Projektes von De doctrina christiana empfunden hat.[195]

Unabhängig von der Klärung dieser historischen Probleme stellt sich jedoch angesichts des beschriebenen Befundes die Frage nach dem Status der Semiotik innerhalb der Philosophie des Roger Bacon. Es wurde schon erwähnt, daß im Zentrum des semiotischen Interesses die Sprachlogik, genauer die Lehre von der impositio vocis, steht. Die breite semiotische Grundlage, auf die Bacon seine Ausführungen stellt, dient vor allem dem Aufweis, daß die konkurrierende Theorie auf einem Mißverständnis beruhe: Die Bezeichnungsrelation zwischen Sprachlaut und mentalem Bild ist nicht die notwendige Vermittlungsstufe für die Bezeichnung der Dinge, es handelt sich vielmehr nach Bacon nur um eine natürliche Zeichenrelation, die lediglich sekundären Charakter hat.

---

[193] „Dicunt igitur planetas conjungi et complecti sibi invicem, et hoc est quando fuerunt in eodem signo et praecipue quando in eodem gradu et in xvi minuto illius gradus et infra. Volunt ergo philosophi Jovem ex sua conjunctione cum aliis planetis significare super sectam religionum et fidei." (Opus maius, p. 4, Mathematicae in divinis utilitas [I, 255])

[194] „[A]stronomi similiter concordant in hoc, quod erit aliquis potens qui legem foedam et magicam constituet post Mahometum, quae lex suspendet omnes alias, multum esset utile ecclesiae Dei considerare de tempore istius legis, an cito veniet post destructionem legis Mahometi, an multum longe. [...] Nolo hic ponere os meum in coelum, sed scio quod si ecclesia vellet revolvere textum sacrum et prophetias sacras, atque prophetias Sibyllae, et Merlini et Aquilae, et Sestonis, Joachim et multorum aliorum, insuper historias et libros philosophorum, atque juberet considerari vias astronomiae, inveniretur sufficiens suspicio vel magis certitudo de tempore Antichristi." (ebd. [I, 268f.])

[195] Für diese Hypothese spricht auch, daß Bacon in seinem letzten Werk, dem Compendium studii theologiae, erklärt, ihm sei, nachdem er seine Typologie der Zeichen entwickelt habe, die Ähnlichkeit zwischen seiner und der augustinischen Einteilung aufgefallen. Vgl. Comp. stud. theol. p. 2, c. 1, n. 25.

Bacon verfolgt mit seiner allgemeinen Semiotik das Ziel, den durch die impositio hergestellten Bezug zwischen der Stimme und den Dingen von allen anderen Zeichenverhältnissen abzuheben. Seine Zeichentheorie hat für die Praxis der Wissenschaften den Nutzen, daß sie das Phänomen von äquivoken Verwendungsweisen sprachlicher Termini erklärt und zur Eindeutigkeit im wissenschaftlichen Diskurs mahnt. Es wäre aber ein Mißverständnis der Baconschen Semiotik, wollte man sie als die Grundlage für eine umfassende Zeichentheorie der Erkenntnis verstehen. Hiervor muß insbesondere deshalb gewarnt werden, weil angesichts des weitgefaßten und zugleich differenzierten Zeichenbegriffs von Bacon eine zeichentheoretische Reformulierung des wissenschaftlichen Erkenntnisprozesses möglich wäre. Bacons Betonung von Erfahrung und Experiment ließe sich dann als eine Fokussierung der erkenntniserweiternden Funktion der signa naturalia deuten.

Zunächst ist jedoch festzuhalten, daß Bacon eine solche Zeichentheorie der Erkenntnis nicht formuliert hat. Darüber hinaus scheitert der Versuch, Bacons Erkenntnistheorie mit Hilfe seiner Zeichentheorie zu deuten, an der Baconschen Konzeption der Erfahrung. Experientia, wie Bacon sie begreift, ist nur zum Teil vermittelt. Darüber hinaus ist sie – und dies ist nach Bacon konstitutiv für die Möglichkeit menschlichen Wissens – unmittelbare Erkenntnis. Zwar müsse alles Wissen auf dem Wege der Erfahrung gesichert werden. Aber es gebe zwei Weisen der Erfahrung. Die eine geht von der sinnlichen Wahrnehmung aus, die wir selbst oder die andere Menschen gemacht haben. Diese Erfahrung sei aber nicht hinreichend. Bei der Erkenntnis körperlicher Dinge könne sie wegen deren Komplexität keine Gewißheit vermitteln, und die geistigen Dinge könne sie in keiner Weise berühren. Zur Erkenntnis nicht nur des Geistigen, sondern auch des Körperlichen bedarf es daher der Erleuchtung (illuminatio). Ohne diese ist weder ein Heilswissen, noch ein Wissen innerhalb der philosophischen Wissenschaften erreichbar.[196]

---

[196] „Oportet ergo omnia certificari per viam experientiae. Sed duplex est experientia; una est per sensus exteriores, et sic experimenta ea, quae in coelo sunt per instrumenta ad haec facta, et haec inferiora per opera certificata ad visum experimur. Et quae non sunt praesentia in locis in quibus sumus, scimus per alios sapientes qui experti sunt. [...] [S]ed haec experientia non sufficit homini, quia non plene certificat de corporalibus propter sui difficultatem, et de spiritualibus nihil attingit. Ergo oportet quod intellectus hominis aliter juvetur, et ideo sancti patriarchae et prophetae, qui primo dederunt scientias mundo, receperunt illuminationes interiores et non solum stabant in sensu. Et similiter multi post Christum fideles. Nam gratia fidei illuminat multum, et divinae inspirationes, non solum in spiritualibus, sed corporalibus et scientiis philosophiae; secundum quod Ptolemaeus dicit in Centilogio quod duplex est via deveniendi ad notitiam rerum, una per ex-

Bei Bacon, ebenso wie bei Bonaventura, relativiert sich die Bedeutung der Zeichen für unser Erkennen durch das geforderte Hinzutreten der Illumination. Durch äußere Zeichen allein können wir kein Wissen erlangen; die durch die Sinne und den menschlichen Verstand vermittelten Daten verursachen vielmehr nur dann ein Wissen, wenn eine unmittelbare göttliche Einflußnahme auf den Menschen stattfindet. Dieser augustinische Gedanke erhält bei Bacon eine aristotelische Ausgestaltung, indem er ihn auf die Unterscheidung zwischen intellectus agens und intellectus possibilis bezieht. Nur der intellectus possibilis ist auf die Mithilfe der Sinneswahrnehmung angewiesen. Den intellectus agens hingegen begreift Bacon mit Avicenna als vom Menschen unabhängige Wirkmacht. Durch ihn greift Gott in den menschlichen Erkenntnisprozeß ein.[197] Alles philosophische Wissen muß deshalb auf göttliches Eingreifen zurückgeführt werden. Bacon erklärt, daß philosophische Vernunft und Offenbarung nicht zwei Quellen der Wahrheit seien, sondern daß es nur eine Weisheit gebe. Diese sei vollständig und für alle notwendig. Die Einheit und Vollständigkeit der Weisheit begründet er dadurch, daß die Patriarchen und Propheten wahre Philosophen gewesen seien, die über das gesamte Wissen verfügt hätten, sowohl in bezug auf das Gesetz als auch bezüglich aller Bereiche der Philosophie.[198] Die Wissenschaftsgeschichte stellt sich deshalb für Bacon als eine Verfallsgeschichte dar, die nur wenige Phasen der Konsolidierung und der Restauration erlebt hat. Diese Phasen fallen in etwa mit dem wissenschaftlichen Schaffen von Salomon, Aristoteles und Avicenna zusammen. Philosophisch-

---

perientiam philosophiae, alia per divinam inspirationem, quae longe melior est, ut dicit." (Opus maius p. 6, c. 1 [II, 169f.])

[197] „[A]gens semper est aliud a materia et extra eam secundum substantiam, licet operetur in ea. [...] Et sic est in omni natura in qua operatur, et ita in anima; et sic nullo modo sequitur quod intellectus agens sit pars animae, ut vulgus fingit; et haec sententia est tota fidelis et a sanctis confirmata. Et Augustinus dicit in soliloquiis et alibi, 'Quod soli Deo est anima rationalis subjecta in illuminationibus et influentiis omnibus principalibus.' Et quamvis angeli purgent mentes nostras et illuminent et excitent multis modis, et sunt ad animas nostras tanquam stellae respectu oculi corporalis, tamen Augustinus ascribat Deo influentiam principalem; soli influentia luminis cadentis per fenestram ascribitur, et angelus aperienti fenestram comparatur, secundum Augustinum. Et quod plus est, vult in pluribus locis quod non cognoscimus aliquam veritatem nisi in veritate increata et in regulis aeternis. Cum igitur Deus illuminaverit animas eorum in percipiendis veritatibus philosophiae, manifestum est quod eorum labor non est alienus a sapientia divina." (Opus maius p. 2, c. 5 [I, 40f.]) Zur Unterscheidung von intellectus agens und intellectus possibilis vgl. Quaestiones supra undecimum prime philosophie Aristotelis [Opera hactenus inedita 7, 110].

[198] Vgl. dazu auch St.C. Easton, Roger Bacon and his search for a universal science, 173.

wissenschaftliches Wissen und das Wissen um die Offenbarung verdanke sich somit dem selben Ursprung. Es könne deshalb letztlich keine autonomen philosophischen Wissenschaften geben; die philosophischen Disziplinen sind vielmehr nur Hilfsdisziplinen der einen Wissenschaft: der Theologie.

KAPITEL 3: PS.-ROBERT KILWARDBYS KOMMENTAR ZU PRISCIANUS MAIOR

Kein Quellentext des 13. Jahrhunderts benennt das Problem des Verhältnisses von Zeichen und Wissen so direkt wie der Kommentar zu Priscianus maior, der traditionell Robert Kilwardby zugeschrieben wurde.[199] Da Kilwardbys Autorschaft mit guten Gründen bezweifelt wurde[200], soll der Kommentar hier als einzelner Text analysiert und nicht in Verbindung zu anderen Werken Kilwardbys betrachtet werden.

Der Text steht in der Auslegungstradition des Petrus Helias[201], weicht aber gerade in den einleitenden wissenschaftstheoretischen Quaestionen deutlich von der lateinischen Grammatiktradition ab und führt neue Fragestellungen ein. Von zentraler Bedeutung hierbei sind der Begriff des Zeichens (signum), der von Augustinus her verstanden wird, und der Begriff der Wissenschaft (scientia), der unter aristotelischen Vorzeichen betrachtet wird. Gerade die Konfrontation beider Begriffe und der in ihnen repräsentierten Traditionen wird dem Autor zum Problem, dessen Lösung seine wissenschaftstheoretische Grundlegung der Grammatik darstellt. Ihr widmet Ps.-Kilwardby die gesamte Präambel.[202]

§ 1 Die Einteilung der Wissenschaften und die Arten des Zeichens

Der Text beginnt mit einer Dreiteilung der Wissenschaften. Diese beruht zum einen auf der augustinischen Unterscheidung zwischen einer Wis-

---

[199] Roberti Kilwardby quod fertur Commenti super Priscianus maiorem Extracta (Ed. K.M. Fredborg, N.J. Green-Pedersen, L. Nielsen, J. Pinborg). Im folgenden mit der Angabe der Absatznummer der Edition und der Seitenzahl [ ] zitiert: In Prisc. Ma.

[200] O. Lewry (The problem of autorship) will wegen unserer geringen Kenntnis von Grammatiktraktaten der Zeit die Frage der Autorschaft nicht definitiv entscheiden, tendiert aber dazu, den Autor nicht mit Kilwardby zu identifizieren. Vgl. dazu auch: ders., Robert Kilwardby on meaning.

[201] Zu Petrus Helias vgl. R.W. Hunt, Studies on Priscian in the eleventh and twelfth centuries, ders., Studies on Priscian in the twelfth century.

[202] In Prisc. Ma., 1.0 - 1.6 [1-48].

senschaft von Zeichen (scientia de signis) und einer Wissenschaft von
bezeichneten Sachen (scientia de rebus significatis) zum anderen auf der
aristotelischen Abgrenzung von praktischer und spekulativer Philosophie. Unterschieden werden könne die Naturphilosophie, die praktische
Philosophie und jene Wissenschaft, die von den Zeichen handelt.[203] Terminus technicus für jene letztgenannte ist aber nicht 'scientia de signis'
oder 'scientia sermocinalis'[204]. Da der Begriff 'signum' in unterschiedlicher Bedeutung verwendet werden könne, sei die Bezeichnung 'scientia
rationalis' geeigneter, den Gegenstandsbereich jener drei Wissenschaft
gegenüber den Gegenstandsbereichen der Natur- und Moralphilsophie
abzuheben.[205] Wie an späterer Stelle des Kommentars deutlich wird, sollen zur scientia rationalis Grammatik, Logik und Rhetorik gehören.[206]
Während aber die Klassifizierung der Logik als scientia rationalis im 13.
Jahrhundert durchaus geläufig ist[207], wirft die entsprechende Einordnung
der Grammatik, um die es dem Priscian-Kommentator eigentlich geht,
Fragen auf. Denn es mag für die Logik ohne weiteres einsichtig sein, daß
ihr Gegenstand ein ens rationis ist[208]; die Sprache als der Gegenstand der
Grammatik aber scheint ein dinghaftes, extramentales Sein zu haben. Ps.-
Kilwardby freilich erklärt mehrfach, daß alle Wissenschaften von der
Sprache (sermo) rationale Wissenschaften (scientiae rationales) seien,

---

[203] Gerade diese Einteilung ist ein wesentliches Argument gegen die Identifikation des
Autors mit Kilwardby, denn Kilwardby teilt in De ortu scientiarum die Wissenschaften in
anderer Weise ein (vgl. dazu L. Schmücker, Analysis and original research of Kilwardby's
work „De ortu scientiarum").

[204] Vgl. J. Biard, Logique et théorie du signe au XIVe siècle, 43. Zum Begriff der scientia
sermocinalis bzw. der scientia rationalis vgl. J.H.J. Schneider, Scientia sermocinalis/realis.

[205] „Scientia vero quae est de signis dicitur rationalis secundum quod ab aliis distinguitur.
Nam signum multipliciter dicitur ut postea patebit. In easdem tres partes potest dividi
scientia a parte principiorum rerum de quibus sunt scientiae. Sunt enim tria rerum principia, scilicet natura communiter dicta, voluntas cum eligentia, et ratio. Natura est principium rerum naturalium. Voluntas cum eligentia rerum moralium ut habituum bonorum
vel malorum et operationum. Ratio est principium rerum rationalium ut sermonum." (In
Prisc. Ma. 1.0 [1f.])

[206] In Prisc. Ma. 1.2.4 s.c. 2 [18].

[207] Vgl. Thomas von Aquin, In Post. Anal. l. 1, lect. 1, <n. 2>; In Perih., l. 1, lect. 1, <n. 2>; De
fallaciis, Prol.

[208] „Ens est duplex: ens scilicet rationis et ens naturae. Ens autem rationis dicitur proprie de
illis intentionibus quas ratio adinvenit in rebus consideratis; sicut intentio generis, speciei
et similium, quae non inveniuntur in rerum natura sed considerationem rationis conse-
quuntur. Et huiusmodi, scilicet ens rationis, est proprie subiectum logicae." (Thomas von
Aquin, In Metaph. l. 4, lect. 4 <n. 574>) Die Einordnung der Logik als scientia rationalis
knüpft an Avicenna an.

denn das Prinzip der Sprache sei die ratio.[209] Gleichwohl ist die Grammatik nicht der Logik untergeordnet, ebensowenig wie die Logik der Grammatik.[210]

Seine erste Fragestellung hebt nun aber nicht auf die ratio als Prinzip der scientia rationalis, sondern auf das Zeichen als deren Gegenstand ab. Einleitend führt er drei Argumente an, warum es von Zeichen keine Wissenschaft geben könne. Sie alle kommen darin überein, daß sie ein aristotelisches Verständnis von Wissenschaft zugrunde legen. Wissenschaft könne es nicht von sinnenhaften Dingen geben (Arg. 1) und ebenso wenig von etwas Falschem (Arg. 3); sie sei ein Habitus, der nicht dem Irrtum unterworfen sei (Arg. 2). Zeichen aber seien ungewiß und trügerisch, sie seien teils wahr, teils falsch, und sie seien sinnlich wahrnehmbar. Während er die hier vertretene Konzeption von Wissenschaft durch Hinweise auf die Zweiten Analytiken untermauert, belegt er die Ungewißheit und mögliche Falschheit durch einen knappen Verweis auf die rhetorischen Zeichen.[211] Die Sinnlichkeit der Zeichen leitet der Autor aus der Definition des Zeichens ab, die Augustin in De doctrina christiana gibt: „Signum est res quae praeter speciem quam ingerit sensibus aliud facit in cognitionem venire, et sic signum habet speciem quam ingerit sensibus et omne tale est sensibile et sic patet minor.“[212]

Ps.-Kilwardby will zeigen, daß sich gleichwohl eine Wissenschaft konzipieren läßt, deren Gegenstände Zeichen sind. Er zitiert deshalb im sedcontra-Argument Augustins Einteilung der Disziplinen in Sachwissenschaften und Wissenschaften von Zeichen. Interessanterweise spricht er dabei anders als Augustin nicht von 'doctrina'[213], sondern von 'scientia'.[214] Im Responsum bemüht sich der Autor, den Begriff des Zeichens so zu präzisieren und zu differenzieren, daß eine Wissenschaft über Zeichen

---

[209] „Est ergo de sermone scientia rationalis, quia eius principium effectivum est ratio.“ (In Prisc. Ma. 1.2.2 c [12]) „Et per hoc patet solutio cuiusdam quaestionis scilicet quid sit proximum principium impositionis vocis scilicet ratio vel voluntas, quia ratio; voluntas enim movet ad instituendum, sed ratio dirigit et exequitur, et propter hoc scientia de sermone dicitur rationalis per se loquendo, quia completivum principium sermonum est ratio.“ (ebd. 2.1.10 c [73])

[210] In Prisc. Ma. 1.3.4 ad 1 [25f.]; vgl. dazu Ch. Knudsen, Intentions and impositions, 483f.

[211] „[Q]uod signa sint fallibilia et incerta patet in signis rhetoricis.“ (ebd. 1.1.1 arg. 2 [2]) „Minor patet discurrendo per signa diversa; orationum enim quaedam sunt verae, quaedam falsae et sic de aliis signis.“ (ebd. arg. 3 [3])

[212] Ebd. arg. 1 [2].

[213] Vgl. De doctr. chr., I,II,2.

[214] „Oppositum videtur per divisionem scientiae datam ab Augustino in libro De Doctrina Christiana, quae talis est: Scientiarum quaedam est de rebus, quaedam de signis.“ (ebd. s.c. [3])

auch dann möglich ist, wenn man den strengen Wissenschaftsbegriff der Zweiten Analytiken zugrundelegt. Seine Typologie der Zeichen übernimmt die augustinische Grundunterscheidung zwischen natürlichen und institutionellen Zeichen, weist aber darüber hinaus einige bemerkenswerte Besonderheiten und Abweichungen gegenüber den bislang dargestellten Zeichenklassifikationen auf. Paradigma und einzig erwähnter Modus natürlicher Zeichenhaftigkeit ist die Verknüpfung von Ursache und Wirkung. Ps.-Kilwardby unterscheidet Verknüpfungen in Naturzusammenhängen von solchen in Handlungszusammenhängen bzw. in sittlichen Zusammenhängen. Für beide Bereiche nennt er nur die Möglichkeit, daß die Wirkung als Zeichen und die Ursache als Bezeichnetes aufgefaßt wird. Eben in dieser Weise spreche auch Aristoteles in den Zweiten Analytiken von einem Syllogismus durch Zeichen.

Für die Zeichenhaftigkeit in Naturzusammenhängen (in genere naturae) führt er zwei Beispiele an, nämlich den Rauch, der auf das Feuer hinweist, und die Finsternis eines leuchtenden Himmelskörpers, die Zeichen für die Zwischenstellung eines dunklen Körpers ist. Beide Fälle will der Verfasser im Hinblick auf die Konvertibilität von Ursache und Wirkung gegeneinander abgrenzen.[215] Da bei Feuer und Rauch Ursache und Wirkung nicht vertauschbar sind, kommt für den Verfasser nur die Bezeichnung des Feuers durch den Rauch in den Blick. Daß auch das Feuer Zeichen für das Vorhandensein von Rauch sein kann – wie etwa in der Dunkelheit, in der das Feuer, nicht aber der Rauch sichtbar ist –, erwähnt er nicht. Die Eklipse nun scheint ihm, ohne daß dies erläutert würde, Beispiel der Konvertibilität von Ursache und Wirkung, Bezeichnetem und Zeichen.[216] In der Tat ist es problemlos möglich, die Finsternis der Sonne als Zeichen dafür anzusehen, daß der Mond zwischen Sonne und Erde getreten ist, und ebenso könnte die Beobachtung des Mondes als Hinweis auf eine zu erwartende Sonnenfinsternis betrachtet werden. Dies bedeutet aber nicht, daß hier Ursache und Wirkung vertauschbar wären.[217]

Auffällig an der Behandlung der natürlichen Zeichen ist ungeachtet dieser Schwierigkeit, daß Ps.-Kilwardby sie ausschließlich unter dem Gesichtspunkt der Kausalrelation zwischen Zeichen und Bezeichnetem darstellt. Ein natürliches Zeichen ist für ihn ausschließlich oder zumindest

---

[215] „[Q]uaedam significant naturaliter ut effectus generaliter sive sit convertibilis sive non convertibilis cum sua causa est signum suae causae." (ebd. c [3])

[216] „In genere naturae fumus est signum ignis non convertibile et defectus luminis sive eclipsis a corpore luminoso est signum interpositionis tenebrosi corporis." (ebd.)

[217] Weder J. Biard (Logique et théorie du signe, 43) noch U. Eco et al. (On animal language, 12f.) gehen auf diese Schwierigkeit ein.

vorrangig die Wirkung, welche auf ihre Ursache hinweist. Daß jede Wirkung Zeichen ihrer Ursache ist, deutet der Autor als Fazit der Abhandlung der Zeichen in der aristotelischen Syllogistik.[218]

Gesondert erwähnt unter den natürlichen Zeichen werden jene, die in menschlichen Handlungszusammenhängen (in genere moris) auftreten. Auch hier werden Wirkungen als Zeichen ihrer Ursachen aufgefaßt. Ps.-Kilwardby führt als Beleg hierfür die Verwendung von Zeichen in der Nikomachischen Ethik an.[219]

Der Autor behandelt sodann die eingesetzten Zeichen. Er unterscheidet hier zum einen Zeichen, die lediglich zum Bezeichnen, und zum anderen solche, die zum Bezeichnen und zur Heiligung eingesetzt sind. Die zweite Gruppe, mit der er die Sakramente meint, will er nicht eigens behandeln. Zur ersten Gruppe gehören die Stimmlaute (voces), jene Zeichen, um die es ihm in seinem Traktat eigentlich geht. Die voces, so führt er aus, seien nach Aristoteles Merkzeichen der Eindrücke (notae passionum), die in der Seele seien, und unter Merkzeichen müsse man Zeichen verstehen, die willentlich eingesetzt seien, um die Seelenzustände darzustellen.[220] Ps.-Kilwardby greift also ausschließlich auf die Perihermeneias-Übersetzung des Boethius zurück und setzt den boethianischen Terminus 'nota' nicht mit den Zeichen schlechthin gleich, wie Thomas von Aquin es tut[221], sondern ausschließlich mit den bedeutungstragenden Sprachlauten. Nur mit dieser Art von Zeichen habe es die scientia rationalis zu tun. Aufgabe der Vernunft sei es nämlich, die Teile der Lautsprache zu verbinden und zu ordnen und sie zum Bezeichnen einzusetzen.[222]

Neben den voces gehören zur Gruppe der lediglich zum Bezeichnen eingesetzten Zeichen (signa ad significandum tantum) auch Phänomene wie körperliche Gesten und Winke, der Weinkranz (circulus) und Vorstellungen (imaginationes). In dieser Reihung ist nicht zu erkennen, welches die Gemeinsamkeit dieser Beispiele ist, oder ob einfach alle

---

[218] „Et sic patet quod effectus generaliter est signum suae causae. Unde Philosophus primo Posteriorum demonstrationes factas per effectum vocat syllogismos per signa in illa parte: *Quoniam autem ex necessitate sunt circa unumquodque*." (In Prisc. Ma. 1.1.1. c. [3])

[219] „Similiter in genere moris delectatio, quae est in operationibus, est signum habitus voluntarii, sicut dicit Philosophus in secundo Ethicorum ubi dicit quod oportet signa facere habituum delectationem vel tristitiam in operationibus." (ebd.)

[220] „Quae autem sunt instituta ad significandum tantum quaedam sunt voces, de quibus dicit Philosophus quod sunt notae passionum, quae sunt in anima, notae, i.e. signa voluntarie instituta ad repraesentandum passiones animae." (ebd. [4])

[221] Vgl. dazu unten Dritter Teil, § 1, Anm. 33.

[222] „Et de talibus signis est scientia rationalis quia rationis est componere partes vocis et ordinare et ad significandum instituere, non naturae vel moris, ut postea patebit." (ebd.)

nichtsprachlichen arbiträren Zeichen gemeint sein sollen. Auch bleibt unklar, ob Ps.-Kilwardby unter 'circulus' das Zeichen der Kranzwirtschaft versteht oder die geometrische Darstellung. Möglich scheint auch, daß 'imaginationes' in den Handschriften fälschlich für 'imagines' steht. Ps.-Kilwardby nennt diese Gruppe metaphysische Zeichen oder – nach einer anderen Lesart – mathematische Zeichen.[223] Beide Bezeichnungen sind aber zumindest in bezug auf die Gestik und auf ostensive Zeichen, die sie umfassen sollen, unverständlich.

Bemerkenswert ist, daß er diese Zeichen 'res' nennt und damit eine Abgrenzung gegenüber den voces vornimmt. Traditionell dagegen werden auch die voces als res aufgefaßt, sie sind materielle Entitäten, wie die Stoa und in ihrer Folge auch Augustinus lehren. Möglicherweise will Ps.-Kilwardby der scientia rationalis, deren Gegenstand die voces sind, die Metaphysik gegenüberstellen, deren Gegenstand die Dinge sind; so ließe sich verständlich machen, warum er von 'signa metaphysica' spricht. Angesichts der knappen Formulierungen muß dies allerdings offen bleiben.[224]

Der Zeichenbegriff, den der Autor im Responsum entfaltet, ist durch aristotelische Theorien geprägt. Hatte Ps.-Kilwardby in den Objektionen auf den augustinischen Zeichenbegriff rekurriert und aus der allgemeinen Begriffsverwendung weitere Bestimmungen hergeleitet, so begegnen in der Antwort jene semiotischen Fragmente aus dem aristotelischen Oeuvre, die im ersten Teil der Untersuchung dargestellt und diskutiert wurden. Diese Fragmente werden mit Hilfe der augustinischen Klassifikation der Zeichen zusammengefügt. Die in den Ersten Analytiken diskutierten Zeichen erscheinen so als signa naturalia, die in Peri hermeneias besprochenen sprachlichen Zeichen als Zeichen aufgrund von Einsetzung (signa ex institutione). Ps.-Kilwardby betont aber, daß auf diese Weise sehr Verschiedenes unter den Zeichen-Begriff gefaßt wird. 'Signum' ist also kein univoker Begriff im engen Sinne.[225] Der Vielfalt des Zeichenbegriffs korrespondiert eine Vielfalt von Wissenschaften, die sich mit Zeichen beschäftigen.[226] 'Scientia de signis' ist daher keine hinreichend bestimmte Bezeichnung für die Wissenschaften des Trivium.

---

[223] „Quaedam autem sunt res ut signa metaphysica sicut sunt gestus et nutus corporei, circuli et imaginationes de quibus nihil ad praesens." (ebd.)

[224] Auch eine weitere Textstelle, in der er auf diese Gruppe von Zeichen erneut zu sprechen kommt, kann keinen genaueren Aufschluß geben (vgl. ebd. 2.2.1 ad 3 [82]).

[225] „Nam signum multipliciter dicitur ut postea patebit." (ebd. 1.0 [2])

[226] „Ad hoc dicendum quod diversae sunt scientiae de signis." (ebd. 1.1.1 [3])

§ 2 Wissenschaft von Zeichen: Die Theorie der Grammatik

In den Erwiderungen auf die Einwände hält Ps.-Kilwardby an dem aristotelischen Wissenschaftsbegriff fest und entkräftet die vorgebrachten Argumente, indem er zeigt, daß dieser Wissenschaftsbegriff nur dann eine Wissenschaft von Zeichen ausschließt, wenn man einen eingeschränkten Zeichenbegriff voraussetzt, die Vielfalt der Zeichenarten also übersieht: Zwar bezeichneten Zeichen immer etwas, wenn sie tatsächlich Zeichen sind, doch sei dies Bezeichnete nicht notwendig richtig. Zeichen führten daher nicht notwendig zu einem Wissen, sondern eventuell zu einer Vorstellung oder einer Meinung.[227] In ähnlicher Weise differenziert der Autor auch in der dritten Entgegnung. Von der Wahrheit des Zeichens müsse in einer essentiellen und einer akzidentellen Weise gesprochen werden. Die dem Zeichen wesentlich zukommende Wahrheit sei jene, dergemäß das Zeichen geeignet ist, etwas zu bezeichnen. Dieser Wahrheit des Zeichens stehe keine Falschheit entgegen; ein Zeichen sei vielmehr nur dann kein wahres Zeichen, wenn es nicht etwas bezeichne.[228]

In eben dieser Weise spricht auch Anselm von Canterbury von der Wahrheit der Bezeichnung und betrachtet die Aussage in einem grundlegenden Sinne dann als wahr, wenn sie ihren Zweck erfüllt, etwas zu bezeichnen.[229] Akzidentell wahr ist ein Zeichen nach Ps.-Kilwardby im Hinblick auf die bezeichnete Sache. Wahrheit in diesem Sinne liegt dann vor, wenn von dem, was ist, gesagt wird, daß es ist, und vom Nichtseienden, daß es nicht ist. In diesem Sinne wird der Wahrheit die Falschheit entgegengesetzt. Eine Wissenschaft von falschen Zeichen gibt es aber nicht, insofern sie falsch sind, sondern allenfalls, insofern sie Zeichen sind. Es kann, so führt Ps.-Kilwardby aus, durchaus eine Wissenschaft geben, die sich wahren und falschen Zeichen zuwendet. Sie betrachtet dann aber die wahren Zeichen als das zu wählende und die falschen Zeichen als das zu vermeidende.[230]

---

[227] Ebd. ad 2 [4f.].

[228] „Cum enim significat signum id quod debet significare sive id sit sive non sit, verum est signum quia significat illud quod natum est significare. Et haec veritas est signo essentialis et non habet oppositum nisi per negationem, quia haec veritas est signi ipsius essentialitas." (ebd. ad 3 [5])

[229] Anselm von Canterbury, De Veritate, c. 2 [I, 178].

[230] „Sed numquam est scientia de signis falsis in quantum falsa sunt, sed in quantum signa sunt, et hoc modo debetur eis veritas essentialis. Vel potest dici aliter quod scientia potest esse alicuius dupliciter, aut sicut subiecti, et sic non entis et falsi non est scientia, vel sicut oppositi subiecto et sic tam non entis quam falsi potest esse scientia. Oppositorum enim eadem est disciplina ut dicit Philosophus, unius tamquam eligendi et alterius tamquam

Von besonderem Interesse ist die Auseinandersetzung mit der augustinischen Zeichendefinition. Ps.-Kilwardby unterscheidet in seiner Erwiderung auf den ersten Einwand zunächst zwei Bestimmungsmomente dieser Definition. Sie lege fest, was das Zeichen qua Zeichen sei und was es von seiner Substanz her sei. Vom Begriff des Zeichens her sei es ein Gegenstand des Intellekts, bei dem es etwas zurücklasse. Von der Substanz her könne es in zweifacher Weise aufgefaßt werden, nämlich in seiner konkreten Gestalt oder in einer allgemeinen, von der Beschaffenheit des spezifischen Zeichens abstrahierenden Weise. Als konkrete Gestalt aber sei das Zeichen etwas Materielles und Sinnenhaftes. Von dieser konkreten Gestalt müsse man abstrahieren, damit das Zeichen zum Objekt einer Wissenschaft werden könne.[231] Diese Unterscheidung der Betrachtungsweisen begründet die Möglichkeit einer rationalen Wissenschaft von Zeichen. Die Grammatik, so ließe sich folgern, untersucht also nicht linguistische Zeichen in ihrer physikalischen Gestalt, sondern lediglich in einer von dieser konkreten Gestalt abstrahierenden Weise. Es kommt ihr auf die Bedeutungsgehalte der untersuchten Entitäten, nicht auf deren materielles Substrat an.[232]

Ps.-Kilwardby geht in seiner Erwiderung aber noch einen Schritt weiter und übt grundsätzliche Kritik an der augustinischen Definition. Seine Kritik stimmt inhaltlich mit derjenigen von Roger Bacon überein, ist aber schärfer formuliert. Nicht alle Zeichen drängen dem Sinnesvermögen ihr Bild auf, und daher ist die augustinische Definition nicht allgemeingültig. Ebenso wie Bacon führt er dies nicht weiter aus, sondern beschränkt sich darauf, das Beispiel eines Zeichens zu geben, das nicht auf die Sinne trifft: die Seelenzustände (passiones animae), die Zeichen für die Dinge sind.[233]

---

fugiendi, et sic tam verorum quam falsorum signorum potest esse scientia, sed verorum sicut subiecti, falsorum sicut oppositi." (In Prisc. Ma. 1.1.1 ad 3 [5])

[231] „[S]ignum potest dupliciter accipi. Uno modo sub ratione signi et sic obiectum intellectus apud quem aliquid derelinquit, sicut habetur ex ultima parte definitionis signi superius positae. Alio modo secundum substantiam et hoc dupliciter, uno modo secundum esse materiale et sensibile et sub ratione qua est hic et nunc, et sic est sensibile, et hoc modo non est scientia de signis. Alio modo potest considerari signum sub ratione universalis abstracti a particularibus signis, et sic cum habeat rationem universalis potest esse scientia de signo." (ebd. 1.1.1 ad 1 [4])

[232] Genau diesen Aspekt übernimmt die spätere spekulative Grammatik von Ps.-Kilwardby. Vgl. M. Heidegger, Die Kategorien- und Bedeutungslehre des Duns Scotus, 134ff., sowie D. Gabler, Die semantischen und syntaktischen Funktionen im Tractatus „De modis significandi sive grammatica speculativa" des Thomas von Erfurt.

[233] „Potest etiam dici quod ista definitio non est universaliter vera de quolibet signo quia passiones animi sunt signa rerum et tamen non ingerunt speciem suam sensibus." (In

Wie der Gegenstand der Grammatik näher zu verstehen ist, wird in den folgenden Artikeln deutlich. Zunächst erklärt der Kommentator, Gegenstand der scientia rationalis seien jene Zeichen, deren ausschließliche Funktion es sei zu bezeichnen.[234] Ein Zeichen von dieser Art nennt er signum rationale; es sei ein Werkzeug, das die Vernunft sich schaffe, um Gefühle und Begriffe auszudrücken. Während sich die Natur- und die Moralphilosophie sowohl natürlichen Zeichen als auch Dingen zuwenden, die nicht Zeichen sind, kann die scientia rationalis als getrennt von den Signifikaten angesehen werden, denn ihr Gegenstand sind ausschließlich Zeichen.[235] Mittelbar treten aber auch die Signifikate ins Blickfeld jener Wissenschaft, denn das Zeichen kann nur als Zeichen verstanden werden, wenn auch das Bezeichnete verstanden wird.[236] Ps.-Kilwardby konkretisiert dies in jenen Artikeln, die sich mit dem Begriff der Rede (sermo) auseinandersetzen. Dieser ist gleichbedeutend mit dem Begriff der vox significativa ex institutione.[237] In der Rede lassen sich drei Dinge untersuchen, nämlich die Stimme, die Bedeutung und die Verbindung beider. Dabei kann die Stimme als Materie, die Bedeutung als deren Form angesehen werden. Das Formprinzip der scientia rationalis aber ist die ratio, die sich auf notwendige Weise auf ihre Gegenstände richtet.[238]

Prisc. Ma. 1.1.1 ad 1 [4]) Vgl. Roger Bacon, De signis, n. 2: „[...] quoniam non omne signum offertur sensui ut vulgata descriptio signi supponit, sed aliquod soli intellectui offertur, testante Aristotele, qui dicit passiones animae esse signa rerum quae passiones sunt habitus ipsi et species rerum existentes apud intellectum, et ideo soli intellectui offertur, ita ut repraesentant intellectui ipsas res extra." Im Unterschied zu Bacon nimmt Ps.-Kilwardby also für die These, die passiones animae seien signa, nicht explizit Bezug auf Aristoteles.

[234] In Prisc. Ma. 1.1.2 ad 1 [6].

[235] „Aliud est signum cuius principium effectivum et completivum est ratio, et dicitur signum rationale quia est instrumentum quod ratio sibi format ad exprimendum affectus vel conceptus, et de talibus signis est scientia separata a significatis." (ebd. c [6])

[236] „[N]on potest cognosci signum in quantum signum quin cognoscatur significatum in quantum significatum." (ebd. ad 2 [7])

[237] In Prisc. Ma. 1.2 [8].

[238] „[I]n sermone tria est considerare, scilicet materiale principium, quod est vox, et significationem et eorum copulationem. Quoad primum sermo habet esse naturale, sed quoad secundum et tertium habet esse a ratione, quia non est scientia de sermone rationalis gratia vocum absolute, sed in quantum significativa vel ordinata ad significandum ex institutione. Quod ergo obicitur quod sermonis principium est natura hoc est verum quantum ad materiam, sed quantum ad formam eius principium effectivum et proximum est ratio, et ideo scientia de illo est rationalis." (ebd. 1.2.2 ad 1 [12])

Die Wissenschaft von der Rede existiert nicht um ihrer selbst willen. Sie dient dazu, etwas anderes leichter zu wissen.[239] Ps.-Kilwardby konfrontiert, um dies zu erläutern, den Wissenserwerb durch selbständiges Suchen (inventio) mit dem Wissenserwerb durch Lehre (doctrina).[240] Zwar ist es grundsätzlich möglich, selbständig Wissen zu erwerben[241], doch ist der Weg der Lehre der leichtere. Dieser aber ist immer mit Sprache verbunden, sei es mit gesprochener oder geschriebener.[242] Ps.-Kilwardby erläutert indes nicht, wie die sprachliche Vermittlung des Wissens geschieht.[243] Es kommt ihm lediglich darauf an zu begründen, warum eine Wissenschaft, die diese privilegierte Weise des Wissenserwerbs untersucht, nützlich ist. Als Wissenschaft im strengen Sinne kann sie dies aber nicht tun, indem sie sich der sichtbaren Schrift oder den hörbaren Äußerungen zuwendet. Die Orthographie könne es daher nicht mit der Schrift, sondern nur mit der Theorie und den Regeln des Schreibens (ratio et modus scribendi), die Prosodie lediglich mit der Theorie und den Regeln des Aussprechens zu tun haben.[244]

Ps.-Kilwardby erklärt deshalb auch, daß weder die gesprochene noch die geschriebene Rede wissenschaftsfähig sei. Gegenstand von Wissenschaft kann lediglich die Rede im Geiste (sermo in mente) sein[245] und auch dies nicht in jedweder Hinsicht. Der Autor unterscheidet zwischen einer Rede im Geiste, die von allen konkreten Reden und von deren

---

[239] „Unde scientiae de sermone non sunt necessariae simpliciter ad sciendum nec ad habendum scientiam de sermone, sed ad faciliter sciendum." (ebd. 1.2.3 ad 2 [16])

[240] Vgl. G. Jüssen/G. Schrimpf, Art. „disciplina/doctrina".

[241] Vgl. In Prisc. Ma. 1.2.3 ad 4 [16].

[242] „[C]um enim scientia acquiritur dupliciter, per inventionem et doctrinam, facilius acquiritur per doctrinam quam per inventionem, et sic est utilis scientia de sermone." (ebd. 1.2.3 [15]) „Ad aliud dicendum quod non concludit quod non sit necessaria scientia de sermone, sed quod aliquis posset acquirere scientiam sine sermone, quod est verum. Sed nequaquam poterit docere quis sine sermone scripto vel pronuntiato." (ebd. ad 4 [16])

[243] Aufschlußreich ist allerdings, daß er diese Vermittlungsweise als ein Einströmenlassen (infusio) charakterisiert (ebd. 1.2.3 ad 6 [17]), eine Auffassung, die - wie unten gezeigt werden wird - Thomas von Aquin scharf zurückweist (vgl. Dritter Teil, § 7).

[244] „<Orthographia et prosodia> non sunt de sermone in scripto nec de sermone in pronuntiatione, sed potius orthographia est de ratione et modo sciribendi, et prosodia de ratione et modo pronuntiandi." (ebd. 1.2.1 [10])

[245] „Dicendum quod sermo tripliciter habet esse: in scripto, in pronuntiatione et in mente. In scripto habet esse visibile, in pronuntiatione esse audibile, et hoc dico quantum ad substantiam vocis, non quantum ad substantiam significationis, quia illa tantum intelligitur. Tertio modo habet esse intelligibile, et sic habet universale et est idem apud omnes et ens necessarium, et sic est subiectum scientiae, non primo modo vel secundo." (1.2.1 c [10])

einzelnen Bestandteilen abstrahiert, und der inneren Vorstellung, die der lautlichen Äußerung vorausgeht und auf die konkrete Lautbildung bezogen ist. Nur die erste Gestalt der geistigen Rede erfüllt die Bedingung, allgemein, notwendig und bei allen Völkern gleich zu sein.[246] Ps.-Kilwardby gelingt es somit, den Wissenschaftsbegriff der Zweiten Analytiken auf die Sprachwissenschaft zu beziehen. Es fragt sich aber, ob seine Ausführungen geeignet sind, das zu beschreiben und zu kennzeichnen, was traditionell im Kontext des Triviums unter dem Titel „Grammatik" betrieben wurde.

Eine wissenschaftliche Grammatik, deren Aufgabe es nicht ist, eine konkrete gesprochene oder geschriebene Sprache zu beschreiben bzw. Regeln zur Erzeugung von Texten einer bestimmten Sprache anzugeben, entspricht sicher nicht dem, was wir heute unter Grammatik verstehen. Vielmehr muß auch dann, wenn wir eine allen Sprachen gemeinsame Tiefenstruktur unterstellen, die Grammatik gerade jene Regeln angeben können, nach denen die Oberflächenstrukturen, also die konkreten Einzelsprachen, erzeugt werden. Auch im Kontext des mittelalterlichen Wissenschaftsgefüges wird es schwierig, den Gegenstandsbereich einer solchen universalen Grammatik gegen denjenigen der Logik abzugrenzen.[247]

Im Fortgang des Kommentars wird aber deutlich, daß Ps.-Kilwardby von der Grammatik gar nicht erwartet, daß diese vom konkreten Lautmaterial abstrahiert. Er möchte vielmehr an der traditionellen Aufgabe der Grammatik, nämlich der Instruktion zum richtigen Schreiben und Sprechen, festhalten und gleichzeitig die Grammatik als Wissenschaft im strengen Sinne ausweisen. Die Lösung, die er für diese Problemstellung anbietet, ist allerdings keine Aufhebung des Widerstreits zwischen beiden Ansprüchen. Die Gegenstände der Grammatik sind sowohl notwendig als auch kontingent, sie sind in einer Hinsicht intelligibel, in anderer Hinsicht sinnenhaft, sie erscheinen als allgemein und als konkret. Was Ps.-

---

[246] „Notandum etiam quod sermo est in mente duplex: uno modo per abstractionem a particularibus sermonibus significativis vel non significativis in se, quod dico propter litteras et syllabas quae non significant in se, et sic est subiectum scientiae, quia per hunc modum est universale, et ratio cognoscendi sermones particulares, qui sunt extra. Alio modo est sermo in mente per affectum et imaginationem, et sic est principium vocis sensibilis exterioris; virtus enim appetitiva et imaginativa concurrunt ad formationem vocis, sicut dicit Commentator supra II. De anima, capitulo de voce: anima informat vocem sensibilem exteriorem iuxta intentionem vocis impressam in virtute appetitiva et imaginativa. Et haec formatio est ut in pluribus et frequenter et non de necessitate." (1.2.1 [10f.])

[247] Ähnliche Schwierigkeiten ergeben sich auch im Zusammenhang der Grammatiktheorie der sog. Modisten (vgl. etwa G.L. Bursill-Hall, Some notes on the grammatical theory of Boethius of Dacia, 165-167.183).

Kilwardby diesbezüglich ausführt, läuft auf die Aufgabenteilung zwischen einer wissenschaftlichen Grammatik und einer Grammatik als technischer Anleitung zum richtigen Sprechen und Schreiben hinaus. Als Wissenschaft hat die Grammatik die Erkenntnis ihres allgemeinen Gegenstandes sowie von dessen Teilen zum Ziel[248]; ihr Ziel als ars ist dagegen das richtige Schreiben und Sprechen. Wer über die Kunst der Grammatik (ars grammatica) verfügt, muß dabei über die Betrachtung der universalen Strukturen hinausgehen, muß sich nach den jeweiligen Regeln der einzelnen Sprachen richten.[249]

Bevor Ps.-Kilwardby die oratio, das nomen und das verbum ausführlich behandelt, bietet er ein umfangreiches Kapitel zur Einsetzung von Sprachlauten (institutio vocis).[250] Anders als Bacon hält der Autor an der traditionellen aristotelischen Auffassung fest, daß sich die sprachliche Äußerung nicht unmittelbar auf die Dinge, sondern zunächst auf die Begriffe bzw. Affekte in der Seele beziehe.[251] Den Begriff in der Seele nennt er in diesem Zusammenhang auch 'sermo interior'.[252] Die sprachliche Äußerung könne sowohl Seiendes als auch Nicht-Seiendes bezeichnen.[253] Wenngleich die Ausführungen von Ps.-Kilwardby zur impositio bzw. institutio vocis weitgehend in den von der Tradition vorgezeichneten Bahnen geschehen, so ist der häufige Rekurs auf den Zeichenbegriff hervorzuheben. Das Sprachzeichen wird deshalb immer im Kontrast zu anderen Zeichenarten gesehen. Zu der Frage, warum überhaupt besondere Sprachzeichen eingesetzt werden mußten, erklärt er, daß die natür-

---

[248] Diesen Gegenstand gibt er in 1.4.5 [40] mit der oratio bzw. der vox litterata articulata an. Als deren Teile sind die Buchstaben und die Silben anzusehen (vgl. 1.5 [41f.])

[249] „Finis grammaticae in quantum est scientia est cognitio universalis subiecti et partium eius, sed eius finis in quantum est ars quod artifex intendit, scilicet recte scire et recte scribere et loqui. [...] Species grammaticae possunt dici genera linguarum in quibus ars grammatica tractata et composita est. Artifex enim vocem format secundum diversa linguarum genera. Unde quaedam est grammatica Latina, quaedam Graeca, quaedam Hebraica, quaedam Chaldaea, et possunt huius species crescere dum tamen invenirentur propria nomina et propriae figurae ut in Gallica lingua sive in quaecumque alia." (1.6 [47f.])

[250] Zu Ps.-Kilwardbys Theorie der institutio vocis und ihrer Rezeption durch Johannes von Dacien vgl. K.M. Fredborg, Roger Bacon on „Impositio vocis ad significandum", 176-178.

[251] Dies ist für A. de Libera einer der Gründe, Ps.-Kilwardby und Roger Bacon als Antipoden der Auseinandersetzungen in Oxford über die semantischen Theorien zu betrachten (vgl. Roger Bacon et le problème de l'appellatio univoca, 205-216).

[252] In Prisc. Ma. 2.1.1b-4b [59].

[253] „Dicendum quod vox instituitur ad significandum primo et per se intellectum mentis et mediante illo rem. Et quia contingit intellectum mentis esse entis et non-entis, ideo potest vox institui ad significandum tam ens quam non-ens." (ebd. 2.1.7 c [67])

liche Bezeichnungsweise der Stimmen zu unpräzise sei, um eine Kommunikation unter den Menschen, den Austausch über ihre jeweiligen Willensinhalte zu garantieren. Nur der institutionelle Charakter der Sprache könne hierfür die erforderliche Bestimmtheit erzielen.[254]

Von den Fragen, die Ps.-Kilwardby anläßlich der institutio vocis diskutiert, hat insbesondere jene nach der Art, in welcher das Wort und der bezeichnete Begriff vereinigt werden, große Bedeutung für seine allgemeine Zeichentheorie. Der Autor erörtert verschiedene Möglichkeiten. Zunächst vergleicht er die Verbindung zwischen Bedeutung und Wort mit dem Sehvorgang. Durch die impositio werde die vox zum Medium, das die Verstandesbegriffe bzw. Formen (species intelligibilis) vom Verstand des Sprechenden an den Verstand des Hörenden übermittle, so wie das durchscheinende Medium den sichtbaren Gegenstand an den Gesichtssinn herantrage.[255] In anderer Weise könne man die Umsetzung der Bedeutung in einen Laut mit der konkreten Ausführung vergleichen, in der der Plan des Handwerkers in einer bestimmten Materie verwirklicht wird. Und ebenso, wie der Betrachter dieses Werks in ihm dessen Urbild erkenne, erfasse auch der Hörer die Bedeutung der Worte. Aus beiden Vergleichen zieht der Autor den Schluß, daß der Begriff oder die Bedeutung als ein Zweck (finis) und das Wort als das zu betrachten sei, was auf den Zweck ausgerichtet ist.[256] Ps.-Kilwardby sieht in dieser Verhältnisbestimmung allerdings keine abschließende Problemlösung, sondern stellt diese vielmehr anheim.[257]

KAPITEL 4: FAZIT

Die vorgestellten Ansätze stellen drei in Zielsetzung, Inhalt und Stil divergierende semiotische Theorien dar. Während es Ps.-Kilwardby um die zeichentheoretische Grundlegung einer wissenschaftlichen Grammatik geht, will Bacon die Frage klären, wie wir durch sprachliche Zeichen auf Wirklichkeit Bezug nehmen. Bonaventura schließlich thematisiert die

---

[254] „Tunc quaeritur quis sit finis institutionis vocis ad significandum et hoc est quaerere de eius necessitate, et haec quaestio soluta est superius in parte, et dictum est supra quod sermo est, ut dicit Plato, ad hoc ut praesto sint mutuae voluntatis indicia, hoc est ut possint homines mutuo significare suas voluntates, quod non contingeret facere distincte per voces naturaliter significativas. Et ideo fuit necesse voces ad significandum instituere." (ebd. 2.1.12 [79])

[255] Ebd. 2.1.1b-4b [61].

[256] Ebd. [61f.].

[257] „Si aliquis autem meliori modo poterit assignare rationem huiusmodi unionis non invideo." (ebd. [62])

Zeichen als Indizien für die Präsenz Gottes und als Wegmarken für den Aufstieg des Menschen zu ihm.

§ 1 Augustinische Zeichentheorie und aristotelische Wissenschaftstheorie im Widerstreit

Alle drei Autoren – dies sollte trotz der Heterogenität der Ansätze nicht übersehen werden – knüpfen an dieselben semiotischen Theoreme an. Insbesondere die augustinischen Zeichendefinitionen bieten dem semiotischen Disput des 13. Jahrhunderts eine Plattform. Auch die semantischen Überlegungen aus Peri hermeneias stellen einen gemeinsamen Anknüpfungspunkt dar. Die Untersuchung der ausgewählten Quellen hat indes gezeigt, daß weder die Zeichentheorie des Augustinus noch die Fragmente einer solchen Theorie bei Aristoteles für die Denker des 13. Jahrhunderts unwidersprochenes Gemeingut darstellen. Schon an der Definition des Zeichens durch Augustinus scheiden sich die Geister. Während Bonaventura die augustinische Definition übernimmt, wird die von Augustinus vindizierte Sinnenhaftigkeit des Zeichens von Ps.-Kilwardby und Bacon gleichermaßen entschieden kritisiert. Von diesem Gesichtspunkt her könnte man Bonaventuras Semiotik als traditionell augustinisch, Bacon und Ps.-Kilwardby hingegen als innovativ charakterisieren.[258]

Bedenken gegen diese Zuordnung ergeben sich, wenn man das Gepräge der Zeichentheorie nicht aufgrund der Definition des Zeichens, sondern vielmehr aufgrund der Wahl einer paradigmatischen Klasse von Zeichen bestimmt sieht. Angesichts der dem Zeichen per definitionem zukommenden weiten Extension wird man diese Betrachtungsweise als hilfreich erachten müssen. So zeigt sich, daß es gerade die Kritiker der augustinischen Zeichendefinition sind, also Bacon und Ps.-Kilwardby, die mit Augustinus an der zentralen Stellung des Sprachzeichens innerhalb der Semiotik festhalten. Demgegenüber stellt die Sprache für Bonaventura keinen zentralen Gegenstand der Semiotik dar. Paradigma seiner Zeichentheorie ist nicht das Wort, sondern die Spur. Während es Bacon vorrangig um das arbiträre Zeichen geht, gilt das Interesse der Semiotik

---

[258] A. Maierù betrachtet deswegen Bacon und Ps.-Kilwardby als die fortgeschrittensten und gründlichsten Vertreter der mittelalterlichen Zeichentheorie (vgl. „Signum" dans la culture médiévale, 51; allerdings erachtet er Kilwardby selbst als den Autor des einschlägigen Priscian-Kommentars), und J. Biard sieht aus eben diesem Grund in ihnen die wichtigsten Vorboten der Ockhamschen Semiotik (vgl. Logique et théorie du signe au XIVe siècle, 25-45).

des Bonaventura einer Gruppe von Zeichen, bei der Zeichen und Bezeichnetes in einem ikonischen und kausalen Verhältnis stehen.

Weder die Haltung zur Zeichendefinition noch die Entscheidung für ein bestimmtes Paradigma unter den Zeichen können indes den entscheidenden Gesichtspunkt für eine Klassifikation der scholastischen Semiotiken liefern. Die in philosophischer Perspektive ausschlaggebende Frage an die Zeichentheorie nämlich ist nicht, was alles als Zeichen anzusehen ist; vielmehr ist zu fragen, welcher Status dem Zeichen im Prozeß des Erkennens zukommt. Eine tragfähige Typologie der scholastischen Semiotiken ergibt sich demnach erst, wenn man die Art und Weise der Zuordnung der Semiotik zur Theorie des Wissens und der Wissenschaften in die Klassifikation einbezieht.

Diese Zuordnung entscheidet sich unter den historischen Bedingungen des 13. Jahrhunderts im Spannungsfeld zwischen Augustinismus und Aristotelismus. Mit der augustinischen und der aristotelischen Tradition stehen sich in der Hochscholastik zwei in der Antike grundgelegte Konzeptionen von Philosophie und Wissenschaft gegenüber, die einander in ihrer Grundanlage und vielen Einzelaussagen widerstreiten und die die mittelalterlichen Autoren zu philosophischen Entscheidungen zwingen. Dieser Widerstreit ist aber nicht in allen Bereichen der Wissenschaft auf gleiche Weise ausgeprägt. Gerade für das Verhältnis von Semiotik und Wissenschaftstheorie zeigt sich, daß die bloße Gegenüberstellung von Augustinismus und Aristotelismus nicht weit trägt. Vielmehr muß im Hinblick auf konkrete Problemstellungen gefragt werden, inwieweit jeweils augustinische und aristotelische Elemente aufgegriffen und wie sie modifiziert sind. Die Bereitschaft eines mittelalterlichen Denkers, aristotelische Aussagen zur Semiotik und Sprachtheorie zu übernehmen, läßt keineswegs auf eine Übernahme der aristotelischen Wissenschaftstheorie schließen und umgekehrt. Der rezeptionshistorische Hintergrund hierfür ist, daß Peri hermeneias, jene Schrift des aristotelischen Organon, die die Lehre vom Satz beinhaltet, Bestandteil der logica vetus ist und dem lateinischen Westen in der boethianischen Übersetzung vorliegt, wohingegen die Zweiten Analytiken, das Kernstück der aristotelischen Wissenschaftslehre, erst durch die Aristotelesrezeption im 12. und 13. Jahrhundert bekannt wurden.

Unter diesen Voraussetzungen ergibt sich somit folgendes Bild: Die augustinische Zeichentheorie wird für das ganze Mittelalter zum Dreh- und Angelpunkt jeglichen Operierens mit dem Zeichenbegriff. Die aristotelischen Hinweise zum bedeutungstragenden Stimmlaut (vox significativa) in den ersten Kapiteln von Peri hermeneias werden als Bestätigung dafür gelesen, daß die Worte eine bestimmte Art von Zeichen sind, wie Augustin sowohl in De Magistro als auch in De doctrina christiana erklärt hatte. Allerdings können die Akzente sehr unterschiedlich gesetzt werden. Bonaventura etwa macht sich den umfassenderen Zeichenbegriff des Augustinus zunutze und erkennt in der Schöpfung eine Fülle von zeichenhaften Verweisungszusammenhängen. Andere gehen restriktiver mit diesem Begriff um und orientieren sich damit an Aristoteles, der neben den sprachlichen Zeichen nur einen spezifischen Schlußfolgerungsmodus als Zeichenschluß betrachtet.[259] So scheint Ps.-Kilwardby, wenn er betont, daß man von Zeichen in sehr unterschiedlicher Weise spricht, an den fragmentarischen und heterogenen Zuschnitt der Zeichentheorie des Aristoteles anzuknüpfen.

§ 2 Semiotik als Einleitungswissenschaft

Nimmt man als Kriterium der Klassifikation die Einordnung des Zeichens in das Gesamtverständnis von Wissenschaft und Erkenntnis hinzu, dann ergibt sich eine Aufteilung der bislang dargestellten Entwürfe in zwei Gruppen. Die erste Gruppe bilden jene Entwürfe, die die augustinische Konzeption der Theologie als der alles wahre Wissen in sich aufnehmenden Einheitswissenschaft aufgreifen. Innerhalb dieses Konzeptes kommt der Zeichentheorie eine propädeutische Funktion zu, sei es, weil die Geschöpfe als Geschöpfe zeichenhaft auf den Schöpfer verweisen, sei es, insofern die Analyse des Zeichencharakters der Sprache zur Voraussetzung für das adäquate Verständnis der Schrift wird. Dieser Gruppe sind die in ihrem äußeren Gepräge sehr unterschiedlichen Entwürfe von Bonaventura und Roger Bacon zuzuordnen.

Der theologischen Bekundung der Prävalenz der heiligen Schrift vor aller Theologie, in der Bonaventura und Bacon miteinander übereinstimmen, entspricht nur bei Bacon die zentrale Rolle der Sprache innerhalb der Semiotik. Auch Bacon hat allerdings seinen semiotischen Ansatz der Sprachbetrachtung nicht im Rahmen einer theologischen Hermeneutik ausgearbeitet, obwohl hierin allem Anschein nach die Zielperspektive seiner semiotischen Bemühungen besteht.[260]

Ein solches Konzept der Einheitswissenschaft ist für das 13. Jahrhundert durchaus nicht ungewöhnlich,[261] es überrascht aber zunächst bei

---

[259] Vgl. Anal. Priora II, 27 [70a 3 - 70b 38].

[260] Deutlich wird dies vor allem im Compendium studii theologiae (Vgl. p. 1, Prologus, n. 2; p. 1, c. 1, n. 25).

[261] Vgl. etwa Bonaventura, In Hexaem. coll. 13, n. 12. [V, 389b-390a]. Zur Vorgeschichte dieses Konzeptes der Theologie als Einheitswissenschaft vgl. L. Honnefelder, Christliche Theologie als „wahre Philosophie".

Roger Bacon, dessen Darlegungen zur Wissenschaft gerade durch die Betonung der Mathematik[262] und des Experiments einige moderne Züge aufweisen. Liegt hier nicht eine Inkonsistenz vor, wie man sie bei einem Denker vom Range Bacons kaum wird annehmen können?

In der Tat fällt auf, daß Bacon die Genealogie des Wissens aus der einen göttlichen Quelle nur sehr unzureichend darlegt, während er die Mathematik und die Experimentalwissenschaft in extenso behandelt. Gleichwohl wird man Bacons Konzeption der Einheitswissenschaft nicht als bloßes taktisches Manöver, als eine captatio benevolentiae gegenüber seinem Auftraggeber, Papst Clemens IV., werten dürfen.[263] Bacons Ausführungen zur Genealogie des Wissens liefern nur die Untermauerung für seine Erkenntnistheorie, insbesondere für die Lehre von der Rolle des göttlichen intellectus agens in jedem menschlichen Erkenntnisvorgang. Bacon zeigt, daß Bonaventuras Theologie nicht die einzig mögliche Erneuerung des augustinischen Wissenschaftskonzepts im 13. Jahrhundert ist. Er betont, daß sowohl die methodisch gesteuerte Erfahrung als auch die Erforschung der Schrift notwendige Weisen der Veranschaulichung des Wissens sind, wenngleich dieses allein in Gott wurzelt. Bacon fordert deshalb mit Nachdruck das Studium der Sprachen und der Natur.

Auch in seiner Zeichentheorie setzt Bacon ganz andere Akzente als Bonaventura. War für Bonaventura die Spur (vestigium) das Zeichen par excellence, so zielt Bacons gesamte Semiotik auf die Behandlung der Wörter. Seine Antwort auf die Frage, die Augustin in De magistro stellt, stimmt aber weitgehend mit derjenigen Bonaventuras überein. Nicht das Erfassen äußerer Zeichen verschafft uns Wissen, sondern das Erleuchtetwerden durch Gott.

Eine andere Gruppe bilden jene Entwürfe, die nicht dem Leitbild der Einheitswissenschaft verpflichtet sind, sondern vom aristotelischen Wissenschaftsideal der Zweiten Analytiken ausgehen und von daher Korrekturen an der tradierten Semiotik fordern. Als Beispiel hierfür kann der früher dem Robert Kilwardby zugeschriebene Kommentar zu Priscianus maior angeführt werden. Der Kommentator entscheidet die Frage nach der Möglichkeit der Wissenschaft von Zeichen ausschließlich nach Maßgabe der aristotelischen Theoreme. Die Univozität des Zeichenbegriffs, die die Semiotik Augustins und der augustinischen Tradition prägt, wird

---

[262] In anderer Weise findet sich die Wertschätzung der Mathematik allerdings auch schon in der platonisch-augustinischen Tradition (vgl. etwa Augustin, De ordine II, 47 [CCSL 29, 133].

[263] Vgl. dagegen C. Bérubé, De la philosophie à la sagesse chez saint Bonaventure et Roger Bacon, 93.

in Frage gestellt. Auch in diesem Rahmen hat die Reflexion auf das Zeichen und seine Arten die Funktion einer Einleitung in bzw. einer Hinführung zu den Wissenschaften.

Dritter Teil

Zeichen und Bezeichnetes: Semiotik und Epistemologie bei Thomas von Aquin

Die im zweiten Teil der Arbeit vorgeführten semiotischen Entwürfe haben an drei charakteristischen Beispielen gezeigt, vor welchen Schwierigkeiten die Grundlegung der Zeichentheorie im 13. Jahrhundert stand und wie sie versuchen mußte, eine Antwort auf den Prozeß fortschreitender Verwissenschaftlichung zu finden. In diesem Konfliktfeld steht auch das Werk Thomas von Aquins. Er ist bemüht, die aus dem profanen Denken stammende philosophische Einsicht in die Gesamtreflexion auf ein durch den christlichen Glauben bestimmtes Weltverständnis einzuordnen.[1]

Auch die Zeichentheorie des Thomas ist durch das Erfordernis bestimmt, zwischen zwei autoritativen Traditionssträngen, dem augustinischen und dem aristotelischen, vermitteln zu müssen. Thomas greift beide Stränge auf, deutet sie zum Teil in origineller Weise und entwickelt sie weiter. Sein Vorgehen läßt sich gut am Beispiel der Sprachtheorie verdeutlichen, in der Thomas sowohl die aristotelische Semantik und Lehre vom Aussagesatz als auch die augustinische Sprachspekulation aufgreift und neugestaltet. Da Thomas ebenso wie Bonaventura keinen Traktat zur allgemeinen Zeichentheorie verfaßt hat, soll hier die Sprachtheorie als Ausgangspunkt für die Betrachtung der thomanischen Semiotik dienen.[2] Dies ist gerechtfertigt durch die zentrale Stellung, die der Sprache innerhalb der thomanischen Zeichentheorie eingeräumt ist. Zu beginnen ist mit dem Kommentar zu Peri hermeneias, in dem Thomas anknüpfend an Aristoteles das Verhältnis zwischen Sprache, Denken und Sein reflektiert und eine Theorie des Aussagesatzes entfaltet. Diese

---

[1] Vgl. W. Kluxen, Thomas von Aquin, Das Seiende und seine Prinzipien, 185.

[2] Der Interpretation wurde, soweit vorhanden, der kritische Text der Editio Leonina zugrundegelegt. Bei der Zitation der neueren Bände dieser Edition wurde die Ortographie normalisiert. Es wurde ausschließlich der Perihermeneias-Kommentar in der 1989 erschienenen Editio altera retractata (Ed. Leoniona Bd. I*, 1) benutzt. Nummernangaben in spitzen Klammern weisen auf die Abschnitteinteilungen der Editionen des Turiner Marietti-Verlages hin; sie sollen dem Leser das Auffinden der Stellen erleichtern.

Sprachtheorie wird sodann mit seiner Deutung der augustinischen Lehre vom inneren Wort konfrontiert, um schließlich in die umfassendere Konzeption des kommunikativen Handelns eingefügt zu werden.

§ 1 Die Theorie des Satzes und deren zeichentheoretische Grundlegung

Die als zweiter Teil des aristotelischen Organon tradierte Schrift „Peri hermeneias" gehört zu den meistkommentierten Schriften des Philosophen.[3] Neben der Kategorienschrift ist sie sein einziges Werk, das dem lateinischen Westen bereits im frühen Mittelalter bekannt war. Ihr Gegenstand ist die Theorie des Satzes, genauer des Aussagesatzes. Aristoteles beschreibt in außerordentlich konziser Weise dessen konstitutive Elemente und Grundbestimmungen ebenso wie die verschiedenen Aussagearten. Diese gedrängte Darstellung hat schon sehr früh das Bedürfnis geweckt, die logische Abhandlung zu erklären.[4] Wahrscheinlich ist der Traktat des Theophrast über die Bejahung und die Verneinung[5] ein Kommentar oder eine Sammlung von Anmerkungen zu Peri hermeneias. Während aus den nachfolgenden Jahrhunderten keine Kommentare zu Peri hermeneias erwähnt sind, hat es in den Jahrhunderten nach Christi Geburt eine Reihe wichtiger Kommentare gegeben, so den des Aspasius aus dem ersten Jahrhundert, den des Alexander von Aphrodisias aus dem zweiten und den des Porphyrius aus dem dritten Jahrhundert. Eine besondere Bedeutung für die weitere Rezeptionsgeschichte kommt den Kommentaren des Ammonius Hermeiu und des Boethius zu. Diese sind erhalten und wurden im Mittelalter rezipiert.

Nach Ammonius ist der Gegenstand von Peri hermeneias die Lehre vom Aussagesatz. Er geht bei seiner Kommentierung – wie später bei den Scholastikern üblich – so vor, daß er den Text erläutert, indem er Bedenken und Streitfragen (ἀπορίαι, ἀμφισβήτησεις/quaestiones, dubitationes) aufwirft. Er grenzt die aristotelischen Problemlösungen von den früheren ab und referiert kritisch deren Auslegungstradition. Ammonius

---

[3] Die Auslegungsgeschichte behandeln ausführlich J. Isaac, Le Peri Hermeneias en occident de Boèce à Saint Thomas, H. Arens, Die aristotelische Sprachtheorie und ihre mittelalterliche Überlieferung, sowie G. Verbeke, Interprétation et langage dans la tradition aristotélicienne.

[4] Vgl. dazu Ammonius, der die Vielzahl der Auslegungen auf die „difficultas litterae" (Prooemium [ed. G. Verbeke, 1]) zurückführt, und die Hinweise bei Thomas von Aquin auf die brevitas (z.B. In Perih. l. 1, lect. 5, <n. 53>).

[5] Boethius nennt sie in seinem zweiten Kommentar zu Peri hermeneias (In librum Aristotelis Peri hermeneias, Secunda editio, I, c. 1 (ed. C. Meiser) [12].

macht es sich im Perihermeneiaskommentar vor allem zur Aufgabe, die aristotelische Sprachauffassung gegenüber der stoischen abzugrenzen. So wendet er sich entschieden gegen die Auffassung, zwischen den Begriffen (conceptiones) und den Dingen (res) müsse ein Mittleres angenommen werden, wie dies einige Stoiker mit der Rede vom Lekton täten.[6] Ammonius betont ausdrücklich, daß Aristoteles Symbol (σύμβολον) und Zeichen (σημεῖον) ohne Unterscheidung verwendet.[7] Er äußert sich nicht dazu, wie sich das sprachliche σημεῖον zu jenen Zeichen verhält, die Aristoteles in den Ersten Analytiken behandelt, – und dies obschon er die Ersten Analytiken kennt.[8] Eine allgemeine Definition des Zeichens legt Ammonius nicht vor.

Boethius ist mit der Kommentierung des Ammonius und der älteren Auslegungstradition vertraut.[9] Im Rahmen seines großen Projektes, die Schriften der bedeutendsten griechischen Denker dem lateinischen Westen zugänglich zu machen, übersetzt er Peri Hermeneias und fertigt dazu zwei Kommentare[10] an. Einige knappe Bemerkungen zum zweiten, längeren Kommentar mögen hier hinreichen.[11] Boethius übernimmt von Ammonius die Auffassung, Gegenstand von Perihermeneias sei die Lehre von der Aussage (enuntiatio).[12] Er legt den Akzent aber stärker als Ammonius auf die Teile des Satzes und insbesondere auf das Nomen. Das Nomen wird nicht vornehmlich von seiner Funktion im Satz her gesehen. Seine kommunikative, bedeutungsvermittelnde Funktion kommt ihm per se zu.[13] Boethius übersetzt sowohl σύμβολον als auch σημεῖον durch das lateinische Wort 'nota'.[14] Er wählt dieses Wort offen-

---

6   Vgl. Ammonius, In Perih. c. 1 [ed. Verbeke, 32f.].

7   Vgl. ebd. [37].

8   Der Kommentar zum zweiten Buch ist nicht erhalten.

9   Vgl. P. Courcelle, Late latin writers and their greek sources, 280-295; J. Shiel macht aber gegen Courcelle deutlich (vgl. Boethius' commentaries on Aristotle), daß Boethius in seiner Kenntnis der älteren Auslegungstradition nicht von Ammonius abhängig ist, sondern vielmehr aus vielen griechischen Quellen schöpft.

10   Diese werden üblicherweise als Editio prima und Editio secunda zitiert. Es handelt sich aber tatsächlich um zwei unabhängige Kommentierungen.

11   Dazu ausführlich J. Magee, Boethius on signification and mind; L. de Rijk, On Boethius's notion of being; L. Minio-Paluello, Les traductions et les commentaires aristotéliciens de Boèce.

12   In librum Aristotelis Peri hermeneias, Secunda editio, I, c. 1 [14].

13   In librum Aristotelis Peri hermeneias, Secunda editio, I, c. 1 [52-65]; vgl. auch De Rijk, a.a.O. 8.

14   A.a.O. [35, 37f.].

bar aufgrund der Verwandtschaft mit 'noscere'.[15] Daß Boethius 'nota' und nicht etwa 'signum' wählt, erklärt Magee als den Versuch einer terminologischen Abgrenzung zwischen der Theorie der Sprachzeichen und der Theorie der Zeichen im Kontext der Syllogistik.[16] Warum aber fehlt eine solche Begründung bei Boethius? Sollte Boethius tatsächlich diese Intention verfolgt haben, so ist sie von seinen mittelalterlichen Interpreten verkannt worden.

Die neuere Forschung hat nachgewiesen, daß Thomas zwei Übersetzungen, weitere Werke des Aristoteles sowie die Kommentare des Boethius und den Kommentar des Ammonius für seine Auslegungsarbeit herangezogen hat. Bei den Übersetzungen handelt es sich neben der boethianischen um die Übersetzung des Wilhelm von Moerbeke. Thomas ist der erste, der Wilhelms Übersetzungen von Peri hermeneias und vom Peri Hermeneiaskommentar des Ammonius zu Rate ziehen kann. Er ist so in der Lage, sich kritisch gegenüber dem Text des Boethius zu verhalten. Auch der Kommentar des Ammonius hat für Thomas ein großes Gewicht, ein größeres jedenfalls als die boethianischen Kommentare.[17] Von beiden Kommentatoren indes bezieht Thomas Informationen über die ältere Auslegungstradition.[18]

J.H.J. Schneider vermutet darüber hinaus, daß Thomas auch der Kommentar des Al-Farabi[19] bekannt war und führt zum Beleg hierfür eine Reihe von Parallelen an. Er untermauert seine These durch einige Hinweise auf eine allgemeine Bekanntheit des arabischen Kommentars

---

[15] In Boethius' Kommentar zur Topik Ciceros heißt es: „Nota vero est quae rem quamque designat. Quo fit ut omne nomen nota sit, idcirco quod notam facit rem de qua praedicatur, id Aristoteles σύμβολον nominavit." (In Topica Ciceronis commentaria, l. 4 [1111b])

[16] Boethius ist mit der Theorie der Zeichenschlüsse in den Ersten Analytiken vertraut. J. Shiel hat plausibel machen können, daß der Marginal- und Interlinearkommentar, der im dritten Band des Aristoteles latinus abgedruckt ist („Pseudo-Philoponi Aliorumque Scholia) von Boethius stammt und die Vorstufe zu einem Kommentar darstellt (vgl. A recent discovery: Boethius' notes on the Prior Analytics).

[17] J. Isaac betont die Eigenständigkeit des thomanischen Kommentars. Er belegt dies vor allem durch die vielen Stellen, in denen Thomas die antiken Autoren nennt, um sich gegen deren Interpretation abzugrenzen (a.a.O. 98-152). G. Verbeke macht dagegen deutlich, daß Ammonius für Thomas in weitreichender Weise als Leitfaden diente (Interpretation et langage). Er will sogar die Unvollständigkeit des thomanischen Kommentars dadurch begründen, daß Moerbekes Übersetzung von Text und Kommentierung noch nicht weiter gediehen war, als Thomas von Viterbo nach Paris abreisen mußte.

[18] Vgl. etwa In Perih. l. 1, lect. 6 <n. 77>. Dazu auch M. Grabmann, Die Aristoteleskommentare des heiligen Thomas von Aquin, 290.

[19] Al-Farabi's Commentary and Short Treatise on Aristotle's De interpretatione, Ed. F.W. Zimmermann, Oxford 1981.

im lateinischen Westen. Schneider räumt ein, daß die inhaltlichen Übereinstimmungen auch auf die Ammonius-Kenntnis beider Autoren zurückgeführt werden können.[20] Tatsächlich ist es so, daß die angeführten Stellen allesamt auch so bei Ammonius zu finden sind. Dagegen erwähnt Thomas einige interessante, von Ammonius abweichende Deutungen von Perihermeneias durch Al-Farabi nicht, so etwa dessen Erklärung der παθήματα τῆς ψυχῆς[21] oder dessen Abgrenzung zwischen dem Gegenstand der Kategorienschrift und jenem von Perihermeneias. Man wird deshalb bis auf weiteres davon auszugehen haben, daß Thomas neben den Übersetzungen ausschließlich die Kommentare des Ammonius und Boethius für seine eigene Kommentierung genutzt hat; diese allerdings scheinen ihm direkt als Tischvorlage gedient zu haben.

Trotz der häufigen Bezugnahme auf frühere Kommentare legt Thomas eine eigenständige Deutung von Peri hermeneias vor. Er referiert den Gang der Diskussion von Auslegungsschwierigkeiten, beschränkt sich indes nicht hierauf, sondern setzt sich häufig kritisch vom Stand der Diskussion ab und formuliert eine eigene Position.

In der Frage nach Titel und Gegenstand der Schrift ergreift er die Position des Ammonius. Thomas wendet sich gegen die Auffassung des Boethius, 'interpretationes' könnten alle bedeutungtragenden Laute sein, die aus sich etwas bezeichnen, seien sie komplex oder inkomplex. Boethius hatte hieraus hergeleitet, daß nomina, verba und orationes der eigentliche Gegenstand der aristotelischen Schrift Peri hermeneias seien. Thomas von Aquin setzt dem die Auffassung entgegen, der Gegenstand der Schrift sei einzig der Aussagesatz (oratio enuntiativa). Für Thomas ist deshalb 'interpretari' gleichbedeutend mit 'exponere aliquid esse verum vel falsum'. Nomen und Verb seien vielmehr Prinzipien, konstitutive Elemente einer interpretatio, als daß sie selbst eine solche darstellten.[22]

Zunächst rekonstruiert Thomas die semantische Grundrelation: Aristoteles gehe von drei Instanzen aus, durch die eine vierte erkannt werde.

---

[20] Vgl. J.H.J. Schneider, Al-Farabis Kommentar zu 'De interpretatione' des Aristoteles, 703-707.

[21] „He says *traces in the soul* rather than 'thoughts' because he means to cover all that arises in the soul after sense-objects have withdrawn from the senses. For among the things that arise in the soul there are, apart from thoughts, also images of sense-objects according to the sensation one has had of them, like the sense-image of Zayd, and other things, like the goat-stag and similar things, which the soul invents by combining images. Aristotle wants to cover all these, so he calls them *traces in the soul.*" (1. Section, n. 24 [10]) Vgl. dagegen Thomas, In Perih. l. 1, lect. 2 <n. 15>. Auch das Argument im folgenden Absatz (ebd. <n. 16>) entspricht nicht dem des Al-Farabi.

[22] In Perih., l. 1 <Prooemium, n. 3>.

Diese drei seien die Schrift, die Laute und die Seelenzustände, das vierte seien die Dinge. Das Erkennen der Dinge ist deshalb möglich, weil die Seelenzustände (passiones animae)[23] durch Eindrücke irgendwelcher Wirkkräfte hervorgerufen sind und dergestalt ihren Ursprung in den Dingen selbst haben.[24] Als diese Seelenzustände müssen die Verstandesbegriffe angesehen werden.

Thomas folgt mit dieser Deutung Ammonius und Boethius und handelt sich damit die Begründungsschwierigkeit ein, in der auch diese schon waren: Er fragt sich nämlich, warum Aristoteles, wenn er die Begriffe meint, von 'passiones' (i.e. παθήματα) und nicht von 'conceptiones' (i.e. νοήματα) spricht. Thomas erklärt dazu, in dem Ausdruck 'passiones animae' komme besser als in 'conceptiones intellectus' ein expressiver Impuls zum Ausdruck. So wie man seinen Affekten Ausdruck verleihen will, so drängt auch der Gedankeninhalt zu seiner lautlichen Äußerung. Zugleich, so fügt Thomas an, komme in 'passio' auch der impressive Impuls zum Tragen, denn der Seelenzustand habe seinen Ursprung in den Dingen und könne deshalb als etwas von außen Empfangenes, etwas von äußeren Wirkkräften Erlittenes, begriffen werden.[25]

Sicher ist es dieser zuletztgenannte physio-psychologische Aspekt, der für die aristotelische Terminologie ausschlaggebend ist. Es verdient deshalb Beachtung, wenn Thomas in der Reihe seiner Begründungen für die Begriffswahl des Aristoteles die Sozialität des Menschen und den Kommunikationszusammenhang, in dem der Mensch als soziales Wesen steht, an erster Stelle nennt.[26] Daß mit 'passiones animae' nicht nur Gedankeninhalte, sondern auch nichtbegriffliche Vorstellungen gemeint sein können, daß Aristoteles mithin zunächst die semantische Relation unter Einschluß der natürlichen Laute und der Interjektionen allgemein

---

[23] Diese Übersetzung von 'passio' folgt dem Vorschlag von I. Zimmermann, Die Lehre des Thomas von Aquin von der Angst, 21f. Die Übersetzung 'Seelenzustand" bzw. 'Seelenregung', die sie im Zusammenhang der Affekten- und Gefühlstheorie erarbeitet, eignet sich auch für den vorliegenden Kontext, da Thomas im Anschluß an Aristoteles auf die Behandlung der passiones animae im Rahmen der Psychologie verweist (In Perih. l. 1, lect. 2 <n. 22>).

[24] In Perih. l. 1, lect. 2 <n. 12>.

[25] Ebd. <n. 16>.

[26] Vgl. dazu auch ebd. <n. 12>: „Et, si quidem homo esset naturaliter animal solitarium, sufficerent sibi animae passiones, quibus ipsis rebus conformaretur, ut earum notitiam in se haberet; sed, quia homo est naturaliter animal politicum et sociale, necesse fuit quod conceptiones unius hominis innotescerent alii, quod fit per vocem; et ideo necesse fuit esse voces significativas ad hoc quod homines ad invicem conviverent; unde illi qui sunt diversarum linguarum non possunt bene ad invicem convivere."

darstellt, hat Thomas bereits einige Zeilen zuvor erwähnt.[27] Diese weite Bedeutung habe indes in der Lehre vom Aussagesatz keinerlei Relevanz.[28] Auffällig ist, daß Thomas diese Perihermeneiasstelle außerhalb seines Kommentars meist frei wiedergibt und dabei statt 'passiones animae' den nicht erläuterungsbedürftigen Terminus 'intellectus' oder 'conceptus intellectus' benutzt.[29] Die Bedeutungsrelation besteht mithin nach Thomas aus der Kette von Schrift, Laut, Begriff und Ding.

Thomas wendet sich nun dem Verhältnis zwischen den benachbarten Gliedern der Kette zu. Während Buchstaben als Zeichen für Laute stehen und Laute als Zeichen für Begriffe, so stellt Thomas heraus, nennt Aristoteles die Seelenzustände Ähnlichkeiten der Dinge.[30] Ein Ding, so begründet Thomas diese Differenzierung zwischen Bezeichnungs- und Ähnlichkeitsverhältnis, könne ausschließlich durch etwas ihm Ähnliches erkannt werden. Die Buchstaben aber und die Laute seien Zeichen, weil hier keine Ähnlichkeit erforderlich sei, sondern lediglich eine planmäßige Festsetzung (institutio). Folgt daraus, daß für Thomas alle Zeichen willkürlich und niemals ikonisch sind? Dagegen spricht, daß er auf viele andere Zeichen (multis aliis signis) verweist, die keine Ähnlichkeit mit dem Bezeichneten haben, sondern aufgrund von Übereinkunft existieren.[31] Obgleich die aristotelische Begriffsverwendung gerade die konventionelle Relation als Zeichenrelation klassifiziert, die natürliche Relation zwischen Begriff und Sache hingegen mit einem anderen Terminus charakterisiert, ist es für Thomas erklärungsbedürftig, daß Zeichen auch konventionellen Charakter haben können und nicht notwendig von Natur her eine Bedeutung tragen. Thomas gibt somit keine Begründung, warum die 'passiones animae' nicht 'signa' genannt werden. Er betont nur, daß die Relationen zwischen Stimmlauten (voces) und Begriffen (conceptiones) sowie zwischen Begriffen (conceptiones) und Dingen (res) strukturell verschieden sind. Die erstgenannte Relation ist keine Ähnlichkeitsrelation. Dagegen ist die Ähnlichkeit zwischen 'conceptiones' und 'res' für das Erkennen konstitutiv; wären die Begriffe konventionell festgelegt, so könnten wir durch sie nichts über die Welt erfahren.

---

[27] Ebd. <n. 15>.

[28] Vgl. ebd.

[29] Vgl. z.B. I, q. 13, a. 1c; I-II, q. 7, a. 1c; ebd., q. 25, a. 2 ad 1; I, q. 34, a. 1c; II-II, q. 110, a. 3c; In 1 Sent. d. 22, q. 1, a. 1c; De Ver. q. 7, a. 1 ad 14; De Pot. q. 9, a. 5c.

[30] Siehe dazu auch I, q. 13, a. 1c: „Secundum Philosophum, voces sunt signa intellectuum, et intellectus sunt rerum similitudines. Et sic patet quod voces referuntur ad res significandas, mediante conceptione intellectus."

[31] Stellvertretend nennt Thomas die Trompete, die Zeichen des Krieges sei, vgl. In Perih. l. 1, lect. 2 <n. 19>.

Thomas sagt nicht, daß die 'passiones animae' Zeichen seien, er sagt aber von ihnen, daß sie die Dinge von Natur her bezeichnen.[32] Thomas orientiert sich bei der Behandlung des Textes an der boethianischen Übersetzung. Er findet somit als Übersetzung sowohl für „σύμβολον" als auch für „σημεῖον" den Terminus „nota" vor. Dieser scheint ihm erklärungsbedürftig. Er schreibt deshalb mehrfach: „'nota' id est 'signum'"[33]. Er bestätigt aber Ammonius' Auffassung, daß die Ausdrücke „σύμβολον" und „σημεῖον" dasselbe bezeichnen, obwohl Wilhelms Übersetzung die Differenz dieser Termini festhält.[34]

Daß die Worte als Zeichen für Begriffe eingesetzt werden, bedeutet nun keineswegs, daß jedem Begriff ein und nur ein Sprachzeichen entspräche. Thomas erörtert deshalb vielfach die Phänomene der Synonymie und der Äquivokation.[35] Er verwendet den Begriff der Äquivokation indes in einem engeren Sinne als Roger Bacon. Sie ist für ihn nur gegeben, wo ein Ausdruck für eine Mehrzahl von Bedeutungen steht, die nicht untereinander verwandt sind.[36] Im Anschluß an Aristoteles erörtert Thomas auch das Phänomen, daß wir Dinge kennen, zum Beispiel charakteristische Dispositionen, für die wir keine sprachlichen Ausdrücke haben.[37] In diesen Fällen benutzen wir zur Verständigung Paraphrasen oder wir wenden Ausdrücke in übertragener Bedeutung an.

Die kleinste bedeutungstragende lautliche Einheit sind die Worte, genauer die nomina und verba. Sie sind, so führt Thomas aus, aufgrund einer Übereinkunft bedeutungstragend.[38] Wahrheit und Falschheit kommt aber weder dem Nomen für sich, noch dem Verbum für sich und auch nicht einer Verknüpfung mehrerer Nomina zu. Wahr oder falsch

---

[32] „[I]n passionibus autem animae oportet attendi rationem similitudinis ad exprimendas res, quia eas naturaliter designant, non ex institutione." (ebd.)

[33] In Perih. l. 1, lect. 2 <n. 13>; ebd. lect. 5 <n. 55>.

[34] Thomas folgt in diesem Punkt dem Kommentar des Ammonius. Daß Thomas aber auch an dieser Stelle Wilhelm von Moerbekes Übersetzung genau zur Kenntnis genommen hat, zeigt sein Komentar zu De sensu et sensato: „[S]ermo, qui est audibilis, est causa addiscendi non per se, id est secundum ipsas sonorum differentias, sed per accidens, in quantum scilicet nomina ex quibus sermo, id est locutio, componitur, sunt symbola, id est signa, intentionum intellectarum, et per consequens rerum." (In De sensu et sensato, Tractatus 1, c. 1 <l. un., lect. 2, n. 31>)

[35] Vgl. R. Teuwsen, Familienähnlichkeit und Analogie. Zur Semantik genereller Termini bei Wittgenstein und Thomas von Aquin.

[36] Vgl. dazu auch W. Kluxen, Art. „Analogie", 221.

[37] Vgl. II-II, q. 157, a. 2 ad 2; In Eth. l. 2, lect. 9 <n. 4349> sowie In Eth. l. 4, lect. 13 <n. 800>.

[38] Vgl. In Perih. l. 1, lect. 4 <n. 46>, sowie ebd. lect. 6 <n. 81>.

kann nur jene Verknüpfung genannt werden, in der ein Verbum auf ein Nomen bezogen wird: die Aussage.[39]

Thomas greift das aristotelische Schema der Bezeichnungsrelation auch in theologischen Fragezusammenhängen auf. Insbesondere die theologisch-philosophische Reflexion auf die Rede vom göttlichen Wort und von der Relation zwischen den ersten beiden göttlichen Personen bietet hierzu vielfachen Anlaß.[40] Thomas geht dabei davon aus, daß die Seelenzustände bzw. Verstandesbegriffe (passiones animae), von denen Aristoteles in Peri hermeneias spricht, identisch sind mit den inneren bzw. geistigen Worten (verba mentis), die Augustinus in De trinitate behandelt.[41] Ausschlaggebend für diese Identitätsunterstellung ist zweifellos, daß sowohl der Philosoph als auch der Kirchenlehrer die Sprachlaute als Zeichen der Begriffe in der Seele auffassen.[42] Diese Parallelität muß für die Autoren des 13. Jahrhunderts suggestiv gewesen sein. Es überrascht keineswegs, daß Thomas diese Gleichsetzung vornimmt, denn auch der in augustinisch geprägten Sprachphilosophie Bonaventuras waren die zentralen Aussagen der aristotelischen Semantik angeklungen. Thomas bemüht sich allerdings stärker als Bonaventura, die Lehre vom verbum mentis in den Zusammenhang der aristotelischen Psychologie einzuordnen. Dadurch erhält die verbum-mentis-Lehre ein neues Gepräge.[43]

Thomas führt aus, das verbum mentis dürfe nicht mit der intelligiblen Form (species intelligibilis) verwechselt werden.[44] Vom verbum werde

---

[39] In Perih. l. 1, lect. 5 <n. 71>, lect. 7 <n. 83>.

[40] Vgl. Super evangelium sancti Ioannis lectura, c. 1 , lect. 1: „Ad intellectum autem huius nominis Verbum, sciendum est quod, secundum Philosophum (I Perih. lect. II) ea quae sunt in voce, sunt signa earum, quae sunt in anima, passionum." Neben dem Beginn des Johanneskommentars sind folgende zentrale Stellen zu nennen: In 1 Sent. d. 27; De Ver. q. 4; De Pot. q. 8 und 9; I, q. 27.

[41] „De necessitate autem oportet quod illud intrinsecum animae nostrae, quod significatur exteriori verbo nostro, verbum vocetur." (Super evangelium sancti Ioannis lectura, c. 1 , lect. 1)

[42] Zu Aristoteles vgl. die Zitation (Erster Teil, § 2, Anm. 27); die einschlägige Augustinusstelle lautet: „Proinde verbum quod foris sonat signum est verbi quod intus lucet cui magis verbi competit nomen." (De trin. XV,XI,20).

[43] Th. Kobusch weist darauf hin, welche Rolle die veränderte verbum-mentis-Lehre in der Geschichte der Ontologie des Gedankendings (ens rationis) spielte (vgl. Sein und Sprache). C. Panaccio zeigt überzeugend auf, daß Thomas mit seiner Lehre vom verbum mentis einen entscheidenden Schritt hin zu Ockhams Theorie der oratio mentalis macht (From mental word to mental language, 126-129).

[44] Die Position, von der er sich abgrenzt, wird etwa von Bonaventura vertreten: „Idem enim est species, quae de mente gignitur, et verbum, quod de mente nascitur." (Sermones de

nicht mit Bezug auf die im intellectus possibilis aufgenommenen geistigen Bilder der Dinge gesprochen. Das verbum mentis bzw. das verbum
interius stelle vielmehr den Endpunkt der Operation des Intellektes dar,
es ist das Verstandene im Verstehenden; es ist ein Ähnlichkeitsbild, nicht
insofern es vom Naturding als Abbild hervorgeht, sondern insofern der
Intellekt es hervorbringt, um jene Naturdinge zu verstehen und darzustellen: „Die Sprachlaute bezeichnen also nicht die geistigen Erkenntnis-
bilder, sondern das, was sich der Intellekt formt, um über die Außendin-
ge zu urteilen."[45]

Welche Bedeutung diese Differenzierung für die Theorie der Erkenntnis hat, wird deutlicher, wenn die Theorie des inneren Wortes bei
Thomas mit der korrespondierenden Theorie bei Roger Bacon verglichen wird. Bacon spricht zwar nicht von einem inneren Wort, aber er
spricht wie Thomas auch von intentiones, und er spricht – im Anschluß
an Aristoteles – von den passiones animae. Anders als Thomas setzt Bacon aber 'intentio' und 'species' gleich.[46] Sie sind Ähnlichkeitsbilder der
äußeren Dinge und deren natürliche Zeichen. Die Angleichung des Verstandes an ein äußeres Ding beim Erkenntnisvorgang kann deshalb nicht
wie bei Thomas als intentionale Angleichung verstanden werden. Vielmehr breitet sich die species von den Dingen her aus und aktuiert zunächst die äußeren Sinne, sodann die inneren Sinne und schließlich den
Intellekt.[47] Die Bildung der Intentio bei Bacon ist also, wenn man sie in
der thomanischen Begrifflichkeit beschreibt, eine Angleichung in bezug
auf die Natur (assimilatio secundum naturam) und keine Angleichung
im Sinne der Darstellung (assimilatio secundum repraesentationem).[48] In
der Quaestio de his quae relative dicuntur de Deo ab aeterno begründet
Thomas zudem ausführlich, daß das innere Wort beim Menschen auch
nicht mit der Tätigkeit des Intellekts oder dem Intellekt selbst verwechselt werden dürfe.[49]

---

tempore, In Nativitate Domini, sermo 2, n. 1 [IX, 106b]) „Nam ex memoria oritur intelligentia ut ipsius proles, quia tunc intelligimus, cum similitudo, quae est in memoria, resultat in acie intellectus, quae nihil aliud est quam verbum [...]." (Itin. c. 3, n. 5 [V, 305a])
Zur Vorgeschichte dieser Gleichsetzung von verbum mentis und species intelligibilis vgl.
J. Chênevert, Le verbum dans le Commentaire sur les Sentences de saint Thomas
d'Aquin, 370-380.

[45]   I, q. 85, a. 2 ad 3. Vgl. ScG IV, c. 11.

[46]   Roger Bacon, De multiplicatione specierum, p. 1, c. 1 [Z. 54-56].

[47]   Vgl. K.H. Tachau, Vision and certitude in the age of Ockham, 16-20.

[48]   Vgl. De Ver. q. 4, a. 4 ad 2; ebd. q. 8, a. 11 ad 3.

[49]   „Intelligens autem in intelligendo ad quatuor potest habere ordinem: scilicet ad rem
quae intelligitur, ad speciem intelligibilem, qua fit intellectus in actu, ad suum intelligere,
et ad conceptionem intellectus. Quae quidem conceptio a tribus praedictis differt. [...]

Die Rede vom inneren Wort hatte Augustin dazu gedient, sich von der Materialität der äußeren Sprache zu lösen und eine geeignete Analogie zum göttlichen Wort zu finden. Das innere Wort wird ihm so zum eigentlichen Wort[50], das gesprochene Wort dagegen zum bloßen Zeichen eines Wortes. Die Lautgestalt sei dem Wort äußerlich, sie trete hinzu, sei nicht konstitutiv. Abweichend hiervon hatte Aristoteles das Wort von der sprachlichen Lautform ausgehend definiert. Freilich muß für ihn zur Lautgestalt die Bedeutung als differentia specifica hinzutreten, damit der Laut ein Wort ausmacht. Thomas nun betont mit Aristoteles, daß für uns der Ausgangspunkt der Sprachbetrachtung das äußere Wort ist. Er sagt deshalb nicht wie Augustinus, daß dem inneren Wort der Titel Wort eher zukommt als dem äußeren. Gleichwohl stimmt er Augustin – wie gezeigt – in vielen Punkten zu, so daß man von einer Synthetisierung des aristotelischen und des augustinischen Ansatzes sprechen kann.

Die thomanische verbum-mentis-Lehre stellt damit nicht nur einen Neuanfang in der Behandlung des inneren Wortes dar, sie führt auch zu einer neuen Perspektive auf die Grundannahmen der aristotelischen Semantik. Dies hat zunächst terminologische Konsequenzen.[51] Die veränderte Terminologie und der Fragezusammenhang führen aber auch zu anderen Akzentsetzungen als jenen des Perihermeneiaskommentars.[52] Zunächst macht Thomas entschieden auf den Kausalzusammenhang zwischen verbum oris und verbum mentis aufmerksam. Das innere Wort

Haec autem conceptio intellectus in nobis proprie verbum dicitur: hoc enim est quod verbo exteriori significatur: vox enim exterior neque significat ipsum intellectum, neque speciem intelligibilem, neque actum intellectus; sed intellectus conceptionem qua mediante refertur ad rem. Huiusmodi ergo conceptio, sive verbum, qua intellectus noster intelligit rem aliam a se, ab alio exoritur, et aliud repraesentat." (De Pot. q. 8, a. 1c)

[50] Vgl. De Trin XV,XII,22: „Ex quibus gignitur verbum verum quando quod scimus loquimur, sed verbum ante omnem sonum, ante omnem cogitationem soni." Zum Zusammenhang siehe oben Erster Teil, § 6.

[51] In der Quaestio de verbo (De Ver. q. 4) übersetzt Thomas die dargestellte semantische Theorie des Aristoteles in die augustinische Begrifflichkeit. Statt von der vox significativa spricht er hier vom verbum oris; anstelle von intellectus, conceptus bzw. passio animae spricht er vom verbum mentis.

[52] Die Untersuchung beschränkt sich dabei auf die sprachphilosophisch interessanten Modifikationen. Für die theologische Bedeutung der Synthese vgl. B. Lonergan, La notion de verbe dans les écrits de saint Thomas; H. Paissac, Théologie du Verbe: Saint Augustin et saint Thomas; W.W. Meissner, Some Aspects of Verbum in the texts of St. Thomas; J.L. Gonzalez Alio, El entender como posesion: la funcion gnoseologica del verbo mental; weitere Literaturhinweise gibt A. Keller, Arbeiten zur Sprachphilosophie Thomas von Aquins.

ist Wirk- und Zweckursache des äußeren; es ist diesem also vorgeordnet.[53] Dieser Vorrang gilt nicht nur auf ontischer, sondern ebenso auf semantischer Ebene: Das innere Wort ist für das äußere Wort nicht nur die Ursache seines Seins, sondern es hat von diesem auch seine Bezeichnungskraft; insofern kommt dem inneren Wort die Eigenschaft des Bezeichnens vorrangig zu.[54] Allerdings verweist Thomas auf unseren Sprachgebrauch, nach dem zunächst und vor allem das äußere Wort 'verbum' genannt werde. Sodann spricht er mit Augustin präzisierend von einem dreifachen Wort.[55] Neben dem äußeren Wort unterscheidet er ein Wort des Herzens, das von jeglicher Materialität losgelöst ist, und das innere Wort, welches er als Urbild des äußeren Wortes bestimmt.[56] Letzteres stellt gewissermaßen eine Zwischenstufe dar; hier wird die Ausrichtung des Gedankens auf seine sprachliche Äußerung deutlich. Im selben Sinne spricht Thomas an einigen Stellen von einem 'verbum phantasticum'. Beim Sprechen nämlich wird zunächst in der imaginatio die Vorstellung des zu sprechenden Lautes gebildet.[57] Das innere Wort als verbum phantasticum erhält somit bei Thomas dieselbe Funktion, die die Stoiker dem Lekton zuschrieben.[58] Thomas allerdings ist diese Übereinstimmung mit

---

[53] De Ver. q. 4, a. 1c.

[54] Ebd. ad 7: „[R]atio signi per prius convenit effectui quam causae quando causa est effectui causa essendi non autem significandi, sicut in exemplo proposito (vgl. ebd. obi. 7, Anm. M. F.) accidit; sed quando effectus habet a causa non solum quod sit sed etiam quod significet, tunc sicut causa est prius quam effectus in essendo, ita in significando. Et ideo verbum interius per prius habet rationem significationis et manifestationis quam verbum exterius quia verbum exterius non instituitur ad significandum nisi per interius verbum."

[55] Die Rede von einem dreifachen Wort findet sich außer bei Augustin, auf den Thomas zurückgreift, in anderer Gestalt auch bei Proklos. Vgl. dazu M. Hirschle, Sprachphilosophie und Namenmagie im Neuplatonismus, 20-35.

[56] „Et ideo sicut in artifice tria consideramus, scilicet finem artificii et exemplar ipsius et ipsum artificium iam productum, ita etiam in loquente triplex verbum invenitur, scilicet id quod per intellectum concipitur, ad quod significandum verbum exterius profertur, et hoc est verbum cordis sine voce prolatum, iterum exemplar exterioris verbi, et hoc dicitur verbum interius quod habet imaginem vocis, et verbum exterius expressum, quod dicitur verbum vocis." (De Ver. q. 4, a. 1c) Vgl. auch die Unterscheidung zweier Modi von sermo in mente bei Ps.-Kilwardby (In Prisc. Ma. 1.2.1 [10f.]).

[57] I, q. 34, a. 1c sowie In 2 Sent. d. 8, q. 1, a. 4., q. 5 s.c. Vgl. auch In 1 Sent. d. 27, q. 2, a. 1c: „Secundum autem quod est in imaginatione, quando scilicet quis imaginatur voces quibus intellectus conceptum proferre valeat, sic est verbum quod habet imaginem vocis, et quod ab aliis dicitur verbum speciei vocis, et a Damasceno dicitur verbum in corde enuntiatum, et ab Augustino dicitur verbum cum syllabis cogitatum."

[58] Vgl. Erster Teil, § 7.1, Anm. 178.

der stoischen Sprachlehre nicht bewußt. Er schöpft seine Begrifflichkeit aus der augustinischen Verbumlehre.[59]

Als Zielpunkt der Verstandestätigkeit hat das verbum mentis mit dem extramentalen Naturding keine Ähnlichkeit, die im Sinne einer Konformität aufgefaßt werden könnte. Die Begriffe (conceptiones) – also die aristotelischen 'passiones animae' bzw. die augustinischen 'verba mentis' – sind vielmehr den äußeren Dingen insofern ähnlich, als sie diese darstellen.[60] Die Darstellung geschieht auf die dem Verstand eigene Weise. Vom verbum mentis als dem Zielpunkt der Verstandestätigkeit kann deshalb – entsprechend den in De anima[61] beschriebenen beiden Operationsweisen des Verstandes – in zweifacher Weise gesprochen werden. Bei der intelligentia indivisibilium[62], bei der der Verstand die Washeit der Dinge erfaßt, ist der Terminus ein mentales Korrelat eines einfachen Lautgebildes. Beim Zusammensetzen und Trennen ist dieses Korrelat ein komplexes Lautgebilde.[63] Das verbum mentis ist also entweder ein geistiges Wort oder ein geistiger Satz.

Gerade mit der Betonung des Satzcharakters des inneren Wortes geht Thomas deutlich über die Konzeption der verbum-mentis-Lehre bei Augustinus hinaus und nähert sich sachlich der stoischen Auffassung, daß das Lekton sowohl inkomplex und unvollständig, als auch komplex und vollständig sein könne.[64] Gleichzeitig hebt er sich damit aber auch deut-

[59] Augustinus benennt in den einschlägigen Kontexten (vgl. dazu ausführlich A. Schindler, Wort und Analogie in Augustins Trinitätslehre) die Stoiker nicht als Quelle. Thomas bezieht deshalb seine Kenntnis des stoischen Lekton (dicibile) aus Ammonius' Kommentar zu Peri hermeneias bzw. aus dessen Übersetzung durch Wilhelm von Moerbeke. Ammonius aber kritisiert die stoische Position, weil sie mit dem Lekton eine Zwischenstufe zwischen dem Begriff und dem wirklichen Ding fordere; er versteht das Lekton nicht als Zwischenstufe zwischen Begriff und Sprachlaut.

[60] De Ver. q. 4, a. 4 ad 2: „[N]on exigitur ad veritatem verbi similitudo ad rem quae per verbum dicitur secundum conformitatem naturae sed secundum repraesentationem [...]"

[61] De anima III, c. 6 [430a 26-30].

[62] Vgl. dazu In Met. l. 6, lect. 4 <n. 1223, n. 1224>.

[63] „Unde ad huius notitiam sciendum est quod verbum intellectus nostri, secundum cuius similitudinem loqui possumus de verbo divino, est id ad quod operatio intellectus nostri terminatur, quod est ipsum intellectum, quod dicitur conceptio intellectus, sive sit conceptio significabilis per vocem incomplexam ut accidit quando intellectus format quidditates rerum, sive per vocem complexam ut accidit quando intellectus componit et dividit." (De Ver. q. 4, a. 2c)

[64] Th. Kobusch grenzt die thomanische Konzeption deshalb zu recht deutlich gegen ihre neoscholastische Wirkungsgeschichte ab: „Der Begriff des verbum mentis ist im weiteren Verlauf der Geschichte der mittelalterlichen Ontologie entscheidend umgedeutet wor-

lich von der boethianischen Auslegungstradition von Peri hermeneias ab.
Hatte Boethius den Satz gleichsam als höhere Komplexitätsstufe innerhalb der Semantik behandelt und das Nomen als eigentliches Werkzeug
des Verstandes behandelt, so kommt nach Thomas dem Wort wie dem
Satz diese Funktion ursprünglich zu. Beide sind unverzichtbare Instrumente unseres Sprechens und Denkens.[65] Der Verstand, der sich dem
Satz zuwendet, betrachtet eine Vielheit von bedeutungstragenden Wörtern als Einheit.[66]

§ 2 Natürlichkeit und Künstlichkeit des menschlichen Sprechens

Mit dem Hinweis auf die planmäßige Festsetzung der sprachlichen Zeichen und ihrer Bedeutungen greift Thomas in eine Kontroverse ein, die
unter dem Stichwort der Richtigkeit der Namen schon sehr früh in der
griechischen Philosophiegeschichte entfacht worden ist und in der eine
Antwort auf die Frage gesucht wurde, ob die menschliche Sprache und
ihre Bestandteile ihre Bedeutung von Natur oder durch Konvention
hätten. Während die Sophisten und Demokrit die konventionalistische
Lösung verfolgten[67], scheinen einige der Schüler Heraklits eine naturali-
stische Variante verfochten zu haben.[68] Eine Dokumentation und philosophische Vertiefung dieser Debatte stellt der platonische Dialog „Kratylos" dar. Ammonius' Kommentar zu Peri hermeneias bietet eine knappes
Referat der Positionen in diesem Dialog.[69] Thomas von Aquin geht aufgrund dieser Zusammenfassung davon aus, daß die platonische Position
der aristotelischen widerstreitet.

---

den, so daß die Satzkonzeption des Thomas neuzeitlichem Bewußtsein weitgehend un-
bekannt blieb." (Sein und Sprache, 371). Den Satzcharakter des verbum mentis hebt
auch L. Oeing-Hanhoff, Sein und Sprache in der Philosophie des Mittelalters, 173f. hervor.

[65]   Auch das Denken hat nach Thomas jenen Mitteilungscharakter, der uns berechtigt, von
einem verbum zu sprechen; es ist Mitteilung des Denkenden an sich selbst. (Vgl. dazu De
Ver. q. 4, a. 1 ad 5.)

[66]   De Ver. q. 8, a. 14c.

[67]   Zu den unter den Sophisten möglicherweise divergierenden Positionen vgl. M. Untersteiner, The sophists, 212-216, sowie P.M. Gentinetta, Zur Sprachbetrachtung bei den Sophisten und in der stoisch-hellenistischen Zeit.

[68]   Die Position von Heraklit selbst wird man nicht in einem naturalistischen Sinne verstehen
können. Vgl. dazu E. Hoffmann, Die Sprache und die archaische Logik, 1-8; F. Heinimann, Nomos und Physis, 56.

[69]   Ammonius, In Perih., c. 2 [ed. G. Verbeke, 66ff.].

Wie oben ausgeführt, schließt sich Thomas der aristotelischen Auffassung an. Die Worte sind nicht Ähnlichkeiten der Begriffe und mithin auch nicht Ähnlichkeiten der zu bezeichnenden Dinge. Zwar sind die Laute, anders als die Schrift, etwas Natürliches. Nur dadurch aber, daß der Verstand ihnen eine Bedeutung zuschreibt, werden sie für ihn zu Werkzeugen des Bezeichnens; von Natur aus sind sie es nicht.[70] In diesem Sinne ist das Wort nicht Zeichen, sondern wird erst zum Zeichen durch seine Einsetzung (impositio).[71] Thomas kann die Sprache deshalb als Artefakt auffassen und das Sprechen mit dem handwerklichen Herstellen vergleichen. Jedoch – und dies ist bereits durch den Vergleich zwischen der Einsetzung von Worten (impositio vocis) und dem handwerklichen Herstellen nahegelegt[72] – ist der Zusammenhang zwischen vox, conceptus und res kein beliebiger. Vielmehr soll das Wort so gewählt sein, daß seine Bedeutung der Natur der Sache entspricht.[73] Es kann Gründe dafür geben, daß die Einsetzung eines bestimmten Zeichens zur Bezeichnung einer bestimmten Sache geeigneter ist als eine andere Lautkette. So kann, wenn eine Sache mit einer anderen Sache in einer Beziehung steht, die Bezeichnung der einen von der Bezeichnung der anderen abgeleitet werden. Die Setzung des Zeichens bleibt aber letztlich dem Gutdünken des Namengebers überlassen. Die Etymologie, die die Herleitung des Wortes und damit die Gründe für die Einsetzung eines bestimmten Lautgebildes für einen Bedeutungsgehalt untersucht, kann daher nur einen sehr begrenzten Einblick in die Bedeutung eines Zeichens gewähren.[74]

Thomas ist sich der Tatsache bewußt, daß die sprachanalytische Vorgehensweise, die er von Aristoteles übernimmt, auf der Grundannahme basiert, daß ausgehend von der gesprochenen Sprache und ihren Strukturen auf Strukturen des Denkens und der Wirklichkeit geschlossen wer-

---

[70] In Perih. l. 1, lect. 6 <n. 81>.

[71] „Ex hoc enim est nomen, quod significat; non autem significat naturaliter, sed ex institutione. Et hoc est quod subdit: *sed quando fit nota,* id est quando imponitur ad significandum: id enim quod naturaliter significat, non fit, sed naturaliter est signum." (ebd. lect. 4 <n. 46>)

[72] Vgl. Th. Kobusch, Sein und Sprache, 11.

[73] Hierin erkennt Thomas ein berechtigtes Anliegen Platons: „Quidam vero dixerunt quod nomina non naturaliter significant quantum ad hoc quod eorum significatio non est a natura, ut Aristoteles hic intendit, quantum vero ad hoc naturaliter significant quod eorum significatio congruit naturis rerum, ut Plato dixit; nec obstat quod una res multis nominibus significatur [...]" (ebd. <n. 47>)

[74] Vgl. dazu II-II, q. 92, a. 1 ad 2; ebd. q. 1, a. 6 ad 3. Zu den mittelalterlichen Theorien der Etymologie vgl. K. Grubmüller, Etymologie als Schlüssel zur Welt?

den kann.[75] Die sprachanalytische Methode unterstellt also eine gewisse Entsprechung zwischen sprachlicher Äußerung und Wirklichkeit. In seinem Kommentar zu De caelo fragt Thomas, warum bei der Sprachverwendung auf den allgemeinen Sprachgebrauch zu achten sei. Als Begründung gibt er an, daß im allgemeinen Sprachgebrauch eine natürliche Geneigtheit zum Ausdruck komme, wohingegen der individuell-persönliche Charakter des Sprechens aus den Eigentümlichkeiten des einzelnen Menschen zu erklären sei.[76] Die Strukturen der gemeinsamen Sprache eignen sich also für das sprachanalytische Vorgehen, weil in ihnen eine Ausrichtung des Denkens zum Tragen kommt. Der Hinweis auf die natürliche Geneigtheit, die Strebensnatur des erkennenden Menschen, darf allerdings keinesfalls so verstanden werden, als sei die Sprache bzw. die Sprachstruktur ein direktes Abbild der Wirklichkeit oder der Wirklichkeitsstruktur. Thomas macht dies schon dadurch deutlich, daß er zwischen 'modi significandi' und 'modi essendi' als dritte Ebene die 'modi intelligendi' schaltet.[77] Diese dritte Ebene leistet einerseits die Vermittlung, andererseits erklären sich durch sie auch Verschiebungen und Brechungen im Verhältnis zwischen Sprach- und Wirklichkeitsstruktur.[78] Die Namen drücken die Dinge und Sachverhalte der Welt nicht aus, wie sie sind, sondern wie wir sie in unserem Verstand begreifen.[79] Thomas sagt deshalb, die Benennung habe dem Denken zu folgen, müsse sich an ihm orientieren.[80]

Auch wenn Thomas die Worte und Sätze eindeutig als Artefakte charakterisiert, so kann er dennoch in gewisser Hinsicht eine natürliche Relation zwischen dem Sprachzeichen und dem bezeichneten Begriff oder Seelenzustand annehmen. So wie das Werk eines Menschen als Zeichen seiner Handlungsabsicht gedeutet werden kann[81], so sind auch die Worte natürlicherweise Zeichen der Begriffe. Bei der Lüge wird dieser natürliche Zusammenhang durchbrochen; die Lüge ist ein absichtlicher Mißbrauch der Sprache, sie verstoße gegen den natürlichen Zweck

---

[75] Vgl. dazu M.-Th. Liske, Die sprachliche Richtigkeit bei Thomas von Aquin.

[76] „Ea enim quae sunt propria singulis in modo loquendi, videntur provenire ex propriis conceptionibus uniuscuiusque." (In De caelo et mundo l. 1, c. 1, lect. 2)

[77] Zur Unterscheidung dieser drei Ebenen in der scholastischen Sprachreflexion vgl. E. Coseriu, Die Geschichte der Sprachphilosophie, Bd. 1, 130-133; J. Pinborg, Art. „Modus significandi"; I. Rosier, La théorie médiévale des modes de signifier.

[78] Vgl. K. Buersmeyer, Aquinas on the „modi significandi", 80.

[79] „Nam nomine res exprimimus eo modo quo intellectu concipimus." (ScG I, c. 30)

[80] I-II, q. 7, a. 1c; ebd. q. 25, a. 2 ad 1.

[81] „[O]pus exterius naturaliter significat intentionem." (II-II, q. 111, a. 2 ad 1)

der Sprache.[82] Darüber hinaus kann Thomas feststellen, daß die Sprache bzw. das Sprechen auch insofern natürlich ist, als es dem Menschen von Natur aus zukommt, seine Begriffe zu benennen. Die Ausdrucksfähigkeit, die durch die Stimme gegeben ist, diene dem menschlichen Wohlbefinden.[83] Dies legt ihn allerdings nicht auf eine bestimmte Benennungsweise fest.[84] Als politisches Wesen ist der Mensch also auf Sprache angewiesen[85], die Einsetzung der konkreten Worte geschieht indes bei den Völkern in je verschiedener Weise, folgt also keiner Notwendigkeit, sondern ist das Ergebnis einer Festlegung oder einer Übereinkunft. Eine konkrete Theorie der Sprachgenese liefert Thomas nicht.[86] Das philosophische Interesse an der Sprachgenese tritt bei ihm, anders als etwa bei den Sophisten oder bei Epikur, zurück hinter das Bemühen, das menschliche Sprechen in einen Bezug zum menschlichen Handeln überhaupt zu setzen.

§ 3 Die Einbindung der Sprachtheorie in die Theorie des Handelns

In seinem Perihermeneiaskommentar hatte sich Thomas ausführlich mit dem Aussagesatz befaßt. Dessen Funktion ist es, etwas darzustellen. 'Enuntiatio' kann deshalb nach Thomas gleichgesetzt werden mit 'manifestatio' oder auch mit 'repraesentatio'.[87] Die Aussage kann so als ein Modus des Handelns begriffen werden. Thomas ist sich durchaus des Handlungscharakters bewußt, den das Sprechen hat. In seiner Handlungstheorie bestimmt er deshalb die Aussage als Darstellung der Wahrheit

---

[82] „[C]um enim voces sint signa naturaliter intellectuum, innaturale est et indebitum quod aliquis voce significet id quod non habet in mente." (II-II, q. 110, a. 3c). Zur sprechakttheoretischen Analyse der Lüge vgl. unten § 3.

[83] In De anima, l. 2, c. 18 <n. 473>.

[84] II-II, q. 85, a. 1 obi. 3; ad 3.

[85] „Cum ergo homini datus sit sermo a natura, et sermo ordinetur ad hoc quod homines sibi invicem communicent in utili et nocivo, iusto et iniusto et alia huiusmodi: sequitur, ex quo natura nihil facit frustra, quod naturaliter homines in hiis sibi communicent. Sed communicatio in istis facit domum et civitatem; ergo homo est naturaliter animal domesticum et civile." (In Polit., l. 1, c. 1b <n. 37>) Vgl. auch De regno ad regem Cypri, l. 1, c. 1.

[86] Die diesbezüglichen Ausführungen bei F. Manthey (Die Sprachphilosophie des hl. Thomas von Aquin, 86-102) fußen weitgehend auf Textstellen aus dem pseudothomasischen Genesiskommentar.

[87] II-II, q. 110, a. 1c.

und als Akt des Willens[88] bzw. als Akt der Vernunft[89]. Die Handlungseinheit konstituiert der Satz. In der Perspektive der Handlungstheorie bestätigt sich, was auf logisch-semantischer Ebene bereits ausgewiesen wurde: die Rolle des Satzes als der grundlegenden sprachlichen Einheit. Denn nur der Satz, nicht schon das einzelne bedeutungstragende Wort, kann als Sprechakt qualifiziert werden. So kommt im Falle der Aussage die Fähigkeit, etwas darzustellen, nur dem Aussagesatz als ganzem und nicht schon seinen Bestandteilen zu. Der Aussagesatz ist jener Akt, in dem der Verstand (ratio) ein Zeichen auf ein Bezeichnetes bezieht.[90]

Wie für Aristoteles, so ist auch für Thomas die Aussage nur eine unter vielen Arten von Sprechakten. Während der Aussage in der Logik das ungeteilte Interesse gilt, muß sich die Handlungstheorie der Vielzahl und Diversität der Sprechakte zuwenden. Schon im Prooemium zum Perihermeneiaskommentar hatte Thomas mit dem Wunschsatz und dem Befehl weitere Arten von Sätzen erwähnt. In diesen Sprechakten kommt es weniger auf den Bezug zu Begriffen und zu den Dingen als vielmehr auf den Ausdrucksaspekt an.[91] Der Sprechende nimmt nicht primär auf Sachverhalte der Außenwelt Bezug, er referiert auch nicht auf sein eigenes Inneres als Gegenstand des Darstellens, sondern er bringt eigene Befindlichkeiten, Strebungen und Gefühle zur Sprache. Anders als der Wunschsatz kann der Befehl auch als ein Sprechakt gedeutet werden, in dem der Hörerbezug entscheidend ist; der Befehl ist nämlich jener Sprechakt, durch den der Empfänger zu einer Handlung genötigt wird, er setzt die Gewalt des Befehlenden über den Befehligten voraus. Der Imperativ ist jener Sprechmodus, durch den der Sprecher einen anderen bewegt, etwas zu tun.[92] Der Hörerbezug ist ebenfalls im Sprechakt der Bitte entscheidend. Auch hier will der Sprecher den Angesprochenen zu einer Handlung veranlassen. Anders als beim Befehl ist der Sprecher dem Adressaten im Falle der Bitte aber gleichgestellt oder sogar untergeben. Die Bitte hat daher keinen nötigenden, sondern lediglich einen

---

[88] II-II, q. 109, a. 1c und ebd. ad 3. Auch im Zusammenhang der Engelsprache wird die Bedeutung des Willens hervortreten (vgl. dazu unten Dritter Teil, § 5).

[89] II-II, q. 110, a. 1c.

[90] Vgl. ebd. Auch Darstellung durch nichtsprachliche Zeichen wird man deshalb in Analogie zur Satzstruktur auffassen müssen.

[91] „[E]t ideo sola oratio enuntiativa, in qua verum vel falsum invenitur, interpretatio vocatur; ceterae vero orationes, ut optativa et imperativa, magis ordinatur ad exprimendum affectum quam ad interpretandum id quod in intellectu habetur." (In Perih. l. 1, <prooem. n. 3>) Der Ausdrucksaspekt wird auch sonst verschiedentlich erwähnt. Vgl. Expositio super Epistolas Pauli Apostoli, Ad Ephesios, c. 3, lect. 4 <n. 169>.

[92] II-II, q. 76, a. 1c.

auffordernden Charakter.[93] Auch der Vokativ als Satz ist ein Sprechakt, der durch seinen Adressatenbezug entscheidend gekennzeichnet ist. Der Zweck dieses Sprechaktes nämlich ist es, die Aufmerksamkeit des Hörers hervorzurufen.[94] Schließlich muß noch die Sprechhandlung des Fragens erwähnt werden. Auch sie hat Aufforderungscharakter gegenüber dem Angesprochenen; ihr Zweck ist es, ihn zu einer Antwort zu bewegen.[95]

Durch diese Zwecke und Weisen des Sprechens noch nicht erfaßt sind die performative Rede und das Gebet. Thomas begreift die göttliche Schöpfung durch das Wort als eine Redehandlung, die etwas verursacht, und vergleicht sie deshalb mit einer Befehlshandlung.[96] Neben der Erschaffung der Welt durch das Wort kennt Thomas aber auch Beispiele von performativem Sprechen im eigentlichen Sinne. Zu nennen sind hier vor allem die sakramentalen Sprechakte in der Taufe und in der Wandlung. Bei den Wandlungsworten hat der Satz „Hoc est corpus meum" performative Kraft (virtus factiva).[97] Gerade am Beispiel der Wandlungsworte wird deutlich, daß – wie für den Aussagesatz, so auch für die anderen Sprechakte – die Satzebene die entscheidende semiotische Einheit darstellt. Die Wandlung geschieht nicht sukzessiv durch die Bedeutungskraft der einzelnen Worte, sondern sie geschieht instantan. Weil das Wandlungsgeschehen die Bedeutung des gesamten Satzes voraussetzt, erfolgt es erst nach dem Aussprechen des Satzes als ganzem.[98]

---

[93] „Sic igitur et ratio dupliciter est causa aliquorum. Uno quidem modo, sicut necessitatem imponens: et hoc modo ad rationem pertinet imperare non solum interioribus potentiis et membris corporis, sed etiam hominibus subiectis, quod quidem fit imperando. Alio modo, sicut inducens et quodammodo disponens: et hoc modo ratio petit aliquid fieri ab his qui ei non subiiciuntur, sive sint aequales sive sint superiores." (II-II, q. 83, a. 1) In II-II, q. 17 a. 2 qualifiziert Thomas die Bitte als Ausdruck einer Hoffnung.

[94] Thomas will allerdings den isolierten Vokativ nicht als Ein-Wort-Satz auffassen: „Non tamen est intelligendum quod solum nomen vocativi casus prolatum sit vocativa oratio, quia oportet aliquid partium significare separatim, sicut supra dictum est; sed per vocativum vocatur sive excitatur animus audientis ad attendendum, non autem est vocativa oratio nisi plura coniungantur, ut cum dico: 'O beate Petre!'" (In Perih. l. 1, lect. 7 <n. 85>)

[95] Ebd. <n. 86>.

[96] „Alio modo dicere se habet ad id quod dicitur per modum causae. Et hoc quidem primo et principaliter competit Deo, qui omnia suo verbo fecit: secundum illud Psalm. 32,9; 148,5: Dixit, et facta sunt. Consequenter autem competit hominibus, qui verbo suo alios movent per imperium ad aliquid faciendum." (II-II, q. 76, a. 1c)

[97] III, q. 78, a. 5c; vgl. auch ebd. a. 4.

[98] „[I]sta conversio, sicut dictum est, fit in ultimo instanti prolationis verborum: tunc enim completur verborum significatio, quae est efficax in sacramentorum formis. Et ideo non sequitur quod ista conversio sit successiva." (III, q. 75, a. 7 ad 3)

Obschon also die Rede den Worten nach sukzessiv entsteht, ist ihre Bedeutung doch einheitlich und in einem einzigen Augenblick erzeugt.[99]

Das Gebet stellt eine größere Spracheinheit dar, die verschiedene Sprechakte umfassen kann. Eine zentrale Rolle kommt allerdings dem Sprechakt der Bitte zu. So behandelt Thomas die Bitte vornehmlich innerhalb seiner Untersuchung des Gebetes. Beim Gebet liegt – und deshalb muß es gesondert thematisiert werden – eine eigentümliche Konstellation der Kommunikation vor. Dies wird insbesondere beim laut gesprochenen Gebet des einzelnen deutlich. Hier wendet sich ein Mensch mit Bitten, Aussagen, Klagen oder Fragen an Gott. Es fragt sich, ob hierzu das bloße Denken der Gedanken nicht hinreichend wäre.

Thomas' Antwort zeigt, daß er das Gebet als komplexe Sprechhandlung betrachtet. Es ist ein Akt der Vernunft[100], und es geht zunächst darum, durch Worte jemanden zu einer Willenshandlung zu bewegen. In dieser Hinsicht ließe es sich den adressatenorientierten Sprechakten zuordnen. Gleichzeitig wird aber deutlich, daß das Gebet auf seiten des Betenden Ausdruck eines Strebens, einer Hoffnung, einer Sehnsucht ist.[101] Thomas erläutert, daß es Aufgabe gerade des gesprochenen Gebetes ist, dieser Befindlichkeit des Sprechenden eine Ordnungsstruktur zu geben. Im Gebet, so ließe sich die Position von Thomas knapp fassen, ordnet die Vernunft sprechend das Streben.[102] Dies kann in besonderer Weise gerade durch die äußere Sprache geschehen, weil die affektive Disposition des Menschen durch die Wahrnehmung beeinflußt wird. Äußere Zeichen sind daher oft geeignet, auch eigene Gefühle so anzuregen, daß das Streben des Menschen auf Gott hin ausgerichtet wird.[103] So wie in der Kommunikationskonstellation zwischen Mensch und Gott Gott als Angesprochener nicht belehrt wird, sagt Thomas auch über die geistige Ansprache Gottes durch den Engel, daß sie nicht dem Angesprochenen etwas offenbart, sondern vielmehr dem Sprechenden selbst, also dem Engel.[104]

---

[99] In 4 Sent. d. 8, q. 2, a. 3 ad 6. ad 7, n. 238f.

[100] II-II, q. 83, a. 1c.

[101] Ebd. a. 9 und a. 14.

[102] Vgl. ebd. a. 9 ad 2 sowie ebd. q. 91, a. 1.

[103] „Oratio vero singularis est quae offertur a singulari persona cuiuscumque sive pro se sive pro aliis orantis. Et de huiusmodi orationis necessitate non est quod sit vocalis. Adiungitur tamen vox tali orationi triplici ratione. Primo quidem, ad excitandum interiorem devotionem, qua mens orantis elevetur in Deum. Quia per exteriora signa, sive vocum sive etiam aliquorum factorum, movetur mens hominis et secundum apprehensionem, et per consequens secundum affectionem." (II-II, q. 83, a. 12c)

[104] I, q. 107, a. 3 ad 1.

Wie alle Handlungen lassen sich auch die Sprechhandlungen aufgrund der mit ihnen jeweils verfolgten Zwecke unterscheiden. Eine Gruppierung der Sprechakte ergibt sich, wenn man danach fragt, ob in dem jeweiligen, durch seinen Zweck charakterisierten Sprechakt der Sprecher-, der Hörer- oder der Sachbezug, d.h. die Referenz, vorherrschend ist. Thomas ordnet diesen drei Sprechaktgruppen drei Grundfunktionen der Sprache zu, deren grammatikalischer Ausdruck die Dreiheit von Indikativ, Imperativ und Optativ ist.[105] Die Ausführungen bei Thomas lassen allerdings erkennen, daß eine eindeutige Zuordnung bei vielen Sprechakten nicht möglich ist. In jedem Sprechakt spielen vielmehr alle drei Konstituenten des sprachlichen Zeichens eine Rolle. Dies läßt sich an der thomanischen Behandlung von Wahrheit und Lüge verdeutlichen. Thomas definiert Wahrheit vielfach als Übereinstimmung zwischen Zeichen und Bezeichnetem. Diese zeichentheoretische Wahrheitsdefinition stellt auf den Sachbezug des Zeichens ab. Ein Zeichen ist nur dann wahr, wenn es etwas gibt, auf das es referiert, für das es steht. Wahr im eigentlichen Sinne kann jedoch nicht jenes Zeichen genannt werden, das ein Ding bezeichnet, sondern vielmehr nur das Zeichen, das eine Verknüpfung, ein Urteil, bezeichnet: Ein wahres Zeichen im strengen Sinne kann also nur der Aussagesatz sein.[106] Der Satz ist dann wahr, wenn der Verknüpfung von Subjekt und Prädikat eine reale Identität oder Inhärenz entspricht.

Die Lüge nun wird von Thomas nicht, wie man vielleicht erwarten könnte, einfach als nichtwahre Aussage dargestellt. Vielmehr stellt die Falschheit der Aussage nur eines von drei Bestimmungsmomenten dar. Von einer Lüge kann nur dann gesprochen werden, wenn die Falschheit auch willentlich ausgesprochen wird, d.h. wenn der Sprecher um die Falschheit weiß, und wenn er die Absicht hat, den Hörer zu täuschen, so daß jener das Falsche für wahr hält.[107]

In der Analyse der Lüge wird also deutlich, daß die Aussage wesentlich durch die Darstellung der Wirklichkeit bzw. eines wahren oder falschen Sachverhaltes in der Sprache bestimmt ist. Die Aussage als sprachliche Handlung erfolgt indes im Rahmen einer bestimmten Kommunikationsstruktur, in der der Sprecher eine bestimmte Absicht gegenüber dem Angesprochenen verfolgt. In der Aussage ist auch der Hörer- und Spre-

---

[105] Vgl. II-II, q. 76, a. 1c. Die thomanische Unterscheidung entspricht, wie in der neueren Literatur schon verschiedentlich herausgestellt wurde (A. Keller, J. Hennigfeld), den drei Grundfunktionen der Sprache, die das Zeichenmodell von K. Bühler ausweist, also Darstellung, Appell und Ausdruck (vgl. K. Bühler, Sprachtheorie, 24-33).

[106] De Ver. q. 1, a. 3c.

[107] II-II, q. 110, a. 1; ebd. a. 3.

cherbezug für die Sprachhandlung konstitutiv und kann je nach Sprech-
situation eine unterschiedliche Gewichtung erfahren.

Wie aus den einschlägigen Textpassagen hervorgeht, stellen die
sprachlichen Akte innerhalb der menschlichen Interaktion eine spezifische Klasse von Handlungen dar. Thomas läßt dabei keinen Zweifel daran, daß es nicht der vokale Charakter der Sprechakte ist, der dieses Spezifikum ausmacht. Entscheidend ist vielmehr der Zeichencharakter der
Interaktion. Thomas zieht deshalb zur Bestimmung und Erläuterung der
verschiedenen Sprechakte immer wieder deren nichtsprachlichen Ent-
sprechungen in die Betrachtung mit ein. Der spezifische Charakter der
Lüge (mendacium), der Verstellung (simulatio), der Heuchelei (hypocrisis), der Prahlerei (jactantia), der Schmähung (contumelia), der
Ehrung (exhibitio honoris) ist, wie Thomas zeigt, nicht an die sprachliche Äußerung gebunden, sondern kann auch durch nonverbales Zeichenhandeln erfüllt sein.[108] Eine Handlung kann dann den Charakter
einer Lüge, der Verstellung usw. haben, wenn es sich bei ihr um eine
Bezeichnungshandlung handelt. Entscheidend ist nicht, ob die betref-
fende Handlung üblicherweise etwas Bestimmtes bezeichnet, sondern
vielmehr, ob im konkreten Fall die Bezeichnung intendiert ist.[109]

In der Reihe jener Sprechakte, die durch eine Abweichung von der
Tugend der Wahrhaftigkeit und ein Mißverhältnis zwischen Signifikant
und Signifikat gekennzeichnet sind, behandelt Thomas – neben der Lüge – das Verfluchen (maledicere), die Beleidigung (contumelia), die
Verstellung und Heuchelei (simulatio et hypocrisis), die Prahlerei (iac-
tantia), die Selbstunterschätzung (ironia) und die Schmeichelei (adulatio). Diese brauchen hier nicht im einzelnen nachgezeichnet zu werden,

---

[108] Thomas behandelt diese Akte in der Secunda Secundae und zwar in den q. 110 ff., die
Schmähung in II-II, q. 72, a. 1 und die Ehrung in II-II, q. 103 a. 1c. Zu Schmähung, Lüge,
Verstellung und Heuchelei, Prahlerei, sowie zu Selbstunterschätzung (ironia), Schmei-
chelei (adulatio) und Streit (litigio) vgl. J. Hennigfeld, Geschichte der Sprachphiloso-
phie, 220f. Eine genauere Unterscheidung von Verstellung und Heuchelei bietet auch E.
Güttgemanns, Die „simulatio" als Aspekt der „Linguistik der Lüge", 61-65.

[109] „Quamvis ergo praecipere in nobis sit signum volendi illud, non tamen quandocumque
praecipit aliquid vel Deus vel homo oportet quod significet se velle illud esse: unde non
sequitur quod sit signum falsum. Et inde est etiam quod in actibus non semper est mendacium, quandocumque aliqua actio agitur per quam solet aliquid significari, si illud non
subsit; sed in verbo, si non subsit illud quod significat de necessitate est falsitas, quia scilicet verba ad hoc sunt instituta ut sint signa; unde si non respondet eis signatum est ibi falsitas. Actiones autem non sunt ad hoc institutae ut significent sed ut aliquid per eas fiat;
accidit autem quod per eas aliquid significetur, et ideo non semper est falsitas in eis si signatum non respondeat, sed tunc tantum quando ad significandum applicantur ab agen-
te." (De Ver. q. 23, a. 3 ad 2)

zumal Thomas ihre semiotische Struktur nicht so detailiert und exakt analysiert, wie er es bei der Lüge (mendacium) tut. Wichtig ist für sein Vorgehen allgemein, daß er von der paradigmatischen Rolle der Worte für das Zeichenhandeln ausgeht, um dann entsprechende Strukturen im Bereich des nonverbalen Bezeichnens herauszuarbeiten. Die Heuchelei beispielsweise zeigt dieselbe semiotische Struktur wie die Lüge; der Heuchler bedient sich jedoch nicht der Aussage, sondern fordert durch nichtsprachliche äußere Zeichen bei dem anderen falsche Annahmen heraus.

Für all diese Sprechakte gilt, so läßt sich zusammenfassend sagen, daß Thomas sie als Bezeichnungsakte begreift. Sprachliches Handeln ist somit immer Zeichenhandeln. Jede Rede (oratio) hat den Zweck, einen Bedeutungsinhalt zu bezeichnen, der durch die Verknüpfung verschiedener Termini zustandekommt.[110] Geht man von den drei Funktionen der Sprache aus, wie Thomas sie in der Summa theologiae entfaltet[111], dann lassen sich die Grundarten des sprachlichen Bezeichnens mit Hilfe des Bühlerschen Zeichenmodells deuten. Das sprachliche Zeichen hat, wie oben dargelegt, einen Sprecher-, einen Hörer- und einen Sachbezug.[112] Aufgrund der verschiedenen Zwecke des Sprechens erhalten diese drei Grundbezüge unterschiedliche Gewichtungen. In all diesen Grundfunktionen und ihren verschiedenen Ausprägungen ist das Sprachvermögen ein Werkzeug der Vernunft (instrumentum rationis).[113]

§ 4 Die sakramentale Handlung als komplexer Bezeichnungsakt

Für eine semiotische Untersuchung ist es von besonderem Interesse, wie verschiedene Arten von Zeichen bzw. Zeichensystemen in einem komplexen Zeichen zusammenwirken. Als ein solches komplexes Zeichen kann das Sakrament betrachtet werden. Die Sakramententheologie der Scholastik greift einzelne definitorische Formeln Augustins auf und systematisiert sie. Da die Theologen dem augustinischen Ansatz den Vorzug vor demjenigen Isidors von Sevilla geben, erhält die Sakramententheologie einen konsequent zeichentheoretischen Zuschnitt.[114] Durch

---

[110] In Perih. l. 1, lect. 7 <n. 83>; ebd. lect. 6 <n. 75, n. 76>.

[111] Vgl. dazu II-II, q. 76, a. 1c.

[112] Vgl. K. Bühler, Sprachtheorie. Die Darstellungsfunktion der Sprache.

[113] „Et hoc modo etiam ratio potest uti oratione et eius partibus quasi instrumentis quamvis non naturaliter significent." (In Perih. l. 1, lect. 6 <n. 81>)

[114] Zur Bedeutung Augustins und Isidors für die Entstehung der scholastischen Sakramententheologie vgl. D. Van den Eynde, Les définitions des sacrements.

Abaelard wird zudem die augustinische Formel des Sakraments als „invisibilis gratiae visibilis forma" zu der Formel „invisibilis gratiae visibile signum"[115] abgewandelt. Die bahnbrechende systematische Definition entwickelt auf dieser Grundlage Hugo von St. Viktor, indem er beim Sakrament drei Momente unterscheidet, nämlich eines der Bezeichnung, der Darstellung und schließlich der Verursachung bzw. der Beinhaltung. Das Sakrament sei eine körperliche Entität, die aufgrund einer Ähnlichkeitsbeziehung[116] die unsichtbare Gnade darstelle, aufgrund eines Einsetzungsaktes diese bezeichne und aufgrund einer Heiligung diese enthalte.[117] Diese Definition wird in der Folge auch von Thomas von Aquin weitgehend übernommen, wobei allerdings das dritte Moment meist als Moment der Verursachung gedeutet wird[118] und die ersten beiden Momente, die Darstellungs- und die Bezeichnungskraft, in der Kategorie des Zeichens zusammengefaßt werden.[119]

Thomas von Aquin leistet seinen Beitrag zur Sakramententheologie in einer Phase, in der die Scholastik die grundlegenden definitorischen Klärungen bereits abgeschlossen hat.[120] Es ist deshalb nicht erstaunlich, daß Thomas in dem Rahmen der Definitionen argumentiert, die er bei Hugo von St. Viktor und Petrus Lombardus vorfindet und daß er sich entschieden von Berengar von Tours, dessen Thesen die sakramententheologischen Klärungen des 12. Jahrhunderts herausgefordert hatten, distanziert.[121] Gleichwohl nimmt er eine Reihe von äußerst beachtlichen

---

[115] „Sacramentum vero est visibile signum invisibilis gratiae dei, veluti cum quis baptizatur, ipsa exterior ablutio corporis, quam videmus, signum est interioris ablutionis animae, cum ita interior homo a peccatis mundatur sicut exterior a corporalibus sordibus." (Theologia 'Scholarium' I, 9)

[116] Schon Augustin hatte für das sakramentale Zeichen eine notwendige Ähnlichkeit mit der bezeichneten res behauptet. Während dies bei Augustin aber eher beiläufig durch eine Bemerkung in einem Brief geschieht, will Hugo zeigen, daß nur durch den Ähnlichkeitsbezug des Sakraments zum Licht der Gnade dessen Wirkmächtigkeit gedacht werden kann. (Vgl. dazu auch Dialogus de sacramentis legis naturalis et scriptae.)

[117] „Si quis autem plenius et perfectius quid sit sacramentum, diffinire voluerit, diffinire potest quod sacramentum est corporale vel materiale elementum foris sensibiliter propositum ex similitudine repraesentans, et ex institutione significans, et ex sanctificatione continens aliquam invisibilem et spiritualem gratiam." (De sacramentis Christianae fidei l. 1, p. 9, c. 2 [Sp. 317d])

[118] Vgl. III, q. 62; ebd. q. 60, a. 1 ad 1.

[119] Ebd. q. 60, a. 1.

[120] D. Van den Eynde sieht diesen Abschluß bei Wilhelm von Auxerre erreicht; vgl. a.a.O. IV, 7f.

[121] Vgl. III, q. 75, a. 1c. Zur Vorgeschichte vgl. H. Jorissen, Wandlungen des philosophischen Kontextes als Hintergrund der frühmittelalterlichen Eucharistiestreitigkeiten.

Präzisierungen und Unterscheidungen vor. Hierhin gehört auch die Klärung des Sakraments als eines komplexen Zeichens. Thomas greift dabei auf fundamentale Aussagen der Zeichentheorie Augustins zurück und wendet sie auf die Bestimmung der Sakramente als Zeichen an, die dem Mittelalter gleichfalls durch Augustinus geläufig ist.[122] Dieser hatte das Sakrament als ein heiliges Zeichen aufgefaßt, als ein Zeichen, bei dem das Wort und das Element zusammentreffen.

Thomas expliziert diese Zuordnung von Worten und Dingen bzw., wie er hinzufügt, von Handlungen[123] unter der Fragestellung, ob das Nebeneinander von Worten und Zeichen keine unnötige Duplikation der Zeichen sei.[124] In seiner Antwort betrachtet Thomas die Zuordnung von Wort und Element unter drei Perspektiven:[125] einer theologischen, genauer einer christologischen, einer anthropologischen und schließlich einer semiotischen. Die gewählte Reihenfolge entspricht dabei nicht der natürlichen Erkenntnisfolge; Thomas beginnt vielmehr mit dem erhabensten Argument, um mit dem schlichtesten, aber auch naheliegensten, zu schließen. Daß Thomas in den Erwiderungen auf die Einwände erneut zeichentheoretisch argumentiert, kann als Indiz dafür gesehen werden, welches Gewicht der semiotischen Perspektive zukommt. Im folgenden soll zunächst diese semiotische Perspektive betrachtet werden.

D. Winzen weist in seinem Kommentar zu diesem Abschnitt[126] darauf hin, daß dem Wort eine „höhere Geistigkeit zukomme" als jedem anderen sinnenfälligen Zeichen. Von daher sei das Wort gerade für das Sakrament erforderlich. Diese Betrachtung beschreibt indes nur den semiotischen Stellenwert der Sprache, sie liefert nicht dessen Begründung. Thomas ist hier präziser: Er stellt den Vorrang der Sprache mit Augustinus fest und begründet ihn damit, daß Worte auf unterschiedliche Weise geformt werden können, um verschiedene Begriffe des Geistes zu be-

---

[122] Schon H. Roos hat darauf hingewiesen, daß auch die durch sprachtheoretisches Interesse motivierte Untersuchung der scholastischen Semiotik bei der Sakramententheologie als ihrem fortgeschrittensten Teilbereich anzusetzen habe. (Vgl. Die Modi significandi des Martinus de Dacia, 148)

[123] „Sub rebus autem comprehenduntur etiam ipsi actus sensibiles, puta ablutio et unctio et alia huiusmodi: quia in his est eadem ratio significandi et in rebus." (III, q. 60, a. 6 ad 2)

[124] III, q. 60, a. 6 obi. 1.

[125] „Respondeo dicendum quod sacramenta, sicut dictum est, adhibentur ad hominum sanctificationem sicut quaedam signa. Tripliciter ergo considerari possunt: et quolibet modo congruit eis quod verba rebus sensibilibus adiungantur." (III, q. 60, a. 6c)

[126] D. Winzen, Kommentar zu Thomas von Aquin: Summa theologiae, Pars tertia, Quaestiones 60-72, 485.

zeichnen[127]. Thomas erhärtet also die augustinische These vom Vorrang der Worte innerhalb der Zeichen durch ein aristotelisches Argument. Worte sind Kunstgebilde. Ihr Existenzgrund ist die Bezeichnungsfunktion. Sie können so gebildet werden, daß sie ihrer Bezeichnungsfunktion am besten gerecht werden. Jedem Begriff kann ein Sprachzeichen korrelieren. Alles, was geistig erfaßt werden kann, vermögen wir prinzipiell auch sprachlich auszudrücken. Thomas kann sich an dieser Stelle relativ knapp und komprimiert ausdrücken, weil er zuvor schon mehrfach den Vorrang der Worte gegenüber den anderen Zeichen betont[128], ihre umfassendere Ausdruckskraft und ihren Vorzug hinsichtlich der Eindeutigkeit und Genauigkeit[129] hervorgehoben hat. Jene anderen Zeichen erscheinen in solchen Gegenüberstellungen mit den sprachlichen Zeichen als etwas äußerliches; denn sie sind nicht in derselben Unmittelbarkeit wie diese mit den Verstandesbegriffen, den inneren Worten, verbunden.[130] Die herausragende Bedeutung der Worte wird zudem gestützt durch den Umstand, daß in der Stimme der eminenteste Ausdruck der inneren Gedanken und Gemütsbewegungen liegt, wie Thomas mit Aristoteles lehrt.[131]

Andere Zeichen, so wird man ergänzen müssen, sind nicht für ihre Bezeichnungsfunktion erzeugt worden. Sie müssen deshalb noch andere Funktionen ausüben und können nur bedingt gestaltet werden. Doch ist auch der Stoß der Trompete ein festgesetztes Zeichen; es ist nämlich festgesetzt, daß er die eigenen Truppen zum kriegerischen Angriff auffordert.[132] Ob auch diese Bezeichnung durch einen geistigen Begriff vermittelt ist, wird in den mittelalterlichen Zeichentheorien nicht diskutiert. Thomas geht wohl davon aus, daß derartige Zeichen nicht hinreichend flexibel sind, um auf die Vielfalt unserer Verstandesinhalte und auf deren Strukturiertheit Bezug nehmen zu können. Genau dies tut aber die Sprache.[133] Der Vorrang der Sprache ergibt sich somit aus der Quantität der Sprachzeichen und der Komplexität des sprachlichen Zei-

---

[127] „[V]erba diversimode formari possunt ad significandos diversos conceptus mentis [...].“ (III, q. 60, a. 6c)

[128] Vgl. II-II, q. 110, a. 1 ad 2; II-II, q. 55, a. 4 ad 2; der Hinweis erfolgt jeweils unter Bezugnahme auf Augustinus.

[129] II-II, q. 72, a. 1c; ebd., q. 174, a. 3c.

[130] Vgl. De Ver. q. 11, a. 1 ad 11.

[131] I-II, q. 35, a. 8c.

[132] Vgl. In Perih. l. 1, lect. 2 <n. 19>.

[133] Siehe dazu den Vergleich zwischen der Menschen- und Engelsprache einerseits und den Lauten der Tiere andererseits (De Ver. q. 9, a. 4 ad 10).

chensystems[134], aus dessen unmittelbarem Bezug zur Verstandesebene und aus der rechtverstandenen Arbitrarität der Sprachzeichen; denn aus diesen Eigenarten des sprachlichen Zeichens ergibt sich die eindeutige Bestimmtheit der sakramentalen Bezeichnung.[135]

Thomas diskutiert in den Erwiderungen auf die Einwände, warum trotz des Nebeneinanders von verschiedenen Entitäten vom Sakrament als von etwas Einheitlichem gesprochen werden kann. Es ist, so macht er deutlich, die Bezeichnungsfunktion (ratio significandi), in der die Teile des Sakramentes, die Dinge und die Worte, übereinkommen.[136] Dabei ist es das Wort, das zum Ding hinzutritt wie ein Bestimmendes zu dem Bestimmenden.[137] Dieses Verhältnis erlaubt Thomas den Vergleich mit der Form und der Materie eines Körpers.[138]

In der anthropologischen Perspektive gebraucht Thomas den Begriff 'verbum' in einem anderen Sinne. Das Wort ist hier nicht ein wahrnehmbares Zeichen. Dennoch wird es auch hier als Werkzeug gesehen, und zwar als ein Werkzeug des Glaubens. Thomas verwendet 'verbum' also nun im Sinne des inneren Wortes (verbum mentis), ohne daß er eigens auf diese besondere Bedeutung hinweist. Er sagt deshalb, daß das

---

[134] Beim Zeichencharakter der sprachlichen Zeichen muß zwischen verschiedenen Bezeichnungsweisen unterschieden werden. Während die Nomina und Verben vermittelt durch die Verstandesbegriffe auf Außersprachliches referieren, kommt den synkategorematischen Ausdrücken die Funktion zu, bestimmte Verhältnisse zwischen kategorematischen Sprachzeichen zu bezeichnen (vgl. dazu im einzelnen die Beispiele bei F. Manthey, Die Sprachphilosophie des heiligen Thomas von Aquin, 150-155). Aber auch das Verbum, welches eine Referenz hat, bezeichnet zugleich mit, daß etwas prädiziert wird (In Perih. l. 1, lect. 5 <n. 60>. Das Wort 'est', welches die Aktualität bezeichnet, benützen wir, um von einem Subjekt auszusagen, daß es aktualiter mit einer Form oder einer Handlung verbunden ist (vgl. ebd. <n. 73> (dazu ausführlich A. Zimmermann, Ipsum enim ('est') nihil est.

[135] „Tertio potest considerari ex parte ipsius significationis sacramentalis. Dicit autem Augustinus, in II de Doct. Christ., quod verba inter homines obtinuerunt principatum significandi: quia verba diversimode formari possunt ad significandos diversos conceptus mentis, et propter hoc per verba magis distincte possumus exprimere quod mente concipimus. Et ideo ad perfectionem significationis sacramentalis necesse fuit ut significatio rerum sensibilium per aliqua verba determinaretur. Aqua enim significare potest et ablutionem propter suam humiditatem, et refrigerium propter suam frigiditatem: sed cum dicitur, 'Ego te baptizo', manifestatur quod aqua utimur in baptismo ad significandam emundationem spiritualem." (III, q. 60, a. 6c) Die Überordnung der Worte über alle anderen Zeichen bestätigt Thomas auch bei seiner Behandlung der Prophetie und ihren verschiedenen Erscheinungsweisen (II-II, q. 174, a. 3).

[136] Vgl. III, q. 60, a. 6 ad 2.

[137] Ebd. ad 1.

[138] Ebd. ad 2.

Sakrament eine Arznei (medicina) sei, die durch das sichtbare Ding den Körper berührt und durch das Wort von der Seele geglaubt wird, also der Leib-Geist-Einheit des Menschen höchst angemessen ist.[139] Von der sinnlichen Vermittlung der Worte sieht Thomas in diesem Zusammenhang ab. Darin bestätigt sich die soeben vorgetragene Interpretation, daß die Worte unmittelbarer mit den Verstandesbegriffen und -operationen verknüpft sind als alle anderen Zeichen.

Schließlich benutzt Thomas 'verbum' in einer dritten Bedeutung, nämlich als Wort Gottes. Die Fügung von Wort und Ding im Sakrament vergleicht er in spekulativer Weise mit dem Geschehen der Inkarnation: das sichtbare Fleisch wird mit dem göttlichen Wort vereinigt wie das Element mit dem sakramentalen Wort.[140] In der Erwiderung auf den dritten Einwand wird dieser christologische Gedanke aufgegriffen und in eine semiotische Überlegung eingebunden. Die Entsprechung zwischen dem sakramentalen Zeichen und dem bezeichneten Gottmenschen könne je nach zeitlichem Verhältnis zwischen Zeichen und Bezeichnetem unterschiedlich sein. In den Sakramenten des Neuen Bundes muß die Ähnlichkeit mit Christus deutlicher sein als in den Sakramenten des Alten Bundes. Daher sind die Worte bei den Sakramenten des Neuen Bundes notwendiger.[141]

Thomas setzt sich im nachfolgenden Artikel eingehender mit der spezifischen Bezeichnungsweise der Wörter im Sakrament auseinander. Für sich betrachtet, bilden auch die Wörter ein komplexes Bezeichnungssystem. Dies wird im Rahmen des sakramentalen Geschehens insbesondere daran deutlich, wie Modifikationen des Sprechens, also Abweichungen von den autoritativen Textvorgaben, die Wirkung des Sakraments beeinträchtigen können. Thomas untersucht im einzelnen die Veränderung der Wörter, des Wortbestandes, der Wortfolge, des Sprachflusses und der Sprecherintention.[142] Er argumentiert dabei wiederum zeichentheoretisch und hebt insbesondere auch die pragmatische[143] Ebene hervor.

---

[139] „Secundo possunt considerari sacramenta ex parte hominis qui sanctificatur, qui componitur ex anima et corpore: cui proportionatur sacramentalis medicina, quae per rem visibilem corpus tangit, et per verbum ab anima creditur. [...]" (ebd. c)

[140] „Primo enim possunt considerari ex parte causae sanctificantis, quae est Verbum incarnatum: cui sacramentum quodammodo conformatur in hoc quod rei sensibili verbum adhibetur, sicut in mysterio incarnationis carni sensibili est Verbum Dei unitum." (ebd.)

[141] „Sacramenta autem veteris legis praenuntia erant Christi venturi. Et ideo non ita expresse significabant Christum sicut sacramenta novae legis, quae ab ipso Christo effluunt, et quandam similitudinem ipsius in se habent, ut dictum est." (ebd. ad 3)

[142] Dieselben Modi der Textveränderung behandelt er auch in In 4 Sent. d. 3, a. 2.

[143] Von Pragmatik soll hier in dem Sinne gesprochen werden, in welchem Ch.W. Morris (Foundations of the theory of signs) diesen Begriff in die Semiotik eingeführt hat. Die Eig-

Korruptionen des Textbestandes sind vor allem dann für die sakramentale Wirkung relevant, wenn die Intention des Sprechenden von der Intention der Kirche abweicht, d.h. wenn derjenige, der das Sakrament vollzieht, die sprachliche Veränderung mit einer theologischen Absicht vornimmt.[144] Darüber hinaus ist für alle denkbaren Textveränderungen entscheidend, ob die lautsprachliche Veränderung eine Veränderung der Bedeutung nach sich zieht.[145] So erklärt Thomas im einzelnen, daß eine Pause im Sprachfluß nur dann die Wirkung des Sakraments verhindern kann, wenn dadurch die Handlungsabsicht des Sprechenden unterbrochen wird.[146] Auch Ergänzungen und Auslassungen sind im Hinblick auf die Intention des Sakramentenspenders zu betrachten.[147] Auslassungen und Hinzufügungen sind dann möglich, wenn hierdurch der Sinn unverändert bleibt oder wenn ein zusätzliches Moment betont wird[148], das dem Glauben der Kirche entspricht.[149] Auch bei den Wortumstellungen gibt es bedeutungsneutrale und bedeutungsverändernde Fälle.[150] Grundsätzlich gelten diese Überlegungen auch für die Korruption einzelner Wörter. Thomas stellt hier ergänzend Überlegungen an, welche Art von Versprechern die Verstehbarkeit der Worte bedroht. Entscheidend ist demnach nicht allein die durch das Wörterbuch festgelegte semantische Beziehung zwischen Lautfolge und Bedeutung. Vielmehr rekurriert Thomas auf eine Verknüpfung morphologischer mit pragmatischen Überlegungen. Verstümmelungen der Wörter seien gerade dann relevant, wenn sie im Wortanfang geschehen, so wenn jemand statt 'in nomine Patris' 'in nomine matris' sagt. Änderungen am Wortende ziehen oftmals keine Änderung der Wortbedeutung nach sich oder genauer, sie gefährden nicht das richtige Verständnis des Hörenden. Diese konkrete Beobachtung erklärt er durch die besondere Wortbildungsweise des Lateinischen; sie ist nicht ohne weiteres auf andere Sprachen übertragbar.[151]

nung dieses Begriffs für die Thomas-Interpretation erwächst allerdings nicht aus einer weitreichenden Ähnlichkeit zwischen beiden Ansätzen. Die von R.Z. Lauer konstatierte Nähe zwischen der thomanischen Zeichentheorie und der Semiotik von Morris (vgl. St. Thomas and modern semiotic) resultiert aus dessen Anknüpfung an Ch.S. Peirce, der von einer Reihe von mittelalterlichen Theoremen Gebrauch macht. Die behavioristische Auffassung des Zeichens und seiner Vermittlungsweise teilt Thomas nicht.

[144] III, q. 64, a. 8 ad 1; ebd. a. 9 ad 1; ebd. a. 10c; ebd. q. 60, a. 8c.

[145] III, q. 60, a. 7 ad 1. ad 2; ebd. a. 8c.

[146] III, q. 60, a. 8 ad 3.

[147] III, q. 60, a. 8c.

[148] Ebd. ad 2.

[149] Vgl. ebd. c.

[150] Ebd. ad 3.

[151] III, q. 60, a. 7 ad 3.

Thomas' Beobachtung läßt sich leicht durch die Analyseinstrumentarien der strukturalistischen Sprachwissenschaft erläutern und verallgemeinern: Die Kommutationsprobe zeigt, daß die Phone |p| und |m| bedeutungsunterscheidend sind, also Phoneme darstellen. Die Opposition beider Phoneme konstituiert zwei verschiedene Lexeme. Veränderungen der Lexeme sind für die Aussage entscheidender als Änderungen der Endungsmorpheme.

Angesicht der eindeutigen Überordnung der Worte über die dinglichen Zeichen des Sakraments muß allerdings unterstrichen werden, daß Thomas auch die Gemeinsamkeit zwischen den Konstituenten des Sakraments betont. Beide sind Zeichen, und beide sind sinnliche Entitäten. Sowohl die Worte als auch die Elemente sind danach ausgesucht, daß sie für den Menschen allgemein gebräuchlich sind.[152] Bei der Verhältnisbestimmung von Worten und Elementen im Sakrament wählt Thomas also nicht die Möglichkeit, die Worte als institutionelle Zeichen (signa data) den Dingen als natürlichen Zeichen (signa naturalia) gegenüberzustellen. Überhaupt begegnet diese augustinische Einteilung bei Thomas viel seltener als bei seinen Zeitgenossen.[153] Bei den Dingen betont er nicht deren natürliche Ähnlichkeit mit der zu bezeichnenden Sache. Er geht vielmehr auch bei den Dingen lediglich von einer natürlichen Eignung zur Bezeichnung einer bestimmten Sache aus. Ihre wirkliche Bezeichnung erhalten die Dinge erst in Verbindung mit dem Wort durch den Akt der göttlichen Einsetzung.[154] Thomas betont dabei stets die Einheit zwischen den Konstituenten des Sakraments.[155]

Eine komplexe Bezeichnungshandlung ist das Sakrament für Thomas nicht nur, insofern es über einen zusammengesetzten, komplexen Signifikanten verfügt. Auch das Signifikat sieht er als mehrschichtig an. Thomas erklärt, daß bei der Antwort auf die Frage, was es denn sei, was das Sakrament bezeichne, Verschiedenes betrachtet werden könne, was unsere durch das Sakrament bezeichnete Heiligung betrifft, nämlich das Leiden Christi als Ursache unserer Heiligung, die Gnade und die Tugenden als Form unserer Heiligung und das ewige Leben als letztes Ziel unserer Heiligung. Insofern kann das Sakrament gleichzeitig als ein er-

---

[152] Ebd. ad 2; vgl. auch q. 60, a. 5 ad 3.

[153] Vgl. dazu unten § 10.

[154] „[R]es sensibiles habent naturaliter sibi inditas virtutes conferentes ad corporalem salutem: et ideo non refert, si duae earum aendem virtutem habeant, qua quis utatur. Sed ad sanctificationem non ordinantur ex aliqua virtute naturaliter indita, sed solum ex institutione divina. Et ideo oportuit divinitus determinari quibus rebus sensibilibus sit in sacramentis utendum." (III, q. 60, a. 5 ad 2)

[155] III, q. 62, a. 4 ad 4.

innerndes (rememorativum), ein hinzeigendes (demonstrativum) und ein vorausdeutendes (prognosticum) Zeichen beschrieben werden.[156] Trotz dieser mehrschichtigen Bezeichnung entsteht keine Mehrdeutigkeit oder Unsicherheit. Zur Begriffsbestimmung des Sakramentes ist die Angabe der Formalursache hinlänglich.[157] Die Mehrdeutigkeit der Bezeichnung ist wegen des Ordnungszusammenhangs, der zwischen den bezeichneten Dingen gegeben ist, ausgeschlossen. Das Bezeichnete kann so als strukturierte Einheit angesehen werden. Thomas vergleicht dies mit dem Wort 'homo', das zugleich die Seele und den Leib bezeichnet, welche indes in der menschlichen Natur vereinigt sind.[158]

Thomas arbeitet am Beispiel der Sakramente die sozialanthropologische Komponente der Zeichen heraus, die er bereits anhand der menschlichen Sprache thematisiert hatte. Die Sinnlichkeit der Sakramente, so wird dabei deutlich, ist nicht Implikat ihres Zeichenseins schlechthin, sondern ergibt sich aus ihrer Funktion für den Menschen als der Leib-Geist-Einheit. Der Begriff des Zeichens besagt zunächst, daß man durch es zur Erkenntnis von etwas gelangt. Diese Mittel-Ziel-Relation muß in bezug auf den Menschen insofern spezifiziert werden, als es dessen Natur entspricht, durch sinnenfällige Dinge zu intelligiblen Dingen vorzuschreiten. Da die durch das Sakrament bezeichneten heiligen Dinge geistige und intelligible Güter sind, müssen sie für den Menschen durch sinnlich wahrnehmbare Gegenstände bezeichnet werden.[159] Die Angemessenheit sinnlicher Zeichen in Anbetracht der menschlichen Natur gilt umso mehr für den sündigen Menschen, der in besonders hohem Maße an körperliche Dinge gebunden ist und für den deshalb Sakramente unabdingbar sind.[160]

Thomas betont also im Rahmen seiner Sakramententheologie die Bedeutung der Sinnlichkeit für die Erkenntnis und die Vermittlung der Gnade. Gleichwohl sieht er neben den sinnenhaften Zeichen auch den

---

[156] III, q. 60, a. 3 c.

[157] Ebd. ad 3; vgl. auch E. Güttgemanns, Die Differenz zwischen Sakramenten und „Zeichen-Körpern" bei Thomas Aquinas (Summa theologica III quaestio 60), 97.

[158] III, q. 60, a. 3 ad 1.

[159] „Est autem homini connaturale ut per sensibilia perveniat in cognitionem intelligibilium. Signum autem est per quod aliquis devenit in cognitionem alterius. Unde, cum res sacrae quae per sacramenta significantur, sint quaedam spiritualia et intelligibilia bona quibus homo sanctificatur, consequens est ut per aliquas res sensibiles significatio sacramenti impleatur: sicut etiam per similitudinem sensibilium rerum in divina Scriptura res spirituales nobis describuntur. Et inde est quod ad sacramenta requiruntur res sensibiles: ut etiam Dionysius probat, in I cap. Caelestis Hierarchiae." (III, q. 60, a. 4c)

[160] Ebd. q. 61, a. 1c.

character sacramentalis[161], das sakramentale Merkmal bzw. Kennzeichen, als ein Zeichen an, obwohl dieser nicht sinnlich wahrnehmbar ist.[162] Zu Zeichen für den Menschen werden diese geistigen Entitäten durch die Vermittlung eines sinnlich wahrnehmbaren Zeichens.[163] Thomas kann sie deshalb mit sinnenhaften Zeichen wie dem Kennzeichen des Soldaten oder der Münzprägung vergleichen.[164] In diesen Ausführungen zum Zeichencharakter des sakramentalen Merkmals deutet sich ein umfassenderer Zeichenbegriff als der durch Augustin tradierte an. Thomas entfaltet diesen Zeichenbegriff, der intelligible Zeichen einschließt, allerdings nicht im Rahmen seiner Sakramententheologie, sondern vielmehr in seiner Angelologie. Ihr wird sich das folgende Kapitel zuwenden.

§ 5 Die Sprache der Engel

Distanz und Nähe zwischen modernem und mittelalterlichem Denken kommen bei der Frage nach einer Sprachverwendung der Engel auf überraschende Weise gleichzeitig zum Tragen. Zum einen ist die Angelologie heute fraglos kein Feld philosophischer Reflexion mehr. Zum anderen ist aber die Behandlung des Zeichens innerhalb der Angelologie durch Thomas von Aquin nicht nur von besonderer Bedeutung für die mittelalterliche Semiotik, sie ist darüber hinaus in mancher Hinsicht wegweisend gerade für die moderne Semiotik, und dies obwohl Thomas durchaus die Rahmenvorgabe der traditionellen Engellehre akzeptiert.

Thomas übernimmt von Ps.-Dionysios Areopagita[165] die Auffassung, daß die Engel reine Geistwesen, d.h. immateriel und unkörperlich sind. Er nennt sie deshalb auch Intelligenzen (intelligentiae)[166] oder getrennte Substanzen (substantiae separatae)[167]. Thomas betrachtet die Lehre des Areopagiten von der reinen Geistigkeit der getrennten Substanzen und die aristotelische Lehre von den Himmelsbewegern als kongruent.[168] Von Dionysios übernimmt Thomas auch die Auffassung, daß die Zahl der

---

[161] Zum begriffsgeschichtlichen Hintergrund vgl. N.M. Häring, Character, Signum und Signaculum.

[162] III, q. 63, a. 3 ad 2.

[163] „[C]haracter animae impressus habet rationem signi inquantum per sensibile sacramentum imprimitur; per hoc enim scitur aliquis baptismali charactere insignitus, quod est ablutus aqua sensibili." (III, q. 63, a. 1 ad 2) Vgl. auch ebd. a. 3 ad 4.

[164] III, q. 63, a. 1c; ebd. a. 3c.

[165] Vgl. De divinibus nominibus, c. 4 [Patrologia, Series Graeca, 3, Sp. 693c].

[166] I, q.79, a. 10c.

[167] Dieser Terminus begegnet vor allem in der Summa contra Gentiles.

[168] Vgl. ScG II, c. 91.

Engel die Zahl der Sphären und ihrer Beweger bei weitem übertrifft.[169] Auch die Konzeption der hierarchischen Ordnung unter den Engeln, die in ihrer Gesamtheit wiederum eine Stufe in der Hierarchie des Kosmos ausmachen, geht maßgeblich auf Dionysios zurück und wird durch Thomas aufgegriffen.[170] Die verschiedenen Rangordnungen der Engel nehmen für Thomas wie für Dionysios eine Mittelstellung zwischen Gott und den Menschen ein. Thomas macht allerdings deutlich, daß diese Stufenordnung nicht so verstanden werden darf, daß immer die jeweils höhere Stufe die jeweils niedrigere hervorbringt.[171] Der Engel ist also nicht Exemplarursache der untergeordneten Dinge. Vielmehr ist Gott als erste Ursache die Ursache und der Schöpfer von allen anderen Wesen. Andererseits ergibt sich aber aus der Rangordnung der Substanzen eine Ordnung der Erkenntnisfähigkeit.[172] Das Erkennen der Engel muß hier als ein Mittleres zwischen der göttlichen und der menschlichen Erkenntnis angesehen werden. Auch die Sprache der Engel muß vor dem Hintergrund dieser Mittelstellung begriffen werden.

Thomas bekräftigt an vielen Stellen, daß die Engel über eine Sprache verfügen.[173] Er befindet sich dabei in Übereinstimmung mit bedeutenden Autoren der Tradition[174] und seinen Zeitgenossen[175]. Die Sprache (locutio) der Engel kann allerdings nicht im eigentlichen Sinne eine stimmliche Äußerung (lingua) genannt werden.[176] Auch wenn die Überzeugung, daß den Engeln eine Sprache zu eigen sei, scholastisches Gemeingut ist, so bringt sie doch gerade im Kontext der Lehre von den Engeln als reinen Intelligenzen eine Fülle philosophischer Probleme mit sich. Thomas erörtert diese Probleme am ausführlichsten in der Quaestio de cognitione scientiae angelicae, die in der kritischen Gesamtausgabe den Titel

---

[169] Ebd. c. 93.

[170] Vgl. ScG II, c. 95.

[171] Vgl. De Ver. q. 8, a. 8 ad 1. Ausführlich behandelt Thomas die Ordnung unter den Engelschören in ScG III, c. 80.

[172] „Sicut enim virtus activa quanto est superior tanto in plura agenda se potest extendere, ita virtus cognoscitiva quae est altior ad plura cognoscenda se extendit [...]" (De malo q. 16, a. 6c) Vgl. auch In librum de causis, propositio 17.

[173] Vgl. dazu B. Faes de Mottoni, Thomas von Aquin und die Sprache der Engel sowie F. Manthey, Sprachphilosophie, 237-242.

[174] Vgl. dazu B. Faes de Mottoni, a.a.O. 154, Anm. 59.

[175] Die Frage nach der Sprache der Engel wird in der Scholastik bei der Kommentierung der zehnten Distinctio des zweiten Sentenzenbuches abgehandelt. Einen Überblick vermittelt das entsprechende Scholion in der kritischen Edition des Sentenzenkommentars von Bonaventura (vgl. In 2 Sent. d. 10, a. 3, q. 1 Scholion [II, 270f.]).

[176] Expositio super Epistolas Pauli Apostoli, I Ad Corinthios c. 13, lect. 1 <n. 763>: „Potestas autem manifestandi conceptum suum hoc modo metaphorice lingua nominatur."

Quaestio de communicatione scientiae angelicae trägt.[177] Diese Quaestio bietet zugleich die ergiebigste Abhandlung der Engelsprache im Hinblick auf die Semiotik.

Thomas untersucht das Problem der Engelsprache zusammen mit dem Phänomen der Erleuchtung (illuminatio) unter den Engeln. Dieser Untersuchung geht eine allgemeine Erörterung der Erkenntnis bei den Engeln voran.[178] Die Frage nach der Erfordernis von sprachlichen Mitteilungen ist dabei eng mit dem Aufweis eines möglichen Wissenserwerbs verknüpft und baut auf diesen auf. Sowohl in der Untersuchung zur Erkenntnis der Engel als auch in der „Quaestio de communicatione scientiae angelicae" spielt die ps.-dionysische Konzeption einer hierarchischen Ordnung unter den Engeln und ihrer Zwischenstellung zwischen Gott und Mensch eine wichtige Rolle. Thomas gestaltet die Stufenordnung der Erkenntnisweisen allerdings nicht mit neuplatonischen, sondern mit Hilfe von aristotelischen Begriffen.

Ausgangspunkt der Überlegungen ist die Feststellung, daß die Erkenntnis des Engels von der göttlichen Erkenntnis dadurch verschieden sei, daß er nicht alles aufgrund seines Wesens erkennen könne. Der Engel erkennt aufgrund seines Wesens sich selbst, und er erkennt in diesem Wesen auch Gott, da Gott ihm in gewisser Weise ähnlich ist. Diese Erkenntnisweise aufgrund der Wesensähnlichkeit ist allerdings nicht hinreichend, um einen anderen Engel zu erkennen. Auch wenn man annähme, es gäbe eine Vielheit von Engeln einer Spezies – was Thomas aufgrund seiner Lösung des Individuationsproblems nicht tut[179] –, könnte ein Engel zwar die gemeinsame Natur (natura communis) des anderen Vertreters dieser Spezies, nicht aber dessen Individualität aus seiner Natur erkennen.[180] Thomas nimmt deshalb eine Vielheit intelligibler Formen an, über die der Engel natürlicherweise verfügt, so wie der menschliche Verstand über die obersten, allgemeinen Erkenntnisprinzipien verfügt.[181] Während der Mensch im Erkenntnisprozeß die intelligiblen Formen auf dem Wege der Abstraktion erwirbt, sind sie dem Engel eingeboren.[182] Er kann weder zusätzliche Formen hinzuerwerben, noch braucht er dies zu tun.[183] In diesen Formen erkennt der Engel den ande-

---

[177] De Ver. q. 9.

[178] De Ver. q. 8.

[179] „Ex his autem quae de istis substantiis praemissa sunt, ostendi potest quod non sunt plures substantiae seperatae unius speciei." (ScG II, c. 93)

[180] De Ver. q. 8, a. 7c.

[181] De Ver. q. 8, a. 15c.

[182] De Ver. q. 8, a. 3c; ebd. a. 7c.

[183] De Ver. q. 8, a. 15c.

ren Engel einschließlich seiner akzidentellen Bestimmungen.[184] Auch die materiellen Dinge erkennt er aufgrund dieser Formen und zwar sowohl in ihrer Allgemeinheit als auch in ihrer Singularität[185] und ihrer Veränderung[186]. Thomas charakterisiert diese Erkenntnis als ein Schauen in der begrifflichen Form (species) und grenzt sie gegenüber der göttlichen Schau durch das Wesen (per essentiam) und der menschlichen Schau durch das Spiegelbild (per speculum) ab.[187] Während nämlich der Mensch die geistige Erkenntnis durch die Vermittlung der Sinnendinge erlangt, hat der Engel sie in seinen ihm eingeschaffenen Formen. Im Unterschied zu Gott hat er diese Erkenntnisse in ihrer Mannigfaltigkeit aber nur potentiell. Als reines Geistwesen ist sein Verstand zwar immer im Akt, die verschiedenen Formen müssen aber eigens aktuiert, von der Potenz in den Akt überführt werden.[188] Thomas faßt die Unterscheidung zwischen der menschlichen Erkenntnis und derjenigen der Intelligenzen auch in der Weise, daß er die erstere als ein Erkennen durch die Form, letztere als ein Erkennen in der Form definiert. Während der Mensch Begriffe verwendet, um mit ihrer Hilfe Erkenntnisse über das Besondere zu gewinnen, erkennt der Engel in der begrifflichen Form gleichzeitig schon das Besondere. Der Engel hat also den Begriff, ohne daß er ihn durch eine Wendung nach außen erst bilden müßte, und er erkennt in dem Begriff, ohne daß er sich dabei zu den Vorstellungsbildern hinwenden müßte.[189] Erforderlich ist lediglich der Übergang von der Potenz zum Akt. Dieser Übergang hat keine Dauer. Dennoch ist das Erkennen der Engel in gewisser Weise der Zeit unterworfen. Zwar erstreckt sich der einzelne Erkenntnisakt nicht über eine Zeitspanne, dennoch können nicht mehrere Erkenntnisakte zugleich erfolgen. Es gibt also eine Abfolge der Erkenntnisse, eine Ordnung gemäß dem Früher und Später.[190]

Der instantane Charakter des einzelnen Erkenntnisaktes, das Ruhen des Verstandes in sich ohne Bewegung nach außen, veranlaßt Thomas, die Erkenntnis der Engel als eine nicht-diskursive zu klassifizieren. Wenn

---

[184] De Ver. q. 8, a.7 ad 4 (Rationes autem probantes quod unus angelus alium cognoscit concedimus).

[185] De Ver. q. 8, a. 11c.

[186] Ebd. ad 9.

[187] De Ver. q. 8, a. 3 ad 17. Neben dieser visio per speciem verfügen die Engel über eine Erkenntnis der Dinge im göttlichen Wort, die Thomas Augustinus folgend die „morgendliche Erkenntnis" nennt (De Ver. q. 8, a. 16c).

[188] Vgl. De Ver. q. 8, a. 6 ad 7; ebd. a. 9c; vgl. auch ScG II, c. 96. c. 97. c. 98; zur Unterscheidung zwischen Akt und Potenz beim Engel siehe auch In De trin. q. 5, a. 4 ad 4.

[189] Zur menschlichen conversio ad phantasmata vgl. I, q. 84, a. 7c.

[190] De Ver. q. 8, a. 14 ad 12.

der Engel, weil er eine Ursache kennt, in dieser Ursache zugleich die Wirkung erkennt, so bedarf es hierfür keines Voranschreitens.[191] Erforderlich ist also kein Schlußfolgern[192], kein Zusammenführen von Verschiedenem[193], kein Verbinden und Trennen. Die Tätigkeit des Intellekts der Engel ist somit nicht dem menschlichen Urteilen, sondern dem Erkennen von Washeiten[194], also dem Erfassen der Begriffe bzw. der Termini vergleichbar.

Mit der Defizienz der Erkenntnisweise der Engel gegenüber derjenigen Gottes und mit der Möglichkeit eines Erkenntniszuwachses allein ist allerdings noch nicht geklärt, warum ein Engel dem anderen diesen Erkenntnisgewinn vermitteln kann. Hierzu bedarf es zusätzlich einer Differenz des Wissens bei den verschiedenen Engeln und einer Konzeption, wie der Ausgleich solcher Differenzen gedacht werden kann. Thomas geht davon aus, daß das Erkennntnisvermögen der Engel entsprechend ihrer ontischen Stufung differiert. Der höhere Engel vermag in wenigen Formen mehr und klarer zu erkennen als der niedere Engel.[195] Aus dieser unterschiedlichen Erkenntniskraft lassen sich auch Unterschiede im tatsächlichen Wissen erklären. Diese Unterschiede stellen die Voraussetzungen jeder Form von Wissensvermittlung dar; sie bedingen also sowohl die Möglichkeit der Erleuchtung (illuminatio) als auch der Sprache (locutio). Es ist deshalb für Thomas von besonderem Interesse, daß Averroes in seinem Kommentar zum 11. Buch der Metaphysik erklärt, der Beweger der Saturnsphäre und der Beweger der Jupitersphäre verfügten nicht über die gleiche Kenntnis in bezug auf den Beweger der ersten Sphäre.[196] Diese Bemerkung des Averroes gilt Thomas als Indiz für die Differenzen im Wissensumfang der verschiedenen Engel.

So wird die Illumination als Vorgang konzipiert, bei dem ein Engel eine bestimmte, im anderen Engel vorhandene Form erleuchtet bzw. aktuiert. Thomas bestimmt sie als die Stärkung des Verstandes des niederen Engels durch den höheren Engel, die eine Erkenntnis bewirkt.[197] Das Erleuchtetwerden ist somit das Überführtwerden einer Potenz in einen Akt. Entsprechend kann auch die Sprache als Verursachung aktuellen

[191] De Ver. q. 8, a. 15c.
[192] Vgl. ebd.
[193] Vgl. ebd. ad 4.
[194] Vgl. ScG II, c. 97; De Ver. q. 8, a. 15 sowie zur grundsätzlichen Unterscheidung der verschiedenen Tätigkeiten des (menschlichen) Intellekts In Perih., l. 1 <Prooemium, n. 2>.
[195] Vgl. ScG II, c. 98.
[196] Vgl. De Ver. q. 8, a. 7c.
[197] „Nihil ergo est aliud angelum ab angelo illuminari quam confortari intellectum inferioris angeli per aliquid inspectum in superiori ad aliqua cognoscenda." (De Ver. q. 9, a. 1c)

Wissens im anderen Engel gedacht werden. Es bestehen aber gerade gegen die Annahme einer Engelsprache schwerwiegende Bedenken; Thomas führt fünfzehn Einwände an. Diese versuchen zum Teil aus der positiven Bestimmung der Natur des Engels die Nichtnotwendigkeit einer Sprache herzuleiten[198], zum Teil aus negativen Bestimmungen der Geistnatur des Engels die Unmöglichkeit sprachlicher Mitteilung zu begründen.[199] Obgleich die Lösung dieser Schwierigkeiten weitgehend durch die skizzierte Konzeption der Erkenntnis bei den Engeln vorgezeichnet ist, sollen einige dieser Einwände wegen ihrer Bedeutung für die Semiotik des Thomas besprochen werden.

Das erste Argument nimmt aufgrund eines Vergleiches mit den Seligen an, daß den Engeln die Begriffe der anderen gänzlich bekannt sind. Weder bei diesen noch bei jenen gebe es irgendeine materielle Hülle; vielmehr könnten sie in den anderen hineinschauen, wie wir in unser eigenes Inneres. Jeder Blick erreiche, so fügt das zweite Argument hinzu, sofort sein Erkenntnisziel im anderen. Dies Vermögen mache das Hilfsmittel sprachlicher Mitteilung überflüssig.[200] Auch das zehnte Argument bekräftigt die Entbehrlichkeit der Sprache. Sprache sei durch eine Vielfalt von appetitiven Strebungen verursacht und somit immer Ausdruck eines Mangels. Beim Engel gebe es kein Ermangeln, mithin auch keine Notwendigkeit einer Kompensation. Im dritten Argument bereitet Thomas seine Antwort dadurch vor, daß er die Begriffe 'silentium' und 'locutio' kontrastiert, zugleich aber schon die Vorstellung einer Kommunikation in Stille präsentiert. Mit dem vierten Argument wird sodann der Zeichencharakter der Sprache explizit erwähnt.[201]

Die Frage nach der Existenz von sprachlichen Mitteilungen zwischen reinen Geistwesen provoziert somit eine Reihe von systematischen Klärungen. Da Thomas bei den Engeln von Sprache in einem präzisen Sinne sprechen will, muß er zeigen, daß den Engeln nicht alles immer schon gänzlich transparent ist. Es muß unter ihnen eine Divergenz des Wissens geben. Soll das Bild einer wirklichen Kommunikationsgemeinschaft entstehen, dann ist auch die in der vorausgehenden Quaestio erfolgte Begründung eines entsprechend den verschiedenen Rangstufen divergierenden Wissens nicht hinreichend. Es fragt sich vielmehr, ob es auch

---

[198] De Ver. q. 9, a. 4 obi. 1.2.10.

[199] Ebd. obi. 4.5.6.

[200] Dieses Argument ist später für Dante ausschlaggebend, eine Sprache nur den Menschen, nicht aber den reinen Geistwesen zuzusprechen. (Vgl. De vulgari eloquentia, l. 1, c. 2 [297f.])

[201] Auch in den Objektionen 5, 12 und 14 wird deutlich, daß die Bestimmung der Sprache als Zeichen bzw. Zeichensystem Probleme für die Annahme einer Engelsprache aufwirft.

zwischen ranggleichen Engeln Kommunikation gibt und welche Art von Wissensunterschied hierzu Anlaß geben könnte. Zudem fragt sich, ob vielleicht sogar ein niederer Engel etwas wissen kann, was dem höheren verborgen ist. Sodann muß Thomas zeigen, daß die Diskrepanz ihrer Kenntnisse die Engel zu Sprachbenutzern macht. Dies impliziert aber, wenn er denn nicht nur in einem metaphorischen Sinne von Sprache reden will, die Notwendigkeit des Aufweises eines kommunikativen Zeichensystems bei den Engeln.

Thomas legt zunächst dar, daß das Wissen der Engel in einer Fülle von Hinsichten defizient gegenüber dem göttlichen Wissen ist. Die Engel vermögen nicht in die Herzen der Menschen zu blicken, sie können nicht die Willensentscheidungen der Menschen erkennen. Sie haben deshalb auch nur eine begrenzte Einsicht in zukünftig Kontingentes; all das nämlich, was vom Willen des Menschen abhängt, kann der Engel nicht vorhersehen. Auch für die Beziehung der Engel untereinander gilt, daß die Geheimnisse des Herzens (occulta cordium) den anderen Engeln nicht zugänglich sind. Sie hängen vom freien Willen des Engels ab und sind mithin von sich aus nur dem jeweiligen Engel selbst und Gott bekannt. Wie auch bei der Illumination, so liefert die Unterscheidung von Akt und Potenz das begriffliche Instrumentarium, um den Kommunikationsvorgang bei den Engeln zu bestimmen. Thomas muß dazu allerdings eine genauere Unterscheidung einführen. Er unterscheidet drei Weisen, in denen eine geistige Form im Verstand ist. Diese drei Weisen entsprechen drei Weisen, in denen eine Form in der Materie sein kann.

Die erste Weise nennt er die habituelle; sie steht in der Mitte zwischen Potenz und Akt. Thomas gibt als Beispiel eine Form, die im Werden ist. In dieser Weise ist die geistige Form als eingeborene Form im Verstand des Engels. Sie braucht nicht erworben zu werden, ist also nicht rein potentiell, sie ist aber auch nicht aktuiert; in diesem Sinne unterscheidet Thomas das Wissen vom aktuellen Erkennen. Die zweite und dritte Weise nennt er jeweils eine Weise vollständiger Aktualität. Dabei gilt für die zweite Weise, daß sie eine vollständige Aktualität in bezug auf den Erkennenden selbst ausmacht, d.h. die geistige Form wird aktuell von ihm gedacht. Die dritte Weise bedeutet eine zusätzliche Vervollkommnung. Die geistige Form wird dabei nicht nur für ihn selbst aktuiert, sondern ebenso für einen anderen, zu dem der Engel ins Verhältnis tritt. Diese Stufe nun ist nicht mehr bloßes Denken, sondern ein Sprechen.

Thomas denkt demnach den Kommunikationsvorgang der reinen Geistwesen als eine Steigerung, als Schritt zu einer höheren Vollkommenheitsstufe im rein geistigen Erkenntnisaktes des einzelnen Geistwesens. Dabei ist davon auszugehen, daß sowohl der Sprechende als auch der Angesprochene potentiell über den jeweiligen Inhalt der Kommuni-

kation, den relevanten Begriff verfügt. Beim Vorgang der Kommunikation wird dieser Inhalt dergestalt in wirkliches Wissen überführt, daß nicht
nur der Erkennende selbst, sondern darüber hinaus ein weiterer Engel
daran teilhat.

Der Schritt von der ersten zur zweiten Stufe, also der vom habituellen
Wissen zum aktuellen Erkennen, aber auch der Schritt zur dritten Stufe,
mithin jener zum Teilhabenlassen eines anderen Engels am aktuellen
Erkenntnisvorgang, wird von Thomas dem Willen zugeschrieben. Der
Wille bewirkt die Aktuierung einer eingeborenen intelligiblen Form
(species intelligibilis) im eigenen Denken und darüber hinaus das Erkennen dieser Form durch einen anderen Engel im Kommunikationsvorgang. Es bedarf dazu keiner Übertragung dieser Form. Auch der Verstand des angesprochenen Engels ist keine tabula rasa, sondern verfügt
habituell über die gesamte Fülle geistiger Formen. Entscheidend für das
Zustandekommen von Kommunikation ist somit einzig die Intention der
Kommunikanden, genauer die Intention des Mitteilenden. Diese Betonung des voluntativen Moments bei der Kommunikation erfährt eine
zusätzliche Zuspitzung bei der Behandlung des Adressatenproblems.[202]
Thomas ist der Auffassung, daß der Sprechakt eines Engels nicht als öf-
fentliche und allgemeine Kundgabe des Gedankens an alle verstanden
werden muß, sondern daß durchaus ein einzelner Engel angesprochen
werden könne. Der Grund dafür, daß den anderen Intelligenzen dieser
Sprechakt verborgen bleibt, kann aber nicht die begrenzte räumliche
Ausbreitung eines Schalls sein. Die räumliche Distanz hat bei den
Geistwesen weder für die Erkenntnis noch für das Sprechen irgendeine
Bedeutung.[203] Die Bestimmung des Adressatenkreises hängt also, folgert
Thomas, einzig vom Willen des Sprechenden ab. Dieser wählt aus, wer
angesprochen wird.[204] Im Umkehrschluß scheint sich zu ergeben, daß es
dem Engel unmöglich ist, sich der Kommunikation zu verschließen. Eine
Möglichkeit des Weghörens zeigt Thomas jedenfalls nicht auf.

Diese Konzeption wird in den Erwiderungen auf die Einwände und in
den nachfolgenden Artikeln, die hier bislang nur im Hinblick auf die
Adressatenfrage berücksichtigt wurden, präzisiert. Wichtig für den Stellenwert der Engelsprache (locutio angelorum) ist dabei zunächst, daß

---

[202] Vgl. dazu De Ver. q. 9, a. 7.

[203] Ebd. a. 6c.

[204] „Unde si angelus fiat per propriam voluntatem in actu alicuius speciei secundum intellectum in ordine ad unum tantum angelum, percipietur eius locutio ab illo tantum; si vero
in ordine ad plures, percipietur a pluribus." (De Ver. q. 9, a. 7c)

auch die Illumination durch Sprache (locutio) vermittelt ist.[205] Die Vermittlung von Erkenntnis ist deshalb bei den Engeln immer ein Kommu-
nikations- bzw. Sprechvorgang. Die Sprache der Engel unterscheidet sich
aber ihrer Natur nach von der der Menschen. Weder verfügen die Engel
über eine äußere Sprache (locutio exterior), die mit sinnlich wahrnehmbaren Zeichen operiert, noch benötigen sie diese. Da aber eine Ausrichtung des Denkens auf einen anderen stattfindet, kann dennoch von äußerer Sprache gesprochen werden.[206] Übereinstimmung und Differenz
zwischen menschlicher Sprache und Engelsprache wird auch in jenen
Responsiones thematisiert, in denen sich Thomas von Aquin mit dem
Zeichencharakter der Sprache auseinandersetzen muß. Dies geschieht
zunächst in der Entgegnung auf den vierten Einwand, der die augustinische Zeichendefinition[207] also den notwendig sinnlichen Charakter des
Zeichens und mithin der Sprache ins Feld geführt hatte. Thomas antwortet, von Zeichen im eigentlichen Sinne spreche man in bezug auf etwas,
von dem aus man zur Erkenntnis von etwas anderem gelange. Solches
Erkennen durch Zeichen geschehe gewissermaßen diskursiv.

Von der Diskursivität der Zeichen her zieht Thomas zwei Schlüsse.
Zum einen folgert er, daß es bei den Engeln keine Zeichen geben könne,
da er schon zuvor[208] erörtert hat, daß das Wissen (scientia) der Engel
nicht diskursiv sei. Zum anderen erschließt er von der Diskursivität der
Zeichenerkenntnis den sinnenhaften Charakter jener Zeichen, die der
Mensch benutzt. Unser diskursives Denken nämlich hat bei den Sinnen
seinen Ausgangspunkt.[209] Indem Thomas auf die Diskursivität der Zeichenerkenntnis verweist, kommt er zu demselben Ergebnis, welches Bonaventura unmittelbar aus der Sinnenhaftigkeit des Zeichens hergeleitet
hatte.

Thomas von Aquin allerdings bleibt bei diesem Ergebnis nicht stehen:
Auch ein allgemeineres Verständnis der Zeichen sei möglich. In dieser
allgemeineren Auffassung sei Zeichen dann irgend etwas Bekanntes, in
dem etwas erkannt wird. In diesem Sinne könne dann freilich eine intelligible Form durchaus Zeichen genannt werden, und zwar sei sie Zeichen

---

[205] „Sed illuminatio semper habet locutionem adiunctam et in angelis et in nobis." (De Ver.
q. 9, a. 5c) Zur Explikation dieser These vgl. unten § 6.

[206] Vgl. De Ver. q. 9, a. 4 ad 9.

[207] Allerdings wird hier Petrus Lombardus als Gewährsmann angeführt (a.a.O. obi. 4).

[208] Vgl. De Ver. q. 8, a. 15.

[209] „Signum prorie loquendo non potest dici nisi aliquid ex quo deveniatur in cognitionem
alterius quasi discurrendo, et secundum hoc signum in angelis non est cum eorum scientia non sit discursiva, ut in praecedenti quaestione est habitum; et propter hoc etiam in
nobis signa sunt sensibilia, quia nostra cognitio, quae discursiva est, a sensibilibus oritur."
(De Ver. q. 9, a. 4 ad 4)

für jene Sache, die durch sie oder – wie Thomas hier formuliert – in der
sie erkannt werde. Auch reine Geistwesen erkennen somit die Dinge mit
Hilfe von Zeichen.[210] Thomas erläutert nicht, was er unter einer Erkenntnis von etwas 'in etwas' versteht. Er will aber, so wird aus dem Gesamtzu-
sammenhang klar, die Nichtdiskursivität der Engelerkenntnis sichern,
indem er vermeidet, das Zeichen hier als Instrumentalursache zu fassen.
Thomas unterscheidet jedoch offenbar nicht zwischen einer Erkenntnis
„im Zeichen" und einer Erkenntnis durch das Zeichen, in der Weise wie
Bonaventura eine Erkenntnis im Spiegelbild von einer Erkenntnis durch
das Spiegelbild abhebt. Die allgemeinste Definition des Zeichens um-
schließt vielmehr diskursives ebenso wie nichtdiskursives Erkennen. Das
Zeichen kann dazu dienen, in ihm selbst das Bezeichnete zu erfassen.
Das Bezeichnete wird dann – wie bei der Erkenntnis der Engel – vermittelt durch sich selbst, insofern es Zeichen ist, erkannt. Es kann aber auch
– wie es beim menschlichen Erkennen geschieht und wie es die augustinische Definition vorsah – die Erkenntnis von etwas anderem (aliquid
aliud) vermitteln. Das Zeichen, die forma intelligibilis, ist also für den
Engel ein Erkenntnisinstrument, wenngleich in einem weiteren, alle
Diskursivität ausschließenden Sinne. Beim Engel braucht daher nicht
zwischen dem vom Verstande erfaßten Ähnlichkeitsbild, der species bzw.
forma intelligibilis[211], und dem Verstandenen selbst unterschieden zu
werden.[212] Die intelligible Form ist nun für den Engel gleichzeitig ein
Kommunikationsinstrument. Durch das Zeichen spricht also ein Engel
zum anderen Engel. Die species intelligibilis bzw. forma intelligibilis stellt
als aktuell gedachtes das Analogon zum Gedankeninhalt des Menschen
dar. Die aktualisierte Form fungiert gleichermaßen aber auch als Entsprechung zum menschlichen Sprachlaut, zur vox significativa, und zwar

---

[210] „Sed communiter possumus signum dicere quodcumque notum in quo aliquid cognoscatur; et secundum hoc forma intelligibilis potest dici signum rei quae per ipsam cognoscitur [...]." (ebd.)

[211] Zur synonymen Verwendung von 'species intelligibilis' und 'forma intelligibilis' vgl. De
Ver. q. 8, a. 3c, ebd. ad 17 und De Ver. q. 8, a. 9 ad 5. Zur Sache vgl. auch L. Oeing-
Hanhoff, Wesen und Formen der Abstraktion nach Thomas von Aquin, 19.

[212] Dagegen ergab sich, wie oben gezeigt, die Notwendigkeit, zwischen diesen zu unterscheiden, aus den spezifisch menschlichen Bedingungen der Erkenntnis, d.h. aus seiner An-
gewiesenheit auf die Sinne. Der Engel steht auch in dieser Hinsicht zwischen Mensch
und Gott; bei ihm muß zwischen Intellekt und den im Intellekt aufbewahrten Formen
unterschieden werden. Diese Formen, durch die er erkennt, sind aber bei ihm, anders als
beim Menschen, das Verstandene selbst. Zur Erkenntnis Gottes und zur Erkenntnis des
Menschen vgl. De Pot. q. 8, a. 1c.

insofern, als sich der Gedanke auf den anderen Engel ausrichtet.[213] Thomas versteht diesen Sprechakt als unkörperliche, immaterielle Äußerung.

Obwohl Thomas im vierten Einwand die traditionelle augustinische Zeichendefinition referiert, hebt er interessanterweise in seiner Entgegnung zunächst gar nicht auf den notwendig sinnenhaften Charakter des Zeichens ab. Bereits gemäß der enggefaßten Begriffsbedeutung muß das Zeichen also kein sinnlich Wahrnehmbares sein. Die grundlegendere Struktur der Zeichenerkenntnis, die Thomas herausarbeitet, ist vielmehr die ex–in–Struktur, also die Struktur des vermittelten Erkennens. Erst unter der Bedingung der menschlichen Leib-Geist-Einheit tritt die Sinnenwelt als Ausgangspunkt eines solchen Vermittlungsprozesses auf den Plan.

Thomas behauptet auch für diese zeichentheoretische Konzeption der Engelsprache seine Übereinstimmung mit der Tradition. Wenn in dem für augustinisch gehaltenen Buch De spiritu et anima von Zeichen und Winken bei den Engeln die Rede ist, so lasse sich dies als metaphorische Umschreibung der vorgetragenen Konzeption der Engelsprache (locutio angelorum) begreifen.[214] Die Engel richten sich nicht wirklich an Gehör und Gesicht; gleichwohl seien aber in der Sprache der Engel zwei Momente zu unterscheiden, nämlich die geistige Form und die Ausrichtung des Engels auf den anderen.[215] 'Nutus' meint also nicht ein indexikalisches, deiktisches Moment, es stellt keine Verbindung zwischen dem Sprechenden und dem Gegenstand des Sprechens her, sondern es stellt den Adressatenbezug heraus. Thomas erkennt, daß dieser Bezug durch den in 'nutus' anklingenden Vergleich mit der menschlichen Gestik besondern gut betont werden kann. Die Differenzierung und Funktionstrennung zwischen dem Wink (nutus) und dem Zeichen (signum) darf indes nicht zu strikt vollzogen werden. Auch wo Thomas von Aquin lediglich von Zeichen (signa) spricht, ist neben dem Sachbezug immer auch der Adressatenbezug impliziert. Im Falle der Engelsrede kann der Adressat, wie bereits erwähnt, durchaus ein einzelner Engel sein.[216] In

---

[213] „[E]t sic angeli cognoscunt res per signa, et sic unus angelus per signum alii loquitur, scilicet per speciem in cuius actu intellectus eius perfecte fit in ordine ad alium." (De Ver. q. 9, a. 4 ad 4)

[214] Später bestreitet Thomas die Authentizität dieser Schrift: „Liber ille auctoritatem non habet." (I, q. 77, a. 8 ad 1; vgl. ebd. q. 79, a. 8 ad 1)

[215] „Nutus autem et signa hoc modo possunt in angelis distingui, ut signum dicatur ipsa species, nutus autem ordinatio ad alium; sed potestas hoc faciendi dicitur lingua." (De Ver. q. 9, a. 4 ad 12)

[216] Vgl. De Ver. q. 9, a. 7.

diesem Falle wird dann nur die Aufmerksamkeit dieses einen angesprochenen Engels erregt.[217]

Während Roger Bacon aufgrund seiner Definition des Zeichens auch nichtwahrnehmbare Entitäten als Zeichen auffassen kann, die Funktionsweise solcher Zeichen allerdings nicht beschreibt[218], findet Thomas von Aquin in den intelligiblen Formen, in denen, wie Thomas sich ausdrückt, bzw. vermittels derer die reinen Intelligenzen kommunizieren, ein Beispiel für solche nichtwahrnehmbare Zeichen und analysiert deren Verwendung. Die Sprache der Engel stellt für ihn ein intelligibles Zeichensystem dar. Darüber hinaus wird man festhalten können, daß die Modifikation des Zeichenbegriffs durch Thomas von Aquin keine ad-hoc-Lösung für das Problem der Engelsprache darstellt. Der in diesem Kontext gewonnene weitere Zeichenbegriff dient Thomas vielmehr noch zu weiteren Explikationen von Mitteilungsweisen, die nicht an die Sinnlichkeit gebunden sind. Thomas greift so den Zeichenbegriff auch auf, um die innere Eingebung als eine mögliche Weise zu bestimmen, in der Gott zu den Menschen spricht. So wie wir in der äußeren Rede nicht die Sache selbst, die wir vermitteln wollen, an den Hörenden heranführen, so bietet Gott bei der inneren Eingebung nicht sein Wesen selbst zur Schau dar. So wie wir ein Zeichen der Sache, das bezeichnende Wort, verwenden, so gibt uns Gott ein geistiges Bild seiner Weisheit als Zeichen seines Wesens.[219]

Auch in rein sprachlogischen Zusammenhängen spricht Thomas deshalb von intelligiblen Zeichen. So nennt er im vierten Quodlibetum auch die menschlichen Begriffe Zeichen. Doch sind sie nicht Zeichen schlechthin wie die Sprachlaute; sie sind vielmehr Zeichen und zugleich Bezeichnetes.[220] Im Rahmen der Explikation seiner Abstraktionstheorie klassifiziert er die Relation zwischen dem geistigen Satz und dem Sachverhalt als Bezeichnungsverhältnis. Die Verbindung, die der Verstand vollzieht, so sagt er, sei Zeichen für die Identität dessen, was verbunden wird.[221]

---

[217] Vgl. ebd. a. 4 ad 6.

[218] Vgl. dazu Th. Maloney, The semiotics of Roger Bacon, 124: „Unfortunately, however, Bacon never develops the notion of an imperceptible sign in any of the known sections of the De signis or Compendium studii theologiae.“

[219] De Ver. q. 18, a. 3c.

[220] „Dependet igitur unitas vel diversitas vocis significativae, sive complexae sive incomplexae, ex unitate vel diversitate vocis vel intellectus, quorum unum, scilicet vox, est signum et non significatum [tantum], intellectus autem signum et significatum [sicut res].“ (Quaestiones de quolibet IV, q. 9, a. 2 [17] c)

[221] I, q. 85, a. 5 ad 3.

§ 6 Die Illumination als Zeichenprozeß

Eine vertiefende Betrachtung verdient auch der Umstand, daß in der thomanischen Konzeption der Erkenntnis und Sprache von Engeln auch die Illumination von Sprache getragen bzw. begleitet ist und damit als ein Zeichenprozeß verstanden wird. Diese Konsequenz überrascht insbesondere, wenn man sich die Gegenüberstellung in Erinnerung ruft, welche Augustin vornimmt.[222] Gerade im Kontrast zur Kraft der Illumination wird für Augustin nämlich die Ohnmacht der Wörter deutlich. Auch Bonaventura und Roger Bacon stellen keinerlei positive Verbindung zwischen ihrer Metaphysik der Illumination[223] und der Zeichentheorie her. Zwar kann, wie dies bei Bonaventura geschieht, der zeichenhafte Rückverweis der geschaffenen Dinge als ein 'relucere' begriffen werden.[224] Die Einstrahlung eines höheren in ein niederes Wesen kann aber nicht als Kommunikationsvorgang vorgestellt werden. Lichtmetaphysik und Zeichentheorie stehen daher zwar nicht gänzlich berührungslos nebeneinander, weder die eine noch die andere kann aber als integrativer Bestandteil der anderen aufgefaßt werden.

Thomas von Aquin verwendet den Terminus 'illuminare' im Sinne von „die Darstellung einer erkannten Wahrheit einem anderen übermitteln"[225]. Er betont vielfach, daß die Lichtterminologie für intellektuelle Vorgänge nur metaphorisch verwendet werden könne.[226] Im bezeichneten Sinne einer Wahrheitskundgabe kann nun nach Thomas davon gesprochen werden, daß ein Engel einen anderen Engel illuminiert. Mit Ps.-Dionysios hält es Thomas für zwingend, daß solche Erleuchtung stets von einem höheren Engel ausgeht.[227] Thomas vergleicht deshalb die Beziehung zwischen dem höheren und dem niederen Engel mit einem Lehrer-Schüler-Verhältnis. Der höhere Engel illuminiert den niederen, und der Lehrer belehrt den Schüler, indem er entweder dessen Erkenntniskraft stärkt oder indem er ihn von der Kenntnis von Einfachem zu einer komplexeren Wahrheit führt.[228]

---

[222] Vgl. die oben vorgetragene Darstellung des Dialoges „De magistro" (Erster Teil, § 4).

[223] Vgl. K. Hedwig, Sphaera lucis; J. Koch, Über die Lichtsymbolik im Bereich der Philosophie und der Mystik des Mittelalters.

[224] Vgl. Itin. c. 1, n. 10 [V, 298b].

[225] „Unde illuminare nihil aliud est quam manifestationem cognitae* veritatis alteri tradere [...]" (I, q. 106, a. 1c) * Eine andere Lesart hat statt 'cognitae' 'agnitae'.

[226] Vgl. etwa In 2 Sent. d. 13, q. 1, a. 2c; De Ver. q. 9, a. 1c.

[227] Vgl. De Ver. q. 9, a. 1 ad 9.

[228] Vgl. I, q. 106, a. 1c; ebd. q. 117, a. 1c; De Ver. q. 9, a. 1c.

So gibt es also zwischen der oben erörterten Sprache der Engel (locutio angelorum) und der Erleuchtung der Engel (illuminatio angelorum) wesentliche Unterschiede. Geht es bei der ersteren um Willensinhalte, so geht es bei der Illumination um eine belehrende Vermittlung der Urwahrheit. Ist die Erleuchtung notwendig von oben nach unten ausgerichtet, so kann dem Sprechakt jedwede Richtung gegeben werden; der niedere Engel kann also den höheren Engel ansprechen, nicht aber erleuchten.[229] Beide Vorgänge kommen jedoch darin überein, daß sie als Übergang von der Potenz zum Akt verstanden werden. Sie sind beide Schritte der Vervollkommnung: in dem einen Fall der Vervollkommnung des Erleuchteten und auch des Erleuchtenden, im andern Fall sowohl der Vervollkommnung des Angesprochenen als auch des Sprechenden.

Thomas erklärt nun, wie oben kurz erwähnt, daß auch die Illumination als Rede aufgefaßt werden könne[230] bzw. jede Illumination des Engels mit einem Sprechakt einhergehe[231]. Auch wenn dies nicht weiter ausgeführt wird, kommt diesen Bemerkungen doch eine erhebliche Bedeutung zu, und zwar sowohl für das Verständnis der Illumiation und deren Stellenwert als auch für den Stellenwert der Zeichen für die Erkenntnis. Thomas greift das Theorem der Illumination auf und deutet es vor dem Hintergrund der Vorstellung von der Hierarchie des Seienden. Jedoch wird dabei die Bildlichkeit des ausströmenden Lichtes von einigen neuplatonischen Implikaten befreit und in aristotelische Denkstrukturen überführt. Das Licht wird als Aktualität interpretiert[232], die Illumination als Überführung eines Wissens von der Potenz in den Akt. In dieser Deutung kann der Vorgang der Erleuchtung mit dem Sprechakt verglichen oder sogar unter diesen subsumiert werden, denn der Sprechakt ist in der gleichen Weise konzipiert. Auch der Vergleich mit dem menschlichen Lehren mag Thomas bewogen haben, die Illumination einen Sprechakt zu nennen. So wie die Stärkung des Verstandes des Schülers dadurch erfolgt, daß der Lehrer dem Schlußfolgerungen ziehenden

---

[229] De Ver. q. 9, a. 5.

[230] „[O]mnis illuminatio est locutio in angelis [...]" (I, q. 107, a. 2c)

[231] „Sed illuminatio semper habet locutionem adiunctam et in angelis et in nobis." (De Ver. q. 9, a. 5c)

[232] „Ad cuius intellectum considerandum est quod per lumen corporale visibilia sensibiliter cognoscuntur, unde illud per quod aliquid cognoscitur, per similitudinem lumen dici potest; probat autem Philosophus in *IX° Metaphysicae* quod unumquodque cognoscitur per id quod est in actu; et ideo ipsa actualitas rei est quoddam lumen ipsius et, quia effectus habet quod sit in actu per suam causam, inde est quod illuminatur et cognoscitur per suam causam." (In librum de causis, propositio 6ª).

Schüler Mittelbegriffe an die Hand gibt, so stärkt auch der höhere Engel den Verstand des niederen.[233] Das Bereitstellen von Begriffen aber geschieht durch Sprache.

Die Analogie der Lichtausbreitung ist in der Sicht von Thomas von Aquin für sich allein nicht ausreichend, um das Anwachsen des Wissens in der Zeit zu verstehen. Während die Konzeption der Illumination traditionell dem Paradigma naturnotwendiger Verursachung folgt (Wärme verursacht Erwärmung[234]), stellt Thomas diesem Paradigma das der Kommunikation an die Seite. Thomas' Ausführungen zur Sprache der Engel und zur Intelligibilität des Zeichens machen darüber hinaus einen Aspekt seiner Sprachbetrachtung deutlich, der auch für die Anthropologie wichtig ist: Das Bedürfnis zur Kommunikation wurzelt letztlich nicht in der Leiblichkeit der Kommunikanten[235], es gründet vielmehr im Intellekt und im Willen. Deshalb können die signifikanten Laute der Tiere, die aus der Vorstellungskraft (imaginatio) und dem Strebevermögen hervorgehen, nicht als Sprache bezeichnet werden, die Laute der Menschen und die Zeichen der Engel können dies dagegen sehr wohl. Auch das Verborgensein der Denkinhalte für andere begründet Thomas nicht nur dadurch, daß diese durch den Körper verhüllt wären; sie sind vielmehr verborgen, weil der Wille des Denkenden es so will.[236]

Die Analyse der Bezeichnungsstrukturen hat damit einen Punkt erreicht, an dem der Zusammenhang zwischen Zeichen und Erkennen bzw. zwischen Zeichen und Wissen deutlich wird. Die Bezeichnung von Denkinhalten geschieht nicht nachträglich zum Denken selbst. Wie die Analyse des Gebets gezeigt hat, bedient sich das Denken bereits der Bezeichnungen, seien diese nun ausgesprochen oder nur vorgestellt. Im Denken vollzieht sich ebenso wie im Sprechen eine Verknüpfung von Termini.[237] Dabei bezeichnet die Verbindung im Intellekt und im Sprechen die Identität in der Sache.[238] Der zeitliche Vorgang des sprachlichen Ausdrucks (dazu oben § 4) entspricht dabei einer gewissen Abfolge der

---

[233] Dieser Vergleich wird sowohl in De Ver. q. 9 als auch De Ver. q. 11 vielfach gezogen.

[234] „Sicut enim virtus imperfectioris corporis confortatur ex situali propinquitate perfectioris corporis, ut minus calidum crescit in calore ex praesentia magis calidi; ita virtus intellectiva inferioris angeli confortatur ex conversione superioris angeli ad ipsum." (I, q. 106, a. 1c)

[235] De Ver. q. 9, a. 4 ad 10.

[236] I, q. 57, a. 4c. Die entsprechende Gegenposition vertritt Ammonius in seinem Kommentar zu den Kategorien (vgl. c. 1 [Arist. p.1 a.1] [15]) und ebenso Dante in De vulgari eloquentia, l. 1, c. 3. [298f.].

[237] Vgl. I, q. 85, a. 5.

[238] Vgl. ebd. ad 3.

Verstandesoperationen.[239] Sowohl das Denken wie das Sprechen schreiten voran und entwickeln sich in der Zeit. Wissen entsteht weder durch bloße Berührung mit den Dingen noch mit den Ideen, vielmehr bedarf das Erkennen vieler Vermittlungsinstanzen sinnlicher, begrifflicher und sprachlicher Art. Auch das Erkennen des Engels, das nicht in der Zeit geschieht und keine sinnliche Anschauung erfordert, hat nach Thomas solche Instanzen und Vermittlungsschritte, und Thomas nennt die Instrumente dieser Vermittlung 'Zeichen'. Wie beim Engel, so kann auch beim Menschen der zeichenhafte Erwerb von Wissen sowohl ein kommunikativ-soziales als auch ein individuell-forschendes Geschehen sein. Beiden Möglichkeiten ist im folgenden nachzugehen.

§ 7 Disciplina: Die Vermittlung des Wissens

Die scholastischen Wissenschaftler verstehen sich selbst nicht als Begründer von Wissen, sondern vielmehr als dessen Vermittler; sie wollen nicht erfinden, sondern weitergeben. Die Praxis der Wissenschaft besteht deshalb im Vollzug des Lehrens und Lernens.[240] Was vermittelt wird, sind vornehmlich Texte. Nicht nur im Bereich von Grammatik, Logik und Rhetorik, auch im Bereich der Naturwissenschaften und sogar in einer praktischen Wissenschaft wie der Medizin sind Bücher der unmittelbare Gegenstand der Auseinandersetzung. In allen wissenschaftlichen Bereichen werden die maßgeblichen Texte vorgelesen und kommentiert.[241]

Die große Bedeutung der Bücher bringt ein Bewußtsein für die zeichenhafte Vermittlung von allem menschlichen Wissen mit sich. In der Verschriftlichung ist den Magistern und Studenten ihr eigener Zeichengebrauch stets anschaulich. Es verwundert deshalb nicht, wenn Thomas von Aquin in seiner Untersuchung über den Lehrer[242] nicht eigens fragt, ob in der Unterrichtspraxis Zeichen verwendet werden oder nicht. We-

---

[239] Vgl. I, q. 85, a. 4 ad 1.

[240] Zum Selbstverständnis der scholastischen Wissenschaftler als Vermittler und der Bedeutung des Lernens und Lehrens für den Wissenschaftsbetrieb vgl. W. Kluxen, Das Seiende und seine Prinzipien, 182-184.

[241] Vgl. ders., Der Begriff der Wissenschaft, 287. Speziell zur Medizin vgl. H. Schipperges, Arabische Medizin im lateinischen Mittelalter.

[242] Vgl. dazu W. Schmidl, Homo discens. Studien zur pädagogischen Anthropologie bei Thomas von Aquin; H. Pauli, Einleitung zu „Thomas von Aquin 'Über den Lehrer'" sowie M. Fuchs, Doppelrezension zu „Thomas von Aquin 'Über den Lehrer'" und „W. Schmidl, Homo discens".

der Thomas, noch Aristoteles[243], noch Augustinus, noch die in den Bahnen des Augustinismus denkenden Zeitgenossen des Thomas konnten oder wollten dies bestreiten. Ganz gleich, ob der Unterricht ausschließlich verbal verfährt oder ob er sich um Veranschaulichungen bemüht, bedient er sich notwendigerweise sinnlicher Zeichen.

Auch die göttliche Unterweisung greift nach Thomas auf solche Zeichen zurück. Wie ein guter Lehrer orientiere sich Gott dabei an den Erfahrungen und Gewohnheiten der Adressaten. Thomas führt dies mit Bezug auf den Stern aus, der Christi Geburt anzeigen sollte. Gott wähle jeweils dasjenige Medium, mit dem die Angesprochenen am besten vertraut sind. Das seien im Falle der Juden die Worte; bei den Heiden aber berücksichtige Gott deren Gewohnheit, den Lauf der Himmelskörper zu beobachten. Der Stern als Zeichen sei aber nicht nur adäquat für die Adressaten, er sei vielmehr auch im Hinblick auf die zu bezeichnende Sache angemessen, da durch ihn etwas Himmlisches angezeigt werden solle.[244]

Gerade insofern menschliches Wissen satzhaftes Wissen ist, kommt der menschlichen Stimme (vox) als vermittelndem Zeichen allerdings eine besondere Funktion zu.[245] Unterricht kann mitunter auf Anschauungsmaterial verzichten, hingegen nicht auf die Sprache. Thomas erwähnt den Fall, daß der Schüler das Wissen des Lehrers erfaßt, obgleich der Lehrer es ohne jede Veranschaulichung vorträgt. Solch rein intellektuelles Begreifen und Nachvollziehen bezeugt einen stärkeren Intellekt, als wenn sinnenfällige Beispiele zur Unterrichtung erforderlich sind.[246] Aber auch das ohne Anschauungsmaterial vorgetragene Wissen (veritas nude prolata) verlangt sprachliche Zeichen. Durch diese müssen die Gedanken des Lehrenden dem Lernenden eröffnet werden. Nur so können die einzelnen Schritte des Verstehens, die zum Wissen führen, dem Lernen-

---

[243] Vgl. De sensu et sensato 1 [437a 12-15].

[244] III, q. 36, a. 5c.

[245] Meist wird ohne weitere Begründung die sprachliche Vermittlung als eminenter Fall der sinnlichen Vermittlung durch Zeichen genannt: III, q. 12, a. 3 ad 2: „[I]lle qui addiscit ab homine non accipit inmediate scientiam a speciebus intelligibilibus quae sunt in mente ipsius: sed mediantibus sensibilibus vocibus, tanquam signis intellectualium conceptionum." Zur propositionalen Struktur der menschlichen Wahrheitserkenntnis und ihrer Vermittlung vgl. De Ver. q. 11, a. 3 ad 6. Auf die systematische Begründung des Vorrangs der Sprache unter den Zeichen bzw. Zeichensystemen ist bereits oben im Rahmen der Sakramententheologie eingegangen worden. Auch bezüglich der disciplina unterstreicht Thomas diesen Vorrang (vgl. De Ver. q. 11, a. 1 und 11).

[246] „[S]icut in doctrina humana auditor ostenditur esse melioris intellectus qui veritatem intelligibilem a magistro nude prolatam capere potest, quam ille qui indiget sensibilibus exemplis ad hoc manuduci." (II-II, q. 174, a. 2c)

den vermittelt werden.[247] Thomas analysiert diesen Vermittlungsvorgang wie folgt: Das Wissen, welches der Schüler durch das Verfügen über die ersten Prinzipien in impliziter und potentieller Weise bereits hat, werde in ein wirkliches Wissen überführt, indem den äußeren Sinnen wahrnehmbare Zeichen präsentiert würden.[248]

Zur Diskussion steht in der Untersuchung über den Lehrer[249] also nicht der Zeichenaustausch im menschlichen Miteinander, sondern die Frage, ob durch diesen Austausch wirklich Wissen erworben werden kann. Thomas muß sich daher mit jener skeptischen Position auseinandersetzen, die Augustin in De magistro entwickelt hatte, daß nämlich die Zeichen und mithin jede menschliche Unterrichtung nur admonitiven Charakter haben könnten.

Thomas zeigt, daß in der Tat durch Zeichen das Bezeichnete nicht erkannt werden könnte, ja daß nicht einmal das Zeichen als Zeichen erfaßt würde, wenn der Verstand des Erkennenden als eine leere Tafel verstanden würde. Thomas weist deshalb die Vorstellung zurück, der Verstand würde beim Wissenserwerb einem Gefäß vergleichbar mit Wissen angefüllt. Vielmehr muß jedes Wissen auf ein bereits strukturiertes Vorwissen treffen, ein intelligibles System, in dem zumindest ein Wissen in Gestalt von obersten Bedeutungsinhalten keimhaft angelegt ist. Diese Anlage kann in wirkliches Wissen überführt werden, wenn sie durch äußere Zeichen mit einem bereits verwirklichten Wissen konfrontiert wird. Dies geschieht beispielsweise, wenn der Lehrer dem Schüler einen Mittelbegriff nennt, durch den er einen Satz, dessen Termini er bereits versteht, als wahren Satz erkennt. Grundsätzlich kann dies Auffinden des Mittelbegriffs auch durch einen einzelnen ohne fremde Hilfe geleistet werden. Ohnehin bringt jeder die obersten Bedeutungsinhalte und die Fähigkeit, zu verbinden und zu trennen, bereits mit. Thomas gibt Augustinus deshalb zu, daß Gott als Schöpfer der natürlichen Vernunft in einem ganz grundlegenden und vorrangigen Sinn als Lehrer zu bezeich-

---

[247] „[H]omo docet hominem quasi univocum agens; unde per illum modum scientiam alteri tradit quo ipse eam habet, scilicet deducendo causas in causata; unde oportet quod ipsi conceptus docentis patefiant per aliqua signa discenti." (De Ver. q. 11, a. 3 ad 4)

[248] „Homo autem, quia secundum ordinem naturae alteri homini par est in specie intellectualis luminis, nullo modo potest alteri homini causa scientiae existere in eo lumen causando vel augendo; sed ex parte illa qua scientia ignotorum per principia per se nota causatur, alteri homini causa sciendi quodam modo existit, non sicut notitiam principiorum tradens sed sicut id quod implicite et quodam modo in potentia in principiis continebatur educendo in actum per quaedam signa sensibilia exteriori sensui ostensa, sicut supra dictum est." (De Ver. q. 11, a. 3 c)

[249] De Ver. q. 11.

nen ist.[250] Er ist allerdings zugleich davon überzeugt, daß die natürliche
Vernunft verkümmern würde, wenn menschliche Lehrer sie nicht kräf-
tigten.[251] Der Grund hierfür ist, daß die keimhafte Anlage des Wissens in
unserem Verstand kein vollständig verwirklichtes Wissen ist.[252] Die auto-
didaktische Entfaltung der natürlichen Vernunft zu wirklichem Wissen
scheitert meist an den Grenzen dieses natürlichen Vermögens. Sie verlangt eine Geschicklichkeit im richtigen Vermuten, im Herausfinden des
richtigen Mittelbegriffs[253], wie sie nur selten anzutreffen ist. Die autodi-
daktische Entfaltung der natürlichen Vernunft, die Thomas in Abgrenzung zur disciplina 'inventio' nennt, kann über die syllogistischen Verstandesoperationen hinaus auch den Bereich der Erfahrungserkenntnis
mit umfassen. In seinem Kommentar zu De sensu et sensato ordnet
Thomas deshalb den Gesichtssinn der inventio, das Gehör hingegen der
disciplina zu. Insofern nämlich das Gehör die Worte als Zeichen der Verstandesbegriffe und mithin der Dinge rezipieren könne, vermöge der
Mensch vermittels seines Gehörs mehr zu erkennen als durch eigenes
Entdecken, welches vorzugsweise durch Sehen geschehe.[254] An anderer
Stelle begründet Thomas mit Moses Maimonides in diesem Zusammenhang die Grenzen des individuellen Forschens durch die Schwierigkeit
der Erkenntnisgegenstände, die Fülle der Tatsachen, fehlende Verstan-
desdispositionen und die Schwäche des Verstandes, sowie den Mangel an
Zeit.[255] Eine äußere Hilfe durch einen Menschen, der ein bestimmtes

---

[250] De Ver. q. 11, a. 1 ad 1.

[251] De Ver. q. 9, a. 5c.

[252] De Ver. q. 11, a. 2 ad 1.

[253] II-II, q. 48, a. un. c.

[254] „[M]anifestat quod auditus per accidens melior sit ad intellectum. Et dicit quod auditus
multum confert ad prudentiam (et accipitur hic prudentia pro qualibet intellectiva cognitione, non solum prout est recta ratio agibilium, ut dicitur in VI Ethicorum), sed hoc per
accidens, quia sermo qui est audibilis est causa addiscendi non per se, id est secundum
ipsas sonorum differentias, sed per accidens, in quantum scilicet nomina ex quibus sermo, id est locutio, componitur, sunt symbola, id est signa, intentionum intellectarum et
per consequens rerum; et sic doctor docet discipulum in quantum per sermonem significat ei conceptionem sui intellectus. Et homo potest plus cognoscere addiscendo, ad quod
est utilis auditus quamvis per accidens, quam de se inveniendo, ad quod praecipue est utilis visus; inde est quod inter privatos a nativitate utrolibet sensu, scilicet visu et auditu, sa-
pientiores sunt caeci, qui carent visu, mutis et surdis, qui carent auditu." (In De sensu et
sensato, tractatus 1, c. 1 <lect. 2, n. 31>)

[255] De Ver. q. 14, a. 10c. Thomas gibt dort Argumente für die Notwendigkeit des Glaubens.
Er bezieht sich dabei nicht nur auf den Glauben an Gott, sondern sagt auch mit Aristoteles, daß es im Prozeß des Lernens notwendig ist, Sätze zunächst zu glauben, die man später einsehen kann.

Wissen bereits vollständig besitzt und dadurch die einzelnen Schritte zu ihm weisen kann, ist daher für die meisten Menschen unabdingbar.

Thomas entgeht also der von Augustinus aufgezeigten Aporie. Er vermeidet den unendlichen Regreß des Bezeichnens von Zeichen, indem er auf oberste Begriffe und Sätze rekurriert, deren Kenntnis vorausgesetzt werden muß, wenn überhaupt sprachliche Verständigung möglich sein soll. Hierfür ist es indes nicht erforderlich, daß die Kenntnis dieser obersten Prinzipien ein bereits in irgendeiner Weise entfaltetes, ausgeformtes Wissen ist. Ausreichend ist vielmehr das habituelle Verfügen über oberste Prinzipien. Auch diese obersten Prinzipien müssen sprachlich bezeichnet werden können, damit aktuell über sie verfügt wird.[256] In diesem Sinne ist jedes Denken ein inneres Sprechen, das die Möglichkeit des wirklichen Sprechens in sich trägt. Es ist deshalb ein Zeichen für das Verfügen über ein Wissen, wenn man in der Lage ist, es anderen zu vermitteln.[257] Allgemein liegt es in der politisch-sozialen Natur des Menschen begründet, daß das Wissen, das man hat, auf eine Mitteilung an andere hingeordnet ist.[258]

Thomas wählt für den Vorgang der äußeren Vermittlung vielfach den Titel der 'manuductio'. Dieser stammt von Ps.-Dionysios bzw. dessen Übersetzern, und Thomas weist ihn auch als dionysischen Begriff aus.[259] Subjekt des manducere können zum einen die äußeren Dinge sein, die dann gleichsam als Markierungen auf dem Weg zum Erkenntnisziel anzusehen sind.[260] 'Manuductio' kann aber auch die Tätigkeit einer Person beschreiben, die dem Suchenden, dem Lernenden also, Handreichungen gibt, um im Prozeß des Wissenserwerbs voranzuschreiten. Thomas wählt den Terminus deshalb häufig als terminus technicus für die Tätigkeit des menschlichen Lehrers.[261] Hierin unterscheidet er sich deutlich

---

[256] „[C]ognitio rerum in nobis non efficitur per cognitionem signorum sed per cognitionem aliarum rerum magis certarum, scilicet principiorum quae nobis per aliqua signa proponuntur et applicantur ad aliqua quae prius nobis erant ignota simpliciter, quamvis essent nobis nota secundum quid, ut dictum est; cognitio enim principiorum facit in nobis scientiam conclusionum, non cognitio signorum." (De Ver. q. 11, a. 1 ad 2) Vgl. In 1 Sent. d. 3, q. 1, a. 2c. L. Oeing-Hanhoff hat deshalb in seinem Beitrag über „Wesen und Formen der Abstraktion nach Thomas von Aquin" zu Recht darauf hingewiesen (vgl. a.a.O. 36), daß die von ihm gegebene Darstellung der Abstraktion einer sprach- und zeichentheoretischen Ergänzung bedarf, wenn die Genese der Begriffe so dargestellt werden soll, wie sie beim Menschen tatsächlich stattfindet.

[257] II-II, q. 181, a. 3 obi. 2 und ad 2 ; vgl. Aristoteles, Met. I, c. 1 [981b 7-9].

[258] I, q. 107, a. 1 ad 1.

[259] De Ver. q. 27, a. 4 ad 8.

[260] I, q. 12, a. 12c; ebd. q. 43, a. 7c.

[261] Vgl. dazu M. I. George, Mind forming and manuductio.

von Dionysios und Scotus Eriugena, für die es die geschaffenen, sinnlichen Dinge sind, die als Symbole zu Wegweisern für den Erkennenden werden. Während für Dionysios und Eriugena die Dinge zum Pädagogen werden, weil Gott sie in diese Funktion eingesetzt hat[262], ist für Thomas das Subjekt der manuductio immer der Lehrer.

Ob nun eine derartige fremde Hilfe für den Wissenserwerb notwendig ist, hängt neben der intellektuellen Disposition auch von der Schwierigkeit des jeweiligen Wissensstoffs ab. Gerade dort, wo für einen Beweisgang viele Zwischenschritte erforderlich sind, wird Hilfe nur selten entbehrlich sein.[263] Als Instrumente der manuductio nennt Thomas das Vorlegen von weniger allgemeinen Sätzen, das Vorführen von sinnfälligen Beispielen, wie etwa den Hinweis auf Ähnlichkeiten oder den Hinweis auf Entgegengesetztes.[264] Als Weise der manuductio kann somit alles aufgefaßt werden, was dem Lernenden hilft, trotz der Begrenztheit seines Verstandes eine bestimmte Wahrheit zu erkennen.[265] Der Lehrer trägt dabei dem Umstand Rechnung, daß das von Natur aus Bekanntere nicht das für uns Bekanntere und das für den Schüler Bekanntere ist.[266]

Auch für einen Sonderfall der Belehrung eines Menschen, nämlich den Fall seiner Belehrung durch einen Engel, läßt sich in der Darstellung des Thomas eine Vermittlungsstruktur des Wissens erkennen. Thomas geht zunächst grundsätzlich davon aus, daß solche Einflußnahme rein geistiger Wesen auf Menschen möglich ist.[267] Er zeigt aber, daß diese Einwirkung auf das Erkennen im Menschen kein vollständiges Wissen erzeugt; der Engel gibt vielmehr einen Impuls, der durch den Menschen diskursiv rezipiert werden muß. Thomas bestimmt die Vorstellungskraft (imaginatio) als jenes Seelenvermögen des Menschen, in dem der Engel wirkt.[268] Wenn der Engel also bewirkt, daß wir uns aktuell etwas vorstellen, dann wird man fragen müssen, inwieweit die Vorstellungskraft auch in diesem Fall auf vergangene sinnliche Erfahrungen rückverwiesen ist. Man wird vermuten können, daß Thomas eine solche Verbindung zur menschlichen Wahrnehmung für erforderlich hält, damit das Bild, das

---

[262] Dazu J. Pépin, Aspects théoriques du symbolisme dans la tradition dionysienne.

[263] „Cognita enim causa aliqua in promptu est ut aliqui effectus cognoscantur in ipsa aliqui vero magis latent; sicut patet quod ex principiis demonstrationis statim aliquae conclusiones eliciuntur quaedam vero nonnisi per multa media; et ad haec cognoscenda non potest quilibet per se, sed oportet quod ab alio manuducatur [...]“ (De Ver. q. 8, a. 4 ad 12)

[264] I, q. 117, a. 1c.

[265] Vgl. M. I. George, a.a.O. 209.

[266] Vgl. Aristoteles, Physik I, 1 [184a 16-18]; Anal. Post. I, 2 [71b 33 - 72a 5].

[267] Vgl. De Ver. q. 5, a. 10 ad 4; De Ver. q. 11, a. 3, s.c. 3.

[268] De Ver. q. 11, a. 3c und ebd. ad 2.

der Engel im Menschen bewirkt, in unseren Erfahrungszusammenhang eingeordnet und beurteilt werden kann.[269] Thomas ist bemüht, die Belehrung durch einen Engel nicht als Regelfall menschlichen Erkennens erscheinen zu lassen.[270] Er hält daran fest, daß die Gewißheit unseres Erkennens nicht an eine äußere Einwirkung gebunden ist. Die Belehrung durch einen Engel bleibt für ihn an die natürlichen Strukturen des menschlichen Erkenntnisprozesses gebunden. Wie bei der Belehrung durch einen Menschen muß der Lernende auch bei der Belehrung durch einen Engel eine eigenständige Leistung erbringen. Dabei ist die Einwirkung des Engels auch keine privilegierte Weise der äußeren Unterstützung. Sie stärkt entweder den menschlichen Verstand oder konfrontiert ihn mit einer bekannten Wahrheit, um die Erkenntnis einer ihm verborgenen Wahrheit zu ermöglichen.[271] Dabei muß sich der Engel als äquivok wirkender in gewisser Hinsicht der spezifisch menschlichen Weise des Erkennens anpassen.[272] Während Thomas bei der Frage des menschlichen Lehrens oft betont, daß es für das Erlangen von Wissen meist unabdingbar ist, fehlt ein solcher Hinweis bezüglich der Unterrichtung durch die reinen Intelligenzen. Er betont sogar, daß für unsere Glückseligkeit die Verbindung mit einer reinen Intelligenz nicht angenommen werden muß.[273]

Die Quaestio de magistro verfolgt somit die Absicht, den menschlichen Unterricht als Normalfall des Wissenserwerbs zu qualifizieren. Der Mensch als Leib-Geist-Einheit bleibt bei der Erkenntnis allgemeiner Wahrheiten auf das sinnliche Erfassen von materiellen, konkreten Gegebenheiten angewiesen. Auch die Belehrung durch einen Engel entheht den Menschen nicht grundsätzlich dieser Erkenntnissituation. Thomas setzt sich dabei kritisch mit Argumenten von Augustinus, Avicenna und Averroes auseinander. Er bestreitet jene Theorie des menschlichen Geistes, nach der die menschliche Vernunftanlage als ein Wissen zu begrei-

---

[269] In diesem Sinne ließe sich etwa De Ver. q. 12, a. 3 ad 2 auf das in De Ver. q. 11, a. 3 behandelte Problem beziehen. Eine Rückbindung an die Wahrnehmung des Menschen ergibt sich auch aus De Ver. q. 11, a. 3c ad finem und ad 12: Die Bilder, die der Engel im Menschen aufleuchten läßt, gehen aus körperlichen Wirkungen hervor. Den Hintergrund für die thomanische Sicht bildet offenbar die psycho-physiologische Traumkonzeption des Aristoteles.

[270] Dezidiert in diesem Sinne äußert sich G. Krieger in seinem Kommentar zu De Ver. q. 11, a. 3 (in: G. Jüssen, G. Krieger, J.H.J. Schneider, Thomas von Aquin: Über den Lehrer, 133-161); vgl. insbesondere 149f.

[271] De Ver. q. 11, a. 3 ad 9.

[272] Ebd. ad 4.

[273] De Ver. q. 11, a. 3 ad 10; Thomas richtet sich hier gegen die Theorie der continuatio des Averroes. Vgl. G. Krieger, a.a.O. 160.

fen ist, das es im Erkenntnisakt lediglich zu enthüllen gilt. Diese Position bezeichnet er als die Position der Platoniker. Er wendet sich darüber hinaus gegen eine Konzeption, nach der ein reiner Intellekt in der Weise auf den Menschen einwirkt, daß in diesem ein vollständiges Wissen entsteht. Diese Konzeption, mit der er sich bereits im ersten Artikel auseinandersetzt, steht bei der Frage nach dem Engel als Lehrer des Menschen im Hintergrund.[274] Sowohl die Lehre vom dator formarum des Avicenna als auch die continuatio-Lehre des Averroes scheinen für Thomas die Eigenständigkeit der menschlichen Erkenntnis nicht gewährleisten zu können. Indirekt liefert Thomas damit aber auch eine Absage an die Position Roger Bacons, wie sie oben skizziert wurde. Bacon identifiziert den intellectus agens mit Gott. Wie es für Avicenna ein aus dem ersten Prinzip hervorgegangenes reines Geistwesen ist, das in uns die Erkenntnis des Allgemeinen bewirkt, so ist es für Bacon Gott selbst, der dies tut. Das Erkennen wird damit zum rein inneren Geschehen, der Akt der menschlichen Erkenntnis aus den Sinnen zur bloßen Verifikation. Dagegen kann Thomas die Eigenständigkeit und Eigengesetzlichkeit des menschlichen Erkennens wahren, indem er in der göttlichen Schöpfung unserer natürlichen Vernunft zwar die Bedingung der Möglichkeit menschlichen Erkennens sieht; ein aktuelles göttliches Eingreifen in den menschlichen Erkenntnisakt ist für die Gewißheit des Erkennens gleichwohl nicht erforderlich. Die natürliche Wissenschaft ist damit nicht auf Offenbarung angewiesen.

Während Augustin in De magistro die Auffassung vertrat, das Vorführen der Sache in der Erkenntnisvermittlung habe Vorrang gegenüber dem Vorlegen sprachlicher Zeichen, dreht Thomas diesen Gedanken um.[275] Worte und Dinge sind für ihn Mittel, die der Lehrer einsetzt, damit der Verstand des Schülers deren Bedeutungen bzw. das, was sie bezeichnen, erfaßt und aus diesen Bedeutungen ein Wissen formt. Hauptursache dieses Prozesses ist der intellectus agens des Schülers; jedoch ist auch das Handeln des Lehrers ursächlich für den Wissenserwerb des Schülers. Die Dinge haben für die Erkenntnisvermittlung keinen Vorrang gegenüber den Worten. Ebenso wie der Verstand die Bedeutung der geschriebenen oder der gesprochenen Worte zu erfassen hat, so muß er auch aus den wahrgenommenen Dingen außerhalb der Seele deren intelligible Gehalte gleichsam herausfiltern. Thomas stellt Dinge und Worte gleichwohl nicht auf eine Stufe, vielmehr stehen die Worte einer

---

[274] Den Diskussionshintergrund der Fragestellung beleuchtet É. Gilson, Pourquoi Saint Thomas a critiqué Saint Augustin.

[275] Zu diesem Ergebnis kommt auch J. Hennigfeld, Geschichte der Sprachphilosophie, 206.

Verursachung des Wissens näher als die Dinge. Grund hierfür ist, daß es für die Worte konstitutiv ist, mit Bedeutungsinhalten verknüpft zu sein.[276] Thomas vermeidet es, die Dinge der Außenwelt, bei denen der Prozeß der abstraktiven Erkenntnis ansetzt, explizit als Zeichen (signa) für die abstrahierten Begriffe zu bezeichnen.[277] Dennoch ist beachtlich, wie ähnlich die Funktion der sinnenhaften Gegenständen und diejenige der Sprachzeichen als Ursachen des Wissens gesehen werden. Die thomanische Zeichentheorie ist daher nicht nur eine Grundlagentheorie der Sprache. Thomas vergleicht vielmehr die Funktion der Dinge und der Wörter für den Erkennenden und hebt ihren Zeichencharakter hervor.

§ 8 Erkenntnis von Verborgenem und zukünftig Kontingentem: Zeichen und Kausalität

Zeichen haben die Funktion, zur Erkenntnis von etwas anderem hinzuführen. Sie können deshalb nicht auf den Bereich der symbolischen Interaktion eingegrenzt werden. Zeichen vermitteln Wissen nicht nur dort, wo sie zur Mitteilung von Wissen eingesetzt werden, sondern auch, wo sie einem einzelnen zur Erkenntnis eines bislang unbekannten Sachverhalts verhelfen. Eben in diesem Sinne hatten die Stoiker, die Epikureer und Augustinus von Zeichen gesprochen.

Auch Thomas von Aquin benutzt den Zeichenbegriff in dieser Bedeutung. Entsprechend der augustinisch-neuplatonischen Tradition ist für ihn eine Erkenntnis aus Zeichen vor allem dann gegeben, wenn von etwas Sinnenfälligem auf nichtsinnenfällige Dinge und Sachverhalte geschlossen wird. Er denkt bei diesen nicht sinnenfälligen Erkenntnisgegenständen nicht nur an höhere intelligible Wesen, sondern ebenso an

---

[276] „[I]n discipulo describuntur formae intelligibiles ex quibus scientia per doctrinam accepta constituitur, immediate quidem per intellectum agentem sed mediate per eum qui docet: proponit enim doctor rerum intelligibilium signa ex quibus intellectus agens accipit intentiones intelligibiles et describit eas in intellectu possibili; unde ipsa verba doctoris audita, vel visa in scripto, hoc modo se habent ad causandum scientiam in intellectu sicut res quae sunt extra animam quia ex utrisque intellectus agens intentiones intelligibiles accipit, quamvis verba doctoris propinquius se habeant ad causandum scientiam quam sensibilia extra animam existentia in quantum sunt signa intelligibilium intentionum." (De Ver. q. 11, a. 1 ad 11) Eine Reflexion über die Frage, wie man durch nonverbale Zeichen sprachliche Handlungen substituieren kann, ob und wie sich also etwa durch eine nonverbale Syntax ein Sachverhalt darlegen läßt, findet sich bei Thomas nicht.

[277] Insofern kann sich der Versuch von R. Pellerey, die Abstraktion als Semiosis zu deuten (vgl. Tommaso d'Aquino: semiotica naturale e processo gnoseologico), nicht auf Aussagen von Thomas stützen.

verborgene Krankheitsursachen, an Charaktereigenschaften oder an kontingente Sachverhalte in der Zukunft. Thomas greift verschiedene Bereiche antiker und mittelalterlicher Zeichenspekulation auf und setzt sich kritisch mit ihnen auseinander. Diese sollen hier, soweit das nicht bereits geschehen ist, im einzelnen kurz beleuchtet werden.

Wenn in der vorausgehenden Untersuchung zu Thomas von Aquin nur die zeichenvermittelte Interaktion, nicht aber der zeichenvermittelte Erkenntnis-, bzw. Forschungsprozeß unter den Leitbegriff des 'Zeichenhandelns' gestellt wurde, so bedeutet dies nicht, daß für Thomas das Denken und Erkennen keinen Handlungscharakter hätte. Die vorgenommene Gliederung findet ihre Rechtfertigung lediglich in dem Umstand, daß Thomas die zeichenvermittelte Interaktion im Rahmen einer erweiterten, das nonverbale Kommunizieren einschließenden Sprechakttheorie behandelt, eine Handlungstheorie der Zeichenerkenntnis dagegen nicht ausformuliert.

In Thomas' Schriften findet sich eine Vielzahl von Stellen, an denen er im Zusammenhang humanphysiologischer und humanpathologischer Überlegungen von Zeichen und ihrer Rolle bei der ärztlichen Diagnose spricht. Angesichts der langen Geschichte der Semiotik innerhalb der Medizin wird man hier von Thomas keine originellen Erkenntnisse und Betrachtungen erwarten. Wie für viele andere Themen und Fragen bietet die Medizin auch für die thomanische Semiotik ein wichtiges Feld der Veranschaulichung von Sachzusammenhängen.

Medizinische Zeichen sind für Thomas nicht nur die Symptome.[278] Das gesamte Verhalten kann zum Anzeichen für das körperliche Befinden werden und auch auf mentale Zustände sind medizinische Rückschlüsse möglich, die von äußeren körperlichen Gegebenheiten ihren Ausgang nehmen.[279] Schließlich gibt es für die Ärzte auch Zeichen, die Annahmen über zukünftige Entwicklungen erlauben. So können Prognosen über den nahe bevorstehenden Tod oder über eine sich anbahnende Krankheit getroffen werden. Andererseits kann auch die baldige Genesung in Aussicht gestellt werden.[280] Für solche Prognosen bediene sich der Arzt seiner Verstandesprinzipien und ziehe zudem äußere Anzeichen in Betracht. Die moralische Legitimität der Vorhersage hängt für Thomas davon ab, ob diese Vorhersage fundiert ist. Dem Einwand, daß jede Vorhersage von Krankheiten erlaubt sein müsse, da den Krankheiten stets bestimmte Zeichen vorhergingen, hält er entgegen, daß nur solche Zei-

---

[278] Sehr häufig nennt Thomas die Beschaffenheit des Urins als Symptom für Gesundheit oder Krankheit. Vgl. etwa I, q. 13, a. 5c; ebd. a. 6c.

[279] ScG III, c. 84; De Ver. q. 8, a. 13c.

[280] II-II, q. 96, a. 3 ad 1; De Ver. q. 12, a. 3c.

chen relevant sind, die aus den Ursachen der Krankheiten hervorgehen.[281] Es sind aber nicht nur Ärzte, die von äußeren Zeichen auf innere körperliche oder seelische Befindlichkeiten schließen. Diese Weise des
Schließens gehört vielmehr zur gängigen und selbstverständlichen Praxis
im menschlichen Zusammenleben. Der Mensch als Gemeinschaftswesen
ist offenbar natürlicherweise auf Kenntnisse über seine Mitmenschen
angewiesen, die er aus Zeichen herleitet.[282] Auch für die Ergründung der
eigenen Seelenzustände sind wir auf Zeichen angewiesen.[283] Da eine an-
gemessene ethische Beurteilung von Personen und Handlungen nur mit
Hilfe von Kenntnissen der inneren seelischen Strebungen und Befindlichkeiten möglich ist, kommt der psychologisierenden Zeichendeutung
in der praktischen Wissenschaft eine wichtige Rolle zu. Die umfassende
Rekonstruktion der Handlung verlangt mitunter den Schluß von der Tat
auf die Verhaltensdisposition des Täters.[284] Auch Körperbewegungen[285],
wahrnehmbare Affekte, Stimmungen und Gefühle[286] müssen für die Beurteilung der Handlung herangezogen und analysiert werden. Zum Teil
muß auch auf solche Affekte erst vermittels von Zeichen geschlossen
werden.[287] Thomas verzichtet indes darauf, mit Hilfe der Chiromantie
oder der Physiognomik Rückschlüsse auf die innere Natur des Menschen
zu begründen. Sie spielen weder lebensweltlich noch im Rahmen der
ärztlichen Kunst eine Rolle.[288] Analog zu diesen Zeichen beim Menschen
kann auch von Zeichen des göttlichen Willens gesprochen werden. Dadurch erklärt sich die traditionelle theologische Unterscheidung zwischen der voluntas beneplaciti und der voluntas signi.[289] Es handelt sich
bei diesen Zeichen um Wirkungen des göttlichen Willens.[290]

---

[281] II-II, q. 96, a. 3 ad 1.

[282] I-II, q. 31, a. 3 ad 3; ebd., q. 44, a. 3 obi. 1; II-II, q. 66, a. 3 ad 1; ebd., q. 82, a. 4 obi. 3; ebd.,
q. 168, a. 1 ad 1; diese Gruppe der Zeichen nennt Ps.-Kilwardby „signa in genere moris"
(In Prisc. Ma. 1.1.1 [3]); vgl. oben Teil 2, Kapitel 3, § 1.

[283] „Unde dicitur in II Ethic., quod 'signum generati habitus oportet accipere fientem in
opere delectationem'." (I-II, q. 32, a. 5 obi. 3) Vgl. In 4 Sent. d. 1, q. 1, a. 1, q. 2, n. 33.

[284] II-II, q. 182, a. 2 ad 1; ebd. q. 184, a. 7 ad 2.

[285] II-II, q. 168, a. 1 ad 1.

[286] I-II, q. 47, a. 2 ad 3; II-II, q. 144, a. 4 obi. 2.

[287] II-II, q. 66, a. 3 ad 1.

[288] Dagegen steht etwa die ausdrückliche Billigung der Chiromantie bei Wilhelm von Auvergne, der die Handlinien als natürliche Zeichen (signa naturalia) der inneren Natur
des Menschen betrachtet. Vgl. dazu A. Quentin, Naturerkenntnisse und Naturanschauungen bei Wilhelm von Auvergne, 114.

[289] I, q. 19, a. 11c und ebd. ad 2; De Ver. q. 23, a. 3c.

[290] De Ver. q. 23, a. 3 ad 3; ebd. ad 6.

Das schwierige Geschäft des Ethikers und eines jeden, der Handlungen zu beurteilen hat, ist es, die Zeichen richtig wahrzunehmen, sie auszuwählen und in einen angemessenen Bewertungszusammenhang zu stellen. Eine statische Klassifikation der Zeichen hilft hier nicht weiter. So ist etwa die Scham Zeichen für ein negativ zu beurteilendes Handeln, insofern sich in ihr die Furcht vor einer schändlichen Handlung ausdrückt[291]; sie kann aber gleichzeitig auch als Zeichen des inneren Abstandnehmens von solchem Handeln gewertet werden[292].

Ein weiterer Bereich von verborgenen Dingen und Sachverhalten ist der Bereich des Zukünftigen, insbesondere insofern dieses nicht der Notwendigkeit unterliegt. Für die Vorhersage von Zukünftig-Kontingentem kennen Antike und Mittelalter eine Fülle von Techniken.[293] Neben Traumdeutung, Astrologie und Meteorologie sind hier die Deutung des Vogelflugs, die Physiognomik und Chiromantie, die Nigromantie, Geomantie, Hydromantie, die Aeromantie und die Pyromantie zu nennen.[294] In allen diesen Praktiken geht es darum, Dinge so zu betrachten, daß sie nicht nur bezeichnen, was bereits gewußt ist, sondern Ursache bzw. Mittel für das Erkennen eines bislang Unbekannten werden. Alle mantischen Praktiken benutzten also Zeichen als Erkenntnisinstrumente.[295] Einige dieser Wissenschaften und Pseudowissenschaften können sich auf aristotelische Schriften berufen und zwar sowohl auf apokryphe[296] als auch auf authentische[297].

Thomas von Aquin setzt sich mit den genannten Techniken der Vorausdeutung im Kontext seiner speziellen Moraltheologie auseinander und fragt, inwiefern solches Deuten legitim sei. Er behandelt die verschiedenen Techniken gesondert, entwickelt dabei aber einheitliche Beurteilungskriterien. Zunächst erörtert er die Sterndeutung. Thomas geht es dabei darum zu untersuchen, in welchem Rahmen Prognosen allein aufgrund von Himmelsbeobachtungen möglich sind. Er klammert deshalb jede Einflußnahme von Dämonen auf den Sterndeuter aus seiner Erörterung aus. Unstrittig ist zunächst, daß man gesetzmäßige Bewe-

[291] II-II, q. 144, a. 1c.

[292] Vgl. ebd. a 4c und a. 1 ad 4 und ad 5.

[293] Vgl. dazu A. Maierù, „Signum" dans la culture médiévale, der die übergeordnete Rolle der Astrologie betont. Zum geistesgeschichtlichen Hintergrund vgl. A. Bouché-Leclercq, Histoire de la divination dans l'antiquité.

[294] Vgl. II-II, q. 95, a. 3c.

[295] Vgl. II-II, q. 95, a. 3 obi. 3. ad 3.

[296] Hier sind insbesondere die pseudo-aristotelische Chiromantia sowie die Physiognomika zu nennen. Zur mittelalterlichen Rezeption der Physiognomik geben D. Harlfinger und D. Reinsch Hinweise (vgl. Die Aristotelica des Parisinus Gr. 1741).

[297] De divinatione per somnum.

gungen der Himmelskörper beschreiben und so beispielsweise eine Finsternis vorhersagen kann.[298] Thomas wendet sich jedoch gegen die weitergehende Auffassung, Sterne könnten Zeichen zukünftiger Ereignisse sein, ohne daß sie diese Ereignisse bewirken. Er führt dazu aus, jedes körperliche Zeichen sei entweder eine Wirkung, die uns einen Rückschluß auf die sie hervorbringende Ursache erlaubt, oder aber es gehe aus derselben Ursache hervor wie dasjenige, was es bezeichnet. Thomas exemplifiziert den ersten Modus durch den Rauch, der das Feuer bezeichnet, den zweiten Modus durch den Regenbogen, der Zeichen für schönes Wetter ist.[299] Es ist deutlich, daß im zweiten Modus des Zeichens ein weiterer vorausgesetzt ist, nämlich die Ursache, die Zeichen für die Wirkung ist.[300] Der Regenbogen ist Zeichen für schönes Wetter, weil er auf den Sonnenschein verweist, welcher Zeichen und Ursache für schönes Wetter ist.[301] Thomas erläutert, daß die Sterne weder Zeichen in der Weise des Rauches, noch in der des Regenbogens sein könnten. Ersteres ist aufgrund des Zeitverhältnisses zwischen Zeichen und Bezeichnetem unmöglich: Die Wirkung kann nicht der Ursache vorausgehen. Eine gemeinsame Ursache hätten die himmlischen und die irdischen Ereignisse einzig in der göttlichen Vorsehung; während aber die Bewegungen der Himmelskörper in notwendiger Weise durch die Vorsehung verursacht würden, geschehe dies bei den sublunaren Ereignisse in kontingenter Weise. Thomas erklärt deshalb, daß auch ein Rückschluß von den Himmelskörpern über die göttliche Vorsehung auf zukünftige sublunare Ereignisse nicht in Betracht komme. Der unterschiedliche Modus der Verursachung – so wird man Thomas verstehen müssen – läßt inhaltliche Verknüpfungen nicht zu. Die göttliche Vorsehung als notwendiges Zwischenglied der Erkenntnis kann nicht in hinreichender Weise erfaßt

---

[298] Die Voraussage der Finsternis eines Himmelskörpers ist der paradigmatische Fall einer demonstratio, deren Gegenstand nicht ewig und unveränderlich ist, die aber dennoch allgemein gelten soll. Thomas diskutiert das Beispiel ausführlich in seinem Kommentar zu den Zweiten Analytiken (In Anal. Post., l. 1, lect. 16 <n. 142>).

[299] „Fuerunt enim qui dicerent quod stellae significant potius quam faciant ea quae ex earum consideratione praenuntiantur. Sed hoc irrationabiliter dicitur. Omne enim corporale signum vel est effectus eius cuius est signum, sicut fumus significat ignem, a quo causatur: vel procedit ab eadem causa, et sic, dum significat causam, per consequens significat effectum, sicut iris quandoque significat serenitatem, inquantum causa eius est causa serenitatis." (II-II, q. 95, a. 5c)

[300] Thomas erwähnt diese Möglichkeit explizit an anderer Stelle, wie noch gezeigt werden wird.

[301] Die Transitivität der Zeichenrelation wird von Thomas von Aquin nicht explizit erörtert. Dies geschieht vielmehr erst bei Johannes Duns Scotus (vgl. Opus Oxoniense, l. 1, d. 27, q. 3, n. 19 [X, 377b-378a]).

werden. Es bleibt daher nur übrig, daß die Sterne als Ursache für zukünftige Ereignisse angesehen werden können. Nur falls aufgewiesen werden kann, daß die Sterne selbst Ursache für solche Ereignisse sind, ist auch die Rede vom Zeichensein der Sterne legitim.

Thomas von Aquin gesteht die Verursachung der sublunaren Bewegungen durch die Bewegungen der Himmelskörper durchaus zu.[302] Er stimmt darin grundsätzlich mit der herrschenden kosmologischen Auffassung der antiken und mittelalterlichen Autoren überein. Thomas macht allerdings zwei wichtige Einschränkungen. Die Sterne können irdische Ereignisse dann nicht bewirken, wenn sie vom Verstand oder vom Willen des Menschen abhängig sind. Er wendet sich also entschieden gegen jeden Determinismus und Nezessitarismus.[303] Zudem schließt er Vorhersagen von zufälligen Ereignissen aus. Als Beispiele führt er hier das Auffinden eines Schatzes durch einen Totengräber und das durch einen Steinschlag ausgelöste Erdbeben an.[304] Was somit möglich bleibt, sind Voraussagen über Trockenheiten, Regenfälle oder ähnliches. Hier muß entsprechend der mittelalterlichen Kosmologie die Einwirkung der Himmelskörper auf den sublunaren Bereich angenommen werden. In der zweiten Erwiderung erörtert Thomas, warum mitunter auch erfolgreiche Prognosen der menschlichen Verhaltensweisen gestellt werden: Obgleich Verstand und Wille den körperlichen Vermögen des Menschen vorgeordnet sind, gehorchen die Menschen oft ihren Leidenschaften. Diese stehen in der natürlichen Ursachenkette. Je weiter die menschliche Wahlfreiheit hinter das natürliche Verursachtsein zurücktritt, sich der Mensch also als bloßes Naturwesen verhält, umso eher sind Aussagen über zukünftiges Verhalten möglich.[305] Deshalb sei das Verhalten der Massen in begrenztem Maße prognostizierbar, dasjenige der Weisen hingegen, die ihren Neigungen mit der Vernunft entgegentreten können, nicht.[306]

---

[302] I, q. 115, a. 3; ScG III, c. 82.

[303] In dieser Frage stimmt Bonaventura mit Thomas von Aquin überein (vgl. Breviloquium p. 2, c. 4 [V, 221b]). Thomas entwickelt seine Position in Abgrenzung gegen Avicenna ausführlich in der Summa contra gentiles, III, c. 82-88. Zur Auseinandersetzung der lateinischen Scholastik mit dem arabischen Nezessitarismus vgl. L. Honnefelder, Die Kritik des Johannes Duns Scotus am kosmologischen Nezessitarismus der Araber: Ansätze zu einem neuen Freiheitsbegriff.

[304] II-II, q. 95, a. 5c.

[305] II-II, q. 95, a. 5 ad 2.

[306] Vgl. ebd. sowie auch ScG III, c. 154: „[S]olum enim sapientum, quorum parvus est numerus, est huiusmodi passionibus ratione obviare. Et inde est quod etiam de actibus hominum multa praedicere possunt: licet quandoque et ipsi in praenuntiando deficiant, propter arbitrii libertatem."

Eine ganz ähnliche Argumentationsstrategie verfolgt Thomas bei seiner Besprechung der Traumdeutung. Er orientiert sich dabei weitgehend an den Fallunterscheidungen und Argumenten des Aristoteles, allerdings ohne diesen zu erwähnen.[307] Bei den erfolgreichen Vorausdeutungen gibt es den Fall, daß der Traum selbst die Ursache für das Eintreten der Vorhersage im Sinne einer self-fullfilling prophecy ist. Er kann darüber hinaus Zeichen für das zukünftige Ereignis sein, wenn er dieselbe Ursache hat wie dieses. Thomas führt dazu aus, daß der Traum auf innere und äußere Ursachen zurückgeführt werden kann, die jeweils körperlicher oder geistiger Natur sein können.

Die Gegenüberstellung von Ursache und Zeichen, die auch bei der Besprechung der Astrologie bereits anklang, legt die Frage nahe, ob Thomas aus der Gruppe der natürlichen Zeichen Ursachen ausgeschlossen wissen will.[308] Es wäre denkbar, daß Thomas den Aristoteles in dieser Weise liest. Schon bei Ps.-Kilwardby hatte sich gezeigt, daß die Erörterung der Zeichen in den Ersten Analytiken im Mittelalter zum Teil durch die Wendung „omnis effectus suae causae signum esse potest" referriert wurde.[309] Auch bei Thomas begegnet diese Wendung im Vortrag von Gegenargumenten.[310] Darüber hinaus kann die demonstratio quia der demonstratio propter quid gegenübergestellt werden, wobei man die eine als Beweis aus dem Zeichen, die andere als Beweis aus der Ursache auffassen kann. Averroes, der dies häufig tut, kann sich mit dieser Begrifflichkeit auf die Zweiten Analytiken berufen.[311] Thomas allerdings ist der Auffassung, daß eine strikte Abgrenzung zwischen Zeichen und Ursache nicht angemessen ist. Er begründet dies im Rahmen der Sakramententheologie seines Sentenzenkommentars. Zwar sei es häufig so, daß uns die Wirkungen eher offenbar seien als die Ursachen.[312] Als Zeichen die-

---

[307] Vgl. insbesondere II-II, q. 95, a. 6c, wo Thomas auf die Rolle der Traumanalyse in der ärztlichen Praxis hinweist. Die naturphilosophischen Hintergrundannahmen lehnen sich eng an die Formulierungen in De divinatione per somnum an. Vgl. c. 1 [462 b 14-17]; ebd. [463 a 5-7].

[308] Vgl. auch II-II, q. 96, a. 1c und a. 2c.

[309] Ps.-Kilwardby, In Prisc. Ma. 1.1.1. [3].

[310] Vgl. III, q. 60, a. 4 obi. 1; In 4 Sent. d. 1, q. 1, a. 1, q. 2 obi. 2.

[311] Die Entgegensetzung zwischen Zeichen und Ursache könnte sich auch auf die kleine aristotelische Schrift De divinatione per somnum berufen. Die vorgenommene Differenzierung zwischen Ursache, Zeichen und Koinzidenz (vgl. 1 [462 b 27f.]) besagt allerdings nach Aristoteles nicht, daß ein Sachverhalt nicht gleichzeitig Ursache und Zeichen sein könne (ebd. [463 a 31f.]).

[312] Ebenso Roger Bacon De Signis, n. 6: „Effectus enim magis ponitur esse signum respectu causae quam e converso, quoniam effectus magis est notus nobis et signum habet esse

nen daher häufig die Wirkungen. Auch die Unterscheidung zwischen
dem Beweis durch das Zeichen (demonstratio per signum) und dem
Beweis durch die Ursache (demonstratio per causam) gründe sich auf
diesen Umstand. Wenn indes die Ursache unseren Sinnen zugänglich,
die Wirkung als noch ausstehende hingegen verborgen sei, dann könne
durchaus auch die Ursache Zeichen ihrer Wirkung genannt werden.[313]

Sieht man von den Fällen übernatürlicher Offenbarung durch
Traumerscheinungen und Zeichen am Himmel ab, so fügt sich die Betrachtung der Zeichenhaftigkeit der Himmelskörper und der Traumerscheinungen bei Thomas in den Rahmen der aristotelischen Physiologie
und der ptolemäischen Astronomie und Astrologie.[314] Eindeutiger als
Aristoteles und Ptolemäus bezieht Thomas die Möglichkeit der Voraussage zukünftiger Ereignisse auf deren kausales Verknüpftsein mit uns
bekannten Ereignissen. Bei Aristoteles klingt dies in der Unterscheidung
zwischen Zeichen und Bezeichnetem einerseits und zufälliger Koinzidenz
zweier Ereignisse andererseits an. Er benennt jedoch kein Unterschei-
dungskriterium, sondern nimmt seine Differenzierungen mit Hilfe von
Beispielen vor.[315] Denkbar ist, daß Thomas seine Kriterien natürlicher
Zeichenhaftigkeit unmittelbar aus der Auseinandersetzung mit dem aristotelischen Text entwickelt.[316] Es ist aber auch möglich, daß Thomas
Überlegungen von Boethius von Dacien aufgegriffen hat, der in seiner
Schrift De somnis in enger Anlehnung an Aristoteles nach der Möglichkeit einer Weissagung durch Träume fragt. Zwar ist an keiner Stelle der
thomanischen Darlegung eine textgetreue Anlehnung an den dänischen
Philosophen festzustellen, doch sprechen beide Autoren von Zeichen,
welche auf die gleiche Ursache zurückgeführt werden können wie das
durch sie Bezeichnete.[317] Sowohl Thomas als auch Boethius äußern sich

---

magis notum quam significatum, quia per notitiam signi devenimus in cognitionem significati."

[313] „[S]ignum, quantum est in se, importat aliquid manifestum quoad nos, quo manuduci-
mur in cognitionem alicuius occulti. Et quia ut frequentius effectus sunt nobis manife-
stiores causis; ideo signum quandoque contra causam dividitur, sicut demonstratio 'quia'
dicitur per signum a communi, in I Phys.; demonstratio autem 'propter quid' est per causam." (In 4 Sent. d. 1, q. 1, a. 1, q. 1 ad 5, n. 31) Vgl. I, q. 70, a. 2 ad 2.

[314] Vgl. auch I, q. 86, a. 4 ad 2.

[315] Ein Versuch, die aristotelischen Beipiele für Zeichenschlüsse auf die kausalen Beziehungen hin zu überprüfen, findet sich bei L. Bourgey, Observation et expérience chez Aristote, 104.

[316] Thomas zitiert die aristotelische Abhandlung in I, q. 115, a. 6 s.c.

[317] „Et quia illa passio corporis, ad quam sequebatur forma somnialis, potest esse causa
alicuius futuri effectus in corpore, sicut sanitatis vel infirmitatis, ideo per illam passionem
potest somnians cognoscere futuros effectus, quam cognovit per somnium. Ergo per

zum Gewißheitsgrad der Schlüsse auf Zukünftiges. Beide stimmen mit Aristoteles überein, daß das durch natürliche Zeichen Bezeichnete in vielen Fällen nicht eintritt. Der Grund hierfür ist, daß zu der Bewegung, die das Zeichen hervorruft, eine weitere, mächtigere hinzutreten und die erwartete Wirkung verhindern kann.[318] Boethius führt deshalb aus, daß solche Ursachen, die in die Betrachtung des Naturphilosophen nicht Eingang finden oder nicht Eingang finden können, zur Falsifikation der Schlußfolgerung führen (suam conclusionem falsificat), wenn sie eintreten.[319] In gleicher Weise zeigt Thomas, daß es Ursachen gibt, die nicht mit Notwendigkeit eine Wirkung hervorrufen. Diese Weise der Verursachung darf allerdings nicht mit dem Zufall (casus et fortuna) verwechselt werden, sie steht vielmehr in der Mitte zwischen Notwendigkeit und bloßer Möglichkeit.[320] Zeichen, die auf derartige Ursachen zurückzuführen sind, haben daher nur begrenzte Aussagekraft, sie sind von einer nur mutmaßlichen Gewißheit.[321]

Auch andere Arten von natürlichen Phänomenen lassen Schlüsse auf Zukünftiges zu. So könne das Krächzen einer Krähe Anzeichen für einen zu erwartenden Regen sein.[322] Die divinatorischen Praktiken verlassen aber den Rahmen, in dem solches Schlußfolgern möglich ist. Sie unterstellen eine Zeichenhaftigkeit, ohne diese naturphilosophisch herleiten

somnium potest futura cognoscere, quorum illa passio est causa." (Boethius de Dacia, De somnis, ed. Green-Pedersen [Z. 153 - Z. 158]) Vgl. Thomas von Aquin, II-II, q. 95, a. 5c und a. 6c.

[318] De divinatione per somnum, 2 [464 a 1-6].

[319] A.a.O. [Z. 159 - Z. 176]; J. Pinborg (vgl. Zur Philosophie des Boethius de Dacia, 178f.) spricht in diesem Zusammenhang von einer hypothetischen oder systemgebundenen Notwendigkeit. Boethius von Dacien betrachte das physikalische System nicht als ein geschlossenes System, sondern vielmehr als eines, das durch höhere Ursachen bzw. Prinzipien außer Kraft gesetzt werden könne.

[320] „Ptolemaeus etiam, in Quadripartito, dicit: Rursus, nec aestimare debemus quod superiora procedant inevitabiliter, ut ea quae divina dispositione contingunt et quae nullatenus sunt vitanda, necnon quae veraciter et ex necessitate proveniunt. In Centilogio etiam dicit: Haec iudicia quae tibi trado, sunt media inter necessarium et possibile." (ScG III, c. 86) Vgl. dazu In Anal. Post., l. 1, lect. 42 <n. 374>.

[321] „Quidam vero futuri effectus in causis suis non sunt determinate ut aliter evenire non possint, sed tamen eorum causae magis se habent ad unum quam ad alterum, et ista sunt contingentia quae ut in pluribus vel paucioribus accidunt; et huiusmodi effectus in causis suis non possunt cognosci infallibiliter sed cum quaedam certitudine coniecturae." (De Ver. q. 8, a. 12c)

[322] II-II, q. 95, a. 7 ad 2.

zu können.[323] So ist z. B. die Deutung des Vogelflugs im Hinblick auf
menschliche Schicksale unsinnig.[324] Auch die sogenannte kundmachen-
de Kunst (ars notoria) will Vorgänge als Zeichen auffassen, ohne hierzu
die natürlichen Kausalverhältnisse zugrundezulegen. Weil sie nicht den
natürlichen Bedingungen des Erkenntniserwerbs und der Erkenntnisvermittlung folgt, kann durch diese Technik kein Wissen erlangt werden,
sie ist – wie Thomas von Aquin formuliert – unwirksam.[325]

Die moraltheologische Untersuchung des Thomas kommt somit zu
einem für alle Praktiken der Weissagung (divinatio) geltenden Ergebnis.
Der Schluß auf zukünftig Kontingentes ist genau dann erlaubt, wenn er
möglich ist, d.h. wenn er zu wahrer Erkenntnis, zu einer tatsächlichen
Erkenntniserweiterung führt. Die moralische Legitimität der Vorhersage
hängt also für Thomas von ihrer wissenschaftlichen Fundierung ab. Fundiert ist sie nur, wenn das Prognostizierte in kausaler Verknüpfung mit
unmittelbar erfahrbaren Phänomenen steht. Diese kausale Verknüpfung
zwischen Bekanntem und zu Erkennendem kann direkt oder indirekt
sein, und sie kann unterschiedliche Modalitäten aufweisen.[326] In Fällen,
in denen die Wirkungen nicht mit Notwendigkeit durch die bekannten
Ursachen determiniert sind, ist man lediglich zu einer Mutmaßung berechtigt, eine definitive Vorhersage würde hier den Rahmen der natürlichen Erkenntnismöglichkeit überschreiten.

Daß Ursachen Zeichen für Wirkungen und Wirkungen Zeichen für
Ursachen sein können, gilt für Thomas nicht nur im Zusammenhang der
menschlichen Erkenntnis. Auch die Engel können die Wirkungen in den
Ursachen erkennen und die Ursachen in den Wirkungen.[327] So erkennen
sie beispielsweise das zukünftig Kontingente ebenso wie die Menschen
aufgrund ihres Wissens über dessen Ursachen[328], also zeichenhaft vermittelt. Allerdings sind ihnen die Ursachen in umfassenderer Weise bekannt
als den Menschen. Ganz ähnliche Angaben macht Thomas auch zur
Erkenntnis der Dämonen und zur natürlichen Prophetie.

---

[323] „Sic igitur dicendum quod omnis huiusmodi divinatio, si extendatur ultra id ad quod
potest pertingere secundum ordinem naturae vel divinae providentiae, est superstitiosa et
illicita." (II-II, q. 95, a. 7c)

[324] II-II, q. 95, a.7c.

[325] „Est etiam huiusmodi ars inefficax ad scientiam acquirendam. Cum enim per huiusmodi
artem non intendatur acquisitio scientiae per modum homini connaturalem, scilicet
adinveniendo vel addiscendo, consequens est quod iste effectus vel expectetur a Deo, vel
a daemonibus." (II-II, q. 96, a. 1c)

[326] Zur Kausalitätstheorie bei Thomas von Aquin vgl. W. A. Wallace, Causality and scientific
explanation, Vol. 1, 71-88.

[327] De Ver. q. 9, a. 4 ad 5.

[328] I, q. 57, a. 3c; De Ver. q. 8, a. 12c.

Die Zeichenerkenntnis der Dämonen erörtert Thomas anläßlich der Frage, warum die Dämonen, wie der Jakobusbrief erklärt, den Glaubenswahrheiten zustimmen, obwohl sie weder in der Gnade stehen, noch eine Schau des göttlichen Wesens haben. Dieser Glaube der Dämonen ist nach Thomas nicht nur eine Einsicht in die Existenz eines einzigen Gottes, sondern betreffe alle Glaubenswahrheiten der christlichen Kirche.[329] Thomas macht deutlich, daß hier deshalb von einem Glauben gesprochen werde, weil der Gegenstand mit dem Glaubensgegenstand der Menschen übereinstimme.[330] Er ist kein Mittleres zwischen Meinung und Wissen wie der menschliche Glaube. Nach Thomas sind es Zeichen der Evidenz bzw. die Evidenz der Zeichen[331], durch die die Dämonen zur Glaubenseinsicht gezwungen werden. Aufgrund ihres Scharfsinns sind die bösen Geistwesen (spiritus maligni) bei der Vorhersage künftiger Ereignisse dem Menschen bei weitem überlegen. Da ihr Verstand die natürlichen Ursachen in umfassenderer Weise erkennt als der des Menschen, sind ihre Weissagungen zuverlässiger. Aufgrund ihrer natürlichen Einsicht in die Bewegungen der Himmelskörper überragt ihr Wissen insbesondere auch dasjenige der Astrologen.[332]

Auch das Vermögen der natürlichen Prophetie deutet Thomas im Rahmen seiner Zeichentheorie der Erkenntnis. Während die eigentliche Prophetie eine göttliche Inspiration voraussetze und als Teilhabe am

---

[329] III, q. 29, a. 1 obi. 3.

[330] „[D]aemones non voluntate assentiunt his quae credere dicuntur, sed coacti evidentia signorum ex quibus convincitur verum esse quod fideles credunt, quamvis illa signa non faciant apparere id quod creditur ut per hoc possint dici visionem eorum quae creduntur habere; unde et credere aequivoce dicitur de hominibus fidelibus et de daemonibus, nec est in eis fides ex aliquo lumine gratiae infuso, sicut est in fidelibus." (De Ver q. 14, a. 9 ad 4)

[331] Vgl. ebd. sowie II-II, q. 5, a. 2 ad 1; III, q. 76, a. 7c; Thomas benutzt den Ausdruck 'signum evidens ad probandum' als lateinische Entsprechung zu 'tekmerion', wie er in III, q. 55, a. 5c ausführt.

[332] „Et licet ex causis naturalibus effectus contingentes proveniant, praedicti tamen spiritus, subtilitate intellectus sui, magis possunt cognoscere quam homines quando et qualiter effectus naturalium causarum impedire possint: et ideo in praenuntiando futura mirabiliores et veraciores apparent quam homines quantumcumque scientes. Inter causas autem naturales, supremae, et a cognitione nostra magis remotae, sunt vires caelestium corporum: quas praedictis spiritibus cognitas esse secundum proprietatem suae naturae, ex superioribus patet. Cum ergo omnia inferiora corpora secundum vires et motum superiorium corporum disponantur, possunt praedicti spiritus multo magis quam aliquis astrologus, praenuntiare ventos et tempestates futuras, corruptiones aeris, et alia huiusmodi quae circa mutationes inferiorum corporum accidunt ex motu superiorum corporum causata." (ScG III, c. 154)

göttlichen Vorwissen aufzufassen sei, muß die natürliche Prophetie als eine natürliche Begabung begriffen werden. Anders als die eigentliche Prophetie bezieht sie ihr Wissen ausschließlich aus geschaffenen Ursachen, alles Wunderbare und Zufällige ist ihr verschlossen. Warum also kann hier dennoch von Prophetie gesprochen werden, und was unterscheidet die natürliche Prophetie vom normalen menschlichen Erkennen? Thomas führt dazu aus, daß beiden Arten der Prophetie eine Erhebung des menschlichen Geistes und damit eine gewisse Angleichung an die getrennten Geistwesen gemeinsam ist. Diese Erhebung und Erleuchtung bedingt auch, daß der Mensch nicht wie im Traum durch die Vorstellungsbilder (phantasmata) gefesselt ist, die er empfängt; er ist vielmehr zu einer Interpretation dieser Bilder fähig.[333] In dieser Abgrenzung der natürlichen Prophetie gegenüber dem Traum wird jedoch auch die Gemeinsamkeit deutlich. In beiden Fällen nämlich wird auf dasselbe Vermögen eingewirkt, nämlich auf die Einbildungs- bzw. Vorstellungskraft (imaginatio). Indem diese mit Eindrücken, Bildern bewegter oder unbewegter Art, versorgt wird, gelangt der Mensch zu Inhalten, die ihm die äußeren Sinne nicht liefern.

Die Einflüsse auf die Einbildungskraft können von den Himmelskörpern als den höher stehenden Ursachen ausgeübt werden. Da jene Ursachen zugleich Zeichen von zukünftigen sublunaren Ereignissen sind, kann der Prophet aus den Zeichen auf diese schließen. Die eigentliche Begabung besteht also neben der Empfänglichkeit für Bilder in der Gestärktheit des Geistes, die solches Schließen, das richtige Deuten der Bilder, ermöglicht. Thomas beschreibt die für die natürliche Prophetie notwendige Stärkung des Geistes als eine Belehrung durch Engel.[334]

---

[333] „[S]ed in utraque prophetia, etsi aliqua phantasmata videantur in somnio vel visione, tamen anima prophetae illis phantasmatibus non detinetur; sed cognoscit per lumen propheticum ea quae videt non esse res sed similitudines aliquid significantes, et earum significationem cognoscit quia 'intelligentia opus est in visione', ut dicitur Dan. X." (De Ver. q. 12, a. 3c)

[334] „[I]n virtutem imaginativam humanam possunt aliqui motus fieri ex virtute caelestium corporum in quibus praeexistunt quaedam signa futurorum quorundam, et secundum quod intellectus humanus ex illuminatione intellectuum separatorum, utpote inferior, natus est instrui et ad alia cognoscenda elevari; et haec prophetia modo praedicto potest dici naturalis." (De Ver. q. 12, a. 3c). Vgl. De Ver. q. 11, a. 3c; G. Krieger zeigt in seinem Kommentar zu diesem Artikel, daß es sich dabei um eine Ausnahmeerscheinung handelt und Thomas die Belehrung durch die Engel so konzipiert, daß der natürliche Erkenntnisablauf des Menschen nicht außer Kraft gesetzt wird. Thomas von Aquin setzt den Wert solcher Belehrung auch dadurch herab, daß er in ihr meist eine Einwirkung der spiritus maligni, seltener der spiritus boni erkennt. (ScG III, c. 154)

Die natürliche Prophetie ist damit als eine besondere Befähigung zum Erschließen des Künftigen beschrieben. Sie setzt zwar einen überdurchschnittlich geschärften Verstand und eine ausgebildete Vorstellungskraft voraus[335], geschieht aber im übrigen nach den bereits beschriebenen Regeln der Erkenntnis von Unbekanntem aufgrund von Bekanntem. Die natürliche Prophetie ist also ein Modus der Erkenntnis durch Zeichen; auch die Einwirkung der höheren Wesen, die bei der natürlichen Prophetie zum Tragen kommt, ist nicht als gnadenhafte Einwirkung zu verstehen, sondern muß im üblichen Kontext der Ursache-Wirkungs-Zusammenhänge gesehen werden. Engel und Menschen erfassen diese Zusammenhänge in ähnlicher Weise, nämlich indem sie ein Extrem der Relation durch das andere erschließen. Die Einwirkung der höheren Intellektwesen auf die Menschen muß nach den natürlichen Bedingungen der Wissensvermittlung (disciplina) betrachtet werden. So wie der Lehrer in seinem Wissen höher steht als der Schüler, so ist auch die reine Intelligenz dem Menschen überlegen. Den Verständnisrahmen hierfür bildet – wie für alle in diesem Kapitel besprochenen Zeichenschlüsse – die hierarchische Konzeption der Kosmologie, die Thomas mit seinen Zeitgenossen teilt.

Daraus ergibt sich, daß für die natürliche Prophetie dieselben Einschränkungen gelten, die für natürliches Wissen von zukünftig Kontingentem immer anzunehmen sind. Die zu interpretierenden Zeichen können nur soviel aussagen, wie in ihnen als Ursachen präexistiert. Schwache Ursachen können nur fallible Zeichen sein; natürliche Zeichen können Zukünftiges nicht bezeichnen, wenn und insofern dieses von der freien Willensentscheidung (liberum arbitrium) abhängt.[336]

Thomas insistiert in allen dargestellten Bereichen darauf, daß Erkenntnis durch Zeichen Erkenntnis aufgrund von Kausalzusammenhängen ist. Dies ist der Grund für die Kritik der Divination und die Nichtverwendung chiromantischer und physiognomischer Schlüsse. Die Erkenntnisfunktion der Zeichen wird durch Thomas nicht nur eingegrenzt, Thomas macht vielmehr auch deutlich, wie weit sich zeichenvermitteltes Erkennen erstrecken kann. So kann durch Zeichen nicht nur erkannt werden, ob etwas ist, sondern ebenso, was es ist und welche hinzukommenden Bestimmungen es hat. In den Ausführungen zur Erkenntnis durch Zeichen bestätigt sich zudem, was Thomas zur sinnenhaften bzw. intelligiblen Natur des Zeichens vor allem im Zusammenhang der Engelsprache ausgeführt hat. Der allgemeine Begriff des Zeichens impliziert nicht dessen sinnliche Wahrnehmbarkeit. Thomas findet hierzu ein ari-

---

[335] II-II, q. 172, a. 1c; De Ver. q. 12, a. 3 ad 9.
[336] De Ver. q. 12, a. 3c.

stotelisches Beispiel. Der Philosoph hatte in der Nikomachischen Ethik ausgeführt, es sei Anzeichen eines bereits gefestigten Habitus, wenn sich bei einzelnen Akten das Gefühl von Lust oder Unlust einstelle. Ein solches Zeichen aber sei nichts Sinnliches.[337]

Thomas zieht mit der dargelegten Fixierung der Zeichenerkenntnis auf Kausalzusammenhänge die Konsequenzen aus den Veränderungen im Naturverständnis, wie sie durch die Schule von Chartres eingeleitet[338] und durch den Aristotelismus fortgeführt wurden. Die Natur wird danach nicht vornehmlich als ein Text mit einer zu entbergenden Bedeutung, sondern als ein erfahrbarer Kausalzusammenhang begriffen.[339] Ursächlichkeit wird nicht mehr im Sinne der exemplaritas, der Urbildlichkeit, verstanden, vielmehr ist jene Verursachung, die in der Naturphilosophie gesucht und untersucht wird, die der realen Einwirkung. Das Erkennen der Natur durch Zeichen meint deshalb nicht eine Hermeneutik der Dinge[340]; es geht vielmehr nun um den schrittweisen erkennenden Nachvollzug realer Kausalstrukturen. Dabei unterscheidet Thomas genau zwischen dem Wirkungsbereich der Erstursache und dem Wirkungsbereich deer Zweitursache.[341] Die geordnete Reihe der Zweitursachen setzt notwendig eine erste Ursache voraus, die selbst nicht in die Reihe innerweltlicher Ursache-Wirkungs-Zusammenhänge gehört.[342] Die theologische Betrachtung Gottes als Exemplarursache (causa exemplaris) bleibt von dieser Neuorientierung der Naturphilosophie an Ursache-Wirkungs-Zusammenhängen indes unberührt.[343]

Thomas schränkt die dargelegte Verbindung der Bezeichnungsrelation mit der Kausalrelation nicht auf den Bereich der natürlichen Zeichen

---

[337] „Contingit autem aliquando quod aliquod magis notum quoad nos, etiam si non sit res cadens sub sensu, quasi secundaria significatione signum dicatur; sicut dicit Philosophus in II Eth., quod 'signum generati habitus in nobis oportet accipere fientem in opere delectationem', quae non est delectatio sensibilis, cum sit rationis." (In 4 Sent. d. 1, q. 1, a. 1, q. 2, n. 33)

[338] Vgl. dazu T. Gregory, La nouvelle idée de nature et de savoir scientifique au XIIᵉ siècle und A. Speer, Die entdeckte Natur. Untersuchungen zu Begründungsversuchen einer „scientia naturalis" im 12. Jahrhundert.

[339] Vgl. W. Kluxen, Der Begriff der Wissenschaft, 283f.

[340] Vgl. dazu H. Brinkmann, Mittelalterliche Hermeneutik.

[341] Vgl. etwa ScG II, c. 42.

[342] Vgl. I, q. 2, a. 3c.

[343] I, q. 44, a. 3c. Siehe auch ScG IV, c. 21: „Sciendum tamen est quod ea quae a Deo in nobis sunt, reducuntur in Deum sicut in causam efficientem, et exemplarem. In causam quidem efficientem, inquantum virtute operativa divina aliquid in nobis efficitur. In causam quidem exemplarem, secundum quod id quod in nobis a Deo est, aliquo modo Deum imitatur."

ein, obschon es ihm in den besprochenen Quästionen der Secunda secundae ausschließlich um solche Zeichen geht.[344] Die Feststellung, daß jedes Zeichen Wirkung oder Ursache ist, zielt somit zwar auf natürliche Zeichen und nicht auch institutionelle Zeichen; sie erhebt jedoch Anspruch auf grundsätzliche Geltung. Man wird sich deshalb daran erinnern können, daß Thomas sowohl bei den sprachlichen Zeichen als auch bei den Sakramenten Kausalrelationen konstatiert hat. So betont er, daß das innere Wort Ursache des äußeren Wortes ist und hebt mit der Tradition hervor, daß das sakramentale Zeichen Ursache der Gnade ist, und zwar im Sinne der Instrumentalursache (causa instrumentalis). Thomas von Aquin äußert sich nicht zu der Frage, ob die Kausalbezüge im Bereich der natürlichen Zeichen anders zu qualifizieren sind als im Bereich der intentionalen Zeichen.[345] Während aber das arbiträre Zeichen seine Wirkung nur aufgrund einer Interpretation entfaltet, steht das natürliche Zeichen in realer Beziehung zum Bezeichneten; das Ursache-Wirkungs-Verhältnis zwischen beiden besteht auch dann, wenn kein Interpret auftritt, also aktuell kein Bezeichnungsvorgang stattfindet.

---

[344] In entsprechender Weise hat auch Charles Sanders Peirce für alle Zeichenrelationen eine zugrundeliegende Kausalrelation angenommen: „Ein Zeichen ist etwas, das für einen Geist für ein anderes Ding steht. Um als ein solches existieren zu können, sind drei Dinge erforderlich [...] Zweitens muß es von dem Objekt, das es bezeichnet, irgendwie beeinflußt werden oder zumindest muß sich etwas in ihm als Konsequenz einer wirklichen Verursachung mit der Veränderung des Objekts verändern [...] Die Verursachung verläuft also entweder vom Objekt zum Zeichen oder vom Zeichen zum Objekt oder von einer dritten zu beiden; doch irgendeine Verursachung muß es geben." (Logik als die Untersuchung der Zeichen, Manuskript-Nummer 380, 14. 3. 1873; in: Ch. S. Peirce, Semiotische Schriften, Bd. 1, 188-190; hier: 188)

[345] Während Thomas allerdings im Rahmen der Naturphilosophie ohne weitere Präzisierungen vom Zeichensein der Ursachen bzw. der Wirkungen spricht (II-II, q. 95, a. 5c; I, q. 70, a. 2 ad 2), bemüht er sich im Kontext der Sakramententheologie um eine Unterscheidung. Hier geht es nicht um das Zeichensein der Wirkungen, sondern um das Zeichensein der Ursachen. Thomas führt aus, daß die Hauptursache auch dann nicht Zeichen im eigentlichen Sinne genannt werden könne, wenn diese Ursache offenbar, die Wirkung aber verborgen ist. Unter den gleichen Bedingungen kann allerdings die Instrumentalursache sehr wohl Zeichen genannt werden. Vgl. III, q. 62, a. 1 ad 1.

§ 9 Zeichenrelation und Ähnlichkeitsrelation: Die Auseinandersetzung mit der
symbolistischen Auffassung des Zeichens

Der befähigste, sachverständigste (τεχνικώτατος) Traumdeuter ist nach
Aristoteles jener, der Ähnlichkeiten wahrzunehmen vermag.[346] Traumbilder nämlich sind verzerrte Spiegelungen von realen Gegenständen.
Eine Deutung von Träumen ist nur dann möglich, wenn es gelingt, diese
Verzerrungen zutreffend zu analysieren und die Ursache des Traumes zu
rekonstruieren. Wenn Träume also etwas bezeichnen, stehen die
Traumbilder mit dem Bezeichneten in einer Ähnlichkeitsrelation. Aristoteles hat diesen Zusammenhang zwischen Zeichen und Ähnlichkeit jedoch nicht systematisch entfaltet. In seiner Sprachlehre hat er vielmehr
sogar explizit die Bezeichnungsrelation von der Ähnlichkeitsrelation
unterschieden: Die Buchstaben sind Zeichen der Laute, und die Laute
sind Zeichen der Seelenzustände oder der Begriffe. Die Seelenzustände
aber sind nicht Zeichen, sondern Ähnlichkeiten der Dinge.[347]

Es ist der Aufweis fehlender Ähnlichkeit zwischen Zeichen und Ding,
der Augustinus in De magistro in die Aporie führt, daß wir zwar nur
durch Zeichen Wissen erlangen, Zeichen aber nur dann etwas zu erkennen geben können, wenn die durch sie bezeichneten Dinge bereits bekannt sind, wenn wir wissen, was sie bezeichnen.[348] Durch ihre eigene
Beschaffenheit lassen die Worte keinen Schluß auf die Dinge zu. Die
Ähnlichkeit zwischen Wort und Ding, nach der Sokrates, Hermogenes
und Kratylos in Platons Dialog[349] gesucht hatten, wird also von Augustin
bestritten. Augustinus kann deshalb im Rahmen seiner Sakramententheologie nicht einfach auf den Zeichencharakter der Sakramente Bezug
nehmen, um hieraus eine Ähnlichkeit herzuleiten zwischen dem Sakrament und der Gnade, auf die es verweist. Die Ähnlichkeit zwischen Zeichen und Bezeichnetem macht für Augustin vielmehr gerade eine Besonderheit der Sakramente in ihrem Verhältnis zu anderen Zeichen
aus.[350]

Stärker noch hat Hugo von St. Viktor in seiner Sakramententheologie
das Moment der Ähnlichkeit hervorgehoben. Hugo behandelt das Zeichen, das eine Ähnlichkeit mit der bezeichneten Sache besitzt, als ein

---

[346] De divinatione per somnum, 2 [464b 7f].

[347] Siehe oben Erster Teil, § 2.

[348] Siehe oben Erster Teil, § 4.

[349] Zur Bedeutung der Ikonizität für sprachliche Referenz vgl. G. Schönrich, Das Problem
des Kratylos und die Alphabetisierung der Welt.

[350] Zur Funktion der Ähnlichkeitsrelation im Rahmen der Schöpfungstheologie vgl. R.A.
Markus, „Imago" and „similitudo" in Augustine.

Zeichen im eminenten Sinne. Ein Zeichen hingegen, das nur aufgrund von Übereinkunft existiert, kann nicht die Wirkung entfalten, die es aufgrund einer natürlichen, durch die Schöpfung gegebenen Ähnlichkeit hat. Hugo erklärt deshalb, das sakramentale Zeichen müsse notwendigerweise eine Ähnlichkeit mit jenem unsichtbaren Gut aufweisen, das es dem Menschen schenkt.[351] Hugo stellt seine Sakramententheologie in den Rahmen einer Ontologie und Theologie, die in der Schöpfungsordnung und in den Gnadenordnungen eine Vielzahl von Ähnlichkeitsbezügen sieht.[352] Wie bei Bonaventura, so ist auch schon bei Hugo die Ähnlichkeit das Motiv und die Orientierung für die Verweisung des Menschen vom Sinnenfälligen auf das Übersinnliche.[353] Keineswegs aber wird man sagen können, daß die gesamte augustinische Tradition dem Gedanken der Ähnlichkeit ein derartiges Gewicht beimißt, wie Hugo oder Bonaventura dies tun. Jene Denker, die sich mit der Struktur der Sprache auseindersetzen, halten mit Aristoteles an deren konventionellem Charakter fest.[354] Gerade in der theologischen Auseinandersetzung um die Frage nach den Namen Gottes wird deutlich, daß es den Autoren darum geht, den abstrakten Zeichenwert der Bennungen zu ermitteln.[355]

Demgegenüber hat J. Biard darauf hingewiesen, daß die Ähnlichkeit (similitudo) im Zentrum aller Zeichentheorien von Augustinus bis zur Zeit Ockhams stehe. Sie mache den Kerngedanken der „conception symbolique du signe"[356] aus. Für das 13. Jahrhundert belegt er das Fortwirken der augustinischen, kosmo-theologisch geprägten Zeichentheorie mit dem symbolistischen Denken Bonaventuras.[357] Aber auch Thomas von Aquin lasse sich dieser Auffassung zuordnen. Er entwickle keine eigene Zeichentheorie, sondern übernehme, wie sich in der Sakramententheologie zeige, mit der augustinischen Definition des Zeichens zugleich die symbolistische Konzeption, die durch diese transportiert werde. Zwar müsse die bloße Zitation einer Definition nicht die Übernahme eines ganzen Denksystems implizieren, bei Thomas aber sei durch sie die Do-

---

351 Vgl. Hugo von St. Viktor, Summa sententiarum, tract. 4, c. 1 [117]; De sacramentis, l. 1, p. 9, c. 2 [318].

352 Vgl. H. Weisweiler, Sakrament als Symbol und Teilhabe; H.R. Schlette, Die Eucharistielehre Hugos von St. Viktor; ders., Die Nichtigkeit der Welt, 128-135.

353 Vgl. dazu F. Ohly, Cor amantis non angustum; ders., Die Kathedrale als Zeitenraum.

354 Ein Beispiel hierfür ist Alanus ab Insulis.

355 Vgl. H. Roos, Sprachdenken im Mittelalter, 203. Einen Überblick über die Anwendung der Sprachtheorie in der scholastischen Theologie bietet M.-D. Chenú, Grammaire et théologie aux XIIᵉ et XIIIᵉ siècles.

356 Vgl. L'émergence du signe, 30-86. Zum Hintergrund vgl. R. Javelet, Image et ressemblance au XIIᵉ siècle, sowie ders., Exégèse spirituelle au XIᵉ et XIIᵉ siècles.

357 Vgl. a.a.O. 62-80.

minanz der augustinischen Zeichentheorie in ihren zentralen Bestandteilen bekräftigt.[358] Ein solcher zentraler Bestandteil der augustinischen
Zeichenkonzeption ist für Biard die Annahme der Ähnlichkeit zwischen
Zeichen und Bezeichnetem. U. Eco et al. haben im Gegensatz dazu die
Auffassung vertreten, in der thomanischen Zeichentheorie sei kein Platz
für ikonische Zeichen vorgesehen. Vielmehr unterscheide Thomas mit
Aristoteles streng zwischen Zeichen und Ähnlichkeit.[359] Der Unverein-
barkeit beider Positionen liegt die Verallgemeinerung von Aussagen zugrunde, die nur für spezielle Kontexte gelten. Während Biard von einem
Argument[360] aus der Sakramententheologie auf die Gesamtkonzeption
der Zeichenlehre des Thomas schließt, behandeln Eco et al. ausschließlich die Semantik, also die Lehre von der Sprachbedeutung, und beschränken sich auch dabei im wesentlichen auf den Perihermeneiaskommentar.

Wie die bisherigen Darlegungen ergeben haben, ist die Zeichentheorie bei Thomas zwar vor einem augustinischem Hintergrund entwickelt
worden, doch weicht sie in vielen wesentlichen Aussagen von Augustinus
ab. Die Zitation der augustinischen Zeichendefinition besagt also nicht
zwingend, daß Thomas die Auffassung des Kirchenvaters in ihren wesentlichen Punkten übernimmt, und sie zeigt erst recht nicht, daß die thomanische Semiotik als eine symbolistische Theorie des Zeichens begrif-

---

[358] „En effet, sans présupposer nécessairement la cosmologie augustinienne dans sa totalité,
ni faire du langage l'objet principal de leur recherches, des penseurs peuvent être con-
duits à traiter au passage du signe. Tel est par example le cas de Thomas d'Aquin lorsque,
dans la Somme Théologique, il parle des sacrements. Depuis Augustin, en effet, le sacrement est une espèce de signe: c'est un sacrum signum. Prenant pour objet le sacrement,
Thomas est donc conduit à se reporter à une certaine conception du signe. C'est une
exigence très localisée; ce problème ne revêt pas l'importance qu'il a chez Augustin et ne
donne pas lieu à un traité sur le signe. Il n'est pas étonnant, dans ces conditions, que
Thomas se réfère tout simplement à une théorie élaborée ailleurs. Or la définition citée
est très précisément celle d'Augustin: 'Signum est quod, praeter speciem quam sensibus
ingerit facit aliud aliquid in cognitionem venire, ut patet per Augustinus in II de Doctrina
Christiana'. Ceci n'est qu'un exemple. Tout auteur qui ne peut ou ne veut élaborer une
théorie complète du signe, est amené à incorporer dans ses développements des réfle-
xions qu'il reprend ailleurs. Auquel cas, c'est inévitablement à la théorie augustinienne
du signe qu'il fait appel, avec toute la conception symbolique qu'elle véhicule. Certes, on
peut citer une définition sans assumer tout un système. Mais la position dominante de la
conception augustinienne en matière de théorie du signe se trouve par là confirmée." (J.
Biard, L'émergence du signe, 85f.)

[359] „Now for Aristotle, iconism is not a semiotic problem, but rather a psychological one (a
distinction shared by Aquinas, out [sic] not by Augustine, for example, who considered
images semiotic phenomena)." (On animal language, 5)

[360] Es handelt sich um die Zitation innerhalb eines Gegenarguments.

fen werden müßte. Damit ist allerdings noch nicht entschieden, ob und wie Thomas' Zeichentheorie das Konzept der Ähnlichkeit (similitudo) aufnimmt. Denn auch Bonaventura hatte in bezug auf das Sprachzeichen keine Ähnlichkeit zwischen Zeichen und Bezeichnetem behauptet und gleichwohl der Ähnlichkeit eine grundlegende Bedeutung für sein Zeichendenken eingeräumt. Die Bedeutung der Ähnlichkeit für die Zeichentheorie kann also nicht aus der thomanischen Sprachauffassung hergeleitet werden, sie muß vielmehr aus der Vielheit der Stellungnahmen des Aquinaten zusammengetragen werden.

In allem Seienden findet sich eine Ähnlichkeit mit dem göttlichen Sein.[361] Thomas stimmt hierin mit der Tradition und mit den Theologen seiner Zeit überein. Diese Ähnlichkeit besteht, weil dem Seienden eine gewisse Prägung durch den Schöpfer mitgegeben ist. Anders aber als die Prägung, die ein Stück Wachs durch einen Siegelring erhält, setzt die Ähnlichkeit des Geschöpfs mit Gott keine Berührung zwischen beiden voraus.[362] Die Ähnlichkeit zwischen Gott und Geschöpf besteht also nicht, weil Gott in seiner Schöpfung anwesend ist als ein Teil im Ganzen; vielmehr ist er in ihr wie eine Ursache im Verursachten.[363] Thomas führt in diesem Zusammenhang aus, daß alle Wirkzusammenhänge Ähnlichkeitsrelationen implizieren. Es liege nämlich in der Natur des Wirkens (actio), daß das Wirkende stets ein ihm Ähnliches wirkt. Als Begründung führt Thomas an, daß ein jedes wirkt, insofern es im Akt ist. Die Form der Wirkung finde sich deshalb auch in der Ursache.[364] Thomas unterscheidet zwei Fälle von Verursachung. Eine univoke Wirkkraft antizipiert in sich schon die Gesamtheit der Wirkung. Ursache und Wirkung tragen hier deshalb denselben Namen, fallen unter einen einzigen Begriff. Das Paradigma hierfür ist die Zeugung (Homo generat hominem). Daneben gibt es Wirkzusammenhänge, in denen das Erwirkte hinter das Wirkende zurückfällt, da das Agens gewissermaßen einen Wirkungsüberschuß aufweist. Dieser Fall ist der eigentliche Ort der Rede von Ähnlichkeiten[365], denn hier wird die Übereinstimmung nicht schon im Namen deutlich. So erzeugt die Sonne in den Körpern Wärme und die Wärme der Sonne ist der durch sie erwirkten Wärme ähnlich.

---

[361] I, q. 44, a. 3c und ebd. ad 1; vgl. auch ScG I, c. 49.

[362] ScG I, c. 26.

[363] Vgl. ebd.

[364] Ebd. c. 29; vgl. auch I, q. 115, a. 1c.

[365] „Effectus enim a suis causis deficientes non conveniunt cum eis in nomine et ratione, necesse est tamen aliquam inter ea similitudinem invenire [...]" (ScG I, c. 29)

Für Thomas besagt 'Ähnlichkeit' (similitudo), wie auch 'Gleichheit' (aequalitas), die Übereinstimmung in einer bestimmten Form.[366] Für die Ähnlichkeit reicht es allerdings aus, wenn die übereinstimmenden Elemente in unterschiedlicher Weise diese Form besitzen. So sind Luft und Feuer ähnlich in bezug auf die Wärme, obgleich sie Wärme auf verschiedene Weise besitzen.[367] Jede Ähnlichkeit besteht deshalb nur in bestimmter Hinsicht, mit ihr geht immer eine Unähnlichkeit in anderer Hinsicht einher.[368] Dies muß insbesondere im Verhältnis zwischen Schöpfer und Geschöpf betont werden. Thomas akzentuiert in dieser Hinsicht das Moment der Unähnlichkeit stärker als Bonaventura.[369] Mit Vorliebe verweist er deshalb gerade auf jene Aussagen des Ps.-Dionysios, die das Moment der Unähnlichkeit in den Vordergrund rücken.[370]

Ausdruck für diese Akzentuierung der Unähnlichkeit zwischen Schöpfer und Geschöpf ist es auch, wenn Thomas die Ähnlichkeit zwischen beiden als nicht reziprok bestimmt. Zwar könne man sagen, das Geschöpf sei dem Schöpfer ähnlich, es sei aber nicht angemessen zu sagen, der Schöpfer sei dem Geschöpf ähnlich. Denn dasjenige, in bezug auf das die Ähnlichkeit ausgesagt werde, komme Gott in vollkommener, der Kreatur jedoch nur in defizienter Weise zu.[371] Thomas begreift, so wird aus diesem Schluß deutlich, die Ähnlichkeit von der er hier spricht, als eine Weise der Teilhabe.[372] Er legt deshalb fest, daß man zwar von einer Ähnlichkeit des Verursachten mit der Ursache, nicht hingegen umgekehrt von einer Ähnlichkeit der Ursache mit dem Verursachten sprechen könne.[373] Unklar bleibt, inwiefern diese Sprachregelung auch außerhalb von theologischen Aussagekontexten Bestand hat.

Welche Bedeutung die Ähnlichkeit für die Semiotik hat, soll nun zunächst anhand der Frage nach der Gotteserkenntnis erörtert werden.

---

[366] Vgl. I, q. 4, a. 3c.

[367] I, q. 42, a. 1 ad 2.

[368] „[S]imilitudo non sit nisi differentium, secundum Boetium." (In 1 Sent. d. 48, q. 1, a. 1c)

[369] Vgl. É. Gilson, La philosophie de s. Bonaventure; ebenso E. Wéber, Art. „similitudo/dissimilitudo (ressemblance/dissemblance)".

[370] Vgl. I, q. 4, a. 3 ad 1; In De div. nom., Prooemium.

[371] ScG I, c. 29; vgl. De Ver. q. 2, a. 11 ad 1. I, q. 4, a. 3 ad 4 macht Thomas deutlich mit Verweis auf Ps.-Dionysios klar, daß die 'mutua similitudo' nur innerhalb derselben Seinsordnung ausgesagt werden könne, somit also nicht zwischen Ursache und Verursachtem.

[372] Vgl. W. Kluxen, Das Seiende und seine Prinzipien, 213. Nach L.B. Geiger drückt 'similitudo' den quidditativen, 'participatio' den existentiellen Aspekt der Gott-Mensch-Relation aus (La participation dans la philosophie de saint Thomas d'Aquin, 370, Anm. 1).

[373] I, q. 42, a. 1 ad 3.

Thomas spricht in seinem Kommentar zu De divinibus nominibus in doppelter Weise von einer Erkenntnis Gottes durch Zeichen. In beiden Fällen macht sich der Mensch dabei Ähnlichkeiten zwischen Gott und Geschöpf zunutze. Zunächst können die Geschöpfe als Zeichen für Gott angesehen werden. Genauer spricht Thomas davon, daß es Vollkommenheiten sind, die aus Gott hervor- und in die Geschöpfe eingehen, welche dem Menschen als Zeichen zur Erkenntnis des Göttlichen dienen können. Sodann sind auch jene Metaphern, die von den Geschöpfen aufgrund einer Ähnlichkeit auf Gott übertragen werden, Zeichen, die zur Erkenntnis der göttlichen Dinge geeignet sind.[374] Zeichen sind, wie Thomas betont, für den Menschen im Pilgerstand (in statu iste) unerläßlich für das Erkennen der göttlichen Dinge (res divina).[375] Die Eignung zum Zeichensein haben aber sowohl die Zeichen an den Geschöpfen als auch die Metaphern aufgrund einer Ähnlichkeit mit dem zu Bezeichnenden. Handelt es sich im ersten Fall um eine Ähnlichkeit gemäß der Teilhabe, so geht es bei den Metaphern um eine Ähnlichkeit im Sinne der Proportionalität.[376]

Thomas von Aquin billigt somit ebenso wie Hugo und Bonaventura der Ähnlichkeit eine wichtige Rolle für die Erkenntnis des Göttlichen zu. Er befindet sich in Übereinstimmung mit dem Symboldenken der christlichen Neuplatonikern, wenn er erklärt, daß die Symbole – bzw. die Zeichen (signa), wie er entsprechend seiner Textvorlage sagt – als Mittel zum Zweck, nicht jedoch als Zweck der Verehrung angesehen werden dürfen.[377] Gerade an der Gotteserkenntnis wird jedoch deutlich, daß nur in einem sehr eingeschränkten Sinne von einer Entsprechung zwischen Zeichen und Bezeichnetem ausgegangen werden kann. Thomas arbeitet am Text des Ps.-Dionys die ex-in- bzw. die ex-ad-Struktur der Zeichenerkenntnis heraus. Erforderlich ist demnach nicht eine Ähnlichkeit im eigentlichen Sinne zwischen Zeichen und Bezeichnetem, sondern viel-

---

[374] „Dicit ergo, primo, quod nunc, idest in praesenti vita, sicut supra expositum est, utimur, sicut nobis est possibile, propriis signis ad divina cognoscenda; quae quidem signa sunt tam perfectiones quae procedunt a Deo in creaturas, quam et metaphorae quae a creaturis per similitudinem transferuntur in Deum." (In De div. nom., c. 1, l. 2 <n. 69>)

[375] Vgl. ebd.

[376] In 1 Sent. d. 34, q. 3, a. 1 ad 2; ebd. d. 45, q. 1, a. 4c; In 4 Sent. d. 1, q. 1, a. 1, q. 5 ad 3.

[377] „Non tamen, sic utimur huiusmodi signis in cognitione divinorum, quod in eis mens nostra remaneat, nihil ultra huiusmodi Deum existimans, sed ex istis signis, rursus extendimur, secundum nostram proportionem ad simplicem et unitam veritatem intelligibilium miraculorum, idest admirabilium contemplationum, quas de rebus divinis per huiusmodi signa accipimus. Dicit autem, ad simplicem et unitam veritate, ut simplicitas correspondeat compositioni signorum; unitas, vero, eorum multitudini et diversitati." (In De div. nom., c. 1, l. 2 <n. 69>)

mehr die hinweisende, hinleitende Funktion der Zeichen zum Bezeichneten. Indem er neben der Vielheit der Zeichen deren Verknüpfung
erwähnt, deutet er den satzhaften Charakter der Zeichenerkenntnis an.
Auch die einfache Wahrheit muß durch eine Verknüpfung von Zeichen
erkannt werden. Die Zusammensetzung (compositio) erweist sich damit
als Strukturkennzeichen der endlichen Vernunft.[378]

Auch außerhalb der Ps.-Dionysios-Kommentare setzt sich Thomas mit
der Ähnlichkeitsrelation und ihrer Bedeutung für unser Erkennen auseinander. Im Prinzip der Unumkehrbarkeit der Ähnlichkeitsbeziehung
wird die Bindung der Ähnlichkeit an die kausale Abhängigkeit deutlich.[379] Dies bedeutet jedoch nicht, daß jede Art von Ursächlichkeit eine
Ähnlichkeit impliziert. Eine Ähnlichkeit kann vielmehr nur jene Ursache
hervorrufen, die aus dem Vermögen ihrer eigenen Form wirkt. Dies gilt
zwar für die Hauptursache (causa principalis), nicht aber für die Instrumentalursache (causa instrumentalis). So ist das Bett nicht dem Beil ähnlich, sondern vielmehr jenem Urbild (ars) des Bettes, das in der Vorstellung des Tischlers ist. Ebenso sind die Sakramente zwar Ursachen der
Gnade, doch sind sie dieser nicht ähnlich, da Hauptursache der Gnade
allein Gott ist.[380]

Die Zeichenhaftigkeit der Dinge ergibt sich nun für Thomas nicht
unmittelbar aus ihren Ähnlichkeitsbezügen, sondern aus ihren Kausalbe-
zügen. Während nicht jede Ursache zur Bezeichnung von Wirkungen
geeignet ist, kann allen manifesten Wirkungen Zeichencharakter zugesprochen werden. Thomas nutzt den Begriff der Ähnlichkeit, um zwischen verschiedenen Darstellungsweisen der Ursache durch die Wirkung
zu differenzieren. Entscheidend dabei ist, daß der Begriff der Ähnlichkeit
eine weite Extension hat, so daß viele Grade von Ähnlichkeit unterschieden werden können.[381] Dies erlaubt es Thomas, sowohl die Darstellung
durch die Spur (repraesentatio vestigii) als auch die Darstellung durch
das Abbild (repraesentatio imaginis) auf einen Ähnlichkeitszusammen-
hang zurückzuführen. Während die Spur eine Wirkung ist, die nur die
Kausalität der Ursache repräsentiert, drückt sich im Bild auch die Form
seiner Ursache aus. Thomas kann sich hier an der Bildlichkeit der beiden
augustinischen Begriffe orientieren. Eine Fußspur läßt nur die Bewegung
eines Vorbeigehenden erkennen, die Statue des Merkurius aber die Ge-

---

[378] Vgl. ebd. Siehe auch I, q. 13, a. 12c; ebd. ad 3; ebd., q. 85, a. 5c; ScG I, c. 36.
[379] Vgl. C. Fabro, Participation et causalité, 517.
[380] III, q. 62, a. 1c.
[381] I, q. 4, a. 3c.

stalt des Merkurius selbst.[382] Es ist durchaus möglich, daß etwas Zeichen für etwas ist und Wirkung von diesem, gleichwohl aber keine Ähnlichkeit mit dieser Wirkung aufweist. So wird der Urin 'gesund' genannt, weil er Zeichen für die Gesundheit des Lebewesens ist.[383] Die Beschaffenheit des Urins zeigt nämlich den Zustand der Organe an, auf den sie zurückgeht. Dennoch läßt sich nicht sagen, daß der gesunde Urin an der Form des Lebewesens teilhat bzw. dieser ähnlich ist.[384]

Wie die angeführten Texte zeigen, hat Thomas keinesfalls radikal mit der neuplatonischen Denkweise gebrochen. Er betrachtet die Welt als hierarchisches Gebilde und beschreibt das Verhältnis zwischen den Stufen mit Hilfe der Begriffe 'similitudo' und 'dissimilitudo'. Er vermeidet es ebensowenig wie Bonaventura, den Hervorgang der Geschöpfe aus Gott mit dem neuplatonischen Begriff der 'emanatio' zu bezeichnen.[385] Thomas läßt im Gegensatz zu jedem neuplatonischen Nezessitarismus indes keinen Zweifel daran, daß die Kreatur gerade deshalb im Vollzug ihres Seins Gott ähnlich ist, weil sie als selbständiges Wesen aus einem freien göttlichen Schöpfungsakt hervorgeht.[386] Mit den neuplatonischen Denkern hält Thomas grundsätzlich am Zusammenhang zwischen Kausalität und Ähnlichkeit fest und erkennt deshalb in den Ähnlichkeitsbezügen zwischen Gott und Welt wie auch innerhalb der Welt eine wichtige Orientierungshilfe für menschliches Erkennen. Vor allem Thomas' Äußerungen zur Inkommutabilität der Relate des Ähnlichkeitsbezugs müssen vor diesem neuplatonischen Denkzusammenhang gesehen werden.

Gleichwohl betrachtet Thomas die Verbindung zwischen Ähnlichkeit und Kausalität nicht als derart eng, wie es beispielsweise Proklos tut.[387] Es gibt, wie Thomas ansatzweise ausführt, Ursache-Wirkungs-Verhältnisse, bei denen keine Ähnlichkeit zwischen den korrelierenden Entitäten gegeben ist. Thomas belegt dies durch den Hinweis auf die Instrumentalur-

---

[382] „Respondeo dicendum quod omnis effectus aliqualiter repraesentat suam causam, sed diversimode. Nam aliquis effectus repraesentat solam causalitatem causae, non autem formam eius, sicut fumus repraesentat ignem: et talis repraesentatio dicitur esse repraesentatio vestigii; vestigium enim demonstrat motum aliquius transeuntis, sed non qualis sit. Aliquis autem effectus repraesentat causam quantum ad similitudinem formae eius, sicut ignis generatus ignem generantem, et statua Mercurii Mercurium: et haec est repraesentatio imaginis." (I, q. 45, a. 7c)

[383] Z.B. I, q. 13, a. 5c; ebd. a. 6c; ScG I, c. 34. Vgl. In Eth., l. 1, lect. 7 <n. 95>.

[384] De Ver. q. 21, a. 4 ad 2.

[385] I, q. 44, a. 2 ad 1; ebd. q. 45.

[386] Vgl. dazu W. Kluxen, Das Seiende und seine Prinzipien, 214-216. Eine besondere Weise der Teilhabe kommt denjenigen Geschöpfen zu, die als Vernunftwesen an der göttlichen Freiheit teilhaben.

[387] Vgl. dazu oben Zweiter Teil, Kapitel 1, § 4, Anm. 86.

sache (causa instrumentalis). Die Differenzierung des Ursachebegriffs, die er mit Hilfe des aristotelischen Begriffsinstrumentariums vornimmt, führt zu einer Relativierung der Ähnlichkeit in ihrer Bedeutung für die Zeichentheorie und für die Erkenntnistheorie überhaupt. In der Wissenschaft, so sagt er deshalb in seinem Ethikkommentar, dürfe man sich nicht damit begnügen, Ähnlichkeiten nachzugehen, man müsse vielmehr nach Gewißheit suchen.[388] Hatte bei Bonaventura die eminente Bedeutung der causa exemplaris dazu geführt, daß die Relation zwischen Zeichen und Bezeichnetem ebensowohl als eine kausale wie auch als eine ikonische gesehen wurde, so wird bei Thomas das Verhältnis der Ähnlichkeit zu einem besonderen Fall der Zeichenrelation. Die Zeichenrelation wird aber primär an die Kausalität gebunden. Dem Verhältnis zwischen Ursache und Wirkung in der Naturordnung entspricht dann die Beziehung zwischen Zeichen und Bezeichnetem oder zwischen Bezeichnetem und Zeichen in der Erkenntnisordnung. Der Begriff des Zeichens besagt demnach ein Früher-Sein im Erkennen, aber kein Früher- bzw. Später-Sein in der Natur.[389] Eine solch klare Trennung findet sich auch bei Roger Bacon, nicht jedoch bei Bonaventura. Ihrer ungeachtet scheint Thomas allerdings mitunter die Auffassung zu vertreten, daß jene Sache (res), die als Zeichen dient, von einem ontologisch niederen Rang ist als die bezeichnete Sache selbst. Letzlich kann nur diese, von neuplatonischen Denkschemata inspirierte Auffassung erklären, warum Thomas sich dagegen wendet, die Hauptursache (causa principalis) als Zeichen zu bezeichnen, auch wenn die allgemeinen Bedingungen für ihr Zeichensein gegeben sind.

§ 10 Die Einheit des Zeichenbegriffs: Kommunikative und inventive Zeichenverwendung

Aristoteles hatte mit Bezug auf die Sprache und mit Bezug auf eine bestimmte Art von logischen Schlüssen von Zeichen gesprochen. In den von ihm überlieferten Schriften findet sich allerdings kein Versuch, die Verwendung des Zeichenbegriffs in diesen beiden Zusammenhängen

---

[388] „Dicit ergo primo quod manifestum potest esse quid sit scientia ex his quae dicentur, si oportet per certitudinem scientiam cognoscere et non sequi similitudines, secundum quas scilicet quandoque similitudinarie dicimus scire etiam sensibilia de quibus certi sumus. Sed certa ratio scientiae hinc accipitur quod omnes suspicamur de eo quod scimus quod non contingit illud aliter se habere, alioquin non esset certitudo scientis, sed dubitatio opinantis." (In Eth., l. 6, lect. 3)
[389] Vgl. ScG I, c. 34.

aufeinander zu beziehen und die Gemeinsamkeit zwischen den verschiedenen Arten von Zeichen herauszustellen. Im Unterschied dazu hatte
Augustin eine allgemeine Definition des Zeichens vorgelegt, die für die
mittelalterlichen Autoren große Bedeutung erlangte. Ungeachtet des
gemeinsamen Nenners unterscheidet er allerdings streng zwischen natürlichen und institutionellen Zeichen, teilt die Zeichen also in zwei hetero-
gene Gruppen ein. Diese Unterscheidung läßt sich in gewisser Weise auf
jene Felder beziehen, in denen Aristoteles von Zeichen gesprochen hatte; denn die Sprachzeichen sind der bedeutendste Fall der institutionellen bzw., wie Augustinus sie nennt, der gegebenen Zeichen (signa data),
und die Beispiele von Zeichen, die Aristoteles in seiner Syllogistik an-
führt, lassen sich als natürliche Zeichen (signa naturalia) im Sinne Augustins auffassen.[390] Obgleich diese Zuordnung Schwierigkeiten bereitet,
wenn sie für alle Arten von Zeichen vorgenommen werden soll – wie
Roger Bacon[391] am Beispiel der Tierstimmen verdeutlicht –, so scheint
sie dennoch für die mittelalterlichen Autoren nicht nur attraktiv, sondern beinahe selbstverständlich zu sein. Mit Ps.-Kilwardby und Roger
Bacon wurden im zweiten Teil der Untersuchung Autoren behandelt, bei
denen das Interesse an der Klassifikation des Zeichens jenes an der Ver-
deutlichung der gemeinsamen Bestimmungen in den Hintergrund
drängt. Insbesondere bei Ps.-Kilwardby erscheint das Zeichen als ein
nicht im strengen Sinne univoker Begriff, es zerfällt in stark divergierende Unterarten.[392] Ps.-Kilwardby steht damit in der Tradition des Aristoteles, der auf eine allgemeine Definition des Zeichens ganz verzichtet.

Im Gegensatz hierzu fällt auf, daß Thomas von Aquin weder die aristotelische Scheidung der Semiotik in unabhängige Teile nachvollzieht,
noch der augustinischen Unterscheidung zwischen natürlichen und intentionalen Zeichen Bedeutung zumißt. Vielmehr erwähnt Thomas, für
den die Unterscheidung verschiedener Bedeutungen eines Begriffs ein
ganz gewichtiges methodisches Postulat ist, die augustinische Unterscheidung fast nie.[393] Zwar kennt er die traditionelle Einteilung und greift
sie im Sentenzenkommentar auch einmal für seine eigene Argumentati-

---

[390] B.E. Rollin will das Vorbild für die augustinische Unterscheidung bereits in der durch die
Sophisten thematisierten Dichotomie von νόμος und φύσις ansetzen (vgl. Natural and
conventional signs, 39f.)

[391] Vgl. Zweiter Teil, Kapitel 2, § 2.

[392] „Nam signum multipliciter dicitur ut postea patebit." (In Prisc. Ma. 1.0 [2])

[393] Vgl. J. Hennigfeld, Geschichte der Sprachphilosophie, 208.

on auf[394], im übrigen betont er jedoch die Gemeinsamkeit der Zeichen und überbrückt den Hiat zwischen natürlichen und willentlichen Zeichen durch vielfältige Vergleiche. Die Frage nach der Einheit des Zeichenbegriffs soll hier in zwei Schritten erörtert werden. Zunächst wird mit den Geräuschen und Stimmen der Tiere ein Grenzbereich zwischen den natürlichen Zeichen und den menschlichen Sprachzeichen dargestellt, sodann soll auf die erwähnten Vergleiche zwischen natürlichen und intentionalen Zeichen eingegangen werden. Im nachfolgenden Kapitel wird dann nach der Basis dieses Vergleichs, der Grundlage aller Zeichen im endlichen Erkennen zu fragen sein.

Thomas interessiert die Sprache der Tiere nicht um ihrer selbst willen. Auch zum Vergleich mit der menschlichen Sprache werden die Tierstimmen viel seltener herangezogen, als dies in modernen Semiotiken oder auch schon in den semiotischen Traktaten von Roger Bacon der Fall ist. Thomas von Aquin macht zur Frage der Tiersemiotik nur einige verstreute Bemerkungen; die beachtenswertesten finden sich in den Aristoteleskommentaren, insbesondere im Perihermeneiaskommentar und in den Kommentaren zur Politik und zu De anima. Thomas grenzt die Stimme der Tiere zum einen gegenüber der menschlichen Sprache ab, zum anderen differenziert er zwischen der Stimme (vox) und dem bloßen Geräusch (sonus). Nur jene Tiere können Stimmen hervorbringen, die auch über Atmungsorgane verfügen, denn zur Erzeugung der Stimme sind Tiere wie Menschen auf jene Organe angewiesen. Am Beispiel des Hustens macht Thomas indes mit Aristoteles deutlich, daß diese organische Bedingung keine hinreichende Bedingung für die Stimmfähigkeit ist. Die schallerzeugende Bewegung der Stimmorgane muß vielmehr von der Seele ausgehen, die jene Organe als Werkzeuge benutzt. Von einer solchen seelischen Hervorbringung kann aber genau dann gesprochen werden, wenn die Bewegung von der Vorstellungskraft (imaginatio) ausgeht und in der Intention geschieht, etwas zu bezeichnen.[395] Indiz für

---

[394] In 4 Sent. d. 1, q. 1, a. 1, q. 5 ad 4. Hennigfelds Feststellung, Thomas greife die Unterscheidung gar nicht auf (a.a.O.), trifft also nicht zu. Die augustinische Dichotomie setzt Thomas auch in De Ver. q. 12, a. 3c voraus.

[395] „[C]ontingit enim linguam facere aliquos sonos qui tamen non sunt voces, sicut et tussientes sonum faciunt, qui tamen non est vox. Oportet enim, ad hoc quod sit vox, quod verberans aerem sit aliquid animatum et cum imaginatione aliqua intendente ad aliquid significandum; oportet enim quod vox sit sonus quidam significativus, vel naturaliter vel ad placitum, et propter hoc dictum est quod huiusmodi percussio est ab anima: operationes enim animales dicuntur quae ex imaginatione procedunt; et sic patet quod vox non est percussio respirati aeris, sicut accidit in tussi, sed id cui principaliter attribuitur causa vocis est anima quae utitur isto aere, scilicet respirato, ad verberandum aerem qui est in arteria ad ipsam arteriam; aer ergo non est principale in vocis formatione, sed ani-

den intentionalen Charakter der Stimme ist die variierende Betonung.[396]
Thomas erklärt allerdings an anderer Stelle, daß hier keine Intention im
Sinne einer willentlichen Ausrichtung angenommen werden könne. Die
Intentionen, denen das Tier folgt, sind keine solchen, um die es weiß
und zu denen es Stellung nehmen kann. Die Kundgabe erfolgt vielmehr
instinktgeleitet, sie ist kein Akt, der dem Willen unterliegt und unter die
Differenz von gut und böse fällt.[397] Die Vorstellungskraft ist deshalb das
für die Stimmerzeugung ausschlaggebende Vermögen, weil an sie das
Empfinden von Lust und Unlust gebunden ist. Mit diesem Empfinden
nämlich ist die Minimalbedingung für das Verfügen über Bewußtseinsinhalte gegeben. Erst durch die Vorstellungskraft erhalten die stimmlichen
Zeichen daher seelische Gehalte, die sie bezeichnen können.[398] Thomas
führt zudem aus, daß eine Kundgabe von seelischen Befindlichkeiten
nicht notwendig an die Stimme geknüpft ist.[399]

Im Politikkommentar differenziert Thomas zwischen jenem Bezeichnungsakt, der von der Vorstellungskraft ausgeht, und dem menschlichen
Sprechakt, der sich auf den Intellekt gründet. Tiere sind, insofern sie
über Stimme verfügen, in der Lage, ihre Affekte und seelischen Befindlichkeiten anderen Tieren darzustellen. So können sie Traurigkeit und
Freude, Zorn, Furcht und andere Affekte durch natürliche Stimmen
bezeichnen. In diesem Sinne sind auch die menschlichen Interjektionen
zu verstehen. Hiervon zu unterscheiden ist die Nachahmung menschlicher Sprache, zu der manche Tiere mit Hilfe ihrer Stimme in der Lage
sind. Dies geschieht aus einer bestimmten Gewohnheit und kann nicht
als Sprache angesehen werden. Von diesen beiden Stimmverwendungs-
weisen ist die menschliche Sprache durch den Gebrauch des Intellekts
unterschieden. Die menschliche Sprache kann nicht nur innere Seelenzustände ausdrücken, sie kann vielmehr auch auf äußere Sachverhalte

---

ma quae utitur aere ut instrumento ad vocem formandam." (In De anima, l. 2, c. 18 <n.
477>)

[396] Ebd. <n. 468>.

[397] „[U]nde etsi bruta animalia aliquid manifestent, non tamen manifestationem intendunt,
sed naturali instinctu aliquid agunt ad quod manifestatio sequitur." (II-II, q. 110, a. 1c)

[398] Die Vorstellungskraft ist auch für die Stimmrezeption der Tiere ausschlaggebend. Thomas sagt deshalb im Kommentar zum Johannesevangelium (c. 10, l. 1, III <n. 1372>), die
Schafe gehorchten ihrem Hirten nicht aufgrund von Einsicht, sondern weil sie „ex con-
sueta imaginatione" die Stimme des Hirten wiedererkennen.

[399] „[I]d enim quod naturaliter significat, non fit, sed naturaliter est signum. Et hoc significari dicit illiteratos sonos ferarum, qui scilicet litteris significari non possunt; et dicit potius
'sonos' quam 'voces', quia quaedam animalia non habent vocem eo quod carent pulmo-
ne, sed tantum quibusdam sonis proprias passiones naturaliter significant ..." (In Perih., l.
1, lect. 4 <n. 46>)

referieren und über diese urteilen.[400] Entscheidend für die Sprache ist also nicht allein ihr kommunikativer Charakter, sondern ihr Ursprung im Intellekt.[401] Der Intellekt nämlich ermöglicht es, daß die Seeleninhalte nicht nur bloße Befindlichkeiten umfassen, sondern darüber hinaus Bewußtseinsinhalte und deren Verknüpfungen, die Bezug nehmen auf Außerseelisches. Durch den Intellekt werden die Seeleninhalte, die Bedeutungsgehalte also, intentional ausgerichtet und propositional gefaßt. Der Mensch setzt sich so in Beziehung zur Außenwelt und auch zu sich selbst. Diese Abgrenzung besagt aber nicht, daß die durch die Tierstimmen bezeichneten Seeleninhalte etwas Diffuses seien. Thomas geht vielmehr offenbar von einer präzisen Bezeichnungsweise aus und spricht deshalb in bezug auf das durch die Tierstimmen Bezeichnete auch von „conceptiones"[402] und „conceptus"[403]. Aufgrund seiner Ausführungen im Politikkommentar können diese conceptiones aber nicht als Begriffe oder Gedanken, sondern nur als Vorstellungen angesehen werden. Sie weisen keine propositionale Struktur auf.

Thomas äußert sich nicht zu der Frage, ob und in welcher Weise die Vorstellungen der Tiere mit Bildern verknüpft sind und ob diese Vorstellungen in ähnlicher Weise unterschieden werden können, wie die menschlichen Affekte. Er erklärt lediglich, daß die Tiere im Vergleich zu den menschlichen Begriffen über sehr wenige Vorstellungen verfügen. Sie bedürfen daher keines so komplexen Repräsentationssystems, wie die

---

[400] Aristoteles sagt deshalb, daß es der Sprache eigentümlich ist zu bezeichnen, was nützlich und schädlich, was gerecht und ungerecht ist. Thomas greift diesen Gedanken auf: „Videmus autem quod, cum quaedam alia animalia habeant vocem, solus homo supra alia animalia habeat locutionem; nam etsi quaedam animalia locutionem humanam proferant, non tamen proprie loquuntur, quia non intelligunt quid dicunt, sed ex usu quodam tales voces proferunt. Est autem differentia inter sermonem et simplicem vocem. Nam vox est signum tristitiae et delectationis, et per consequens aliarum passionum ut ira et timoris, que omnes ordinantur ad delectationem et tristitiam, ut in II Ethicorum dicitur. Et ideo vox datur aliis animalibus quorum natura usque ad hoc pervenit, quod sentiant suas delectationes et tristitias et haec sibi invicem significent per aliquas naturales voces, sicut leo per rugitum et canis per latratum; loco quorum nos habemus interiectiones. Sed locutio humana significat quid est utile et quid nocivum, ex quo sequitur quod significet iustum et iniustum [...]" (In Polit., l. 1, c. 1/b) Vgl. auch De regno ad regem Cypri, l. 1, c. 1.

[401] So auch É. Gilson, der sich auf diese Stelle des thomanischen Kommentars bezieht (vgl. Linguistique et philosophie, 96).

[402] In Met., l. 4, lect. 9 <n. 653>: „[E]tiam bruta animalia habent determinatas conceptiones."

[403] De Ver. q. 9, a. 4 ad 10.

menschliche Sprache und die Sprache der Engel eines ist.[404] Thomas trägt seine Differenzierung zwischen der menschlichen Sprache und den Tierstimmen nicht als Klassifikation verschiedener Arten von Zeichen vor. Er hält sich damit treu an die aristotelische Vorgabe. Nur in der Quaestio de communicatione scientiae angelicae spricht er mit Bezug auf die Tierstimmen von natürlichen Zeichen (signa naturalia).[405] Er läßt gleichwohl keinen Zweifel daran, daß es sich hierbei um intentionale Zeichen handelt.[406] Roger Bacon hat mit Recht darauf hingewiesen, daß die Zuordnung der intentionalen Tierlaute zu den natürlichen Zeichen wie dem Rauch oder den medizinischen Symptomen die Gleichstellung von Heterogenem wäre. Thomas ist an dieser Frage der Klassifikation nicht sehr interessiert. Für ihn scheinen die Tierstimmen als intentionale Zeichen, die aber ohne die Zwischenschaltung des Intellekts etwas bezeichnen, die Funktion eines Bindegliedes zwischen den arbiträren Zeichen und den natürlichen Zeichen im engeren Sinne zu haben. Ihre Weise des Bezeichnens steht also in der Mitte zwischen jener der menschlichen Sprache und der Hinweisfunktion von Indizien und Symptomen.

Thomas von Aquin drückt die Gemeinsamkeit zwischen den natürlichen und den eingesetzten Zeichen durch den Begriff der Darstellung (repraesentatio) aus. Jede Bezeichnungshandlung ist ein Akt der Darstellung. Dies wird zum einen durch jene Zeichen exemplifiziert, die eigens zum Zweck der Darstellung eingesetzt sind. A. Zimmermann hat deshalb darauf hingewiesen, daß die sprachliche Bezeichnung (significatio) ein besonderer Fall der Darstellung ist.[407] Thomas benutzt allerdings den Terminus 'significatio' auch in umfassenderem Sinne, so daß er als Synonym für Darstellung (repraesentatio) und Kundgabe (manifestatio) stehen kann.[408]

Thomas vergleicht die sprachliche Darstellungsweise mit der ikonischen. Während in der ikonischen Darstellung einer Sache durch ihr Spiegelbild das Darstellende unmittelbar auf das Dargestellte bezogen ist, ist für die sprachliche Darstellungsweise und insbesondere für deren

[404] „[A]nimalia autem bruta habent paucos conceptus quos paucis naturalibus signis exprimunt [...]" (ebd.)

[405] Ebd.

[406] In De anima, l. 2, c. 18 <n. 477>: „Oportet enim, ad hoc quod sit vox, quod verberans aerem sid aliquid animatum et cum imaginatione aliqua intendente ad aliquid significandum."

[407] Zimmmermann, „Ipsum enim <'est'> nihil est", 282.

[408] In II-II, q. 110, a. 1c benutzt Thomas 'manifestatio' und 'enuntiatio' als Synonyme für 'repraesentatio' und 'conferre signum ad signatum'; in I-II, q. 102, a. 4 ad 4 sowie ebd. ad 6 benutzt er 'figurare', 'designare', 'imaginare' und 'esse in signum + Genitiv' als Synonyme für 'significare'.

Verschriftlichung die Zwischenschaltung einer Mehrzahl von Vermittlungsinstanzen zwischen dem Zeichen und der eigentlich bezeichneten
Sache kennzeichnend. Die Buchstaben sind Zeichen der Laute, jene
wiederum Zeichen der Begriffe und diese schließlich, so formuliert er in
Anlehnung an Aristoteles, Ähnlichkeiten der Dinge.[409] Das sprachliche
Zeichen stellt allerdings im Verhältnis zum Begriff und zum Ding keine
bloße Verlängerung der Zeichenkette dar. Thomas fährt deshalb in seiner Antwort fort, indem er im göttlichen Erkennen zwei Momente unterscheidet, nämlich die Darstellung im Spiegel und die Darstellung im
Buch. Er ordnet dabei dem Begriff der Darstellung im Spiegel die göttliche Erkenntnis der Dinge zu; durch den Begriff der Darstellung im Buch
hingegen sieht Thomas das Erkennen dieses Erkennens expliziert.[410] Die
Versprachlichung der Darstellung besagt daher eine Repräsentation der
Repräsentation, in ihr vollzieht sich modern gesprochen die Selbstreprä-
sentation des erkennenden Subjekts.

Thomas überwindet die Kluft zwischen natürlichen und institutionellen Zeichen auch dadurch, daß er den Sprachzeichen als der wichtigsten
Gruppe der institutionellen Zeichen eine gewisse Natürlichkeit zuspricht.
Er geht allerdings nicht soweit, so wurde oben erläutert[411], die Einsetzung
einer bestimmten Sprachgestalt zur Bezeichnung bestimmter Bedeutungsgehalte als natürlich anzusehen. Es gibt keine Ähnlichkeiten zwischen Lautketten einerseits und den Bedeutungen und Sachverhalten
andererseits, sondern allenfalls bestimmte Motivationen sprachsystemati-
scher Art zur Einsetzung und Verwendung bestimmter Lautketten.

Anders verhält sich dies mit den Sakramenten, also den Zeichen aufgrund göttlicher Einsetzung. Bei ihnen ist gemäß der traditionellen Lehre eine Ähnlichkeit zwischen dem Zeichen und dem Bezeichneten anzunehmen. Im Sentenzenkommentar trägt Thomas daher den Einwand
vor, daß eine solche Ähnlichkeit nur aus der natürlichen Eigenschaft des
sakramentalen Elements erwachsen könne. Die Darstellung bzw. Bezeichnung könne daher nicht institutionellen Charakter haben.[412] Tho-

---

[409] „[R]epraesentatio speculi in hoc differt a repraesentatione libri quod repraesentatio
speculi immediate refertur ad res, sed libri mediante cognitione: continentur enim in libro figurae quae sunt signa vocum, quae sunt signa intellectuum, qui sunt similitudines
rerum; in speculo autem ipsae formae rerum resultant." (De Ver. q. 7, a. 1 ad 14)

[410] „In Deo autem resultant utroque modo rerum species in quantum ipse cognoscit res et
cognoscit se cognoscere eas; et ideo ratio speculi et ratio libri ibi invenitur." (ebd.)

[411] Vgl. Dritter Teil, § 2.

[412] „Si est aliqua similitudo, illa est ex naturali proprietate materialis elementi. Si ergo ex
similitudine repraesentat, et idem est repraesentare quod significare, ut potest patere per
definitionem signi in littera positam, ergo sacramentum non significat ex institutione."
(In 4 Sent. d. 1, q. 1, a. 1, q. 5, obi. 4, n. 20)

mas entkräftet aber diesen Einwand, indem er zwei Ebenen der Zeichen-relation unterscheidet. Die Darstellung aufgrund der Ähnlichkeit der natürlichen Bestimmungen mache gleichsam die Eignung zur Bezeich-nung (aptitudo ad significandum) aus. Die Festlegung und Vervollstän-digung geschehe durch die Einsetzung des Sakraments.[413]

Obschon es Thomas gelingt, institutionelle und natürliche Zeichen gleichermaßen an die Funktion der Darstellung zu knüpfen und da-durch ihre Gemeinsamkeit herauszustellen, so – ließe sich einwenden – ist hiermit nur ein vereinigendes Band für die kommunikativen Verwen-dungsweisen von Zeichen gefunden. Dieser Einwand indes – obgleich er auf die wichtige Unterscheidung zwischen kommunikativer und inventi-ver Zeichenverwendung abhebt – kann sich nicht auf den thomanischen Sprachgebrauch berufen. Thomas nämlich spricht von Darstellung (re-praesentatio) nicht nur im Zusammenhang von symbolischer Interakti-on. Er kann vielmehr ebenso von einer Darstellung durch einen Men-schen für einen anderen Menschen wie von der Darstellung von etwas durch etwas sprechen, einer Darstellung also, die durch einen einzelnen Menschen erfaßt werden kann. Dem letztgenannten Modus der Darstel-lung ist etwa die Darstellung der Wirkung durch die Ursache, der Ursa-che durch die Wirkung, des Urbildes durch das Abbild zuzurechnen. Thomas unterscheidet hier entsprechend der augustinischen Tradition zwischen einer Darstellung im Sinne der Spur (repraesentatio vestigii) und einer Darstellung im Sinne des Bildes (repraesentatio imaginis). Dabei betrachtet er, wie oben dargelegt, die Kausalrelation zwischen Dar-stellendem und Dargestelltem als grundlegende, die Ähnlichkeit der Form beider Glieder als hinzukommende Bestimmung.[414] Die Statue des Merkur ist dem Merkur ähnlich, sie stellt ihn dar, denn sie ist ihm selbst bzw. der Vorstellung von ihm nachgebildet.[415]

---

[413] „Ad quartum dicendum quod res sensibilis secundum praedictam similitudinem ex naturali proprietate pluribus est conformis. Et ideo quantum est de se aequaliter potest quodlibet illorum significare. Ad hoc ergo quod ad unum determinetur, et sic sua signifi-catio sit certa, oportet quod accedat institutio quae ad unum determinet. Et sic reprae-sentatio quae est ex similitudine naturalis proprietatis, importat aptitudinem quamdam ad significandum; sed determinatio et complementum significationis ex institutione est." (ebd. ad 4, n. 53)

[414] Vgl. dazu F.-X. Putallaz, Le sens de la réflexion chez Thomas d'Aquin, 261-263.

[415] „[O]mnis effectus aliqualiter repraesentat suam causam, sed diversimode. Nam aliquis effectus repraesentat solam causalitatem causae, non autem formam eius, sicut fumus re-praesentat ignem: et talis repraesentatio dicitur esse repraesentatio vestigii; vestigium enim demonstrat motum alicuius transeuntis, sed non qualis sit. Aliquis autem effectus repraesentat causam quantum ad similitudinem formae eius, sicut ignis generatus ignem

Die zeichentheoretische Konzeption der Kommunikation unter den Engeln fußt, so haben die Erörterungen der einschlägigen Artikel ergeben, auf einer zeichentheoretischen Konzeption der Erkenntnis der Engel. Die Vermittlung bzw. der Austausch von Wissen geschieht in eben den Strukturen, die auch für die geistigen Akte jedes einzelnen maßgeblich sind. Dabei ist es wenig überraschend, daß das Hören als ein Fall des Erkennens – wenn auch als besonderer Fall – angesehen werden kann. Thomas faßt aber darüber hinaus auch den Akt des geistigen Sprechens der Engel als Akt des Erkennens auf, indem er die Mitteilung gewissermaßen als eine Steigerung des auf das Erkenntnisobjekt beschränkten Erkenntnisprozesses darstellt. Die Mitteilung tritt nicht als zusätzlicher Akt zum Akt des Denkens hinzu, wie es Bonaventura formuliert hatte, sondern geht in diesen ein und führt ihn zu einem höheren Grad der Vollkommenheit.

Für die Systematik der Semiotik hat diese Konzeption der Engelsprache gewichtige Konsequenzen. In der Konzeption der Engelsprache und der Erkenntnis der Engel wird deutlich, daß die inventive Weise der Zeichenverwendung letztlich nicht von der kommunikativen zu trennen ist. Die Sprach- und Kommunikationstheorie gründet in der Erkenntnistheorie, und auch ihre semiotische Darstellung kann durch die semiotische Darstellung des individuellen Erkenntnisprozesses untermauert werden.[416]

§ 11 Der Zeichenprozeß als Strukturmerkmal endlicher Erkenntnis

Für den epistemologischen Status des Zeichens von entscheidender Bedeutung ist die Frage, welcher Grad von Gewißheit einer Erkenntnis durch Zeichen zukommen kann. Obschon Thomas der Sprachgebrauch vertraut und gebräuchlich ist, demzufolge Sachverhalte durch Zeichen nur in defizienter Weise erfaßt werden können, entwickelt er einen grundlegenderen Begriff des Zeichens, wie im folgenden – unter kontrastiver Bezugnahme auf epistemologische Positionen vor Thomas – gezeigt werden soll.

Bei der Behandlung der Frage, ob es dem Menschen möglich sei zu erkennen, daß er die Gnade besitzt, unterscheidet Thomas drei Arten des Wissens. Neben jenem Wissen, das wir aufgrund von Offenbarung

---

generantem, et statua mercurii Mercurium: et haec est repraesentatio imaginis." (I, q. 45, a. 7c)

[416] Vgl. dazu insbesondere die Abfolge der Erwiderungen 4 und 5 auf die Einwände in De Ver. q. 9, a. 4.

haben, gebe es weiter ein Wissen von etwas aufgrund einer Gewißheit, die wir von der Sache selbst haben. Dieser Fall liegt nach Thomas dann vor, wenn wir einen Sachverhalt auf uns bekannte Prämissen zurückführen können. Schließlich könne es drittens ein unvollkommenes Wissen geben, eine Vermutung aufgrund von irgendwelchen Zeichen.[417] Diese Unterscheidung der Wissensarten durch Thomas könnte Anlaß zu der Deutung geben, das Erkennen durch Zeichen sei grundsätzlich ein defizienter Modus der Erkenntnis. In der Tat scheint zumindest der allgemeine Sprachgebrauch für die Berechtigung dieser Auffassung zu sprechen. Auch Thomas spricht häufig dann von einem Erkennen durch Zeichen, wenn es keinen strengen Beweis, sondern lediglich unsichere Indizien für eine bestimmte Annahme gibt.[418] Oftmals sind solche Zeichen für ein adäquates Urteil keine hinreichende Voraussetzung.[419]

Auch die Rede vom Beweis durch das Zeichen, die Averroes im Anschluß an Aristoteles entwickelt, mag als ein Hinweis auf die Mangelhaftigkeit der Zeichenerkenntnis gewertet werden. Ergebnis des Zeichenbeweises (demonstratio signi) ist allerdings nach Averroes kein bloß konjekturales, sondern vielmehr ein notwendiges Wissen. Ein Wissen, das sich auf die Kenntnis der Ursache stützt, reicht indes weiter als ein Wissen vermittels des Zeichens. Während ersteres das Wesen der erkannten Sache erfaßt, bleibt das zweite – wie Thomas mit Aristoteles formuliert – bei der Erkenntnis des 'daß' stehen.

Averroes greift mit der Rede von der demonstratio signi die aristotelische Unterscheidung zwischen demonstratio propter quid und demonstratio quia auf. Der Beweis durch das Zeichen entspricht dabei der demonstratio quia. Für seine Terminologie kann er sich auf eine Stelle aus den Zweiten Analytiken berufen, wo Aristoteles zwischen dem Beweis aufgrund des Ursache-Wissens und dem Beweis mit Hilfe des Zeichens unterscheidet.[420] Überhaupt scheint Aristoteles Zeichen (σημεῖον) und Ursache (αἰτία) gegeneinander abzugrenzen.[421]

Averroes weist – wie schon die arabischen Philosophen vor ihm – dem Zeichenschluß ebenso wie dem Argument aus dem Wahrscheinlichen und dem Beispiel insbesondere eine Bedeutung für die Rhetorik zu. Zwar hat für Al Farabi, Avicenna und Averroes das Zeichen sowohl einen logischen als auch einen philosophischen Status, es gehört nicht aus-

---

[417] I-II, q. 112, a. 5c.
[418] II-II, q. 60, a. 3c. Thomas spricht hier synonym von einer opinio „ex levibus indiciis" und einer opinio „ex levibus signis".
[419] I-II, q. 72, a. 8 ad 1; De Ver. q. 18, a. 6c.
[420] Anal. Post. I, 6 [75a 31-37].
[421] De divinatione per somnum, 1 [462b 27].

schließlich in den vorwissenschaftlichen Bereich. Jedoch ist entsprechend der aristotelischen Unterscheidung zwischen apodeiktischem Wissen und Meinung das Erkennen durch Zeichen gegenüber dem Erkennen aufgrund eines Ursachenwissens ein minderes; es kann dem hohen wissenschaftstheoretisch geforderten Standard nicht genügen. Während sich Aristoteles in seiner Rhetorik auf die in den Ersten Analytiken dargelegte Enthymemtheorie bezieht und sich in der Hauptsache der Entwicklung der Lehre von den Topoi widmet, versuchen die arabischen Philosophen in ihren Rhetorikkommentaren das Enthymem von den spezifischen Erfordernissen rhetorischer Argumentation her zu erklären. Das Enthymem nimmt danach deshalb meist die Form eines verkürzten Syllogismus an, weil durch diese Verkürzung der Anschein einer überzeugenden Argumentation erweckt wird.[422] Auch der Beweis aus dem Zeichen muß in diesem rhetorischen Zusammenhang gesehen werden. Er dient der Überzeugung des Hörers und nicht der Auffindung wissenschaftlicher Wahrheit.

Offenbar ist diese Weise der Differenzierung verschiedener Gewißheitsgrade in der Bezugnahme auf Wirklichkeit und die Einstufung der Zeichenerkenntnis als defizienter Modus der Bezugnahme keine exklusive Besonderheit der arabischen Aristotelesrezeption. Vielmehr wird die Unterscheidung zwischen Zeichen und Ursache und die Forderung, den Beweis auf Ursachen und nicht auf Zeichen zu stützen, dem lateinischen Mittelalter außer durch Averroes auch durch Boethius übermittelt.[423]

Auch Thomas von Aquin unterscheidet zwischen der demonstratio propter quid und der demonstratio quia. Die demonstratio propter quid geht von der Ursache, d.h. dem der Sache nach früheren aus. Der zweite Modus des Beweises, die demonstratio quia, geht von der Wirkung aus, insofern sie für den Erkennenden das zunächst Erkannte ist.[424] Gerade in der Naturphilosophie und in der Moralphilosophie geschieht es häufig, daß das für uns Bekanntere nicht das der Sache nach Bekanntere ist. Uns sind also in diesen Wissensbereichen die Wirkungen eher zugänglich als

---

[422] Dazu ausführlich D. L. Black, Logic and Aristotle's Rhetoric and Poetics in medieval arabic philosophy, 138-179. Speziell zu Avicennas Zeichenbegriff vgl. A.-M. Goichon, Art. „'ALAMA, signe", Lexique de la langue philosophique d'Ibn Sina. Allerdings benennt Avicenna in der Medizin neben falliblen auch sichere Zeichen. Vgl. dazu A. Maierù, „Signum" dans la culture médiévale, 64f.

[423] Thomas spielt auf den einschlägigen Passus in De consolatione philosophiae (V, prosa 4) an (vgl. De Ver. q. 8, a. 12 obi. 2), allerdings ohne auf die Unterscheidung von Zeichen (signa) und Ursachen (causae) einzugehen.

[424] I, q. 2, a. 2c. Vgl. ScG I, c. 12.

die Ursachen. Anders verhält es sich beispielsweise in der Mathematik.[425] In seinem Kommentar zu den Zweiten Analytiken zeigt Thomas, daß es neben der demonstratio quia, die von der Wirkung her schließt, auch eine demonstratio quia gibt, die durch eine mittelbare Ursache geschieht.[426]

Wie Averroes nennt Thomas die demonstratio quia auch eine demonstratio per signum.[427] Thomas betont, daß in der Naturphilosophie und in der Ethik besonders häufig Beweisverfahren mit Hilfe von Zeichen angewandt werden. In seinem Kommentar zur boethianischen Trinitätsschrift stellt er den Schluß ausgehend von Zeichen oder Wirkungen als rationale Methode (procedere rationabiliter) der wissenschaftlichen Methode (procedere disciplinabiliter) und der verstandesmäßigen Methode (modus intellectus) entgegen. Die rationale Methode sei der Naturphilosophie und Ethik, die wissenschaftliche Methode der Mathematik und die verstandesmäßige Methode der Theologie, d.h. der Metaphysik, eigen. Thomas betont, daß die Zuordnung der Methoden zu den Wissenschaftstypen keinen Ausschließungscharakter habe. Alle Wissenschaften schreiten vom Bekannten zum nicht Bekannten vor und können in diesem Sinne vernunftgemäß (rationalis) genannt werden. Der Schritt vom Bekannten zum Unbekannten sei dem Vernunftgebrauch schlechterdings eigen, er könne nicht auf einen spezifischen Beweistyp festgelegt werden.[428] Dieser Schritt aber kann aufgrund der Definition des Zeichens als der Schritt vom Zeichen zum Bezeichneten aufgefaßt werden. Deshalb kann auch in allen Wissenschaften mit Hilfe von Zeichen und Wirkungen geschlossen werden.[429] Thomas verwendet den Ausdruck 'demonstratio signi' bzw. 'demonstratio per signum' nicht als terminus technicus.[430] Für ihn ist vielmehr die Begriffsverwendung des Averroes

---

[425] „Et quia nobis ratiocinando notitiam acquirimus, oportet quod procedamus ab his quae sunt magis nota nobis; et si quidem eadem sint nobis magis nota et simpliciter, tunc ratio procedit a principiis, sicut in mathematicis; si autem sint alia magis nota simpliciter et alia quoad nos, tunc oportet e converso procedere, sicut in naturalibus et moralibus." (In Eth., l. 1, lect. 4 <n. 52>)

[426] In Anal. Post., l. 1, lect. 23.24 <nn. 192-206>.

[427] In 4 Sent. d. 1, q. 1, a. 1, q. 1 ad 5, n. 31. Thomas greift den Sprachgebrauch des Averroes insbesondere in seinem Physikkommentar auf, in dem er sich auch sonst über weite Strecken an Averroes orientiert (vgl. In Phys., l. 7, c. 1, lect. 1, n. 6).

[428] „[N]on enim pervenimus ad cognitionem ignoti nisi per aliquid magis notum." (In Anal. Post., l. 1, lect. 23 <n. 195>)

[429] In De trin. q. 6, a. 1.

[430] Allerdings kann er mit Aristoteles den Zeichenschluß als besonderen Fall des quia-Beweises auffassen: „Ulterius autem ostendit quod, etiam si praemissa essent semper et necessaria, sed non 'per se', non tamen sciretur de conclusione 'propter quid', sicut patet

nur eine façon de parler. Denn wie oben erläutert, kann nach Thomas
das Zeichen nicht schlechterdings mit der Wirkung identifiziert werden,
da unter bestimmten Bedingungen auch Ursachen als Zeichen dienen
können.[431] Sein Verständnis des Zeichens als das für uns Bekanntere, das
zur Erkenntnis von etwas anderem führt, hindert ihn daran, nur den
quia-Beweis als einen Beweis mit Hilfe von Zeichen anzusehen. Sowohl
die Wirkung und die mittelbare Ursache als die unmittelbare Ursache
können zum Zeichen werden.

Betrachtet man die drei genannten Wissenstypen im einzelnen, so
erkennt man, daß keineswegs nur der dritte Typus mit Zeichen operiert.
Die gewisse Erkenntnis, die wir durch das syllogistische Schließen errei-
chen, kann ebenso wie der konjekturale Wissensmodus als ein Erkennen
durch Zeichen betrachtet werden. Wir schreiten dabei von den Prinzipi-
en als dem Bekannteren zur Schlußfolgerung als dem weniger Bekannten vor. Die Prinzipien bzw. Prämissen sind dabei gewissermaßen die
Ursache, die Konklusion hingegen die Wirkung.[432] Thomas betont darüber hinaus, daß uns die Termini des syllogistischen Beweises nur durch
sprachliche Zeichen präsent sind.[433]

Auch das Wissen durch Offenbarung ist nach Thomas von Aquin auf
Zeichen angewiesen. Dies ist evident bei jenem Offenbarungswissen,
über das wir durch die Vermittlung der Schrift und der Tradition verfügen. Darüber hinaus legt Thomas dar, daß auch die innere Eingebung
von Gott durch Zeichen vermittelt ist. Thomas vergleicht hierzu die göttliche Eingebung mit dem menschlichen Sprechen. So wie wir beim Sprechen nicht die Sache selbst, sondern ein Zeichen an den Hörenden her-
anbringen, so bietet auch Gott dem Glaubenden bei der inneren Einge-

---

in syllogismis, qui fiunt per signa, in quibus conclusionem quae est 'per se', non scit aliquis 'per se' neque 'propter quid', sicut si aliquis probaret quod omne elementatum est
corruptibile per hoc quod videtur tempore antiquari, esset quidem probatio per signum,
non autem 'per se' neque 'propter quid', quia 'propter quid' scire est per causam scire,
oportet ergo medium esse causam eius quod in demonstratio concluditur. Et hoc ergo
manifestum est ex praemissis quod oportet et medium inesse tertio propter ipsum, id est
'per se', et similiter primum medio, primum autem et tertium vocat duas extremitates."
(In Anal. Post., l. 1, lect. 14 <n. 126>) Diese eindeutige Zuordnung des Zeichens nimmt
Thomas indes nicht durchgängig vor.

[431] In 4 Sent. d. 1, q. 1, a. 1, q. 1 ad 5, n. 31.

[432] „[P]rincipia sunt quodammodo causa efficiens conclusionis." (ScG I, c. 57)

[433] De Ver. q. 11, a. 1 ad 2. Vgl. auch das Aristoteles-Zitat in In 1 Sent. d. 3, q. 1, a. 2c: „Principia cognoscimus dum terminos cognoscimus."

bung nicht sein Wesen, sondern ein Zeichen seines Wesens, eine geistige Ähnlichkeit seiner Weisheit.[434]

Daß eine Erkenntnis durch Zeichen vermittelt ist, besagt demnach nicht ihren niedrigen Grad an Gewißheit. Thomas kann deshalb zwischen unsicheren, falliblen[435], wahrscheinlichen[436] und evidenten[437] Zeichen unterscheiden. Zeichen können somit zu bloßen Vermutungen (suspiciones), zu wohlbegründeten Meinungen (opiniones) und auch zu sicherem Wissen (scientia) führen. Der Begriff des Zeichens besagt zunächst nur ein für uns Bekannteres und zwar ein Bekannteres im Verhältnis zum Bezeichneten. Dies kann sowohl ein von der Sache her Bekannteres sein als auch ein im Vergleich zu dem ihm zugeordneten Bezeichneten von der Sache her weniger Bekanntes. Es entspricht freilich der gängigen Begriffsverwendung, gerade dann von Zeichen zu sprechen, wenn das für uns Bekanntere nicht mit dem an sich Bekannteren zusammenfällt. Von daher erklärt sich, warum gerade in der Ethik und in der Naturphilosophie so häufig von Zeichen gesprochen wird. In diesen Wissenschaften nämlich geht man häufig von sinnenfällig Gegebenem aus und schließt von diesem auf Verborgenes bzw. auf Intelligibles. Auch die Theologie bzw. die Metaphysik kann in diesem Sinne als eine Wissenschaft verstanden werden, die mit Zeichen operiert, denn wir gelangen zu den nicht sinnlichen Gegenständen der Metaphysik über die Vermittlung der Sinneserkenntnis.[438] Da sich der Zeichenbegriff aber eigentlich nicht an der Ordnung des Seienden, sondern ausschließlich an der Ordnung des Erkennens festmacht[439], kann jede Erkenntnis, die schrittweise verfährt, als Zeichenerkenntnis betrachtet werden. Am Beispiel der Er-

---

[434] „Dicitur autem ipsa interna inspiratio locutio quaedam ad similitudinem exterioris locutionis; sicut enim in exteriori locutione proferimus ad audientem non ipsam rem quam notificare cupimus sed signum illius rei, scilicet vocem significativam, ita Deus interius inspirando non exhibet essentiam suam ad videndum sed aliquod suae essentiae signum quod est aliqua spiritualis similitudo suae sapientiae." (De Ver. q. 18, a. 3c)

[435] De Ver. q. 18, a. 6c.

[436] III, q. 9, a. 3 ad 2.

[437] III, q. 55, a. 5c.

[438] „Quaedam vero speculabilia sunt quae non dependent a materia secundum esse, quia sine materia esse possunt, sive numquam sint in materia, sicut Deus et angelus, sive in quibusdam sint in materia et in quibusdam non, ut substantia, qualitas, ens, potentia, actus, unum et multa, et huiusmodi; de quibus omnibus est theologia, id est scientia divina, quia praecipuum in ea cognitorum est Deus. Quae alio nomine dicitur metaphysica, id est trans physicam, quia post physicam discenda occurrit nobis, quibus ex sensibilibus oportet in insensibilia devenire; dicitur etiam philosophia prima, in quantum aliae omnes scientiae ab ea sua principia accipientes, eam consequntur." (In De trin. q. 5, a. 1c)

[439] De Ver. q. 9, a. 4 ad 5.

kenntnis der Engel wird zudem deutlich, daß dieser Erkenntnismodus nicht nur im diskursiven Erkennen gegeben ist. Auch das instantane Erkennen der Engel kann, da in ihm ein logisches Früher und Später unterschieden werden kann, als ein im weiteren Sinne schrittweises Erkennen, ein Erkennen aus Zeichen angesehen werden.

A fortiori kann das rationale Verfahren der menschlichen Erkenntnis, in dem die verschiedenen logischen Erkenntnisschritte nicht nur logisch, sondern auch zeitlich auseinanderfallen, als eine Erkenntnis durch Zeichen beschrieben werden. Dies wird insbesondere im Prooemium zum thomanischen Kommentar der Zweiten Analytiken deutlich, wo Thomas eine Einführung in die verschiedenen Bücher der Logik gibt und nach der Gemeinsamkeit des logischen Vorgehens fragt. Thomas ordnet hier den Teilen des aristotelischen Organon ihren spezifischen Gegenstand zu. Geht es der Kategorienschrift, Peri hermeneias und den Ersten Analytiken um die Teile des Syllogismus und den Syllogismus im allgemeinen, so erörtern die Zweiten Analytiken den beweisenden Syllogismus, die Topik den dialektischen Syllogismus. Die Rhetorik und die Poetik behandeln innerhalb der Logik jenes Voranschreiten der Vernunft, das nur einen geringen Grad an Sicherheit aufweist. Und zwar geht es der Rhetorik um Folgerungen, die den Charakter bloßer Vermutung (suspicio) haben; für die Poetik ist lediglich eine gewisse Ahnung (aestimatio) leitend.[440]

Thomas sucht, nachdem er die Bücher des Organon entsprechend der Gewißheitsgrade der in ihnen thematisierten Argumentationsweisen in eine Stufenordnung gebracht hat, nach der Gemeinsamkeit unter diesen Argumentationsweisen, um so ein Kriterium für die Bestimmung der philosophia rationalis zu finden. Er sieht diese Gemeinsamkeit in der Struktur des „ex uno in aliud" gegeben; es sei nämlich die Eigentümlichkeit der Vernunft, daß sie aus einem in ein anderes führe.[441] Eben diese Struktur ist es, die die relationale Ordnungsstruktur von Zeichen und Bezeichnetem ausmacht. Thomas nämlich konzipiert das Verhältnis von Zeichen und Bezeichnetem als gerichtete Relation. Sie ist, anders als etwa die Bild- bzw. Ähnlichkeitsrelation keine prinzipiell umkehrbare Verknüpfung. Thomas vergleicht die Zeichenrelation deshalb mit dem Vater-Sohn-Verhältnis. Etwas kann Zeichen sein und zugleich aufgrund einer anderen Relation, in der es steht, bezeichnete Sache, so wie dersel-

---

[440] Zur Unterscheidung zwischen scientia, opinio und suspicio und deren Zuordnung zu den verschiedenen Disziplinen vgl. II-II, q. 48, a. un. c.

[441] „Omnia autem haec ad rationalem philosophiam pertinent: inducere enim ex uno in aliud rationis est." (In Anal. Post., l. 1, c. 1 (Proemium) <n. 6>)

be Mensch y zugleich Vater von z und Sohn von x sein kann.[442] Während aber im Vater-Sohn-Verhältnis für den angegebenen Fall nicht gilt, daß z Vater von y oder auch von x ist, so gilt für die Zeichenrelation, daß, falls z Zeichen für y und y Zeichen für x ist, z auch Zeichen für x ist. Thomas geht allerdings nur auf die Kommutabilität, nicht aber explizit auf die Transitivität der Zeichenrelation ein, sondern setzt sie in seinen Beispielen einfach voraus.[443]

Ist mit dem Vorausgehenden zwar gezeigt, daß die Zeichenerkenntnis keine untergeordnete, notwendig defiziente Weise der Erkenntnisvermittlung ist, so stellt sich auf einer höheren Stufe die Frage nach der Gewißheit des Zeichens noch einmal, wenn danach gefragt wird, ob nicht die vermittelte Erkenntnis an sich schon als nachrangige Weise des Erkennens zu begreifen ist. Dies nämlich wäre der Fall, wenn die zeichenhafte Vermittlung ausgespart und damit ein Faktor der Erkenntnisunsicherheit vermieden werden könnte. Wie bei Bonaventura muß deshalb auch im Blick auf Thomas gefragt werden, ob die durch die äußeren Sinne und die Verstandesoperationen vermittelte Erkenntnis auch unter den Bedingungen des gegenwärtigen Lebens übersprungen werden kann in der Weise einer intuitiven Schau. Während nun Bonaventura – wie oben dargelegt – eine unmittelbare Erkenntnis des Wesens der eigenen Seele lehrt und dadurch die Bedeutung der Zeichen relativiert, lehnt Thomas einen solchen unvermittelten Erkenntniszugang auch für einzelne Objektbereiche entschieden ab. Mit Bezug auf den Sonderfall des Erkennens der eigenen Seele erklärt Thomas deshalb, daß auch hier ein unmittelbares Erfassen nicht möglich sei. Vielmehr erfasse der Geist bzw. die Seele sich selbst, indem sie sich in ihrer Tätigkeit wahrnimmt, d.h. indem sie wahrnimmt, daß sie etwas als etwas erkennt.[444] In Abhebung von der augustinischen Tradition und im Unterschied zur Position, die später Descartes einnimmt, ist die Selbsterkenntnis bei Thomas nicht jener Spezialfall eines Bezuges auf Wirklichkeit, in dem sich eine ur-

---

[442] „Ad quod dicendum, quod ista divisio non est data per oppositas res, sed per oppositas rationes secundum absolutum et relatam. Signum enim est quod est institutum ad aliud significandum: res autem est quae habet absolutam significationem non ad aliud relatum. Unde non est inconveniens quod idem sit signum et res respectu diversorum; sicut etiam idem homo est pater et filius. Unde patet solutio ad primum." (In 1 Sent. d. 1, expositio textus)

[443] So beispielsweise im Falle des Regenbogens als eines natürlichen Zeichens und im Falle der Stimme als eines konventionellen Zeichens (vgl. dazu I, q. 1, a. 10c, wo Thomas voraussetzt, daß die Bezeichnung der Dinge durch die Stimme über die Vermittlung der Begriffe erfolgt und die Bezeichnung des sensus spiritualis vermittelt über den sensus litteralis). Vgl. dazu oben Dritter Teil, § 8, Anm. 304.

[444] De Ver. q. 10, a. 8c.

sprüngliche Gewißheit einstellt. Vielmehr ist die Selbsterkenntnis ein höchst komplexer Fall des Erkennens, der sowohl Abstraktionsleistungen[445] als auch Urteile[446] über Gegenstände voraussetzt. Intuition kann für Thomas immer nur Bestandteil eines konkreten Erkenntnisprozesses des Menschen sein, nicht aber eine eigenständige Weise des Erkennens.[447]

---

[445] ebd. ad 1.

[446] ebd. c.

[447] Vgl. A. Hufnagel, Intuition und Erkenntnis nach Thomas von Aquin, 208.

Schluß

§ 1 Die Neubewertung des Zeichens im 13. Jahrhundert

Die Darstellung der Zeichentheorien der vier Autoren hat eine Vielfalt zu Tage gefördert, die sowohl in den Anlässen und Gegenstandsbereichen der Reflexion als auch in den Herangehensweisen und Intentionen zum Tragen kommt. Das Bild ließe sich vervollständigen, indem man weitere Autoren in die Betrachtung miteinbezöge, seien es jene, die am Rande der Untersuchung Erwähnung fanden wie Johannes Duns Scotus, Boethius von Dacien oder Wilhelm von Auvergne, seien es jene, die gänzlich übergangen wurden wie Albert der Große, Robert Grosseteste, Robert Kilwardby oder Martin von Dacien. Angesichts der notwendigen Beschränkung auf wenige Autoren des 13. Jahrhunderts kommt in der Vielzahl der untersuchten Texte, die sich mit der Natur des Zeichens, seinen verschiedenen Arten und mit seiner Bedeutung im Rahmen des Erkenntnisprozesses auseinandersetzen, ein vertieftes Interesse am Begriff des Zeichens zum Ausdruck. Bei den Autoren des 11. und 12. Jahrhunderts läßt sich ein vergleichbares Interesse nicht feststellen[1], obschon diese in der Logik und in der Sprachtheorie bereits weitgehend dieselben Fragestellungen untersuchen, die auch das 13. Jahrhundert noch beschäftigen.[2] Insoweit wiederholt sich im Hochmittelalter eine Entwicklung, die bereits im Hellenismus zu beobachten war. Sie läßt sich als eine zunehmende Formulierung epistemologischer Positionen in zeichentheoretischer Terminologie beschreiben. Deutlich wird dieser Wandel etwa in der Sprachphilosophie des 13. Jahrhunderts, die nicht mehr die naturphilosophische Kategorie der Stimme (vox) als Ausgangsphänomen wählt wie in der aristotelisch-boethianischen Tradition bis dahin üblich, sondern vielmehr das Zeichen (signum) zur logisch-semantischen

---

[1]   Vgl. dazu die Analysen von J. Biard, L'émergence du signe, 101-133.

[2]   Vgl. dazu stellvertretend für die Fülle der Beiträge zur Logik und Semantik von Anselm von Canterbury bis zur Ars Meliduna: N.M. Häring, Die theologische Sprachlogik der Schule von Chartres; D.P. Henry, The grammar of quiddity; M.M. Tweedale, Abelard and the culmination of the old logic; N. Kretzmann, Medieval logicians on the meaning of the 'propositio'.

Basisgröße erklärt.[3] Auch außerhalb der Sprachtheorie erscheint den Autoren des 13. Jahrhunderts der Bezug des Zeichens auf das Bezeichnete als das Paradigma einer gerichteten Relation.[4] Eine konkrete, wenngleich unbewußte Erneuerung der hellenistischen Debatte zwischen Stoikern und Epikureern stellt die Erörterung der Frage nach der sinnlichen Wahrnehmbarkeit von Zeichen dar. Ohne daß nämlich die stoische Theorie der intelligiblen Zeichen den Autoren des 13. Jahrhunderts bekannt wäre, ziehen einige die augustinische Position, die in dieser Frage an die Epikureer anknüpft, in Zweifel. Während Bonaventura sich noch annähernd im augustinischen Rahmen bewegt, wenn er neben den Zeichen, die Gegenstand der äußeren Wahrnehmung sind, auch Zeichen kennt, die sich der Einbildungskraft zeigen, widersprechen Roger Bacon, Ps.-Robert Kilwardby und Thomas von Aquin eindeutig der augustinischen Definition, indem sie von intelligiblen Zeichen sprechen und Beispiele hierfür benennen.

§ 2 Einheit und Bestimmtheit des Zeichenbegriffs

Ein verbindendes Element zwischen den hochscholastischen Zeichentheorien liegt jedoch nicht nur in der kritischen Auseinandersetzung mit Augustinus, sondern auch in der Übernahme einiger seiner Positionen vor. Schon der Vergleich der Zeichentheorien des 13. Jahrhunderts mit den Erörterungen über Zeichen, die dem lateinischen Mittelalter von Aristoteles überliefert sind, zeigt – ungeachtet der Kritik an der augustinischen Definition und ungeachtet aller Unterscheidungen, die am Zeichen vorgenommen werden –, daß der Zeichenbegriff als ein vor aller Unterscheidung definierbarer Begriff erscheint: Das augustinische Unternehmen, das Zeichen in einer einzigen Definition zu bestimmen, bleibt von der Kritik am Inhalt der Definition unberührt. Auch Ps.-Kilwardby, der die Vielfalt der Rede vom Zeichen betont und in dieser Hinsicht Aristoteles am nächsten ist, fordert keineswegs den Verzicht auf eine einheitliche Definition und spricht von einem Begriff des Zeichens.[5]

Die Schwierigkeit einer eindeutigen Bestimmung des Zeichenbegriffs ergibt sich aber aus seinem hohen Allgemeinheitsgrad. Schon die augu-

---

[3] Vgl. dazu Roger Bacon, De signis, n. 14 und Thomas von Aquin, In Perih., l. 1, lect. 4, <n. 39>, wo Thomas zu begründen sucht, warum Aristoteles das Nomen nicht als signum vocale, sondern als vox significativa bestimmt. Zur Bestimmung des Zeichens als Ausgangspunkt der Logik vgl. auch A. Broadie, Introduction to medieval logic, 4.

[4] Vgl. Bonaventura, Itin. c. 2, n. 11 [V, 302b]; Thomas von Aquin, II-II, q. 109, a. 2c.

[5] Vgl. In Prisc. Ma. 1.1.2 ad 2 [7].

stinische Semiotik ist in jenem Sinne universal, als in ihr jedes Ding als
potentielles Zeichen bestimmt werden kann. Demgemäß steht bereits
Augustinus vor der Problematik, wie das Zeichen, insofern es Zeichen ist,
so bestimmt werden kann, daß es in die Differenz zum Nichtzeichenhaf-
ten tritt. In der augustinischen Lösung konkurrieren eine funktionale
und eine ontologische Auffassung von dieser Differenz. Ein Ding wird
dadurch zum Zeichen, daß es dem Zweck des Bezeichnens dient. Es ist
damit als Mittel dem Zweck untergeordnet. Als Zeichen ist es etwas, was
gebraucht, nicht etwas, was genossen werden darf. Die funktionale Mittel-
Zweck-Hierarchie erhält eine ontologische Bedeutung, wenn sich in der
Beschreibung des Seienden einerseits Bereiche von Dingen ausmachen
lassen, deren Dingsein vernachlässigbar ist und deren Zeichensein im-
mer im Vordergrund steht, andererseits aber Bereiche von Dingen, die
nur als Zielpunkte des Erkennens, nicht aber als Erkenntnismittel in
Erscheinung treten. Letzteres trifft in eminenter Weise für das göttliche
Sein zu, das niemals als Zeichen benutzt werden kann und darf. Die
Theologie hat es außer mit Gott und den göttlichen Dingen mit den
Zeichen zu tun, die auf Gott verweisen und zu ihm hinführen. Wie jede
Disziplin handelt somit auch die Theologie von Zeichen und Dingen, wie
Petrus Lombardus überliefert. Die Extension dieser Begriffe und ihrer
Verbindung macht sie aber zur Gegenstandsbestimmung einer bestimm-
ten Wissenschaft ungeeignet. Nur wenn Zeichen und Dinge in einem
bestimmten Bezug gefaßt werden, so erklären deshalb Bonaventura und
Thomas von Aquin übereinstimmend, läßt sich der spezifische Gegen-
stand einer Wissenschaft angeben.[6]

Die Schwierigkeit, die die Allgemeinheit des Zeichenbegriffs mit sich
bringt, verschärft sich noch, wenn die von Augustinus vorgenommene
Bestimmung, daß das Zeichen etwas Wahrgenommenes sein müsse, auf-
gehoben wird. Thomas, der wie einige seiner Zeitgenossen gleichermaßen sinnliche und intelligible Zeichen kennt, bemüht sich, an der Bestimmtheit des Zeichenbegriffs festzuhalten und seinen inflationären
Gebrauch zu vermeiden. Zwar ist jeder Erkenntnisprozeß auf Zeichen
angewiesen, doch ist nicht alles, was im Erkenntnisprozeß eine Rolle
spielt, deshalb schon Zeichen. Vielmehr muß der Interpret die Regel
schon kennen, nach der er ein Zeichen auf sein Objekt beziehen muß,
damit dieser Bezug einen informativen Wert erhalten kann. Diese Regel
ist in der Begrifflichkeit des Aquinaten selbst kein Zeichen.[7] Mit der Aufwertung des Zeichens geht somit seine Begrenzung einher. Unter Hin-

---

[6] Vgl. dazu H. Kraml, Die Rede von Gott sprachkritisch rekonstruiert aus Sentenzenkom-
    mentaren, 110, 115.

[7] De Ver. q. 11, a. 1 ad 2, ad 3, ad 4, ad 5.

weis auf die nicht zeichenhaft erlernten Verstandesbegriffe und -
prinzipien weist Thomas den zeichentheoretisch argumentierenden
Skeptizismus zurück und grenzt sich dadurch zugleich eindeutig von
jener methodischen Skepsis ab, die um der Etablierung eines Intuitio-
nismus willen vertreten wird. Wenn wir etwas erkennen, so lautet das
Fazit des Thomas, geschieht dies niemals ohne jede zeichenhafte Vermittlung, es geschieht indes auch nicht einzig aufgrund von Zeichen.

Es ist mithin der Bezug des Zeichens auf ein zu erlangendes Wissen,
der für Thomas die Einheit des Zeichenbegriffs herstellt. Die Verwendung von Zeichen im Kommunikationsprozeß (locutio) und ihre Nut-
zung durch den Einzelnen im Forschungsprozeß (inventio) kommen in
ihrer Zwecksetzung, dem Erwerb von Wissen, überein. Die Vermittlung
von Wissen im Vorgang des Lehrens (disciplina) erhält deshalb paradigmatischen Charakter für die kommunikative Zeichenverwendung.[8]

§ 3 Zeichen und Wissensvermittlung

Wie für Augustin so ist auch für die Autoren des 13. Jahrhunderts das
Zeichen nicht Ziel des Erkennens; es ist nicht Zweck an sich selbst, sondern Mittel zum Zweck. Anders als in Augustins Konzeption ist dieser
transitorische Charakter des Zeichens allerdings für Roger Bacon, Thomas von Aquin und Ps.-Robert Kilwardby nicht schon mit seiner Körper-
lichkeit und Sinnlichkeit identisch. Hatte bei Bonaventura der Weg der
Erkenntnis bei den sinnlichen Dingen begonnen, um zu den immateriel-
len, göttlichen Dingen vorzudringen, so tritt an die Stelle dieser augustinisch-neuplatonischen Polarität zwischen sinnlichem Zeichen und intel-
ligiblem Bezeichneten die grundlegendere Polarität zwischen dem Mittel
der Bezeichnung und ihrem Ziel. Besonders deutlich wird diese funktionale Verwiesenheit bei Thomas von Aquin. Der funktionale Bezug, so
stellt Thomas heraus, muß keineswegs mit einer ontologischen Abhängigkeit einhergehen. Auch Roger Bacon stellt unmißverständlich heraus,
daß zwischen der Ordnung der Natur und der Ordnung der Erkenntnis
unterschieden werden müsse. Die Bezeichnung (significatio) sei mithin
eine Relation, die der Erkenntnisordnung angehöre.

Ps.-Kilwardby zielt in eine ähnliche Richtung, wenn er das Zeichen im
Rahmen einer rein epistemologischen Problemstellung untersucht. Zwar
ist für ihn entscheidend, ob wir ein wissenschaftliches Wissen *von* Zeichen
haben können und nicht, wie wir *durch* Zeichen zu Wissen kommen,

---

[8]   Dieser Aspekt wird auch im Priscian-Kommentar des Ps.-Kilwardby betont. Vgl. In Prisc.
      Ma. 1.2.3. [15f.]

doch sind die von ihm behandelten Zeichen Gegenstand einer Wissenschaft von Verstandesdingen (scientia rationalis) und gehören als solche der Erkenntnisordnung an. Im Rahmen der spezifischen Zielsetzung des Ps.-Kilwardby kommt indes das grundlegendere Problem zur Sprache, nämlich die Frage, welcher Status den Zeichen in einer dem Aristoteles verpflichteten Wissenschaftstheorie zugesprochen werden könne. Wie etwa kann die Rede als eine partikuläre Entität zum Gegenstand einer Wissenschaft werden, wenn nach den Zweiten Analytiken nur Allgemeines Gegenstand von Wissenschaft sein kann. Indem Ps.-Kilwardby ausführt, daß nur die Rede im Geiste (sermo in mente), nicht aber die geschriebene oder gesprochene wissenschaftsfähig sei, will er die von ihm explizierte Konfrontation zwischen der augustinischen Semiotik und der aristotelischen Wissenschaftstheorie zugunsten des Aristoteles entscheiden.[9] Wissenschaft von Zeichen ist Wissenschaft von nicht sinnlich wahrnehmbaren Zeichen, welche durch die augustinische Definition gar nicht erfaßt waren.

Anders als bei Ps.-Kilwardby bleibt bei Roger Bacon die Wissenschaftstheorie von der Erneuerung der Semiotik unberührt. Zwar versteht Bacon die Zeichen als Instrumente der Wissensvermittlung, doch reflektiert er nicht, ob dieser Umstand grundsätzliche Bedeutung für den Charakter des Wissens und des Wissenserwerbs hat. Auch die Frage nach der prinzipiellen Möglichkeit einer Wissenschaft von Zeichen stellt Bacon nicht.

Wenngleich auch Thomas von Aquin diese Frage nicht explizit aufwirft, zeigt sich dennoch in seinen Texten über das Zeichen die intensive Reflexion über den Zusammenhang zwischen Zeichen und Wissen. Ausgehend von Ausführungen über Zeichen bei Augustinus und Aristoteles entwirft Thomas eine Semiotik, die in vielen Aspekten neu ist und in ihrer Anlage sowie in vielen Detailaussagen von den anderen semiotischen Entwürfen seiner Zeit abweicht. Hatten sich in epistemologischer Hinsicht die Konzepte von Bonaventura und Bacon als Erneuerung der augustinischen Forderung nach einer Einheitswissenschaft erwiesen, die Begründung der Zeichenwissenschaft (scientia de signis) bei Ps.-Kilwardby hingegen als entschiedenes Votum für das Wissenschaftsverständnis der Zweiten Analytiken, so lassen sich die thomanischen Hinweise auf das Verhältnis von Zeichen und Wissen als Synthese der beiden zugrundeliegenden Traditionen deuten.[10] Sie stellen das Ergebnis einer

---

[9]   In Prisc. Ma 1.2.1. [10].

[10] Dagegen erklärt J. Hennigfeld, letztlich bleibe der augustinische und der aristotelische Ansatz bei Thomas unvermittelt und präge jeweils unterschiedliche Texte (vgl. Geschichte der Sprachphilosophie. Antike und Mittelalter, 234f.).

philosophischen Durchdringung der Struktur des Denkens und Erkennens im Rahmen der endlichen Vernunft dar, sind der Ertrag einer
theoretischen Rückwendung des Wissenschaftlers auf die eigene Praxis.
Die Selbstvergewisserung erfolgt nicht ohne den Blick auf die Praxis anderer, und ebensowenig schiebt sie die Reflexion der anderen auf diese
Praxis beiseite. Nicht zuletzt achtet sie auf die Diskrepanzen zwischen
wissenschaftstheoretischem Anspruch und realer Wissenschaftspraxis.

Anders als bei Ps.-Kilwardby wird das Wissenschaftsideal der Zweiten
Analytiken für Thomas deshalb nicht zur Schablone, mit deren Hilfe
jedwede Wissenschaft Gestalt gewinnen könnte. Denn zwar verfolgt Aristoteles in den Zweiten Analytiken mit Nachdruck das Ideal eines Wissens, das stets wahr und unwiderlegbar ist und dessen Gewißheit sich auf
die Kenntnis der exakten Ursache gründet. Indem das Wissen aus der
Kenntnis dieser Ursache erwachse, sei es zugleich die Einsicht in das Wesen der gewußten Sache bzw. des gewußten Sachverhalts. Neben dieser
am mathematischen Ideal orientierten Theorie des Wissens benutzt und
reflektiert Aristoteles aber nichtdeduktive Argumentations- und Beweis-
methoden, in denen der Hinweis auf empirische Erscheinungen, Häu-
figkeiten, Wahrscheinlichkeiten und Analogieverhältnisse seine Berechtigung hat. Es bleibt indes bei Aristoteles letztlich die Dualität von stren-
gem wissenschaftlichem Beweis (ἀπόδειξις) und bloßer Plausibilisierung
(τις ἄλλος τρόπος τῆς δηλώσεως) unvermittelt stehen.[11] Während das
Wissen durch die Kenntnis der Ursachen dem ersten Bereich angehört,
ordnet Aristoteles die epistemologische Bedeutung des Zeichens dem
zweiten Bereich zu.

Im Unterschied zu Aristoteles ist für Thomas der Zeichenbegriff nicht
nur auf einen defizienten Modus des Wissens und des Wissenserwerbs
anwendbar. Er bringt vielmehr das Gemeinsame zum Ausdruck, das dem
Voranschreiten der Vernunft vom Bekannten zum Noch-nicht-
Bekannten, vom Zeichen zum Bezeichneten stets zu eigen ist, unab-
hängnig vom Gewißheitsgrad, der diesem Voranschreiten zukommt.[12] Im
Voranschreiten vom Bekannten zum Unbekannten drückt sich für ihn
die Struktur der endlichen Vernunft aus. Thomas zeigt nämlich, daß
dieser Prozeß eine Leistung der Vernunft und des Strebens bzw. des Willens ist. Es handelt sich nicht um ein bloß assoziatives Verfahren[13] oder

---

[11] Vgl. Met. VI, 1 [1025b 7-16].

[12] Thomas überwindet die Kluft zwischen den beiden epistemischen Sphären auch durch
   ein Neubewertung der Erkenntnis von Einzeldingen, bei der er Gewißheit für möglich
   hält (vgl. dazu E. Serene, Demonstrative science, 504-507).

[13] Vgl. dazu die Beschreibung der Bezeichnungsrelation bei Sextus Empiricus (siehe Erster
   Teil, § 7.3).

um einen Automatismus des Zeichenprozesses in der Naturordnung.[14] Ebensowenig ist die Erkenntnis durch Zeichen ein willkürliches Spiel der Vernunft; der Schritt vom Zeichen zum Bezeichneten darf, wenn er einen wirklichen Erkenntnisschritt darstellen soll, keine symbolistische Spekulation sein, sondern muß vielmehr stets ein fundamentum in re haben. Die Forderung, die Aristoteles in allgemeiner Weise für alle Relationen formuliert[15], bezieht Thomas von Aquin auf den speziellen Fall der Relation zwischen Zeichen und Bezeichnetem. Diese muß, so lautet seine These, auf eine kausale Relation in der Naturordnung gegründet sein. Thomas wendet sich damit gezielt gegen in seiner Zeit verbreitete divinatorische und astrologische Praktiken und das in diesen implizierte Verständnis des Zeichens. Über diese konkrete Auseinandersetzung mit der Mantik hinaus ist seine Abgrenzung deshalb von philosophischem Gewicht, weil darin deutlich wird, daß der Schritt des Denkens vom Zeichen zum Bezeichneten nicht die bloße Substitution einer Vorstellung durch eine andere Vorstellung beinhaltet. Das Bezeichnete als Erkanntes tritt nicht an die Stelle des Zeichens, sondern es tritt zu ihm hinzu. Wer das Feuer durch den Rauch erkennt, weiß nicht nur um die Existenz des Feuers, sondern er kennt den kausalen Zusammenhang zwischen beiden Entitäten.

In der Rückbindung der Zeichenrelation an kausale Zusammenhänge verknüpft Thomas die aristotelische Forderung, wissenschaftliches Wissen an die Kenntnisse der Gründe und Ursachen zu binden, mit der augustinischen Einsicht, daß wir Wissen immer nur über die Vermittlung von Zeichen erlangen können. Der ambivalenten Bewertung der Zeichen bei Augustin steht bei Thomas allerdings ein eindeutiges Votum für die Zeichen als notwendiger Vermittlungsinstanz endlichen Wissens gegenüber. Hatte Augustin das Erfordernis der Zeichen an der conditio humana festgemacht, in einigen Schriften sogar nur den Menschen im postlapsalen Status als auf Zeichenerkenntnis angewiesen erachtet, so kann Thomas nach einer Korrektur der Zeichendefinition sogar mit Bezug auf den Erkenntnis- und Kommunikationsprozeß der Engel von Zeichen sprechen.

---

[14] Ein solches Verständnis liegt dem Textkonvolut „Les machines du sens" zugrunde, das Texte von Hugo von St. Viktor, Thomas von Aquin und Nikolaus von Lyra präsentiert. Der Herausgeber Y. Delègue will zeigen, daß die Exegese im Mittelalter wie eine Maschine arbeite, sie sei eine Transformation von Texten, die ohne die Regie des menschlichen Subjektes funktioniere (vgl. Introduction, 28). Eine mechanisch aufgefaßte Vermehrung von Entitäten könnte indes für Thomas keinen semiotischen Prozeß darstellen.

[15] Vgl. dazu Th. Kobusch, Sein und Sprache, 395.

Die Hervorhebung der Kausalrelation zwischen Zeichen und Bezeichnetem geht einher mit einem teilweisen Verzicht auf die Forderung nach einem Ähnlichkeitsbezug zwischen beiden. Während nämlich Bonaventura durch das Konzept der causa exemplaris Kausalität und Ähnlichkeit verbindet, sind für Thomas von Aquin und Roger Bacon die ikonischen Zeichen nur eine Teilklasse der Zeichen. Das Zeichen muß dem Bezeichnetem zwar entsprechen, es muß ihm indes nicht ähnlich sein.[16] Dies gilt natürlich in besonderer Weise für die sprachlichen Zeichen, die für Bacon, Ps.-Kilwardby und Thomas als wichtigste Gruppe der Zeichen gelten. Schon in der antiken Sprachtheorie war die Rede vom sprachlichen Zeichen eingeführt worden, um ein Abbildverhältnis zwischen Wörtern und Sachen zu bestreiten (vgl. Erster Teil, § 3). Für die Autoren des 13. Jahrhunderts gilt schulübergreifend die aristotelische Auffassung von der Konventionalität der Sprachzeichen.

§ 4 Zeichentheorie der Sprache und Epistemologie

Die Analyse der thomanischen Zeichentheorie der Sprache zieht wichtige Konsequenzen für die philosophiehistorische Beurteilung des thomanischen Sprachverständisses nach sich. Die Aufwertung des Zeichenbegriffs macht eine Zweiteilung der Sprachphilosophie in eine an der Alltagssprache orientierte Sprachlogik und eine von der Theologie des Wortes ausgehende Metaphysik der Sprache unnötig.[17] Obgleich in den verschiedenen Argumentationszusammenhängen die Anknüpfung an die jeweils einschlägige Begrifflichkeit der Logiker und der Theologen erkennbar bleibt, erfaßt die Zeichentheorie der Sprache das Sprachverständnis überhaupt, sie schafft eine Verbindung zwischen den unterschiedlichen Verwendungsweisen von Sprache.

Von besonderer Bedeutung im Blick auf das Verhältnis von Semiotik und Epistemologie ist darüber hinaus die Rolle, welche die Sprache im Prozeß des Erkennens selbst gewinnt, zumal sich dieser Gedanke in ähnlicher Weise bei Aristoteles nicht findet. Wie Thomas durch seine Abgrenzung und Zuordnung der Darstellung durch ein Buch (repraesenta-

---

[16] Dieser Gedanke findet sich bereits bei Wilhelm von Auvergne: „[N]on est necessarium, ut signum habeat similitudinem cum signato [...]" (De universo II,III, c. 3 [I, 1018]). Auch die Diskussion der Ähnlichkeit findet sich in der hellenistischen Debatte vorgeprägt (vgl. dazu Erster Teil, § 7.2).

[17] Von einer Metaphysik der Sprache bei Thomas von Aquin spricht hingegen W. Beierwaltes, der die nachhaltige Wirkung der augustinischen Sprachphilosophie hervorhebt (vgl. Zu Augustins Metaphysik der Sprache, 192f.).

tio libri) und der Darstellung durch einen Spiegel (repraesentatio speculi) zeigt, kann die schriftliche und lautliche Objektivation nicht als rein additives Moment verstanden werden, das zur Ähnlichkeitsrelation zwischen Begriff und Ding äußerlich hinzutritt.[18] Die Versprachlichung stellt vielmehr ein Erkennen des Erkennens, eine Selbstvergewisserung des Denkens dar. Obgleich Thomas diese Reflexivität der sprachlichen Darstellung nur mit Bezug auf das göttliche Erkennen hervorhebt – was durch den Diskussionszusammenhang naheliegt –, wird man mit Thomas auch die menschliche Sprache nicht einfach als Annex des Denkens und Erkennens ansehen dürfen. Thomas behauptet zwar nicht, daß die Möglichkeit zur Versprachlichung Bedingung für das Denken sei. In der Analyse des Gebets als eines Grenzphänomens zwischen einer dialogischen und einer monologischen Sprachverwendung, zwischen Kommunikation und Selbstverhältnis, wird aber greifbar, daß das Sprechen keinesfalls als bloßes Superadditum zum Denken verstanden werden kann, welches erst durch die soziale Natur des Menschen erforderlich würde. Indem er nämlich für das Gebet des einzelnen eine Rückwirkung der sprachlichen Äußerung auf das Bewußtsein des Beters aufzeigt, macht Thomas deutlich, daß das Modell der Kette, in dem die sprachliche Äußerung nur ein zusätzliches Glied ist, für das menschliche Zeichenhandeln unzureichend ist.[19] In der Versprachlichung ordnet die Vernunft nicht nur die appetitiven Strebungen, sie ordnet auch das Denken und Wollen, sie strukturiert also gewissermaßen sich selbst. Die diskursive Struktur unserer Sprache zwingt den menschlichen Geist, sein Erkennen und Wollen, seine eigene Endlichkeit und Diskursivität zu beachten. Leibniz hat die Einsicht in die Funktion der Sprache in bezug auf das Denken durch die klassisch gewordene Formulierung ausgedrückt, daß wir Worte als Zeichen nicht nur nötig haben, um unsere „Meinung anderen anzudeuten, sondern auch unsern Gedanken selbst zu helfen"[20].

---

[18] De Ver. q. 7, a. 1 ad 14. Vgl. dazu Dritter Teil, § 10.

[19] II-II, q. 83, a. 12. M. Kaufmann hat unter dem Stichwort „Versprachlichung der Erkenntnis" herausgearbeitet, wie Ockham durch seine Zeichentheorie Sprachtheorie und Erkenntnistheorie miteinander verbindet. Kaufmann hebt dabei hervor, daß diese beiden Bereiche vor Ockham getrennt waren (vgl. Begriffe, Sätze, Dinge, 16, Anm. 23). Zu Recht betont Kaufmann die Entphysikalisierung der Erkenntnistheorie, die Ockham in bezug auf Bacon vollzieht. Von einer Trennung der Bereiche Sprache und Erkennen wird man indes bei Thomas nicht sprechen können. In diesem Zusammenhang ist auch Thomas' Hinweis auf die Sprachgebundenheit der Illumination unter den Engeln beachtenswert.

[20] G. W. Leibniz, Unvorgreifliche Gedanken betreffend die Ausübung und Verbesserung der deutschen Sprache, § 5 [26].

Die Ausführungen des Thomas zur repraesentatio libri zeigen eine
Denkfigur, die in der jüngeren philosophischen Diskussion verschiedentlich als ein Spezifikum der Philosophie der Neuzeit herausgestellt wurde.[21] Nach den zitierten Bemerkungen des Thomas indes scheint es allenfalls deren Universalisierung zu sein, die für Arnauld, Descartes oder
Leibniz bezeichnend ist, nicht aber der Gedanke der Selbstrepräsentati-
on bzw. der Repräsentation der Repräsentation an sich. Was für Thomas
nur unter Einbeziehung von Schrift und Sprache in das Erkenntnisphä-
nomen zum Tragen kommt, wird für die Rationalisten zum Topos des
Erkennens schlechthin. Thomas hält demgegenüber fest an der Differenz zwischen den ersten Intentionen, die sich auf die Dinge außerhalb
der Seele richten, und den zweiten Intentionen, die sich auf den Intellekt
und seine Operationen richten.[22]

Die Betonung der Sprache und ihrer Bedeutung für unser Erkennen
zieht bei Thomas nicht die Vorstellung von der Welt als einem Buch und
der Welterkenntnis als einer Textinterpretation nach sich. Nicht der
Erkenntnisgegenstand soll nach der Analogie der Sprache verstanden
werden, sondern der Erkenntnisprozeß. Die Methode der allegorischen
Deutung bleibt für Thomas auf die Auslegung der Heiligen Schrift beschränkt[23]; bei der Erkenntnis der Welt kommt es mithin nicht darauf an,
den Bereich der sinnlichen Erscheinungen zu durchschreiten, um zur
eigentlichen Bedeutung zu gelangen. Thomas grenzt sich, sofern er die
Buchmetapher verwendet, stets von einer symbolistischen Zeichentheorie ab, die das sinnliche Zeichensubstrat zugunsten des übersinnlichen
Bezeichneten hinter sich zurücklassen will.[24]

§ 5 Zur Bedeutung und Wirkung der Semiotik des 13. Jahrhunderts

Die vorliegende Untersuchung gewährt nur eine vorläufige Sicht auf die
Entwicklung der Semiotik in der Zeit vor Wilhelm von Ockham, zumal
sie wichtige Autoren wie Albert den Großen und Johannes Duns Scotus

---

[21] Vgl. M. Foucault, Les mots et les choses, 60-91; R. Rorty, Philosophy and the mirror of
nature. Beide beziehen sich mit ihrer Rekonstruktion des klassischen Zeitalters bzw. der
Moderne weitgehend auf dieselben Autoren.

[22] Vgl. De Pot. q. 7, a. 9c; vgl. auch Roger Bacon, Quaestiones supra quatuor libros prime
philosophie Aristotelis IV, 1 [89-90].

[23] Vgl. dazu M. Arias Reyero, Thomas von Aquin als Exeget.

[24] Eine Rehabilitierung dieser Metapher gelingt erst auf der Basis der kantischen Erkennt-
niskritik. Kant begreift so die Erscheinungen als Buchstaben, die Erfahrung hingegen als
Text. Vgl. dazu H. Blumenberg, Die Lesbarkeit der Welt.

unberücksichtigt läßt. Schon vor dem Hintergrund der wenigen ausgewählten Autoren wird aber deutlich, daß mit Ockham in der Semiotik
keine gänzlich neue Sichtweise auf den Plan getreten ist.[25] Vielmehr gibt
es auch vor Ockham eine Fülle von Neuansätzen auf dem Felde der Zeichentheorie, und diese haben nicht nur auf Ockham, sondern auch auf
die neuere Semiotik maßgeblich gewirkt.[26] Es ist daher unangemessen,
von der Emergenz einer neuen, radikal anderen Zeichentheorie bei
Ockham zu sprechen[27], denn es trifft nicht zu, daß eine bestimmte Konzeption des Zeichens erschienen und eine andere dafür verschwunden
wäre. Vielmehr ist jene Theorie des Zeichens und des Wissens, die Michel
Foucault zufolge im klassischen Zeitalter (l'âge classique) plötzlich auf
den Plan trat, in allen ihren Bestandteilen im Mittelalter vorbereitet.
Thomas von Aquin kommt in dieser vorbereitenden Entwicklung eine
entscheidende Bedeutung zu. Doch beschäftigt die Reflexion auf das
Zeichen die Theologen und Philosophen des 13. Jahrhunderts ungeachtet ihrer Schultradition, ihrer Ordenszugehörigkeit und des Raumes, in
dem sie stehen. So muß auch jene weit verbreitete Auffassung modifiziert
werden, nach der die Vorbereitung der Ockhamschen Semiotik ausschließlich ein Verdienst englischer Logiker sei.[28] Thomas von Aquin und
die englischen Logiker nämlich geben Antworten auf Fragen, die die
Universitäten Oxford und Paris gleichermaßen beschäftigt haben und

---

[25] In dieser Weise äußern sich auch M. Beuchot und J. Deely: „Continued research on
     several fronts, however, is beginning to suggest that the role of Ockham is not so central
     as first seemed. It is now clear that, so far as semiotic and the fundamental questions of
     epistemology more traditionally conceived are concerned, it was Scotus more than Ock-
     ham who basically set the agenda of controversies between c.1310 and Poinsot's semiotic
     synthesis of 1632 [...]" (Common sources for the semiotic of Charles Peirce and John
     Poinsot, 558, Anm. 54)

[26] Daß diese Ansätze in der jüngeren Diskussion zur Geschichte der Semiotik kaum Beach-
     tung fanden, verwundert umso mehr, als es schon früh in der mediävistischen Forschung
     einige nachdrückliche Hinweise gab. Vgl. B. Landry, L'originalité de Guillaume
     d'Auvergne, 444-447; H. Roos, Die Modi significandi des Martinus von Dacia, 148; R.Z.
     Lauer, St. Thomas and modern semiotic.

[27] Ausgehend von der Deutung der Quellen des 13. Jahrhunderts müssen daher nicht nur
     die Ergebnisse J. Biards korrigiert werden. Auch C. Panaccio begreift die Ockhamsche
     Theorie des Zeichens als etwas radikal Neues, obgleich er die Kontinuität zwischen der
     thomanischen Lehre vom verbum mentis und Ockhams Theorie der oratio mentalis
     sieht. Die thomanische Semiotik der Engelsprache beachtet er nicht (vgl. C. Panaccio,
     From mental word to mental language).

[28] Vgl. J. Pinborg, The English contribution to logic before Ockham; zum Hintergrund vgl.
     auch A. de Libera, The Oxford and Paris traditions of logic.

die die Fragen ihrer Zeit sind. Gerade diese Gleichzeitigkeit macht eindeutige Rezeptionsanalysen problematisch.

Betrachtet man die Wirkungsgeschichte speziell der thomanischen
Semiotik, so wird man zwischen einer allgemeinen Wirkung und einer
schulbezogenen Wirkung unterscheiden müssen. Innerhalb der thomi-
stischen Tradition kommt der Einfluß der thomanischen Zeichentheorie
am stärksten bei Johannes Poinsot zum Tragen. Das Zeichen ist für ihn
eine Entität, die etwas anderes darstellt und dadurch zur Erkenntnis dieses anderen hinführt. Wie für Thomas von Aquin kann auch für Johannes Poinsot das Zeichen nicht nur durch die Sinne, sondern auch unmittelbar durch den Intellekt erfaßt werden.[29] Die Zeichentheorie des spani-
schen Thomisten ist bei weitem systematischer als die thomanische, und
sie geht in vielen Details über Thomas hinaus. Zweifellos hat sie eine
Vielzahl von Anregungen aufgegriffen, die nicht auf Thomas von Aquin
rückführbar sind. In der zentralen Frage nach der Funktion der Zeichen
für unser Erkennen deckt sie sich jedoch mit der hier vorgelegten Tho-
masinterpretation: Das Zeichen ist Mittel der Darstellung von sprachlichen und nichtsprachlichen Objekten; es ist das Instrument der Vernunft, auf Gegenstände und Sachverhalte der Welt Bezug zu nehmen.
Johannes Poinsot sagt deshalb explizit, daß alle Instrumente, die wir zum
Denken und Sprechen benutzen, Zeichen sind. Für Johannes wie für
Thomas erlangt das Zeichen damit eine fundamentale Rolle für die Epistemologie und die Logik.

Die Wirkungsgeschichte der thomanischen Zeichentheorie ist jedoch
nicht auf den Thomismus und auch nicht auf die aristotelische Tradition
beschränkt. Ein Beleg hierfür ist das Compendium des Nikolaus von
Kues. Während sich Bonaventura noch eng an Augustins Vorgaben hielt,
schließt sich Nikolaus in seinem Verständnis des Zeichenbegriffs der
Position an, die im 13. Jahrhundert durch Bacon, Ps.- Kilwardby und
Thomas herausgearbeitet wurde. Er wiederholt zwar einleitend die augustinische Bestimmung des Zeichens[30], spricht jedoch im Fortgang ausführlich über rein intelligible Zeichen, ohne diese Begriffsverwendung
eigens zu rechtfertigen.[31] Denn die Erweiterung des augustinischen Zei-

---

[29] Zur Zeichentheorie des Johannes Poinsot vgl. J.A. Oesterle, Another approach to the
      problem of meaning; G.J. Dalcourt, Poinsot and the mental imagery debate; J.N. Deely,
      Antecedents to Peirce's notion of iconic signs; M. Beuchot/ J.N. Deely, Common sources
      for the semiotic of Charles Peirce and John Poinsot.

[30] „Signa omnia sensibilia sunt et aut naturaliter res designant aut ex instituto." (Nikolaus
      von Kues, Compendium, c. 2, n. 5)

[31] „Solus vero homo signum quaerit ab omni materiali connotatione absolutum penitusque
      formale, simplicem formam rei, que dat esse, repraesentans." (ebd., c. 4, n. 10)

chenbegriffs hat zur Abfassungszeit des Compendiums schon eine zwei-hundertjährige Tradition.[32] Die Aufwertung des Zeichenbegriffs, die im 13. Jahrhundert einsetzt, – so zeigt das Compendium eindrucksvoll – wird im 15. Jahrhundert auch unter platonischen Vorzeichen betrieben.

Die nachhaltige Wirkung über Schulgrenzen und philosophische Grundkonzeptionen hinweg sollte indes nicht zu vorschnellen und vereinfachenden Darstellungen verleiten. Insbesondere muß der Idee des Fortschritts in der Philosophiegeschichte mit äußerster Vorsicht begegnet werden. Thomas von Aquins Semiotik ist in vieler Hinsicht, das haben die Untersuchungen gezeigt, nicht nur in ihrer eigenen Konzeption und Systematik beachtenswert, sie ist auch in vieler Hinsicht zukunftsweisend; in ihr deuten sich neuzeitliche und zeitgenössische Auffassungen an, in ihr bereiten sich Theoreme von Ockham, Peirce, Bühler und vielen anderen vor. Dies klang im Gang der Untersuchung verschiedentlich an und soll hier weder im einzelnen wiederholt, noch gar zu einem wirkungsgeschichtlichen Ausblick vervollständigt werden. Thomas hat mit seiner Erweiterung des Zeichenbegriffs und seiner Bindung der endlichen Erkenntnis an Zeichenprozesse die semiotische Konzeption der Logik maßgeblich mitbegründet und damit Ockham wie auch Peirce den Weg bereitet.[33] Indem er die Rede von den intelligiblen Zeichen begründete und die Lehre vom inneren Wort erneuerte, schaffte er für Ockham eine Voraussetzung, die Logik als Zeichenwissenschaft (scientia de signis) fassen zu können, gleichwohl aber als Wissenschaft von Verstandesdingen (scientia rationalis) und nicht als Wissenschaft der Rede (scientia sermocinalis). Indem er mit Hilfe des Zeichenbegriffs die notwendige Vermittlung jedweden endlichen Erkennens verdeutlicht, teilt er zugleich mit der Peirceschen Semiotik ein wesentliches Anliegen.

Dieser Weg indes ist nicht der einzige, den die neuzeitliche Semiotik beschritten hat, und es ist nicht der einzige Weg, der in den Semiotiken des Mittelalters angelegt ist. Während sich nämlich Thomas für die universalen formalen Strukturen des Erkennens interessiert und in der Relation von Zeichen und Bezeichnetem, im Ausgreifen vom Bekannten auf das Noch-nicht-Bekannte eine solche Struktur erblickt, gibt es andere

---

[32] Zur Erweiterung des Zeichenbegriffs bei Cusanus vgl. auch T. Borsche, Was etwas ist, 215f. Da Borsche das Werk des Cusanus im unmittelbaren Vergleich zu Augustinus untersucht, hebt er das Neuartige des Zeichenverständnisses bei Cusanus hervor.

[33] Die Bedeutung Ockhams für die Geschichte der Zeichentheorie ist in der Forschung weitgehend unbestritten, wenngleich natürlich auch Ockham auf Widerspruch stieß (vgl. dazu etwa W. Hübener, Wyclifs Kritik an den Doctores signorum). Zu Peirce und seiner Anknüpfung an mittelalterliche Philosophie vgl. L. Honnefelder, Scientia transcendens, 386.

Semiotiker des Mittelalters, die nicht am Allgemeinen, sondern vornehmlich am Individuellen interessiert sind, für die das Zeichen gerade durch seine Materialität und Individualität gekennzeichnet ist. Zu diesen Semiotikern gehört Dante Alighieri, der anders als Thomas den Engeln die Möglichkeit der Zeichenverwendung abspricht, da es den Austausch von Zeichen nur im Bereich des Sinnlichen gebe. Dante lenkt die Aufmerksamkeit seiner Leser gerade auf die Verschiedenheit der Sprachen, der auch eine Verschiedenheit des Vernunftgebrauchs korrespondiert.[34] Ebenso wie der thomanische ist auch Dantes Entwurf einer semiotischen Sprachtheorie traditionsbildend und für das Sprachverständnis in der Neuzeit prägend geworden.[35] Während aber Dante vor allem für die philologische und geisteswissenschaftliche Reflexion auf das Zeichen zum Leitbild wurde, lassen sich von Thomas her Parallelen zu allen semiotisch konzipierten Logiksystemen ziehen.[36] Auch wenn also die Geschichte der Semiotik vom Mittelalter zur Neuzeit eine Mehrheit von Entwicklungslinien und Mustern aufweist, so haben die Quellen verdeutlicht, daß diese Geschichte mit Hilfe des Konzepts der epistemologischen Diskontinuität nicht adäquat nachgezeichnet werden kann; ihre Darstellung verlangt vielmehr die Beachtung des Ineinanders von Tradition und Innovation, Übernahme und Kritik. Ps.-Kilwardby, Bonaventura, Roger Bacon und Thomas von Aquin zeigen jeder auf eigene Weise, wie in der Anknüpfung sowohl an die augustinische Tradition als auch an den Aristotelismus etwas spezifisch Neues entstehen konnte. Dieses bildet ein wichtiges Verbindungsstück zu den Semiotiken des späten Mittelalters, der Neuzeit und der Gegenwart.

---

[34] Dante Alighieri, De vulgari eloqentia.

[35] Vgl. J. Trabant, Traditionen Humboldts; K.O. Apel, Die Idee der Sprache in der Tradition des Humanismus von Dante bis Vico.

[36] So gibt es weitreichende Übereinstimmungen mit Ockham, der Logik von Port Royal und derjenigen von Charles Sanders Peirce.

Abkürzungsverzeichnis

Die Werke des Thomas von Aquin sind mit den üblichen Abkürzungen zitiert:

I, I-II, II-II, III	bezeichnen die Teile der Summa theologiae.
ScG	Summa contra gentiles.
De Ver.	Quaestiones disputatae de veritate
De Pot.	Quaestiones disputatae de potentia

Die Aristoteleskommentare sind durch vorgestelltes „In" bezeichnet: In Perih., In Polit., In De Anima, In Eth., In Phys.; ebenso die anderen Kommentare: In De trin., In De div. nom.

Bei den Kommentaren zu den Sentenzen des Petrus Lombardus sowohl des Thomas wie auch der anderen zitierten Autoren ist das kommentierte Sentenzenbuch durch die vorangestellte Ziffer bezeichnet. In 1 Sent. d. 27, q. 1, a. 1 gibt im Kommentar zur 27. Distinctio des ersten Sentenzenbuches den ersten Artikel der ersten Quaestio an. Zudem steht in den Zitationen 'l.' für 'liber', 'lect.' für 'lectio', 'c.' für 'capitulum', 'c' für ' 'in corpore articuli', 'obi.' für 'obiectio'.

Für die Werke des Aristoteles wurden folgende Abkürzungen verwendet:

Anal. Priora.	Analytica Priora
Anal. Post.	Analytica Posteriora
Met.	Libri Metaphysicorum
Soph. Elench.	Sophistici Elenchi
Perih.	Peri hermeneias

Darüber hinaus wurden für häufig zitierte Werke und Reihen folgende Kürzel verwandt:

De doctr. chr.	Augustinus: De doctrina christiana
De trin.	Augustinus: De trinitate
Diog. Laert.	Diogenes Laertii: Vitae philosophorum
Pyrrh. Hypot.	Sextus Empiricus: Pyrrhoneion Hypotyposeis

Adv. Math.	Sextus Empiricus, Adversus Mathematicos
FDS	Karlheinz Hülser, Die Fragmente zur Dialektik der Stoiker
Itin.	Bonaventura: Itinerarium mentis in Deum
In Hexaem.	Bonaventura: Collationes in Hexaemeron
Comp. stud. theol.	Roger Bacon: Compendium studii theologiae
In Prisc. Ma.	Roberti Kilwardby quod fertur commenti super Priscianum maiorem extracta (Pseudo-Kilwardby)
CCSL	Corpus Christianorum. Series Latina, Turnhout 1954ff.
CSEL	Corpus scriptorum ecclesiasticorum Latinorum, Wien 1866ff.

Verzeichnis der zitierten Literatur

1) ANTIKE UND MITTELALTERLICHE QUELLEN

a) Werkausgaben

Chartularium Universitatis Parisiensis, Bd. 1, hrsg. v. Henricus Denifle u. Aemilio Chatelain, Paris 1899 (Nachdruck Brüssel 1964).

Prognosticon sive liber praenotionum, in: Hippocratis opera, ed. Hugo Kühlewein, Leipzig 1894, Bd. 1, 72-108.

AL-FARABI, *Commentary and short treatise on Aristotle's De Interpretatione,* translated with an introduction and notes by F.W. Zimmermann, Oxford 1981 (= Classical and Medieval Logic Texts III).

ALANUS AB INSULIS, *Rhythmus alter, quo graphice natura hominis fluxa et caduca depingitur,* in: Patrologia, ed. J.-P. Migne, Series latina, 210, Sp. 579 A,B.

– *Sermo in die sancti Michaelis,* in: Marie-Thérèse d'Alverny (éd.), Alain de Lille. Textes inédits, Paris 1965, 249-250.

AMMONIUS, *In Aristotelis Categorias commentarius,* Consilio et auctoritate Academiae Litterarum Regiae Borussicae edidit Adolf Busse, Berlin 1895.

– *In Aristotelis De interpretatione commentarius,* Consilio et auctoritate Academiae Litterarum Regiae Borussicae edidit Adolf Busse, Berlin 1897.

– *Commentaire sur le Peri Hermeneias d'Aristote. Traduction de Guillaume de Moerbeke,* Ed. G. Verbeke, Louvain-Paris 1961 (Centre de Wulf-Mansion. Corpus Latinorum Commentatorium in Aristotelem Graecorum II).

– *In Aristotelis Analyticorum priorum commentarium,* Consilio et auctoritate Academiae Litterarum Regiae Borussicae edidit Maximilian Wallies, Berlin 1899.

ANSELM VON CANTERBURY, *De veritate,* ed. Franciscus Salesius Schmitt, in: S. Anselmi Opera omnia, Tomus primus, Stuttgart-Bad Cannstatt 1968 (Photomech. Neudruck der Ausgabe Seckau-Rom-Edinburgh 1938), 173-199.

ARISTOTELES, *Opera*, ex recensione Imanuelis Bekkeri, hrsg. v. der Preußischen Akademie der Wissenschaften, Editio altera quam curavit Olof Gigon, 2 Bde. Berlin 1960 (photomechanischer Nachdruck der Berliner Akademie-Ausgabe von 1831).

- *De interpretatione vel Perihermeneias. Translatio Boethii specimina translationem recentiorum*, Ed. L. Minio-Paluello; *Translatio Guillelmi de Moerbeka*, Ed. G. Verbeke/L. Minio-Paluello, Bruges-Paris 1965 (= Aristoteles latinus, Editioni curandae praesidet L. Minio-Paluello, II, 1-2).

AURELIUS AUGUSTINUS, *Confessiones*, Corpus Christianorum. Series Latina (CCSL) 27, Turnhout 1981.

- *De dialectica*, ed. by Jan Pinborg, translated with introduction and notes by B. Darrell Jackson, Dordrecht-Boston 1975 (= Synthese Historical Library 16).

- *Contra Academicos*, CCSL 29, Turnhout 1970, 1-61.

- *De ordine*, ebd. 87-137.

- *De magistro*, ebd. 139-203.

- *De libero arbitrio*, ebd. 205-321.

- *De musica*, Bibliothèque Augustinienne 7, Paris 1947.

- *De doctrina christiana*, CCSL 32, Turnhout 1962.

- *De doctrina christiana/Le Magistère Chrétien*, Bibliothèque Augustinienne, vol. 11, texte de l'édition bénédictine, introd., traduc. et notes de G. Combes et J. Farges, Paris 1949.

- *Tractatus in evangelium Iohannis*, CCSL 36, Turnhout 1954.

- *De diversis quaestionibus octoginta tribus*, CCSL 44 A, Turnhout 1975.

- *De civitate Dei*, CCSL 47.48a,b, Turnhout 1955.

- *De genesi ad litteram*, Bibliothèque Augustinienne 48f., Paris 1972.

- *De genesi contra Manichaeos*, Patrologia, ed. J.-P. Migne, Series latina, 34, Paris 1887, 87-137.

- *De trinitate*, CCSL 50/50A, Turnhout 1968.

- *Epistulae*, recensuit et commentario critico instruxist A. Goldbacher, Prag-Wien-Leipzig 1898 (= Corpus scriptorum ecclesiastorum latinorum 34 [CSEL]).

- *Retractationes*, CCSL 57, Turnhout 1984.

BOETHIUS, ANICIUS MANLIUS SEVERINUS, *Philosophiae consolationis, ed. L. Bieler*, CCSL 94, Turnhout 1957.

- *Commentarii in librum Aristotelis Peri Hermeneias, Ed. Karl Meiser*, Leipzig 1877-80.

- *In Topica Ciceronis commentaria*, Patrologia, ed. J.-P. Migne, Series latina, 64, Paris 1891.

BOETHIUS VON DACIEN, *Quaestiones super librum Topicorum*, ed. N.G. Green-Pedersen/J. Pinborg, in: Boethii Daci opera, Vol. 6, p. 1, 2, Kopenhagen 1976 (= Corpus Philosophorum Danicorum Medii Aevi VI, 1).

- *De somniis,* ed. Green-Pedersen, in: Boethii Daci opera, Vol. 6, p. 2, Kopenhagen 1976 (= Corpus Philosophorum Danicorum Medii Aevi VI, 2), 379-391.

BONAVENTURA, *Opera omnia,* ed. studio et cura PP. Collegii S. Bonaventurae, Quaracchi 1882-1902.

DANTE ALIGHIERI, *Opere di Dante,* Ed. Naz., Florenz 1966ff.

DIOGENES LAERTIUS, *Vitae philosophorum,* Ed. H.S. Long, 2 Bde. Oxford 1964.

GORGIAS VON LEONTINOI, *Reden, Fragmente und Testimonien,* hrsg. mit Übers. u. Komm. v. Thomas Buchheim, Hamburg 1989 (= Philosophische Bibliothek, Bd. 404).

HUGO VON ST. VIKTOR, *Summa sententiarum,* in: Patrologia, ed. J.-P. Migne, Series latina, 176, Paris 1880, 41-174.

- *Dialogus de sacramentis legis naturalis et scriptae,* ebd., 17-42.

- *De sacramentis Christianae fidei,* ebd., 183-618.

- *Didascalicon. De Studio Legendi.* A critical text edited by Ch. H. Buttimer, Washington, D.C. 1939 (= The Catholic University of America. Studies in Medieval an Renaissance Latin, Vol. 10).

IAMBLICHOS, *De mysteriis liber,* ad fidem codicum manu scriptorum recognovit Gustav Parthey, Berlin 1857 (Nachdruck: Amsterdam 1965).

ISIDOR VON SEVILLA, *Isidori Hispalensis episcopi etymologiarum sive originum libri XX,* ed. by W.M. Lindsay, 2 Bde., Oxford 1911.

JOHANNES VON DACIEN, *Summa gramatica,* ed. Alfred Otto, in: Johannis Daci Opera, Vol. 1, p. 1, Kopenhagen 1955, 45-512.

JOHANNES DUNS SCOTUS, *Ioannis Duns Scoti, Doctoris subtilis, ordinis minorum, opera omnia.* Editio nova juxta editionem Waddingi XII tomos continentem a Patribus Franciscanis de observantia accurate recognita (Ed. Vivès), Paris 1891-1895.

JOHANNES FIDENZA, s. Bonaventura.

LAMBERT VON AUXERRE, *Logica (Summa Lamberti),* ed. F. Alessio, Florenz 1971.

NIKOLAUS VON KUES, *Compendium,* ed. B. Decker/K. Bormann, Hamburg 1964 (= Nicolai de Cusa, Opera omnia, Iussu et auctoritate Academiae Litterarum Heidelbergensis XI,3).

PETRUS ABAELARDUS, *Dialectica,* ed. L.M. de Rijk, Assen 1956.

- *Theologia 'Scholarium',* ed. E.M. Buytaert/C.J. Mews, Petri Abaelardi Opera theologica, Bd. 3, Turnhout 1987 (Corpus Christianorum Continuatio Mediaeualis 13), 309-549.

PETRUS LOMBARDUS, *Libri IV Sententiarum,* 2 Bde., Quaracchi 1916.

PETRUS HISPANUS, *Tractatus called afterwards 'Summulae logicales',* ed. L.M. de Rijk, Assen 1972.

PHILODEMUS, *On methods of inference*, Ed. with translation and commentary Ph.H. and E. A. de Lacy, revised edition with the collaboration of M. Gigante et al., Napoli 1978 (= La Scuola di Epicuro, collezione di testi ercolanesi diretta da Marcello Gigante, Vol. 1).

– *The Rhetorica of Philodemus*, Translation and commentary by Harry M. Hubell, in: Transactions of the Connecticut Academy of Arts and Sciences 23 (1920), 243-382.

PLATON, *Sämtliche Werke*, 10 Bde., gr./dtsch. Nach der Übersetzung Friedrich Schleiermachers, ergänzt durch Übersetzungenvon Franz Susemihl und anderen, hrsg. v. Karlheinz Hülser, Frankfurt/M.-Leipzig 1991.

PLOTIN, *Schriften*, gr./dtsch., Hamburg 1961-71 (= Philosophische Bibliothek 211a-215b, 276).

PROKLOS, *Eclogae de philosophia chaldaica sive de doctrina oraculorum chaldaicorum*, ed. Albert Jahn, Halle 1891 (Neudruck: Brüssel 1969).

PSEUDO-ARISTOTELES, *Chiromantia*, ed. by R.A. Pack, in: Archives d'Histoire doctrinale et littéraire du Moyen Age 44 (1969), 189-237.

– *Physiognomica*. Translated into english by T. Loveday and E.S. Forster, in: The Works of Aristotle. Translated into English under the Editorship of W.D. Ross, Vol. 6, Oxford 1913.

PSEUDO-DIONYSIOS AREOPAGITA, *Opera omnia*, Paris 1857 (= Patrologia, ed. J.-P. Migne, Series Graeca 3f.).

PSEUDO-KILWARDBY, *Roberti Kilwardby quod fertur commenti super Priscianum maiorem extracta*, Edited by K.M. Fredborg, N.J. Green-Pedersen, L. Nielsen and J. Pinborg, in: Cahiers de l'Institut du Moyen-Age Grec et Latin 3 (1975).

ROBERT KILWARDBY, *De ortu scientiarum*, ed. by Albert G. Judy, London-Toronto 1976 (= Auctores Britannici Medii Aevi 4).

ROGER BACON, *Les Summulae dialectices*, ed. Alain de Libera, in: Archives d'Histoire Doctrinale et Littéraire du Moyen Age 61 (1986), 139-289.

– *Opus maius*, ed. with introduction and analytical table by John Henry Bridges, Oxford 1900 (Nachdruck: Frankfurt/M. 1964).

– *An unedited part of Roger Bacon's 'Opus maius': 'De signis'*, ed. by K.M. Fredborg, L. Nielsen and J. Pinborg, in: Traditio. Studies in Ancient and Medieval History, Thought, and Religion 34 (1978), 75-136.

– *Opus tertium, Opus minus, Compendium philosophiae*, ed. by J.S. Brewer, London 1859.

– *Communia naturalia*, ed. Robert Steele, Oxford 1905 [?] (= Opera hactenus inedita Rogeri Baconi Fasc. II).

– *Quaestiones supra undecimum prime philosophie Aristotelis*, ed. Robert Steele, Oxford 1926 (= Opera hactenus inedita Rogeri Baconi Fasc. VII).

– *Quaestiones supra quatuor libros prime philosophie Aristotelis,* ed. Robert Steele, Oxford 1932 (= Opera hactenus inedita Rogeri Baconi Fasc. XI).

– *De multiplicatione specierum,* ed. by David C. Lindberg, in: David C. Lindberg, Roger Bacon's philosophy of nature, Oxford 1983, 1-270.

– *Compendium of the study of theology.* Edition and translation with introduction and notes by Thomas S. Maloney, Leiden-New York-Kobenhavn-Köln 1988 (= Studien und Texte zur Geistesgeschichte des Mittelalters 20).

SEXTUS EMPIRICUS, *Works in four Volumes.* With an english translation edited by R.G. Bury, London-Cambridge (Mass.) 1933-49 (The Loeb Classical Library).

THOMAS VON AQUIN, *Opera omnia iussu Leonis XIII edita* cura et studio Fratrum Praedicatorum, Rom 1882ff.

– *Scriptum super libros Sententiarum Magistri Petri Lombardi,* ed. R.P. Mandonnet/F. Moos, 4 Bde., Paris 1929-1947.

– *Quaestiones disputatae, Volumen II,* cura et studio P. Bazzi et al., Turin-Rom 1965.

– *In librum Beati Dionysii De divinis nominibus expositio,* cura et studio C. Pera, Turin-Rom 1950.

– *In duodecim libros Metaphysicorum Aristotelis expositio,* ed. M.-R. Cathala, R. M. Spiazzi, Turin-Rom 1950.

– *Expositio super librum De causis,* ed. H.-D. Saffrey, Fribourg-Louvain 1954.

– *Super Evangelium S. Ioannis lectura,* cura R. Cai, Turin-Rom 1952.

– *Super epistolas S. Pauli lectura,* cura R. Cai, Editio VIII revisa, 2 Bde., Turin-Rom 1953.

WILHELM VON AUVERGNE, *Opera omnia,* Paris 1674/75 (Reprint Frankfurt/M. 1963).

WILHELM VON OCKHAM, *Summa Logicae,* ed. Philotheus Boehner/Gedeon Gál/St. Brown, in: Guillelmi de Ockham Opera Philosophica 1, St. Bonaventure-New York 1974, 1-899.

WILHELMN VON SHYRESWOOD, *Introductiones in logicam, ed. Martin Grabmann,* München 1937 (= Sitzungsberichte der Bayerischen Akademie der Wissenschaften, Philos.-hist. Abt., Jg. 1937, H. 10).

b) Fragmentsammlungen

ARNIM, JOHANNES VON, *Stoicorum veterum fragmenta,* 3 Bde. Leipzig 1903-1905.

DEICHGRÄBER, KARL, *Die griechische Empirikerschule.* Sammlung der Fragmente und Darstellung der Lehre, Berlin 1930.

HÜLSER, KARLHEINZ, *Die Fragmente zur Dialektik der Stoiker.* Neue Sammlung der Texte mit deutscher Übersetzung und Kommentaren, 4 Bde. Stuttgart-Bad Cannstatt 1987-88.

2) LITERATUR

ALVERNY, MARIE-THÉRÈSE DE, *Le cosmos symbolique du XIIe siècle*, in: Archives d'histoire doctrinale et littéraire du moyen âge 20 (1953), 31-81.

APEL, KARL OTTO, *Die Idee der Sprache in der Tradition des Humanismus von Dante bis Vico*, Bonn 1963 (= Archiv für Begriffsgeschichte, Bd. 8).

– Transformation der Philosophie, Frankfurt/M. 1973.

ARENS, HANS, *Die aristotelische Sprachtheorie und ihre mittelalterliche Überlieferung*, in: Auroux, S./Glatigny, M. u.a. (Hrsg.), Matériaux pour une histoire des théories linguistiques, Lille 1984, 165-172.

ARIAS REYERO, M., *Thomas von Aquin als Exeget*, Münster 1979.

AUBENQUE, PIERRE, *Le problème de l'être chez Aristote. Essai sur la problématique aristotélicienne*, Paris 1962.

AX, WOLFRAM, *Laut, Stimme und Sprache. Studien zu drei Grundbegriffen der antiken Sprachtheorie*, Göttingen 1986 (= Hypomnemata. Untersuchungen zur Antike und zu ihrem Nachleben, H. 84).

BAEMKER, CLEMENS, *Roger Bacons Naturphilosophie. Insbesondere seine Lehren von Materie und Form, Individuation und Universalität*, Münster 1916.

BARATIN, MARC, *Les origines stoïciennes de la théorie augustinienne du signe*, in: Revue des Études Latines 59 (1981), 260-268.

– *Sémiologie et métalinguistique chez saint Augustin*, in: Language 65 (1982) 75-89.

BARATIN, MARC/DESBORDES, FRANÇOISE, *Signification et référence dans l'antiquité et au moyen âge*, Paris 1982 (= Langage 65 [1982]).

BARIL, HIPPOLYTE, *La doctrine de saint Bonaventure sur l'institution des sacrements*, Montréal 1954 (Pontificium Athenaeum Antoniaum. Facultas Theologica – Theses ad Lauream, N. 101).

BARNES, JONATHAN, *Aristotle's theory of demonstration*, in: Phronesis 14 (1969), 123-151.

BARRETO, MANUEL SARAIVA, *A convencionalidade do signo linguistico em Aristóteles*, in: Revista de ciéncias do homem, Vol. III, Série A, 1970.

BARTHES, ROLAND, *Éléments de sémiologie*, Paris 1964.

BARWICK, KARL, *Augustins Dialektik und ihr Verhältnis zu Varros Schriften De dialectica und De lingua latina*, in: ders., Probleme der stoischen Sprachlehre und Rhetorik, Berlin 1957 (= Abhandlungen der sächsischen

Akademie der Wissenschaften zu Leipzig, Philologisch-historische Klasse, Bd. 49, H. 3).

BEIERWALTES, WERNER, *Proklos. Grundzüge seiner Metaphysik*, 2. erw. Aufl. Frankfurt/M. 1979 (zuerst Frankfurt/M. 1965).

– *Zu Augustins Metaphysik der Sprache*, in: Augustinian Studies 21 (1971), 179-195.

– *Aufstieg und Einung in Bonaventuras mystischer Schrift 'Itinerarium mentis in Deum'*, in: ders., Denken des Einen. Studien zur neuplatonischen Philosophie und ihrer Wirkungsgeschichte, Frankfurt/M. 1985, 385-423.

BERG, LUDWIG, *Die Analogielehre des heiligen Bonaventura*, in: Studium Generale 3 (1955), 662-670.

BÉRUBÉ, CAMILLE, *De la philosophie à la sagesse – Chez saint Bonaventure et Roger Bacon*, Rom 1976 (= Bibliotheca Seraphico-Cappucina 26).

– *La réduction des sciences à la théologie selon Roger Bacon et s. Bonaventure*, in: Pompei, A. (Hrsg.), San Bonaventura. Maestro di Vita Francescan e di Sapienza Cristiana, Rom 1976 (= Atti del Congresso Internationale per il VII Centenario di San Bonaventura da Bagnoregio. Rom, 19-26. September 1974), Bd. 3, 19-39.

BEUCHOT, MAURICIO/DEELY, JOHN, *Common sources for the semiotic of Charles Peirce and John Poinsot*, in: Review of Metaphysics 48 (1995), 539-566.

BIARD, JOËL, *La redéfinition Ockhamiste de la signification*, in: Kluxen, Wolfgang et al. (Hrsg.), Sprache und Erkenntnis im Mittelalter, Akten des 6. Internationalen Kongresses für Mittelalterliche Philosophie der Société Internationale pour l'Étude de la Philosophie Médiévale 29. 8.-3.9 1977 in Bonn, Berlin-New York 1981 (= Miscellanea Mediaevalia 13/1), 451-458.

– *L'émergence du signe aux XIIIe et XIVe siècles. Thèse pour le Doctorat d'État préparée sous la direction de M. de Gandillac*, Paris 1985 (unveröffentlichtes zweibändiges Maschinenskript).

– *Logique et théorie du signe au XIVe siècle*, Paris 1989 (= Études de Philosophie Médiévale 64).

BIEN, GÜNTER, *Art. „Lekton"*, in: Historisches Wörterbuch der Philosophie, hrsg. von J. Ritter und K. Gründer, Bd. 5, Basel-Darmstadt 1980, Sp. 229-231.

BIRKENMAJER, ALEKSANDER, *Le rôle joué par les médecins et les naturalistes dans la réception d'Aristote au XIIe au XIIIe siècles*, in: ders., Études d'histoire des sciences et de la philosophie du moyen âge, Wroclaw etc. 1970 (= Studia Copernicana 1), 74-87.

BISSEN, JEAN-MARIE, *L'exemplarisme divin selon saint Bonaventure*, Paris 1929 (= Études de Philosophie Médiévale 9).

BLACK, DEBORAH L., *Logic and Aristotle's Rhetoric and Poetics in medieval arabic philosophy*, Leiden-New York-Kopenhagen-Köln 1990 (= Islamic philosophy and theology, Vol. 7).

BLUMENBERG, HANS, *Die Lesbarkeit der Welt*, Frankfurt/M. 1981.

BOCHENSKI, INNOCENT MARIE, *La logique de Théophraste*, Fribourg en Suisse 1947 (= Collectanea Friburgensia, Nouvelle Série, Fasc. 32).

BOEHNER, PHILOTHEUS, *A medieval theory of supposition*, in: Franciscan Studies 18 (1958), 240-289.

BORSCHE, TILMAN, *Macht und Ohnmacht der Wörter. Bemerkungen zu Augustins 'De magistro'*, in: Mojsisch, Burkhard (Hrsg.), Sprachphilosophie in Antike und Mittelalter, Bochumer Kolloquium 2.-4. Juni 1982, Amsterdam 1986 (= Bochumer Studien zur Philosophie, Bd. 3), 121-161.

– *Was etwas ist. Fragen nach der Wahrheit der Bedeutung bei Platon, Augustinus, Nikolaus von Kues und Nietzsche*, München 1990.

BOUCHÉ-LECLERCQ, A., *Histoire de la divination dans l'antiquité*, Paris 1879-82 (Neudruck Brüssel 1963).

BOUGEROL, JACQUES GUY, *Saint Bonaventure et la hiérarchie dionysienne*, in: Archives d'histoire doctrinale et littéraire du moyen âge 36 (1969), 131-167.

– *Dossier pour l'étude des rapports entre saint Bonaventure et Aristote*, in: Archives d'Histoire doctrinale et littéraire du Moyen Age 40 (1973), 135-222.

BOURGEY, LOUIS, *Observation et expérience chez les médecins de la collection hippocratique*, Paris 1953.

– *Observation et expérience chez Aristote*, Paris 1955.

BRAAKHUIS, HENRICUS ANTONIUS G., *De 13de Eeuwse Tractaten over syncategorematische Terme. Inleidende Studie en Uitgave van Nicolaas van Parijs' Sincategoreumata*, Leiden 1979.

– *Kilwardy vs. Bacon. The contribution to the discussion on univocal signification of being and non-beings found in a sophism attributed to Robert Kilwardby*, in: Bos, E.P. (Hrsg.), Mediaeval semantics and metaphysics. Studies dedicated to L.M. de Rijk, Nijmegen 1985, 111-142.

BRÉHIER, ÉMILE, *La théorie des incorporels dans l'ancien Stoïcisme*, Paris (2. Aufl.) 1928 (1. Aufl. 1907).

BRIND'AMOUR, LUCIE/VANCE, EUGÈNE (Hrsg.), *Archéologie du signe*, Toronto 1983 (= Recueils d'Études Médiévales 3).

BRINKMANN, HENNIG, *Die Sprache als Zeichen im Mittelalter*, in: Beckers, H./Schwarz, H. (Hrsg.), Gedenkschrift für Jost Trier, Köln 1975, 23-44.

– *Mittelalterliche Hermeneutik*, Tübingen 1980

BROADIE, ALEXANDER, *Introduction to medieval logic*, Oxford 1987.

BÜHLER, KARL, *Sprachtheorie: die Darstellungsfunktion der Sprache*, Stuttgart-New York 1982 (zuerst Jena 1934).

BUERSMEYER, KEITH, *Aquinas on the „modi significandi“*, in: The Modern Schoolman 64 (1987), 73-95.

BURSILL-HALL, G.L., *Some notes on the grammatical theory of Boethius of Dacia*, in: Parret, Herman (Hrsg.), History of linguistic thought and contemporary linguistics, Berlin-New York 1976, 164-188.

CHENU, M.-D., *Grammaire et théologie aux XIIe et XIIIe siècles*, in: Archives d'histoire doctrinale et littéraire du moyen âge, A. 10/11, T. 10 (1935/36), 5-28.

CHÊNEVERT, JACQUES, *Le verbum dans le Commentaire sur les Sentences de Saint Thomas d'Aquin*, in: Sciences ecclésiastiques 13 (1961), 191-223. 359-390.

CLARKE, D.S., *Principles of semiotic*, London-New York 1987.

COSERIU, EUGENIO, *L'arbitraire du signe*, in: Archiv für das Studium der neueren Sprachen und Literaturen, 119. Jg. (1968), Bd. 204, 81-112.

– *Die Geschichte der Sprachphilosophie von der Antike bis zur Gegenwart. Eine Übersicht* (Vorl. geh. WS 1968/69. Autor. Nachsch. besorgt v. G. Narr u. R. Windisch). Teil 1: Von der Antike bis Leibniz, Stuttgart 1969.

– *„τὸ ἕν σημαίνειν“. Bedeutung und Bezeichnung bei Aristoteles*, in: Zeitschrift für Phonetik, Sprachwissenschaft und Kommunikationsforschung 32 (1979), 432-437.

COURCELLE, PIERRE, *Late latin writers and their greek sources*, Cambridge-Massachusetts 1969 (zuerst als: Les Lettres Grecques de Macrobe à Cassiodore, Paris 1943).

COUSINS, EWERT H., *Language as metaphysics in Bonaventure*, in: Kluxen, Wolfgang et al. (Hrsg.), Sprache und Erkenntnis im Mittelalter, Akten des 6. Internationalen Kongresses für Mittelalterliche Philosophie der Société Internationale pour l'Étude de la Philosophie Médiévale 29. 8.-3.9 1977 in Bonn, Berlin-New York 1981 (= Miscellanea Mediaevalia 13/2), 946-954.

CROME, PETER, *Symbol und Unzulänglichkeit der Sprache. Jamblichos, Plotin, Porphyrios, Proklos*, München 1970 (= Humanistische Bibliothek, R. 1, Bd. 5).

DALCOURT, GERALD J., *Poinsot and the Mental Imagery Debate*, in: The Modern Schoolman 72 (1994), 1-12.

DEELY, JOHN N., *Antecedents to Peirce's notion of iconic signs*, in: Semiotics 5 (1980), 109-119.

– s. Beuchot, Mauricio.

DEICHGRÄBER, KARL, *Die griechische Empirikerschule. Sammlung der Fragmente und Darstellung der Lehre*, Berlin 1930 (2. Aufl. 1965).

DELÈGUE, YVES, *Introduction à „ 'Les machines du sens. Fragments d'une sémiologie médiévale'.* Textes de Hugues de Saint-Victor, Thomas d'Aquin et Nicolas de Lyre, traduit et présentés par Yves Delègue", Paris 1987, 7-31.

DERRIDA, JACQUES, *De la grammatologie*, Paris 1967.

DETEL, WOLFGANG, *Zeichen bei Parmenides*, in: Zeitschrift für Semiotik 4 (1982), 221-239.

DETTLOFF, WERNER, *„ Christus tenens medium in omnibus".* Sinn und Funktion der Theologie bei Bonaventura, in: Wissenschaft und Weisheit 20 (1957), 28-42, 121-140.

DILLER, HANS, *ὄψις ἀδήλων τὰ φαινόμενα*, in: Hermes. Zeitschrift für klassische Philologie 67 (1932), 14-41.

DÖRING, KLAUS, *Gab es eine Dialektische Schule?*, in: Phronesis 34 (1989), 293-310.

DREYER, MECHTHILD, *Was ist Philosophiegeschichte des Mittelalters?*, in: Philosophisches Jahrbuch 98 (1991), 354-364.

DUCHROW, ULRICH, *„Signum" und „superbia" beim jungen Augustin (386-390)*, in: Revue des Études Augustiniennes 7 (1961), 369-372.

– *Zum Prolog von Augustins De doctrina christiana*, in: Vigiliae Christianae 17 (1963), 165-172.

– *Sprachverständnis und biblisches Hören bei Augustin*, Tübingen 1965.

DUFOUR, CARLOS A., *Die Lehre der proprietates terminorum: Sinn und Referenz in mittelalterlicher Logik*, München-Hamden-Wien 1989.

EASTON, STEWARD C., *Roger Bacon and his search for a universal science. A reconsideration of the life and work of Roger Bacon in the light of his own stated purposes*, Oxford 1952.

EBBESEN, STEN, *The dead man is alive*, in: Synthese 40 (1979), 43-70.

– *The odyssey of semantics from the Stoa to Buridan*, in: Eschbach, Achim/Trabant, Jürgen (Hrsg.), History of semiotics, Amsterdam-Philadelphia 1983 (= Foundations of Semiotics 7) 67-85.

EBERT, THEODOR, *The origins of the stoic theory of signs in Sextus Empiricus*, in: Oxford Studies in Ancient Philosophy 5 (1987), 83-126.

– *Dialektiker und frühe Stoiker bei Sextus Empiricus. Untersuchungen zur Entstehung der Aussagenlogik*, Göttingen 1991 (= Hypomnemata, H. 95).

ECO, UMBERTO, *La struttura assente. Introduzione alla ricerca semiologica*, Milano 1968.

– *Semiotics and the philosophy of language*, Bloomington (Indiana) 1984.

ECO, U./LAMBERTINI, R./MARMO, C./TABBARONI, A., *On animal language in the medieval classification of signs*, in: Versus. Quaderni di studi semiotici 38/39 (1984), 3-38.

ECO, UMBERTO, *Signification and denotation from Boethius to Ockham*, in: Franciscan Studies 44 (1984), 1-29.

– *Art. „Aquinas, Thomas"*, in: Thomas A. Sebeok (Hrsg.), Encyclopedic Dictionary of Semiotics, Berlin-New York-Amsterdam 1986, Bd. 1, 42-44.

ECO, UMBERTO/MARMO, C. (HRSG.), *On the medieval theory of signs*, Amsterdam 1989 (= Foundations of semiotics 21).

EDELSTEIN, LUDWIG, *Hippocratic Prognosis*, in: Temkin, O./Temkin C.L. (Hrsg.), Ancient medicine. Selcted papers of Ludwig Edelstein, Baltimore-London 1967, 65-85.

EGLI, URS, *Stoic syntax and semantics*, in: Brunschwig, J. (Hrsg.) Les Stoïciens et leur logique, Actes du Colloque de Chantilly 18-22 septembre 1976, Paris 1978, 135-154.

ENGELS, J., *La doctrine du signe chez St. Augustin*, in: Studia Patristica 6 (1962), 366-373.

– *Origine, sens et survie du terme boécien „secundum placitum"*, in: Vivarium 1 (1963), 87-114.

ESCHBACH, ACHIM/TRABANT, JÜRGEN (HRSG.), *History of semiotics*, Amsterdam-Philadelphia 1983 (= Foundations of Semiotics 7).

EVANS, JONATHAN (GUEST EDITOR), *Semiotica Mediaevalia*, Amsterdam-Berlin-New York 1987 (= Semiotica 63 [1987]).

EYNDE, DAMIEN VAN DEN, *Les définitions des sacrements pendant la première période de la théologie scolastique (1050 - 1235)*, in: Antonianum 24 (1949), 183-228, 439-488 & 25 (1950), 3-78.

FABRO, CORNELIO, *Participation et causalité selon S. Thomas d'Aquin*, Louvain-Paris 1961 (zuerst Milano 1939: La nozione metafisica di partecipazione secondo S. Tommaso d'Aquino).

FAES DE MOTTONI, BARBARA, *Thomas von Aquin und die Sprache der Engel*, in: Zimmermann, Albert (Hrsg.), Thomas von Aquin. Werk und Wirkung im Licht neuerer Forschungen, Berlin-New York 1988 (= Miscellanea Mediaevalia 19), 140-155.

FLASCH, KURT, *Augustin. Einführung in sein Denken*, Stuttgart 1980.

FOUCAULT, MICHEL, *Les mots et les choses. Une archéologie des sciences humaines*, Paris 1966.

FREDBORG, KARIN MARGARETA, *Roger Bacon on „Impositio vocis ad significandum"*, in: Braakhuis, H.A.G./Kneepkens, C.H./Rijk, L.M. de (Hrsg.), English logic and semantics, from the end of the twelfh century to the time of Ockham and Burleigh. Act of the 4th Symposium on medieval logic and semantics, Leiden-Nijmegen 23-27 April 1979, Nijmegen 1981 (= Artistarium supplementa 1), 167-191.

FREDE, MICHAEL, *Die stoische Logik*, Göttingen 1974 (= Abhandlungen der Akademie der Wissenschaften in Göttingen, Philologisch-historische Klasse, 3. Folge, Nr. 88).

– *The method of the so-called Methodical school of medicine*, in: Barnes, Jonathan et al. (Hrsg.), Science and speculation. Studies in Hellenistic theory and practice, Cambridge-London 1982, 1-23.

FUCHS, MICHAEL, *Doppelrezension zu „Thomas von Aquin: Über den Lehrer/De magistro*, hrsg. v. G. Jüssen et al., Hamburg 1988" und „Wolfgang Schmidl, Homo discens, Wien 1987", in: Theologie und Philosophie 66 (1991), 261-266.

GABLER, DARIUS, *Die semantischen und syntaktischen Funktionen im Tractatus „De modis significandi sive grammatica speculativa" des Thomas von Erfurt: die Probleme der mittelalterlichen Semiotik*, Bern u.a. 1987 (= Europäische Hochschulschriften, R. 1, Bd. 944).

GEIGER, L.-B., *La participation dans la philosophie de S. Thomas d'Aquin*, Paris 1942 (= Bibliothèque Thomiste Le Saulchoir 23).

GENTINETTA, PETER M., *Zur Sprachbetrachtung bei den Sophisten und in der stoisch-hellenistischen Zeit*, Winterthur 1961.

GEORGE, MARIE I., *Mind forming and manuductio in Aquinas*, in: The Thomist 57 (1993), 201-213.

GERKEN, A., *Theologie des Wortes. Das Verhältnis von Schöpfung und Inkarnation bei Bonaventura*, Düsseldorf 1963.

GILSON, ÉTIENNE, *La philosophie de saint Bonaventure*, Paris, 3. Aufl. 1953 (zuerst 1923).

– *Pourquoi Saint Thomas a critiqué Saint Augustin*, in: Archives d'histoire doctrinale et littéraire du moyen âge 1 (1926/27), 5-127.

– *Jean Duns Scot. Introduction à ses positions fondamentales*, Paris 1952 (= Études de Philosophie Médiévale 42).

– *Introduction à l'étude de saint Augustin*, Paris 1969.

– *Linguistique et philosophie. Essai sur les constantes philosophiques du langage*, Paris 1969.

GLIDDEN, DAVID, *Skeptic semiotics*, in: Phronesis 28 (1983), 213-255.

GONZALEZ ALIO, JOSÉ LUIS, *El entender como posesion: la funcion gnoseologica del verbo mental*, in: Sapientia 43 (1988), 243-268, 331-368.

GRABMANN, MARTIN, *Die Aristoteleskommentare des heiligen Thomas von Aquin*, in: ders., Mittelalterliches Geistesleben I, München 1926, 266-313.

GREGORY, T., *La nouvelle idée de nature et de savoir scientifique au XIIe siècle*, Murdoch, J.E./Sylla, E.D. (Hrsg.), The cultural context of medieval learning, Dordrecht 1975 (= Boston Studies in the Philosophy), 193-212.

GRIMALDI, WILLIAM M.A., *Semeion, tekmerion, eikos in Aristotle's Rhetoric*, in: American Journal of Philology 101 (1980), 383-398.

GRUBMÜLLER, K., *Etymologie als Schlüssel zur Welt? Bemerkungen zur Sprachtheorie des Mittelalters*, in: Fromm, H./Harms, W./ Ruberg, U. (Hrsg.), Verbum et signum. Festschrift für Friedrich Ohly, München 1975, Bd. 1, 209-230.

GÜTTGEMANNS, ERHARDT, *Die „ simulatio" als Aspekt der „ Linguistik der Lüge"
bei Aurelius Augustinus und Thomas Aquinas,* in: ders. (Hrsg.), Das Phänomen der „Simulation". Beiträge zu einem semiotischen Kolloquium, Bonn 1991 (= Forum Theologiae Linguisticae 17), 39-70.

– *Die Differenz zwischen Sakramenten und „ Zeichen-Körpern" bei Thomas
Aquinas (Summa theologica III quaestio 60),* in: Linguistica Biblica 65
(1991), 58-117.

HÄRING, NIKOLAUS M., *Character, Signum und Signaculum. Der Weg von
Petrus Damiani bis zur eigentlichen Aufnahme in die Sakramentenlehre im 12.
Jahrhundert,* in: Scholastik 31 (1956), 41-69.

– *Die theologische Sprachlogik der Schule von Chartres im zwölften Jahrhundert,*
in: Kluxen, Wolfgang et al. (Hrsg.), Sprache und Erkenntnis im Mittelalter, Akten des 6. Internationalen Kongresses für Mittelalterliche
Philosophie der Société Internationale pour l'Étude de la Philosophie
Médiévale 29.8.-3.9. 1977 in Bonn, Berlin-New York 1981 (= Miscellanea Mediaevalia 13/2), 930-936.

HALLER, RUDOLF, *Untersuchungen zum Bedeutungsproblem in der antiken und
mittelalterlichen Philosophie,* in: Rothacker, Erich (Hrsg.), Archiv für Begriffsgeschichte, Bausteine zu einem historischen Wörterbuch der Philosophie, Bd. 7, Bonn 1962, 57-119.

HEDWIG, KLAUS, *Sphaera lucis. Studien zur Intelligibilität des Seienden im Kontext der mittelalterlichen Lichtspekulation,* Münster/W. 1980 (= Beiträge zur
Geschichte der Philosophie und Theologie des Mittelalters, Neue Folge, Bd. 18).

HEIDEGGER, MARTIN, *Die Kategorien- und Bedeutungslehre des Duns Scotus,*
Tübingen 1916 (= Gesamtausgabe I. Abt., Bd. 1, Frankfurt 1978, 189-
411).

– *Sein und Zeit,* 11. Aufl. Tübingen 1967 (zuerst erschienen als Sonder-
druck aus „Jahrbuch für Philosophie und phänomenologische Forschung VIII (1927), hrsg. von Edmund Husserl).

HEINIMANN, FELIX, *Nomos und physis. Herkunft und Bedeutung einer Antithese
im griechischen Denken des 5. Jahrhundert,* Basel 1945 (= Schweizerische
Beiträge zur Altertumswissenschaft, H. 1).

HENNIGFELD, JOCHEM, *Geschichte der Sprachphilosophie, Bd. 1: Antike und
Mittelalter,* Berlin-New York 1993.

HENRY, D.P., *The grammar of quiddity,* in: D. Buzzeti/M.Ferriani (Hrsg.),
Speculative grammar, universal grammar and philosophical analysis of
language, Amsterdam-Philadelphia 1987 (= Amsterdam studies in the
theory and history of linguistic science, Series III, Vol. 42), 1-22.

HIRSCHLE, MAURUS, *Sprachphilosophie und Namenmagie im Neuplatonismus.
Mit einem Exkurs zu 'Demokrit' B 142,* Meisenheim/Glan 1979 (= Beiträge zur Klassischen Philologie H. 96).

HÖDL, LUDWIG, *Die Zeichen-Gegenwart Gottes und das Gott-Ebenbild-Sein des Menschen in des hl. Bonaventura „Itinerarium mentis in Deum"* c. *1-3*, in: Zimmermann, Albert (Hrsg.), Der Begriff der Repraesentatio im Mittelalter. Stellvertretung, Symbol, Zeichen, Bild. Berlin-New York 1971 (= Miscellanea Mediaevalia 8), 94-112.

HOFFMANN, ERNST, *Die Sprache und die archaische Logik*, Tübingen 1925 (= Heidelberger Abhandlungen zur Philosophie und ihrer Geschichte 3).

HOGREBE, WOLFRAM, *Metaphysik und Mantik. Die Deutungsnatur des Menschen (Système orphique de léna)*, Frankfurt/M. 1992.

HOLENSTEIN, ELMAR, *Semiotische Philosophie?*, in: ders., Linguistik – Semiotik – Hermeneutik. Plädoyers für eine strukturale Phänomenologie, Frankfurt/M. 1976, 148-175.

HONNEFELDER, LUDGER, *Zum Begriff der Realität bei Scotus und Peirce. Formale Nichtidentität als logisch-ontologisches Kriterium*, in: Regnum Hominis et Regnum Dei. Acta Quarti Congressus Scotistici Internationalis, Rom 1978, 325-332.

– *Ens inquantum ens. Der Begriff des Seienden als solchen als Gegenstand der Metaphysik nach der Lehre des Johannnes Duns Scotus*, Münster 1979 (= Beiträge zur Geschichte der Philosophie und Theologie des Mittelalters, NF, Bd. 16).

– Art. *„Natura communis"*, in: Historisches Wörterbuch der Philosophie, hrsg. von J. Ritter und K. Gründer, Bd. 6, Basel-Darmstadt 1984, 494-504.

– *Scientia transcendens. Die formale Bestimmung der Seiendheit und Realität in der Metaphysik des Mittelalters und der Neuzeit (Duns Scotus – Suárez – Wolff – Kant – Peirce)*, Hamburg 1990.

– *Die Kritik des Johannes Duns Scotus am kosmologischen Nezessitarismus der Araber: Ansätze zu einem neuen Freiheitsbegriff*, in: Fried, Johannes (Hrsg.), Die abendländische Freiheit vom 10. zum 14. Jh. Der Wirkungszusammenhang von Idee und Wirklichkeit im europäischen Vergleich, Sigmaringen 1991, 249-263.

– *Christliche Theologie als „wahre Philosophie"*, in: Colpe, C./Honnefelder, L./Lutz-Bachmann, M. (Hrsg.), Spätantike und Christentum. Beiträge zur Religions- und Geistesgeschichte der griechisch-römischen Kultur und Zivilisation der Kaiserzeit, Berlin 1992, 55-75.

– *Transzendentalität und Moralität. Zum mittelalterlichen Ursprung zweier zentraler Topoi der neuzeitlichen Philosophie*, in: Theologische Quartalschrift 172 (1992), 178-195.

HORNSTEIN, H., *Vorwort und Erläuterungen zu Aurelius Augustinus: „Vom Lehrmeister"*, Düsseldorf 1957.

HOWELL, KENNETH, *Roger Bacon's semiotic theory*, in: Jonathan Evans (Hrsg.), Semiotica Mediaevalia (= Semiotica 63 [1987]), 73-81.

HÜBENER, WOLFGANG, *Wyclifs Kritik an den Doctores signorum*, in: Vossen-kuhl, W./Schönberger, R. (Hrsg.), Die Gegenwart Ockhams, Wein-heim 1990, 128-146.

HUBER, CHRISTOPH, *Wort sint der dinge zeichen. Untersuchungen zum Sprach-denken der mittelhochdeutschen Spruchdichtung bis Frauenlob*, Zürich-München 1977 (= Münchener Texte und Untersuchungen zur Deut-schen Literatur des Mittelalters, Bd. 64).

HUBER-LEGNANI, MARA, *Roger Bacon. Lehrer der Anschaulichkeit: der franzis-kanische Gedanke und die Philosophie des Einzelnen*, Freiburg i.B. 1984 (= Hochschulsammlung Philosophie, Philosophie Bd. 4).

HUFNAGEL, ALFONS, *Intuition und Erkenntnis nach Thomas von Aquin*, Mün-ster 1932 (= Veröffentlichungen des katholischen Institutes für Philo-sophie – Albertus-Magnus-Akademie zu Köln, Bd. 2, H. 5/6).

HUNT, RICHARD W., *Studies on Priscian in the eleventh and twelfth centuries*, in: ders./Klibansky, R. (Hrsg.), Mediaeval and Renaissance Studies, Bd. 1, London 1941-43, 194-231.

– *Studies on Priscian in the twelfth century (II)*, in: ders./Klibansky, R. (Hrsg.), Mediaeval and Renaissance Studies, Bd. 2, London 1950, 1-56.

ISAAC, J., *Le Peri Hermeneias en Occident de Boèce à saint Thomas. Histoire litté-raire d'un traité d'Aristote*, Paris 1953 (= Bibliothèque Thomiste 29).

IVÁNKA, ENDRE VON, *Zum Problem des christlichen Neuplatonismus*, in: Schola-stik 31 (1956), 31-40, 384-403.

JACKSON, B. DARRELL, *The theory of signs in St. Augustine's De Doctrina Chri-stiana*, in: Revue des Études Augustiniennes 15 (1969), 9-49.

JAVELET, ROBERT, *Image et ressemblance au XIIe siècle. De saint Anselme à Alain de Lille*, Paris 1967.

– *Exégèse spirituelle aux XIe et XIIe siècles*, in: Kluxen, Wolfgang et al. (Hrsg.), Sprache und Erkenntnis im Mittelalter, Akten des 6. Interna-tionalen Kongresses für Mittelalterliche Philosophie der Société Inter-nationale pour l'Étude de la Philosophie Médiévale 29.8.-3.9. 1977 in Bonn, Berlin-New York 1981 (= Miscellanea Mediaevalia 13/2), 873-880.

JORISSEN, HANS, *Materie und Form der Sakramente im Verständnis Alberts des Großen*, in: Zeitschrift für katholische Theologie 80 (1958), 267-315.

– *Wandlungen des philosophischen Kontextes als Hintergrund der frühmittelalter-lichen Eucharistiestreitigkeiten*, in: Wohlmuth, Josef (Hrsg.), Streit um das Bild. Das Zweite Konzil von Nizäa (787) in ökumenischer Perspektive, Bonn 1989 (= Studium universale 9), 97-111.

JÜSSEN, GABRIEL/SCHRIMPF, GANGOLF, Art. „*disciplina/doctrina*", in: Histo-risches Wörterbuch der Philosophie, hrsg. v. J. Ritter, Bd. 2, Basel-Darmstadt 1972, Sp. 256-261.

JÜSSEN, GABRIEL/KRIEGER, GERHARD/SCHNEIDER, JAKOB HANS JOSEF, *Thomas von Aquin. Über den Lehrer-De Magistro. Quaestiones disputatae de veritate, quaestio XI, Summa theologiae, ps. I, quaestio 117, art. 1*, lat.-dt., hrsg., übers. u. kommentiert von G. Jüssen, G. Krieger, J.H.J. Schneider. Mit einer Einleitung von H. Pauli, Hamburg 1988 (= Philosophische Bibliothek, Bd. 412).

KAUFMANN, MATTHIAS, *Begriffe, Sätze, Dinge. Referenz und Wahrheit bei Wilhelm von Ockham*, Leiden-New York-Köln 1993 (= Studien und Texte zur Geistesgeschichte des Mittelalters, Bd. 40).

KELLER, ALBERT, *Arbeiten zur Sprachphilosophie Thomas von Aquins*, in: Theologie und Philosophie 49 (1974), 464-476.

KELLY, L. G., *St. Augustine's theories of the linguistic sign and the grammatica speculativa of the thirteenth century*, in: Studia Patristica 16 (1985), 517-523.

KLUXEN, WOLFGANG, *Philosophische Ethik bei Thomas von Aquin*, 2. Aufl. Hamburg 1980 (zuerst Mainz 1964).

– Art. *„Analogie"*, in: Historisches Wörterbuch der Philosophie, hrsg. von J. Ritter, Bd. 1, Basel-Darmstadt 1971, Sp. 214-227.

– *Thomas von Aquin. Das Seiende und seine Prinzipien*, in: Speck, J. (Hrsg.), Grundprobleme der großen Philosophen. Philosophie des Altertums und des Mittelalters, Göttingen 1972, 177-220.

– *Der Begriff der Wissenschaft*, in: Weimar, Peter (Hrsg.), Die Renaissance der Wissenschaften im 12. Jahrhundert, Zürich 1981 (= Züricher Hochschulforum Bd. 2) 273-293.

– *Leitideen und Zielsetzungen philosophiegeschichtlicher Mittelalterforschung*, in: ders. et al. (Hrsg.), Sprache und Erkenntnis im Mittelalter, Akten des 6. Internationalen Kongresses für Mittelalterliche Philosophie der Société Internationale pour l'Étude de la Philosophie Médiévale 29.8.-3.9. 1977 in Bonn, Berlin-New York 1981 (= Miscellanea Mediaevalia 13/1), 1-16.

KNEALE, WILLIAM/KNEALE, MARTHA, *The development of logic*, Oxford 1962.

KNUDSEN, CHRISTIAN, *Intentions and impositions*, in: Kenny, A./Kretzmann, N./Pinborg, J. (Hrsg.), The Cambridge history of later medieval philosophy, Cambridge 1982, 479-495.

KOBUSCH, THEO, *Sein und Sprache. Historische Grundlegung einer Ontologie der Sprache*, Leiden-New York-Kobenhavn-Köln 1987 (= Studien zur Problemgeschichte der antiken und mittelalterlichen Philosophie, Bd. 11).

KOCH, JOSEF, *Über die Lichtsymbolik im Bereich der Philosophie und der Mystik des Mittelalters*, in: ders., Kleine Schriften Bd. 1, Rom 1973, 27-67 [zuerst in: Studium Generale 13 (1960), 653-670].

KRAML, HANS, *Die Rede von Gott sprachkritisch rekonstruiert aus Sentenzenkommentaren*, Innsbruck-Wien 1984 (= Innsbrucker theologische Studien, Bd. 13).

KREMER, KLAUS, *Die neuplatonische Seinsphilosophie und ihre Wirkung auf Thomas von Aquin*, Leiden 1971 (= Studien zur Problemgeschichte der antiken und mittelalterlichen Philosophie, Bd. 1).

KRETZMANN, NORMAN, *History of semantics*, in: The Encyclopedia of Philosophy, Vol. 7, New York-London 1967, 358-406.

– *Medieval logicians on the meaning of the 'propositio'*, in: Journal of Philosophy 67 (1970), 767-787.

– *Aristotle on spoken sound significant by convention*, in: Corcoran, John (Hrsg.), Ancient logic and its modern interpretations, Dordrecht-Boston 1974, 3-21.

KRIEGER, GERHARD, *Augustin und die Scholastik. Zum Verhältnis von Theologie und Philosophie im Blick auf De doctrina christiana*, in: Zumkeller, Adolar/Krümmel, Achim (Hrsg.), Traditio Augustiniana. Studien über Augustinus und seine Rezeption. Festgabe für Willigis Eckermann zum 60. Geburtstag, 81-119.

– siehe Jüssen, Gabriel 1988.

KRISTELLER, PAUL OSKAR, *Beitrag der Schule von Salerno zur Entwicklung der scholastischen Wissenschaft im 12. Jahrhundert. Kurze Mitteilung über handschriftliche Funde*, in: Koch, Josef (Hrsg.), Artes liberales. Von der antiken Bildung zur Wissenschaft des Mittelalters, Leiden-Köln 1959 (= Studien und Texte zur Geistesgeschichte des Mittelalters 5), 84-90.

KUYPERS, K., *Der Zeichen- und Wortbegriff im Denken Augustins*, Amsterdam 1934.

LABARRIÈRE, JEAN-LOUIS, *Imagination humaine et imagination animale chez Aristote*, in: Phronesis, 29 (1984), 17-49.

LACY, ESTELLE A. DE, *Meaning and methodology in hellenistic philosophy*, in: Philosophical Review 47 (1938), 390-409.

– *The empirical metaphysics of Epicurus*, in: Reese, L./Freeman, E. (Hrsg.), Process and divinity. The Hartshorne Festschrift, Lasalle/Ill. 1964, 377-401.

LACY, PHILLIP H. DE/LACY, ESTELLE A. DE, *Ancient rhetoric and empirical method*, in: Sophia 6 (1938), 523-530.

LACY, PHILLIP H. DE, *The Epicurean analysis of language*, in: American Journal of Philology 60 (1939), 85-92.

– *Hellenistic semiotic* (Review of: A.A. Long/D.N. Sedley, The Hellenistic Philosophers, Vol.I and II, Cambridge 1987), in: Semiotica 80 (1990), 299-310.

LAMBERTINI, R., siehe Eco, U. (1984).

LANDRY, BERNARD, *L'originalité de Guillaume d'Auvergne*, in: Revue d'histoire de la philosophie 3 (1929), 441-463.

LAUER, ROSEMARY ZITA, *St. Thomas and modern semiotic*, in: The Thomist 19 (1956), 75-99.

LEIBNIZ, GOTTFRIED WILHELM, *Unvorgreiflich Gedanken, betreffend die Ausübung und Verbesserung der deutschen Sprache*, in: ders., Deutsche Schriften, Bd. 1, hrsg. v. W. Schmied-Kowarzik, Leipzig 1916 (= Philosophische Bibliothek, Bd. 161), 25-54.

LEINSLE, ULRICH GOTTFRIED, *Res et Signum. Das Verständnis zeichenhafter Wirklichkeit in der Theologie Bonaventuras*, München-Paderborn-Wien 1976 (= Veröffentlichungen des Grabmann-Instituts NF 26).

LEWRY, OSMUND, *The problem of authorship*, in: The commentary on 'Priscianus Maior' ascribed to Robert Kilwardby, Kopenhagen 1975 (= Cahiers de l'Institut du Moyen-Age Grec et Latin 15), 12+ - 17+.

– *Robert Kilwardby on meaning: A Parisian course on the logica vetus*, in: Kluxen, Wolfgang et al. (Hrsg.), Sprache und Erkenntnis im Mittelalter, Akten des 6. Internationalen Kongresses für Mittelalterliche Philosophie der Société Internationale pour l'Étude de la Philosophie Médiévale 29.8.-3.9. 1977 in Bonn, Berlin-New York 1981 (= Miscellanea Mediaevalia 13/1), 376-384.

LIBERA, ALAIN DE, *Roger Bacon et le problème de l'appellatio univoca*, in: Braakhuis, H.A.G./Kneepkens, C.H./Rijk, L.M. de (Hrsg.), English logic and semantics, from the end of the twelfh century to the time of Ockham and Burleigh. Act of the 4th Symposium on medieval logic and semantics, Leiden-Nijmegen 23-27 April 1979, Nijmegen 1981 (= Artistarium supplementa 1), 193-234.

– *The Oxford and Paris traditions in logic*, Kenny, A./Kretzmann, N./Pinborg, J. (Hrsg.), The Cambridge history of later medieval philosophy, Cambridge 1982, 174-187.

– *Textualité logique et forme summuliste*, in: Brind'Amour, L./Vance, E. (Hrsg.): Archéologie du signe, Toronto-Ontario 1983 (= Recueils d'Études Médiévales 3), 213-234.

– *Roger Bacon et la référence vide. Sur quelques antécédents médiévaux du paradoxe de Meinong*, in: Jolivet, J./Kaluza, Z./Libera, A. de (Hrsg.), Lectionum Varietates. Hommage à Paul Vignaux, Paris 1991 (= Études de Philosophie Médiévale 65), 85-120.

LISKE, M.-TH., *Die sprachliche Richtigkeit bei Thomas von Aquin*, in: Freiburger Zeitschrift für Philosophie und Theologie, 32 (1985), 373-390.

LITTLE, A.G., *The Franciscan School at Oxford in the thirteenth century*, in: Archivum Franciscanum Historicum 19 (1926), 803-874.

LONERGAN, BERNARD, *La notion de verbe dans les écrits de saint Thomas*, Paris 1967 (= Bibliothèque des Archives de philosophie, N.S. 5).

LONG, ANTONY A., *Aistesis, Prolepsis and linguistic theory in Epicurus*, in: Bulletin of the Institute of Classical Studies of the University of London 18 (1971), 114-133.

– *Language and thought in Stoicism*, in: ders., Problems in Stoicism, London 1971, 75-113.

LORENZ, RUDOLF, *Die Wissenschaftslehre Augustins*, in: Zeitschrift für Kirchengeschichte 67 (1955/56), 29-60, 213-251.

LUBAC, HENRY DE, *Exégèse médiévale. Les quatre sens de l'écriture*, Paris 1959-64.

MADEC, GOULVEN, *Analyse du „De magistro"*, in: Revue des Études Augustiniennes 21 (1975), 63-71.

MAGEE, JOHN, *Boethius on signification and mind*, Leiden-New York-Kopenhagen-Köln 1989 (= Philosophia Antiqua 52).

MAIER, ANNELIESE, *Das Problem der „species sensibiles in medio" und die neue Naturphilosophie des 14. Jahrhunderts*, in: Freiburger Zeitschrift für Philosophie und Theologie 10 (1963), 3-32.

MAIERÙ, ALFONSO, *„Signum" dans la culture médiévale*, in: Kluxen, Wolfgang et al. (Hrsg.), Sprache und Erkenntnis im Mittelalter, Akten des 6. Internationalen Kongresses für Mittelalterliche Philosophie der Société Internationale pour l'Étude de la Philosophie Médiévale 29.8.-3.9. 1977 in Bonn, Berlin-New York 1981 (= Miscellanea Mediaevalia 13/1), 51-72.

MAINBERGER, GONSALV K., *Rhetorica 1. Reden mit Vernunft: Aristoteles, Cicero, Augustinus*, Stuttgart-Bad Cannstatt 1987 (= Problemata 116).

MALONEY, THOMAS, *Roger Bacon on the significatum of words*, in: Brind'Amour, L./Vance E. (Hrsg.): Archéologie du signe, Toronto-Ontario 1983 (= Recueils d'Études Médiévales 3), 187-211.

– *The semiotics of Roger Bacon*, in: Mediaeval Studies 45 (1983), 120-154.

– *The Sumule dialectices of Roger Bacon and the Summulist form*, in: Brind'Amour, L./Vance, E. (Hrsg.): Archéologie du signe, Toronto-Ontario 1983 (= Recueils d'Études Médiévales 3), 235-249.

– *Roger Bacon on equivacation*, in: Vivarium 22 (1984), 85-112.

– *Introduction to „Roger Bacon: Compendium of the study of theology"*, Leiden 1988 (= Studien und Texte zur Geistesgeschichte des Mittelalters, Bd. 20) 1-30.

MANFERDINI, TINA, *S. Bonaventura filosofo del linguaggio*, in: Bougerol, J.G. et al. (Hrsg.), S. Bonaventura 1274-1974. Volumen commemorativum anni septies centenarii a morte S. Bonaventurae Doctoris Seraphici., Bd. 3, Grottaferrata 1973f., 505-534.

MANTHEY, FRANZ, *Die Sprachphilosophie des hl. Thomas von Aquin und ihre Anwendung auf Probleme der Theologie*, Paderborn 1937.

MARKUS, ROBERT A., *St. Augustine on signs*, in: Phronesis 2 (1957), 60-83.

- „*Imago*" and „*similitudo*" in Augustine, in: Revue des Études Augustiniennes 10 (1964), 125-143.
- MARMO, C., siehe ECO, U. 1984b.
- MARROU, HENRI-IRÉNÉE, *Saint Augustin et la fin de la culture antique*, 4. Aufl., Paris 1958 (1. Aufl. 1938).
- MATES, BENSON, *Stoic logic*, Berkley-Los Angeles 1953.
- MAYER, CORNELIUS PETRUS, *Die Zeichen in der geistigen Entwicklung und in der Theologie des jungen Augustinus*, Würzburg 1969 (= Cassiciacum, Bd. 24,1).
- *Die Zeichen in der geistigen Entwicklung und in der Theologie Augustins, II. Teil: Die antimanichäische Epoche*, Würzburg 1974 (= Cassiciacum, Bd. 24,2).
- „*Res per signa*". *Der Grundgedanke des Prologs in Augustins Schrift De doctrina christiana und das Problem seiner Datierung*, in: Revue des Études Augustiniennes 20 (1974), 100-112.
- *Signifikationshermeneutik im Dienste der Daseinsauslegung. Die Funktion der Verweisungen in den Confessiones X-XIII*, in: Augustiniana 24 (1974), 21-74.
- MCEVOY, JAMES, *Microcosm and macrocosm in the writings of St. Bonaventure*, in: Bougerol, J.G. et al. (Hrsg.), S. Bonaventura 1274-1974, Volumen commemorativum anni septies centenarii a morte S. Bonaventurae Doctoris Seraphici, Grottaferrata 1973f., Bd. 2, 309-343.
- *The sun as res and signum: Grosseteste's commentary on Ecclesiasticus ch. 43, vv. 1-5*, in: Recherches de théologie ancienne et médiévale 41 (1974), 38-91.
- MEISSNER, WILLIAM W., *Some aspects of the Verbum in the texts of St. Thomas*, in: The Modern Schoolman 36 (1958), 1-30.
- MELAZZO, LUCIO, *La teoria del segno linguistico negli Stoici*, in: Lingua e Stile 10 (1975), 199-230.
- MERKER, HANS, *Schriftauslegung als Weltauslegung. Untersuchungen zur Stellung der Schrift in der Theologie Bonaventuras*, München-Paderborn-Wien 1971 (= Veröffentlichungen des Grabmann-Instituts NF 15).
- MICHEL, A., *Art. „Verbe"*, in: Dictionnaire de théologie catholique, Bd. 15, Teil 2, Paris 1950, Sp. 2639-2672.
- MINIO-PALUELLO, L., *Les traductions et les commentaires aristotéliciens de Boèce*, in: Studia Patristica 2 (1957), 358-365.
- MORRIS, CHARLES W., *Foundations of the theory of signs*, Chicago 1938.
- MÜNCH, DIETER, *Intention und Zeichen. Untersuchungen zu Franz Brentano und zu Edmund Husserls Frühwerk*, Frankfurt/M. 1993.
- MÜRI, WALTER, σύμβολον. *Wort- und sachgeschichtliche Studie*, in: Beilage zum Jahresbericht über das Städtische Gymnasium in Bern 1931, I-III, 1-46; Neudruck in: W. Müri, Griechische Studien. Ausgewählte wort-

und sachgeschichtliche Forschungen zur Antike, hrsg. von E. Vischer, Basel 1976 (= Schweizerische Beiträge zur Altertumswissenschaft, H. 14) , 1-44.

NUCHELMANS, GABRIEL, *Theories of the proposition. Ancient and medieval conceptions of the bearers of truth and falsity*, Amsterdam-London 1973 (= North-Holland Linguistic Series 8).

OEHLER, KLAUS, *Die Anfänge der Relationenlogik und der Zeichenschluß bei Aristoteles*, in: Zeitschrift für Semiotik 4 (1982), 259-266.

OEING-HANHOFF, LUDGER, *Wesen und Formen der Abstraktion nach Thomas von Aquin*, in: Philosophisches Jahrbuch 71 (1963), 14-37.

– *Sein und Sprache in der Philosophie des Mittelalters*, in: Kluxen, Wolfgang et al. (Hrsg.), Sprache und Erkenntnis im Mittelalter, Akten des 6. Internationalen Kongresses für Mittelalterliche Philosophie der Société Internationale pour l'Étude de la Philosophie Médiévale 29.8.-3.9. 1977 in Bonn, Berlin-New York 1981 (= Miscellanea Mediaevalia 13/1), 165-178.

OESTERLE, JOHN A., *Another approach to the problem of meaning*, in: The Thomist 7 (1944), 233-263.

OHLY, FRIEDRICH, *Vom geistigen Sinn des Wortes im Mittelalter*, in: Zeitschrift für deutsches Altertum und deutsche Literatur 89 (1958/59), 1-23.

– *Cor amantis non angustum. Vom Wohnen im Herzen*, in: ders., Schriften zur mittelalterlichen Bedeutungsforschung, Darmstadt 1977, 128-155 [zuerst in: Gedenkschrift für W. Foerste, Köln-Wien 1970, 454-476].

– *Die Kathedrale als Zeitenraum. Zum Dom von Siena*, in: ders., Schriften zur mittelalterlichen Bedeutungskunde, Darmstadt 1977, 171-273, [zuerst in: Frühmittelalterliche Studien 6 (1972), 94-158].

OTTOSSON, PER-GUNNAR, *Scholastic medicine and philosophy. A study of commentaries on Galen's Tegni (ca. 1300-1450)*, Napoli 1984 (= Diss. Uppsala 1982).

PAISSAC, H., *Théologie du verbe. Saint Augustin et saint Thomas*, Paris 1951.

PANACCIO, CLAUDE, *From mental word to mental language*, in: Philosophical Topics 20 (1992), 125-147.

PAPE, HELMUT, *Erfahrung und Wirklichkeit als Zeichenprozeß: Charles S. Peirces Entwurf einer spekulativen Grammatik des Seins*, Frankfurt/M. 1989.

PASQUINO, PASQUALE, *Le statut ontologique des incorporels dans l'ancien Stoïcisme*, in: Brunschwig, J. (Hrsg.), Les stoïciens et leur logique. Actes du Colloque de Chantilly, 18-22 septembre 1976, Paris 1978, 375-386.

PATZIG, GÜNTHER, *Satz und Tatsache*, in: ders., Sprache und Logik, 2. durchges. u. erw. Aufl., Göttingen 1981, 39-76.

PAULI, HEINRICH, siehe Jüssen, G. 1988.

PEIRCE, CHARLES SANDERS, *Collected Papers*, ed. by Ch. Hartshorne and P. Weiss, Chambridge (Mass.) 1960.

– *Semiotische Schriften*, Bd. 1, hrsg. u. übers. v. Ch. Kloesel u. H. Pape nach dem handschriftlichen Nachlaß, Frankfurt/M. 1986.

PELLEREY, ROBERTO, *Tommaso d'Aquino: semiotica naturale e processo gnoseologico*, in: Versus. Quaderni di studi semiotici 38/39 (1984), 39-61.

PELSTER, FRANZ, *Roger Bacons „ Compendium studii theologiae" und der Sentenzenkommentar des Richardus Rufus*, in: Scholastik 4 (1929), 410-416.

PÉPIN, JEAN, *Aspects théoriques du symbolisme dans la tradition dionysienne. Antécédents et nouveauté*, in: Simboli e simbologia nell'alto medioevo, Spoleto 1976 (= Settimane di Studio del Centro Italiano di Studi sull' Alto Medioevo 23), Bd. 1, 33-79.

– *Saint Augustin et la dialectique*, Villanova 1976.

– *Linguistique et théologie dans la tradition platonicienne*, in: Languages 65 (1982), 91-116.

PINBORG, JAN, *Interjektionen und Naturlaute. Petrus Heliae und ein Problem der mittelalterlichen Sprachphilosophie*, in: Classica et Mediaevalia 22 (1961), 117-138.

– *Das Sprachdenken der Stoa und Augustins Dialektik*, in: Classica et Mediaevalia 23 (1962), 148-177.

– *Bezeichnung in der Logik des 13. Jahrhunderts*, in: Zimmermann, Albert (Hrsg.), Der Begriff der Repraesentatio im Mittelalter. Stellvertretung, Symbol, Zeichen, Bild. Berlin-New York 1971 (= Miscellanea Mediaevalia 8), 238-257.

– *Logik und Semantik im Mittelalter. Ein Überblick*, Stuttgart-Bad Cannstatt 1972.

– *Zur Philosophie des Boethius de Dacia: Ein Überblick*, in: Studia Mediewistyczne 15 (1974), 165-185.

– *The english contribution to logic before Ockham*, in: Synthese 40 (1979), 19-42.

– *Roger Bacon on signs: A newly recovered part of the Opus maius*, in: Kluxen, Wolfgang et al. (Hrsg.), Sprache und Erkenntnis im Mittelalter, Akten des 6. Internationalen Kongresses für Mittelalterliche Philosophie der Société Internationale pour l'Étude de la Philosophie Médiévale 29.8.-3.9. 1977 in Bonn, Berlin-New York 1981 (= Miscellanea Mediaevalia 13/1), 403-412.

– *Art. „Modus significandi"*, in: Historisches Wörterbuch der Philosophie, hrsg. v. J. Ritter u. K. Gründer, Bd. 6, Basel-Darmstadt 1984, Sp. 68-72.

POHLENZ, MAX, *Die Begründung der abendländischen Sprachlehre durch die Stoa*, in: Nachrichten von der Gesellschaft der Wissenschaften zu Göttingen, Bd. 3 Nr. 6 (1939), 151-198 (Neudruck in: Max Pohlenz, Kleine Schriften, hrsg. v. H. Dörrie, Hildesheim 1965, Bd. 1), 39-86.

PRANTL, CARL, *Geschichte der Logik im Abendlande*, (2. Aufl.) Leipzig 1855.

PUTALLAZ, FRANÇOIS-XAVIER, *Le sens de la réflexion chez Thomas d'Aquin*, Paris 1991 (= Études de Philosophie Médiévale 66).

QUENTIN, ALBRECHT, *Naturerkenntnisse und Naturanschauungen bei Wilhelm von Auvergne*, Hildesheim 1976 (= Arbor scientiarum, Bd. 5).

QUINN, JOHN F., *The historical constitution of St. Bonaventure's philosophy*, Toronto 1973 (= Pontifical Institute of medieval Studies, Studies and Texts 23).

– *The scientia sermocinalis of St. Bonaventure and his use of language regarding the mystery of the trinity*, in: Kluxen, Wolfgang et al. (Hrsg.), Sprache und Erkenntnis im Mittelalter, Akten des 6. Internationalen Kongresses für Mittelalterliche Philosophie der Société Internationale pour l'Étude de la Philosophie Médiévale 29.8.-3.9. 1977 in Bonn, Berlin-New York 1981 (= Miscellanea Mediaevalia 13/1), 413-423.

RATZINGER, JOSEPH, *Die Geschichtstheologie des Heiligen Bonaventura*, München-Zürich 1959.

RAUCH, WINTHIR, *Das Buch Gottes: Eine systematische Untersuchung des Buchbegriffs bei Bonaventura*, München 1961.

REINSCH, DIETHER/HARLFINGER, DIETER, *Die Aristotelica des Parisinus gr. 1741: Zur Überlieferung von Poetik, Rhetorik, Physiognomik, De signis, De ventorum situ*, in: Philologus 114 (1970), 101-111.

RIESENHUBER, KLAUS, *Partizipation als Strukturprinzip der Namen Gottes bei Thomas von Aquin*, in: Kluxen, Wolfgang et al. (Hrsg.), Sprache und Erkenntnis im Mittelalter, Akten des 6. Internationalen Kongresses für Mittelalterliche Philosophie der Société Internationale pour l'Étude de la Philosophie Médiévale 29.8.-3.9. 1977 in Bonn, Berlin-New York 1981 (= Miscellanea Mediaevalia 13/2), 969-982.

RIJK, LAMBERT M. DE, *The specific character of the logica modernorum*, in: ders., Logica modernorum. A contribution to the history of early terminist logic, Assen 1962-67, Bd. 1, 13-23.

– *On ancient and medieval semantics and metaphysics*, in: Vivarium 15 (1977), 81-110, 16 (1978), 81 - 107, 18 (1980), 1-62, 19 (1981), 1-46, 81-125, 20 (1982), 97-127.

– *Die Wirkung der neuplatonischen Semantik auf das mittelalterliche Denken*, in: Kluxen, Wolfgang et al. (Hrsg.), Sprache und Erkenntnis im Mittelalter, Akten des 6. Internationalen Kongresses für Mittelalterliche Philosophie der Société Internationale pour l'Étude de la Philosophie Médiévale 29.8.-3.9. 1977 in Bonn, Berlin-New York 1981 (= Miscellanea Mediaevalia 13/1), 19-35.

– *The Origins of the theory of the property of terms*, Kenny, A./Kretzmann, N./Pinborg, J. (Hrsg.), The Cambridge history of later medieval philosophy, Cambridge 1982, 161-173.

- *On Boethius's notion of being. A chapter of boethian semantics,* in: Kretzmann, Norman (Hrsg.), Meaning and inference in medieval philosophy, Dordrecht 1988 (= Synthese historical library 32), 1-29.

RIST, J.M., *Zeno and the origins of stoic logic,* in: Brunschwig, J. (Hrsg.), Les
  stoïciens et leur logique. Actes du Colloque de Chantilly, 18-22 septembre 1976, Paris 1978, 387-400.

ROLLIN, BERNARD E., *Natural and conventional signs,* in: Studia z historii
  semiotyki 3 (1976), 39-65.

ROOS, HEINRICH, *Sprachdenken im Mittelalter,* in: Classica et Mediaevalia 9
  (1946-48), 200-221.

- *Die Modi significandi des Martinus de Dacia. Forschungen zur Geschichte der
  Sprachlogik im Mittelalter,* Münster/Westf.-Kopenhagen 1952 (= Beiträge
  zur Geschichte der Philosophie und Theologie des Mittelalters Bd. 37,
  H. 2).

RORTY, RICHARD, *Philosophy and the mirror of nature,* Princeton 1979.

ROSIER, IRÈNE, *La théorie médiévale des modes de signifier,* in: Languages 65
  (1982), 117-128.

ROSS, W.D., *Aristotle's Prior and Posterior Analytics. A rivised text with introduction and commentary,* Oxford 1949.

RUEF, HANS, *Augustin über Semiotik und Sprache. Sprachtheoretische Analysen
  zu Augustins Schrift „De Dialectica" mit einer deutschen Übersetzung,* Bern
  1981.

RUNGGALDIER, EDMUND, *Zeichen und Bezeichnetes. Sprachphilosophische Untersuchungen zum Problem der Referenz,* Berlin-New York 1985.

SAUER, EDGAR, *Die religiöse Wertung der Welt in Bonaventuras Itinerarium
  mentis in Deum,* Werl/Westf. 1937 (= Franziskanische Forschungen H.
  4).

SCHAEFER, ALEXANDER, *The position and function of man in the created world
  according to Saint Bonaventure,* in: Franciscan Studies 20 (1960), 261-316;
  21 (1961), 233-382.

SCHINDLER, ALFRED, *Wort und Analogie in Augustins Trinitätslehre,* Tübingen 1965.

SCHIPPERGES, HEINRICH, *Arabische Medizin im lateinischen Mittelalter,* Berlin-
  Heidelberg-New York 1976 (= Sitzungsberichte der Heidelberger Akademie der Wissenschaften, Mathematisch-naturwissenschaftliche Klasse, Jg. 1976, 2. Abhandlung).

SCHLETTE, HEINZ ROBERT, *Die Eucharistielehre Hugos von St. Viktor,* in: Zeitschrift für katholische Theologie 81 (1959), 67-100.

- *Die Nichtigkeit der Welt. Der philosophische Horizont des Hugo von St. Viktor,*
  München 1961.

SCHMIDL, WOLFGANG, *Homo discens. Studien zur Pädagogischen Anthropologie
  bei Thomas von Aquin,* Wien 1987 (= Österreichische Akademie der

Wissenschaften, Philosophisch-historische Klasse: Sitzungsberichte. Veröffentlichungen der Kommission für Philosophie und Pädagogik 22).

SCHMITTER, PETER, *Das Wort als sprachliches Zeichen bei Platon und de Saussure*, in: Beckers, H./Schwarz, H. (Hrsg.), Gedenkschrift für Jost Trier, Köln-Wien 1975, 45-62.

SCHMÜCKER, L., *An analysis and original research of Kilwardby's work „De ortu scientiarum"*, Rom 1963.

SCHNÄDELBACH, HERBERT, *Bemerkungen über Rationalität und Sprache*, in: ders., Vernunft und Geschichte, Frankfurt/M. 1987, 74-95 [zuerst in: Kuhlmann, W./Böhler, D. (Hrsg.), Kommunikation und Reflexion. Zur Diskussion der Transzendentalpragmatik, Frankfurt/M. 1982, 347-368].

SCHNEIDER, JAKOB HANS JOSEF, *Scientia sermocinalis/realis. Anmerkungen zum Wissenschaftsbegriff im Mittelalter und in der Neuzeit*, in: Archiv für Begriffsgeschichte 35 (1992), 54-92.

– *Al-Farabis Kommentar zu „De interpretatione" des Aristoteles. Ein Beitrag zur Entwicklung der Sprachphilosophie im Mittelalter*, in: Zimmermann, Albert (Hrsg.), Scientia und ars im Hoch- und Spätmittelalter, Berlin-New York 1994 (= Miscellanea Mediaevalia 22/2), 687-738.

– siehe Jüssen, G. 1988.

SCHÖNBERGER, ROLF, *Nomina divina. Zur theologischen Semantik bei Thomas von Aquin*, Frankfurt/M. 1981 (= Europäische Hochschulschriften, Reihe 20, Philosophie, Bd. 72).

SCHÖNRICH, GERHARD, *Zeichenhandeln. Untersuchungen zum Begriff einer semiotischen Vernunft im Ausgang von Ch.S. Peirce*, Frankfurt/M. 1990.

– *Optionen einer Zeichenphilosophie*, in: Philosophische Rundschau 38 (1991), 178-200.

– *Das Problem des Kratylos und die Alphabetisierung der Welt*, in: Philosophisches Jahrbuch 99 (1992), 30-50.

SCHRIMPF, GANGOLF, s. G. Jüssen 1972.

SEDLEY, DAVID N., *Diodorus Cronus and Hellenistic philosophy*, in: Proceedings of the Cambridge Philological Society 203, NS 23 (1977), 74-120.

– *On signs*, in: Barnes, J. et al. (Hrsg.), Science and speculation. Studies in hellenistic theory and practice, Cambridge-Paris 1982, 239-272.

SERENE, EILEEN, *Demonstrative science*, in: Kenny, A./Kretzmann, N./Pinborg, J. (Hrsg.), The Cambridge history of later medieval philosophy, Cambridge 1982, 496-517.

SHIEL, JAMES, *Boethius' commentaries on Aristotle*, in: Hunt, R./ Klibansky, R./Lobowsky, L. (Hrsg.), Medieval and Renaissance Studies, Vol. 4, London 1958, 217-244.

– *A recent discovery: Boethius' Notes on the Prior Analytics*, in: Vivarium 20 (1982), 128-141.

SIEBEN, HERMANN-JOSEF, *Die „res" der Bibel. Eine Analyse von „De doctrina christiana I-III"*, in: Revue des Études Augustiniennes 21 (1975), 72-90.

SIMON, JOSEF, *Wahrheit als Freiheit. Zur Entwicklung der Wahrheitsfrage in der neueren Philosophie*, Berlin-New York 1978.

– *Philosophie des Zeichens*, Berlin-New York 1989.

SIMONE, R., *Die Semiotik Augustins*, in: Volp, R. (Hrsg.), Zeichen. Semiotik in Theologie und Gottesdienst, München-Mainz 1982, 79-113.

SINNOTT, A. EDUARDO, *Untersuchungen zu Kommunikation und Bedeutung bei Aristoteles*, Münster 1989 (= Studium Sprachwissenschaft, Beiheft 8).

SOLIGNAC, AIMÉ, *„Memoria" chez Saint Bonaventure*, in: Bonaventuriana. Miscellanea in onore di Jacques Guy Bougerol. A cura di F. de Asís Chavero Blanco OFM, Vol. 2, Roma 1988, 477-492.

SPEER, ANDREAS, *Triplex Veritas. Wahrheitsverständnis und philosophische Denkform Bonaventuras*, Werl/Westf. 1987 (= Franziskanische Forschungen, 32. Heft).

– *Die entdeckte Natur. Untersuchungen zu Begründungsversuchen einer „scientia naturalis" im 12. Jahrhundert*, Leiden-New York-Köln 1995 (= Studien und Texte zur Geistesgeschichte des Mittelalters Bd. 45).

SPRUTE, JÜRGEN, *Die Enthymemtheorie der aristotelischen Rhetorik*, Göttingen 1982 (= Abhandlungen der Akademie der Wissenschaften, Göttingen, philologisch-historische Klasse, 3. Folge, Nr. 124).

STEENBERGHEN, FERNAND VAN, *La philosophie au XIIIe siècle*, Louvain 1966 (= Philosophes Médiévaux 9).

STEINTHAL, H., *Geschichte der Sprachwissenschaft bei den Griechen und Römern mit besonderer Rücksicht auf die Logik*. Erster Teil, 2. vermehrte und verbesserte Aufl., Berlin 1890 (1. Aufl. Berlin 1863).

STOUGH, CHARLOTTE L., *Greek skepticism. A study in epistemology*, Berkley 1969.

TABARRONI, A., siehe Eco, U. 1984 b.

TACHAU, KATHERINE H., *Vision and certitude in the age of Ockham. Optics, epistemology and the foundation of semantics 1250-1345*, Leiden 1988 (= Studien und Texte zur Geistesgeschichte des Mittelalters, Bd. 22).

TELEGDI, ZSIGMOND, *Zur Herausbildung des Begriffs „Sprachliches Zeichen" und zur stoischen Sprachlehre*, in: Acta Linguistica Academiae Scientiarum Hungaricae 26 (1976), 267-305.

TEUWSEN, RUDOLF, *Familienähnlichkeit und Analogie. Zur Semantik genereller Termini bei Wittgenstein und Thomas von Aquin*, Freiburg-München 1988 (= Symposion 84).

TRABANT, JÜRGEN, *Traditionen Humboldts*, Frankfurt/M. 1990.

TWEEDALE, MARTIN M., *Abelard and the culmination of the old logic*, in: Kenny, A./Kretzmann, N./Pinborg, J. (Hrsg.), The Cambridge history of later medieval philosophy, Cambridge 1982, 143-157.

UNTERSTEINER, MARIO, *The Sophists, translated from the Italian by K. Freeman*, Oxford 1954.

VERBEKE, GÉRARD, *La philosophie du signe chez les stoïciens*, in: Brunschwig, J. (Hrsg.), Les stoïciens et leur logique. Actes du Colloque de Chantilly, 18-22 septembre 1976, Paris 1978, 411-424.

– *Interprétation et langage dans la tradition aristotélicienne*, in: Mojsisch, Burkhard/Pluta, Olaf (Hrsg.), Historia philosophiae Medii Aevi: Studien zur Geschichte der Philosophie des Mittelalters, Festschrift für Kurt Flasch zu seinem 60. Geburtstag, Amsterdam-Philadelphia 1991, 1029-1045.

WALLACE, WILLIAM A., *Causality and scientific explanation, Vol. 1: Medieval and early classical science*, Michigan 1972.

WARNACH, VIKTOR, *Erkennen und Sprechen bei Thomas von Aquin. Ein Deutungsversuch seiner Lehre auf ihrem geistesgeschichtlichen Hintergrund*, in: Divus Thomas 15 (1937), 189-218, 16 (1938), 161-196.

– *Das äußere Sprechen und seine Funktionen nach der Lehre des hl. Thomas von Aquin*, in: Divus Thomas 16 (1938), 393-419.

WÉBER, EDOUARD, *Art. „similitudo, dissimilitudo (ressemblance, dissemblance)"*, in: Encyclopédie philosophique universelle II: Les notions philosophiques. Dictionnaire, Paris 1990, 2389-2390.

WEIDEMANN, HERMANN, *Ansätze zu einer semantischen Theorie bei Aristoteles*, in: Zeitschrift für Semiotik 4 (1982), 241-257.

– *Aristotle on inferences from signs. Rhetoric I 2, 1357b 1-25*, in: Phronesis 34 (1989), 343-351.

WEISHEIPL, JAMES A., *Science in the thirteenth century*, in: Catto, J.I. (Hrsg.), The history of the University of Oxford, Vol. 1: The early Oxford schools, Oxford 1984, 435-469.

WEISWEILER, HEINRICH, *Sakrament als Symbol und Teilhabe. Der Einfluß des Ps.-Dionysius auf die allgemeine Sakramentenlehre Hugos von St. Viktor*, in: Scholastik 27 (1952), 321-343.

WELTE, BERNHARD, *Die Zahl als göttliche Spur. Eine Bonaventura-Interpretation*, in: ders., Auf der Spur des Ewigen. Philosophische Abhandlungen über verschiedene Gegenstände der Religion und Theologie, Freiburg/Brsg.-Basel-Wien 1965, 49-61.

WELTRING, GEORG, *Das σημεῖον in der aristotelischen, stoischen, epikureischen und skeptischen Philosophie. Ein Beitrag zur Geschichte der antiken Methodenlehre*, Bonn 1910.

WIENBRUCH, ULRICH, *„Signum", „significatio" und „illuminatio" bei Augustin*, in: Zimmermann, Albert (Hrsg.), Der Begriff der Repraesentatio im Mittelalter. Stellvertretung, Symbol, Zeichen, Bild. Berlin-New York 1971 (= Miscellanea Mediaevalia 8), 76-93.

– *Erleuchtete Einsicht. Zur Erkenntnislehre Augustins*, Bonn 1989 (= Abhandlungen zur Philosophie, Psychologie und Pädagogik, Bd. 218).

WINZEN, D., *Kommentar zu Thomas von Aquin: Summa theologiae, Pars tertia, Quaestiones 60-72*, in: Die Deutsche Thomas-Ausgabe, Bd. 29, Salzburg-Leipzig 1935, 477-538.

WÖRNER, MARKUS H., *Das Ethische in der Rhetorik des Aristoteles*, München 1990 (= Praktische Philosophie, Bd. 33).

ZIMMERMANN, ALBERT, *„Ipsum enim ('est') nihil est", (Aristoleles, Periherm. I, c.3). Thomas von Aquin über die Bedeutung der Kopula*, in: ders. (Hrsg.), Der Begriff der Repraesentatio im Mittelalter. Stellvertretung, Symbol, Zeichen, Bild. Berlin-New York 1971 (= Miscellanea Mediaevalia 8) 282-295.

ZIMMERMANN, IVANA, *Die Lehre des Thomas von Aquin von der Angst*, Köln 1989.

ZINN, GROVER A., *Book and word. The victorine background of Bonaventure's use of symbols*, in: Bougerol, J.G. et al. (Hrsg.), S. Bonaventure 1274-1974, Grottaferrata 1973f., Bd. 2, 143-169.

3) HILFSMITTEL

AFNAN, SOHEIL M., *A philosophical Lexicon in arabic and persian*, Beirut 1969.

BOUGEROL, GUY (HRSG.), *Lexique Saint Bonaventure*, Paris 1969.

GOICHON, AMÉLIE-MARIE, *Lexique de la langue philosophique d'ibn Sina (Avicenna), Thèse complémentaire pour le Doctrorat ès Lettre présentée à la Faculté des Lettre de l'Université de Paris*, Paris 1938.

HUBER, MARA, *Bibliographie zu Roger Bacon*, in: Franziskanische Studien 65 (1983), 98-102.

LEHMANN, P., *Mittellateinisches Wörterbuch bis zum ausgehenden 13. Jahrhundert*, München 1959.

LIDDELL, HENRY G., *A Greek-English Lexicon*, Oxford 1953 (Nachdruck der 9., völlig neubearbeiteten Auflage).

LOHR, CHARLES H., *Medieval latin Aristotle commentaries*, in: Traditio 23 (1967), 313-413; 24 (1968), 149-245; 26 (1970), 135-216; 27(1971), 251-351; 28 (1972), 281-396; 29 (1973), 93-197.

LONG, ANTONY A./SEDLEY, DAVID N., *The Hellenistic philosophers*, Vol 2: Greek and latin texts with notes and bibliographie, Cambridge 1987.

PERSONENREGISTER

Kursive Zahlen geben an, daß der Name nur im Fußnotenteil der Seite vorkommt.

Abaelard, s. Petrus Abaelardus
Abu Masar 124
Aenesidemus von Knossos *63*, 68, *73*, 74
Alanus ab Insulis 76, *86*, *90*, *215*,
Albertus Magnus 11, *101*, 239, 248
Albert von Köln, s. Albertus Magnus
Alessio, F. *102*
Alexander von Aphrodisias 54, 146
Al-Farabi 148f. 231
Alverny, Marie-Thérèse de *81*, *86*
Ammonius Hermeiu 16, 58, 146-150, 152, *157*, 158, *190*
Anselm von Canterbury 76, 120, 133, *239*
Antipatros von Tarsos 63
Apel, Karl Otto *8*, *252*
Arens, Hans *146*
Arias Reyero, M. *248*
Aristoteles 10, 13, 15f., 21-33, 42, *51*, 57, *58*, 59, 61-63, 68, *69*, 75, 79, 89, 103, 106f., 110, *112*, 114f., *119*, 121, 126, 130f. 133, *135*, 140-143, 145-155, 159, 162, 170, *176*, 192, *194-197*, *200*, *202*, 205-207, 212, 214-216, 222-224, *226*, 227f., 231f., *233f.*, 240, 243-246, *248*
Arnauld, Antoine 248
Arnim, Johannes von 62

Aspasius 146
Aubenque, Pierre *26*, *28*
Augustinus (Aurelius Augustinus) 10, 13, 15-17, 19, 21, 31-53, 72-76, *81*, 84f., *86*, 87-90, 92, 96-98, 100f., 105-107, *108*, 110f. 115, 121f., 126f., *129f.*, 132, 134, 140-143, 145f., 153, 155-157, 167-170, *171*, 174, 176, *179*, 188, 192f., 195, 197-199, 214-216, 220, 223, 240-243, 245, *246*, 250, *251*, 252
Averroes (Ibn Rushd) 16, 123, 180, 197f. 205, 231-233
Avicenna (Ibn Sina) 16, *105*, 126, *128*, 197f., *204*, 231, *232*
Ax, Wolfram *26*, *29*, *57-59*
Bacon, s. Roger Bacon
Baemker, Clemens 101
Baratin, Marc *9*, *33*, *52*, *75*
Baril, Hippolyte *90*
Barnes, Jonathan *23*
Barreto, Manuel Saraiva *27*
Barthes, Roland *8*
Barwick, Karl *39*, *75*
Beierwaltes, Werner *84*, *98*, *246*
Berengar von Tours 168
Berg, Ludwig *86*
Bernhard von Clairvaux *96*
Bérubé, Camille *143*
Beuchot, Mauricio *12*, *249f.*
Biard, Joël 10, *34*, 49, *51*, 53, *101f.*, *105f.*, 114, *128*, *130*, *140*, 215f., *239*, 249
Bien, Günter *55*
Birkenmajer, Aleksander *10*

SACHREGISTER

Kursive Zahlen geben an, daß der Begriff nur im Fußnotenteil der Seite vorkommt.

Abbild 33, 67, 80f., 83, 85f., *96*, 97, 115, 117, 141, 154, 160, 220, 229, s. auch imago

Abbild(ungs)verhältnis 113, 246

Absicht 41, 108, 160, 165, 173

Abstraktion 29, 96, *137*, 178, *185*, 187, *195*, 199, 238

adulatio 166

aequalitas 218

Aeromantie 202

aestimatio 236

Affekt 26, 138, 150, 201, 225f.

Ähnlichkeit 9, 10, *26*, 28f., 51, 65f. 81, 86, 90f., 97-101, 108, 112, 114, 116, *122*, *124*, 151, *152*, 154, 157, 159, *168*, 172, *173*, 174, 178, 185, 196, 214-222, 228f. 235, 246

Ähnlichkeitsrelation, -bezug 9, 26, 28, 43, 93, 97, *107*, 108, 151, 168, 214f., 217, 220f.,236, 246f.

αἴτιον 24, *74*, 115, 231

ALAMA *232*, s. auch σημεῖον, signum

Alltagssprache, s. Sprache des Alltags

Analogie 12, *33*, *48*, 49-51, 65, *86*, 97, *152*, 155, *157*

Angelologie 17, 176

Antecedens 55f., *71*

Anthropologie 30, 45, 61, 190, *191*

Anzeichen *27*,114, 200, 207, 212

ἀξίωμα *55*, *71*

ἀπόδειξις *24*, *69*, 244

Appell *165*

Äquivokation *119*, 152

Arbitrarität *9*, 112, 171

argumentatio 103

Argumentation 25, 232, 236, 244

Argumentationsmittel 25

Argumentieren, wissenschaftliches 14

Aristotelismus 10, 141, 212, 252

Aristotelesrezeption *10*, 141

–, arabische 232

ars grammatica 138

ars notoria 208

artes liberales 42, *43*

artes reales 123

artes sermocinales 123

Arzt 25, 66, *72*, 73-75, *119*, 200f.

Assoziation 71, 116, *117*, 244

Astrologie 123f., 202, 205f., 209, 245

Astronomie *124*, 206

Ästhetik 8

ἀταραξία 69

Augustinismus 141, 192

Ausdruck 67f., 150, 161f., *165*, 170f.

–, kategorematischer 105

–, synkategorematischer 104, *171*

Äußerung, sprachliche 26, *29*, *32*, 51, 58-60, 66, *67*, 104, 115, 136-138, 150, 156, 160, 166, 177, 247